D0226638

Du même auteur, chez Milady :

Assassin's Creed® :

Ce livre est également disponible au format numérique

www.milady.fr

Oliver Bowden

Assassin's Creed™

Renaissance

Traduit de l'anglais (Grande-Bretagne) par Claire Jouanneau

Milady

Milady est un label des éditions Bragelonne

Titre original : *Assassin's Creed: Renaissance*
Originellement publié en Grande-Bretagne
par Penguin Books Ltd. en 2009

1re édition : avril 2010
5e tirage : janvier 2013

ISBN : 978-2-8112-0337-5

Bragelonne – Milady
60-62, rue d'Hauteville – 75010 Paris

E-mail : info@milady.fr
Site Internet : www.milady.fr

Je pensais que j'apprenais à vivre ;
j'apprenais seulement à mourir.

Léonard de Vinci

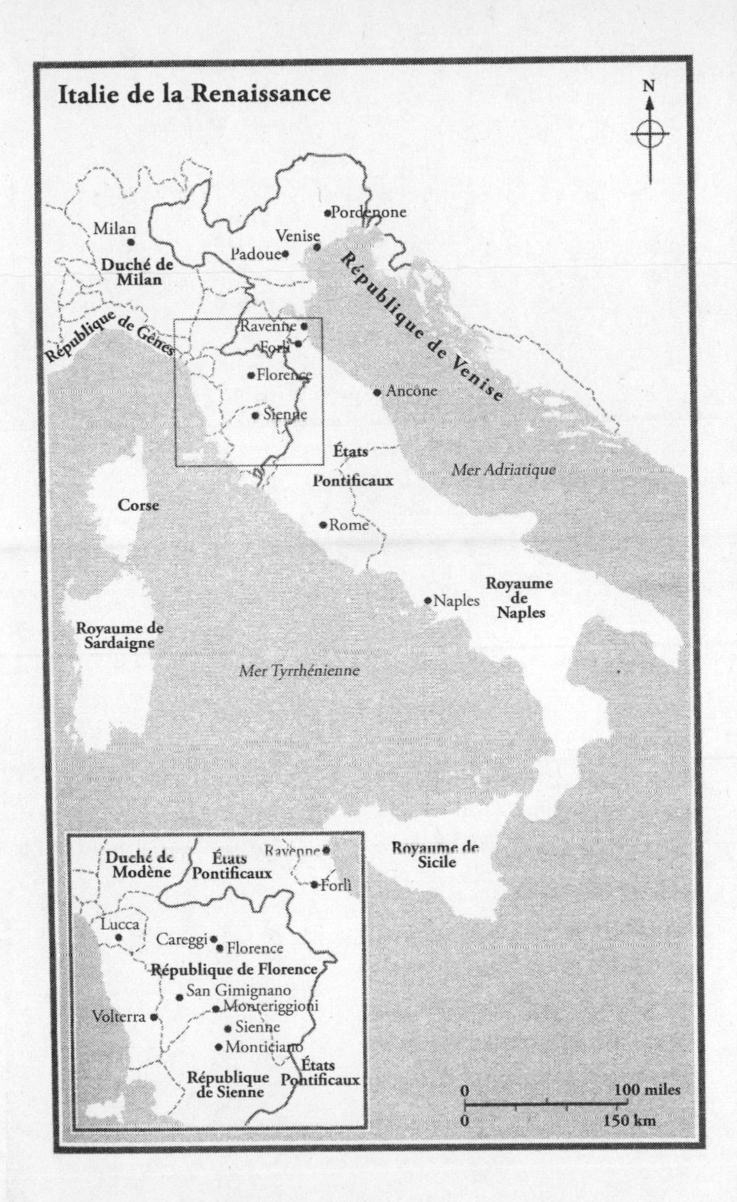
Italie de la Renaissance
N
Milan
Duché de Milan
Pordenone
Venise
Padoue
République de Venise
République de Gênes
Ravenne
Forlì
Florence
Sienne
Ancone
États Pontificaux
Mer Adriatique
Corse
Rome
Royaume de Naples
Naples
Royaume de Sardaigne
Mer Tyrrhénienne
Royaume de Sicile
Duché de Modène
États Pontificaux
Ravenne
Forlì
Lucca
Careggi
Florence
République de Florence
San Gimignano
Monteriggioni
Volterra
Sienne
Monticiano
États Pontificaux
République de Sienne
0
100 miles
0
150 km

Chapitre premier

L'éclat des torches brasillait au sommet des tours du Palazzo Vecchio et du Bargello mais, un peu plus au nord, seules quelques lanternes éclairaient chichement la place de la cathédrale. D'autres illuminaient les berges de l'Arno où – en cette heure tardive dans une cité où la plupart des habitants se terraient chez eux sitôt la nuit tombée – l'on voyait dans la pénombre errer marins et dockers. Les premiers, encore affairés auprès de leur embarcation, s'empressaient d'achever de réparer le gréement, de ranger les cordages ou de récurer le pont, tandis que les seconds se hâtaient de traîner ou de porter les cargaisons à l'abri des entrepôts tout proches.

On voyait aussi de la lumière dans les tavernes et les bordels, mais les rues étaient presque vides. Cela faisait cinq années que Lorenzo de' Medici, alors âgé de vingt ans, avait été élu à la tête de la ville. Il avait apporté un semblant d'ordre et de calme dans les rivalités intenses qui déchiraient les grosses familles de marchands et de banquiers grâce auxquelles Florence était devenue l'une des cités les plus prospères du monde connu. Et pourtant, la ville n'avait cessé de bouillonner, jusqu'à déborder parfois, au gré des luttes de chaque faction pour s'approprier le pouvoir, des retournements d'alliances, engendrant parfois des inimitiés implacables et définitives.

En cet an de grâce 1476, même en une soirée de printemps embaumant le jasmin – au point de vous faire presque oublier l'odeur fétide de l'Arno pourvu que le vent souffle dans la bonne direction –, Florence n'était pas l'endroit idéal pour flâner à découvert, surtout à la nuit tombée.

Dominant un semis d'étoiles, la lune s'était levée dans un ciel bleu cobalt, illuminant la place dégagée où le Ponte Vecchio, encombré de ses nombreuses échoppes, toutes closes et silencieuses en cette heure, rejoignait la berge nord du fleuve. Elle éclairait aussi une silhouette vêtue de noir qui se dressait sur le toit de l'église *Santo Stefano al Ponte*. Celle d'un jeune homme, dix-sept ans à peine, mais de belle carrure et de port altier. Il contemplait d'un regard vif le paysage à ses pieds. Soudain, il porta une main à ses lèvres et siffla – un long sifflement pénétrant. Peu après ce signal, un, puis trois, puis une dizaine et bientôt pas moins de vingt hommes, aussi jeunes que lui, la plupart également vêtus de noir, et coiffés tantôt d'un chapeau, tantôt d'un capuchon bleu, vert ou rouge sang, mais tous portant une dague ou une rapière à la ceinture, émergèrent qui des rues sombres, qui de sous les arcades de la place. D'une démarche pleine de mâle assurance, la petite bande de jeunes à l'aspect menaçant vint bientôt se déployer à ses pieds. Le jeune homme toisa leurs visages attentifs, tendus vers lui, pâles au clair de lune. Il leva alors le poing au-dessus de sa tête en un geste de défi.

— Restons unis ! s'écria-t-il tandis qu'ils imitaient son geste.

Certains avaient brandi leur arme et tous reprirent en chœur :

— Unis !

Agile comme un chat, le jeune homme descendit du toit par la façade du portique encore en travaux avant de sauter, faisant voler sa cape, pour atterrir accroupi au milieu de leur petite troupe. Ils firent cercle autour de lui, dans l'expectative.

— Silence, mes amis ! (D'un geste de la main, il fit taire leur murmure, puis, avec un sourire résolu, poursuivit :) Savez-vous pourquoi je vous ai convoqués ce soir, vous mes plus fidèles alliés ? Pour vous demander votre aide. Trop longtemps, je suis resté silencieux quand notre ennemi, je veux bien sûr parler de Vieri de' Pazzi, parcourait cette ville en calomniant ma famille, traînant notre nom dans la boue, dans un pathétique effort pour nous rabaisser. En temps normal, je n'aurais que mépris pour ce misérable pleutre mais…

Il fut interrompu quand une lourde pierre, lancée depuis le pont, atterrit à ses pieds.

— Assez de ces balivernes, *grullo*[1] ! s'écria une voix.

Tous les jeunes gens se retournèrent comme un seul homme dans la direction de la voix. Mais l'adolescent avait déjà reconnu cette dernière. Traversant le pont depuis la rive sud, une autre bande de jeunes approchait. La main posée sur le pommeau de son épée, leur chef fanfaronnait en tête, vêtu de velours sombre, une broche retenant sa cape rouge adornée d'un écu d'azur, aux croix et aux dauphins d'or. C'était un homme d'assez belle allure, si ce n'étaient la bouche cruelle et le menton fuyant. Et bien qu'un rien enveloppé, il était manifestement vigoureux.

— *Buona sera*, Vieri, dit le jeune homme, posément. Nous parlions justement de toi. (Et de s'incliner avec une courtoisie exagérée, tout en feignant la surprise). Mais tu dois me pardonner. Nous ne t'attendions pas en personne. J'avais toujours cru que les Pazzi déléguaient leurs basses besognes.

Vieri s'approcha puis il s'immobilisa avec sa petite bande, à quelques pas de distance.

---

1. Pour toutes les expressions italiennes ou latines, voir le glossaire en fin de volume.

— Ezio Auditore ! Petit chiot bichonné ! J'aurais tendance à dire que c'est plutôt ta famille de comptables et de gratte-papiers qui file sous les jupes de la garde au premier signe de problème. *Codardo* ! (Il empoigna le pommeau de son arme.) Par peur de t'en occuper tout seul, dirait-on.

— Ma foi, ce que je peux dire, Vieri, *ciccione*, c'est que la dernière fois que je l'ai vue, ta sœur Viola ne semblait pas mécontente de ma façon de m'occuper d'elle.

Et d'adresser à son adversaire un grand sourire, renforcé par les railleries et les ricanements de ses compagnons derrière lui.

Mais il savait qu'il était allé trop loin. Vieri était déjà rouge de colère.

— Il suffit, Ezio, espèce de petit con ! Voyons voir si ton bras est aussi agile que ta langue ! (Il tourna la tête vers ses hommes et, levant son épée, aboya :) Tuez-moi ces bâtards !

Aussitôt, une autre pierre fendit l'air mais cette fois, ce n'était pas une marque de défi : elle cueillit Ezio en plein front. Le sang jaillit. Ezio chancela tandis que les partisans de Vieri arrosaient leurs rivaux d'une grêle de projectiles. Les compagnons d'Ezio eurent à peine le temps de se regrouper que déjà la bande des Pazzi déboulait du pont et se jetait sur eux. Tout soudain, la mêlée devint si furieuse que les deux bandes en vinrent aux poings, faute d'avoir eu le temps de dégainer leur épée ou même leur dague.

Le combat fut brutal : un vigoureux échange de coups de poing et de pied accompagné du craquement écœurant des os brisés. L'issue demeura longtemps incertaine jusqu'à ce qu'Ezio, malgré le brouillard du sang qui lui ruisselait dans les yeux, vit deux de ses meilleurs hommes tituber, puis s'effondrer et se faire piétiner par les gros bras des Pazzi. À proximité d'Ezio, Vieri éclata de rire. La main lestée d'une lourde pierre, il voulut lui expédier un nouveau coup de poing au visage. Ezio s'accroupit vivement pour esquiver. Mais, décidément, l'autre se trouvait trop près à son goût et, du reste, les fidèles d'Ezio étaient dans une fort mauvaise passe. Avant de se redresser, Ezio parvint tant bien que mal à dégainer sa dague et, d'un coup à l'aveuglette, il réussit à taillader la cuisse de l'adversaire imposant qui s'apprêtait à fondre sur lui, épée et dague brandies. La lame d'Ezio déchira l'étoffe et s'enfonça dans le muscle et les tendons. Dans un cri déchirant, l'homme bascula en arrière, lâchant ses armes pour agripper à deux mains la blessure d'où le sang coulait à flots.

Ezio se releva sans attendre et regarda autour de lui. Les Pazzi avaient quasiment encerclé tous ses hommes, les acculant contre un mur de l'église. Ayant recouvré une partie de ses forces, il décida de rejoindre ses compagnons. Esquivant le mouvement de faux de la lame d'un autre acolyte des Pazzi, Ezio réussit à expédier le poing contre la joue mal rasée de celui-ci et eut l'intense satisfaction de voir le bonhomme cracher ses dents avant de tomber à genoux, estourbi pour le compte. Il hurla des encouragements à ses troupes, mais en vérité, il cherchait surtout un moyen de battre en retraite le plus dignement possible, quand soudain, dominant la rumeur du combat, il entendit une voix sonore, joviale et tellement familière :

— Hé, *fratellino*, que diable es-tu en train de fabriquer ?

Le cœur d'un coup plus léger, Ezio réussit à haleter :

— Hé, Federico ! Qu'est-ce que tu fiches ici ? Je te croyais encore en goguette, comme d'habitude.

— Foutaises ! Je savais que tu mijotais quelque chose et je me suis dit que je ferais bien de venir voir si mon petit frère avait enfin appris à se débrouiller tout seul. Mais il se pourrait bien que t'aies encore besoin d'une ou deux leçons.

Federico Auditore était de quelques années plus âgé qu'Ezio. C'était l'aîné de la fratrie, un grand gaillard plein d'appétit – pour la boisson, les femmes et la bagarre. Il plongea dans la mêlée sans cesser de parler, saisissant deux Pazzi par la peau du cou pour les cogner l'un contre l'autre tout en décochant un coup de pied dans la mâchoire d'un troisième, fendant la cohue pour rejoindre son frère, apparemment indifférent à la confusion régnant autour de lui. Ragaillardis, leurs hommes redoublèrent d'efforts. À l'inverse, les Pazzi semblaient déconfits. Quelques dockers s'étaient rassemblés à distance respectable pour jouir du spectacle et, trompés par la pénombre, les Pazzi les prirent pour des renforts du clan Auditore. Cela, plus les rugissements et les moulinets de Federico, bien vite imité par son cadet, eut tôt fait de propager la panique dans les rangs ennemis.

La voix furieuse de Vieri de' Pazzi s'éleva au-dessus du tumulte :

— On se replie ! lança-t-il à ses hommes, d'une voix brisée par la colère et l'épuisement.

Croisant le regard d'Ezio, il cracha une ultime menace inaudible avant de se fondre dans la nuit en direction du Ponte Vecchio, suivi par ceux de ses hommes encore en état de marcher et talonné par les alliés d'Ezio, désormais triomphants.

Ezio s'apprêtait à les suivre mais la grosse patte de son frère le retint.

— Attends voir une minute, dit ce dernier.

— Comment ça ? On les a mis en déroute !

— On se calme, insista Federico.

L'air soucieux, il effleura la blessure au front d'Ezio.

— Ce n'est qu'une égratignure.

— C'est plus grave, décréta son frère, l'air soucieux. On ferait mieux de te trouver un médecin.

Ezio cracha.

— Je n'ai pas de temps à perdre à me faire soigner. En plus, crut-il bon d'ajouter, je n'ai pas d'argent.

— Ah ! Dilapidé en vin et en femmes, je suppose, sourit Federico, en le gratifiant d'une tape fraternelle sur l'épaule.

— « Dilapidé » n'est pas vraiment le terme exact. Et je n'ai fait que suivre ton exemple, après tout.

Ezio sourit puis il hésita. Il s'était soudain rendu compte de la douleur lancinante dans son crâne.

— N'empêche, tu as raison, ça ne ferait pas de mal que je me fasse examiner. Je suppose que ce serait trop te demander de me prêter quelques *fiorini* ?

Federico tapota sa bourse. Aucun son n'en sortit.

— Le fait est que je suis un peu à court en ce moment.

Ezio sourit de son air penaud.

— Très bien. J'ai compris.

Il scruta les alentours. En définitive, ils n'avaient eu dans leurs rangs que trois ou quatre blessés assez amochés pour rester sur le carreau, même s'ils se relevaient déjà, certes avec quelques grognements. L'affrontement avait été viril, mais on ne déplorait aucune fracture. En revanche, une bonne demi-douzaine de gros bras des Pazzi gisaient étendus pour le compte, et parmi eux, deux étaient fort bien vêtus.

— Voyons si nos adversaires vaincus ont quelques richesses à partager, suggéra Federico. Après tout, on en a plus besoin qu'eux et je te parie qu'on pourra les en soulager sans même avoir à les réveiller !

— C'est ce qu'on va voir, commenta Ezio en se mettant d'emblée à la tâche avec succès.

En l'affaire de quelques minutes, ils avaient récolté suffisamment de pièces d'or pour lester leurs deux bourses. Ezio regarda son frère, et fit tinter son magot, l'air triomphant.

— Ça suffira, s'écria Federico. Mieux vaut leur en laisser un peu pour se traîner jusque chez eux. Nous ne sommes pas des voleurs, après tout... Disons qu'il s'agit d'une prise de guerre. Et cette méchante blessure ne me dit toujours rien qui vaille. On a intérêt à te faire examiner au plus vite.

Ezio acquiesça avant de contempler une dernière fois le champ de bataille victorieux. Perdant patience, Federico lui posa une main sur l'épaule.

—Allez, viens, maintenant.

Et sans plus de cérémonie, il s'élança d'un pas si vif qu'un Ezio copieusement moulu par le combat eut bien du mal à le suivre, même si, lorsqu'il prenait trop de retard voire s'égarait, Federico ralentissait le pas ou rebroussait chemin pour le remettre dans la bonne direction.

—Je suis désolé, Ezio, mais je tiens vraiment à te conduire chez le *medico* au plus vite.

Et même si le trajet n'était pas si long, Ezio sentait ses forces faiblir de minute en minute. Ils se retrouvèrent enfin dans une pièce sombre garnie d'instruments mystérieux et de fioles de cuivre et de verre, alignés sur des tablettes en chêne sombre ou pendus au plafond entre des touffes d'herbes séchées. C'était là que le médecin de famille avait sa pratique. Désormais, Ezio tenait à peine debout.

Le *dottore* Ceresa n'était pas vraiment ravi de se voir réveiller au beau milieu de la nuit, mais son irritation se mua en inquiétude sitôt qu'il eut approché une chandelle pour inspecter en détail la blessure d'Ezio.

—Hmm, fit-il d'une voix grave, te voilà bien arrangé, ce coup-ci, mon garçon. Vous n'auriez pas d'autre distraction que de vous taper dessus ?

—C'était une question d'honneur, mon bon docteur, intervint Federico.

—Je vois, répondit le médecin, sans se démonter.

—Ce n'est qu'une broutille, crut bon d'ajouter Ezio, même s'il se sentait défaillir.

Comme toujours, Federico dissimula son inquiétude sous un voile d'ironie :

— Ravaude-le du mieux que tu peux, mon ami. Cette jolie petite gueule d'amour est son seul et unique atout.

— Eh, *fottiti* ! protesta Ezio, en faisant un doigt à son frère.

Sans faire attention aux deux jeunes gens, l'homme de l'art se lava les mains, tâta délicatement la blessure et humecta un linge d'une mystérieuse décoction limpide. Il en tamponna la blessure. Ça piquait si fort qu'Ezio en sauta presque de sa chaise, les traits déformés par la douleur. Puis, jugeant la plaie nettoyée, le médecin s'empara d'une aiguille et entreprit de recoudre la blessure à l'aide d'un fil de catgut.

— Là, ça va sans doute être un peu douloureux, prévint-il.

Une fois la suture achevée et la blessure pansée, le docteur adressa un sourire encourageant au jeune homme qui ressemblait désormais à quelque Turc enturbanné.

— Ça nous fera déjà trois *fiorini*. Je passerai dans quelques jours à votre *palazzo* pour retirer les fils. Il vous en coûtera trois autres florins. Vous allez avoir une bonne migraine, mais ça passera. Tâchez juste de vous reposer… si c'est dans votre nature. Et ne vous en faites pas : la blessure paraît spectaculaire, mais estimez-vous heureux dans votre malheur, elle ne devrait guère faire de cicatrice, laissant intacts vos pouvoirs de séduction à l'avenir.

Sitôt qu'ils eurent regagné la rue, Federico passa le bras autour des épaules de son jeune frère. Puis, tirant de son pourpoint une fiasque, il l'offrit à Ezio. Remarquant son expression, il crut bon de le rassurer :

— Ne t'en fais pas. C'est la meilleure grappa de notre père. Pour un gars dans ton état, ça vaut mieux que le lait maternel.

Ils trinquèrent, réchauffés par l'alcool fort.

— Quelle nuit ! commenta Federico.

— En effet. J'aimerais juste qu'elles soient toutes aussi amusantes que...

Ezio s'interrompit en voyant son frère, hilare.

— Oh, attends, rectifia-t-il, mais c'est bien le cas !

— Tout de même, je pense qu'un petit repas et un bon verre ne seraient pas du luxe pour te requinquer avant qu'on rentre, ajouta Federico. Certes, il se fait tard, mais je connais une taverne pas loin d'ici qui reste ouverte jusqu'à l'aube et...

— Et l'*oste* est une de tes *amici intimi* ?

— Comment as-tu deviné ?

Une heure plus tard, après un plat de *ribollita* et de *bistecca* arrosés d'une bouteille de Brunello, Ezio avait déjà oublié sa blessure. Il se sentait ragaillardi, en pleine forme, de nouveau débordant d'énergie. L'adrénaline de la victoire sur les Pazzi avait sans aucun doute contribué à ce prompt rétablissement.

— Il est temps de rentrer, petit frère, lui dit Federico. Père va sûrement se demander où nous sommes passés et c'est sur toi qu'il compte pour s'occuper de la banque. Heureusement pour moi, j'ai toujours été fâché avec les chiffres. C'est sans doute pour ça qu'il a hâte de me voir entrer en politique.

— En politique ou au cirque... vu ta manière de procéder.

— Où est la différence ?

Ezio savait que Federico ne lui en voulait aucunement de voir leur père confier la gestion de ses finances au cadet plutôt qu'à l'aîné de ses enfants. Federico serait mort d'ennui s'il avait dû passer sa vie dans la banque. Pourtant, Ezio avait tendance à penser la même chose pour lui-même. Mais il avait encore le temps avant de revêtir le pourpoint de velours noir et de porter la chaîne d'or d'un banquier florentin et, d'ici là, il avait bien l'intention de profiter à fond de son temps de liberté et d'insouciance. Il ne se doutait guère que ces jours bénis lui étaient comptés.

— Et on ferait mieux de se dépêcher, crut bon d'ajouter Federico, si on ne veut pas se faire enguirlander.

— C'est qu'il risque de s'inquiéter.

— Non, il sait qu'on est capables de se débrouiller seuls. (Federico contemplait son jeune frère, l'air un brin dubitatif.) Mais on a quand même intérêt à ne pas traîner. (Il marqua un temps, puis :) Déjà d'attaque pour un petit défi, *si* ? Une course, peut-être ?

— D'accord. Où ça ?

— Voyons voir... (Federico contempla la cité sous la lune et son regard tomba sur une tour non loin de là.) Le toit de Santa Trinita. Ça ne devrait pas trop te fatiguer... et c'est quasiment sur notre chemin. Mais j'ajouterai toutefois une contrainte.

— Oui ?

— Pas question de courir dans les rues. On passera par les toits.

Ezio inspira à fond.

— D'accord. Que le meilleur gagne !

— Très bien, petite *tartaruga*... c'est parti !

Mais déjà, Federico était parti, escaladant un mur de crépi avec l'agilité d'un lézard. Après un temps d'arrêt au sommet, presque en déséquilibre au ras des tuiles romanes, il éclata de rire et repartit de plus belle. Le temps qu'Ezio ait rejoint les toits, son aîné avait déjà vingt mètres d'avance. Ezio se lança aux trousses de son frère, toute douleur oubliée dans l'excitation de la poursuite. Puis il vit Federico effectuer un saut prodigieux au-dessus du vide d'un noir d'encre pour atterrir avec légèreté sur la terrasse d'un *palazzo* gris légèrement en contrebas. Federico courut quelques pas encore avant de se retourner et d'attendre son cadet. Ezio sentit un pincement de terreur en considérant la faille obscure de la rue huit étages plus bas, mais plutôt mourir qu'hésiter devant son frère. Aussi, n'écoutant que son courage et son abnégation, il bondit, entrevoyant du coin de l'œil les pavés de granite éclairés par la lune, bien loin en dessous de lui. L'espace d'un instant, il redouta d'avoir mal calculé son saut, car le mur gris du *palazzo* parut se ruer vers lui mais, sans trop savoir comment, celui-ci disparut en contrebas et Ezio atterrit – certes en chancelant – sur la terrasse, mais toujours sur ses pieds et bougrement soulagé, bien qu'hors d'haleine.

— Petit frère a encore pas mal à apprendre, le nargua Federico avant de s'élancer de nouveau, telle une flèche filant entre les cheminées sous les nuages épars.

Ezio repartit lui aussi, emporté par le vertige de la course. D'autres abîmes béants s'ouvrirent à ses pieds, certains n'étaient que de simples passages, d'autres de larges artères. Et Federico demeurait invisible. Soudain, le clocher de Santa Trinita se dressa devant Ezio, dominant la molle pente de tuiles rouges de la nef. Mais comme le jeune homme approchait, il se souvint que l'édifice se dressait au milieu d'une place et que sa distance par rapport aux maisons avoisinantes était bien plus grande que toutes celles qu'il avait déjà franchies d'un bond. Plus question d'hésiter ou de ralentir. Il espérait seulement que le toit de l'église serait moins élevé que celui d'où il allait s'élancer. Avec suffisamment d'élan, c'était faisable. Durant une seconde ou deux, il volerait comme un oiseau. Il s'efforça de bannir de son esprit toute idée d'échec.

Le bord du toit approchait à toute vitesse et puis soudain… plus rien. Il s'éleva dans les airs, le vent sifflait à ses oreilles, il avait les larmes aux yeux. Le toit de l'église lui semblait à une distance infinie : jamais il ne l'atteindrait, plus jamais il ne rirait, ne se battrait, ne tiendrait une femme dans ses bras. Il avait le souffle coupé. Il ferma les yeux, puis…

Son corps se plia en deux, il se retrouva à quatre pattes, mais ses quatre membres touchaient de nouveau le sol ferme... Il avait réussi, il s'en était fallu de quelques centimètres, mais il avait réussi à gagner le toit de l'église !

Mais où était Federico ? Ezio escalada la pente de tuiles pour rejoindre la base du clocher et, juste comme il se retournait pour regarder derrière lui, il avisa son frère en plein bond lui aussi. Celui-ci effectua un atterrissage parfait, mais quelques tuiles se délogèrent sous son poids et dévalèrent la pente de la toiture pour aller se briser sur les pavés en contrebas. Federico avait toutefois déjà repris son équilibre et il se redressait, certes hors d'haleine, mais avec un grand sourire.

— Pas si *tartaruga* que ça, finalement, crut-il bon d'observer, parvenu à la hauteur d'Ezio, en lui assenant une tape sur l'épaule. Tu m'as doublé comme un éclair.

— M'en étais même pas rendu compte, lâcha Ezio, qui cherchait toujours à reprendre son souffle.

— Eh bien, tu ne m'as pas encore battu d'ici au sommet de la tour, rétorqua Federico, en poussant son frère pour s'élancer à l'assaut du clocheton trapu que les édiles envisageaient de remplacer un jour par un ouvrage d'un dessin un peu plus moderne.

Cette fois, Federico arriva en tête et il dut même prêter main-forte à son cadet blessé qui commençait à se dire qu'il serait mieux au lit. L'un et l'autre étaient hors d'haleine et, tout en reprenant leur souffle, ils embrassèrent du regard la cité endormie, sereine et silencieuse dans la lumière nacrée de l'aube.

— On vit quand même une bien belle vie, frérot, dit Federico avec une solennité peu coutumière.

— La meilleure qui soit, renchérit Ezio. Puisse-t-elle ne jamais changer.

Tous deux se turent, ne voulant pas rompre la perfection de cet instant. Mais après un temps, Federico reprit, d'une voix douce :

— Puisse-t-elle ne jamais *nous* changer non plus, *fratellino*. Allez viens, il faut rentrer. Le toit de notre *palazzo* est tout près. Prions Dieu que père n'ait pas veillé toute la nuit à nous attendre, ou on risque d'être mal. Allons-y.

Federico s'approcha du bord de la tour pour redescendre jusqu'au toit, mais s'arrêta en constatant que son frère n'avait pas bougé.

— Qu'y a-t-il ?

— Attends une minute.

— Qu'est-ce que tu regardes ? demanda Ezio en le rejoignant. (Il suivit le regard de son frère et soudain un sourire fendit ses traits.) Sacrée canaille, tu ne vas pas me dire que tu songes à aller là-bas ? Laisse cette pauvre fille dormir !

— Non. Je crois qu'il est grand temps que Cristina se réveille !

Ezio avait rencontré Cristina Calfucci peu de temps auparavant mais ils semblaient déjà inséparables, quand bien même leurs parents les jugeaient encore trop jeunes pour nouer des liens durables. Ezio n'était bien sûr pas d'accord, mais Cristina n'avait que dix-sept ans et les parents de la jeune fille escomptaient le voir s'acheter une conduite avant d'envisager simplement de le considérer d'un œil un peu plus favorable. Ce qui bien entendu ne faisait que redoubler son ardeur.

Federico et lui avaient traîné sur le marché après avoir acheté quelques babioles pour la fête de leur sœur, profitant de l'occasion pour contempler les jolies filles de la ville chaperonnées par leur *accompagnatrice*, tandis qu'elles déambulaient d'étal en étal, examinant ici une dentelle et là un ruban ou un coupon de soie. Mais l'une d'elles était ressortie du lot : jamais Ezio n'en avait vu de si belle, de si gracieuse. Jamais il ne devait oublier ce jour, celui où pour la première fois, il l'avait aperçue.

— Oh ! s'était-il écrié, le souffle coupé. Regarde ! Elle est si belle.

— Eh bien, avait rétorqué son frère, toujours aussi pragmatique, pourquoi ne pas aller la saluer ?

— Quoi ? (Ezio était scandalisé). Je vais la saluer, comme ça, et ensuite ?

— Ensuite, tu pourrais essayer d'engager la conversation. Tes emplettes, les siennes, peu importe. Vois-tu, frérot, la plupart des hommes ont tellement peur des jolies filles que celui qui a le cran de les aborder prend d'emblée l'avantage. Et puis quoi ? Tu crois peut-être qu'elles ne veulent pas qu'on les remarque ? Qu'elles n'ont pas envie d'un brin de conversation avec un homme ? Mais bien sûr que si, pardi. Qui plus est, tu es loin d'être laid et surtout, tu es un Auditore. Alors va… Je me charge de distraire son chaperon. Du reste, à bien y regarder, celle-ci n'est pas si mal tournée non plus.

Ezio se souvenait encore comment, laissé seul avec Cristina, alors qu'il demeurait interdit, incapable de prononcer un mot, buvant la beauté de ses yeux sombres, de ses longs cheveux auburn, de son petit nez retroussé, elle l'avait dévisagé et lui avait demandé :

— Eh bien, qu'y a-t-il ?

— Comment ça ? avait-il bredouillé.

— Pourquoi restez-vous donc planté là ?

— Oh… Hmm… Parce que je voulais vous demander quelque chose.

— Oui ?

— Quel est votre nom ?

Elle avait levé les yeux au ciel. *Flûte*, s'était-il dit aussitôt. *On a dû lui faire le coup cent fois.*

—Pas un qui puisse jamais vous être utile, avait-elle répondu du tac au tac.

Avant de tourner les talons. Ezio l'avait regardée s'éloigner avant de lui emboîter le pas presque aussitôt.

—Attendez ! s'écria-t-il en la rejoignant, plus essoufflé que s'il avait couru deux kilomètres. Je n'étais pas prêt. J'avais prévu de me montrer vraiment charmant. Plein d'onction ! Et spirituel ! Vous ne voulez pas me donner une deuxième chance ?

Elle le toisa sans ralentir l'allure, mais lui adressa néanmoins l'ombre d'un sourire. Ezio avait été au désespoir mais Federico (qui l'observait de loin) lui lança discrètement :

—Ne lâche pas l'affaire ! Je l'ai vue te sourire ! Elle se souviendra de toi.

Reprenant courage, Ezio l'avait suivie… discrètement, prenant garde à ne pas se faire remarquer. Trois ou quatre fois, il avait dû se cacher précipitamment derrière un étal ou, après qu'elle eut quitté la place, se tapir à l'abri d'un porche, mais il avait réussi à la filer jusqu'à la porte de son hôtel particulier où un homme qu'il connaissait avait barré la route à la jeune femme. Ezio avait battu en retraite.

Cristina avait regardé l'importun, d'un air fâché :

—Je vous l'ai déjà dit, Vieri, vous ne m'intéressez pas. Maintenant, laissez-moi passer.

Dans sa cachette, Ezio retint son souffle. Vieri de' Pazzi ! Bien entendu !

—Mais *signorina*, moi, vous m'intéressez. Vous m'intéressez énormément.

—Alors faites la queue, comme tout le monde.

Elle avait essayé de l'esquiver, mais il lui avait bloqué le passage.

— Je ne pense pas, *amore mio*. J'ai décidé que j'étais las d'attendre que tu écartes les jambes de ton plein gré.

Et de la saisir rudement par le bras, l'attirant vers lui tout en lui ceignant la taille comme elle tentait de se dégager.

— Je ne suis pas sûr que tu aies bien compris le message, avait soudain dit Ezio en s'avançant pour regarder le prétendant droit dans les yeux.

— Ah, le petit roquet des Auditore. *Cane rognoso* ! De quoi te mêles-tu donc ? Va au diable !

— Et *buon giorno* à toi aussi, Vieri. Sans vouloir me montrer importun, j'ai la très nette impression que tu es en train de gâcher la journée de cette jeune fille.

— Oh, voyez-vous ça ? Excusez-moi, très chère, le temps que je dégonfle cette baudruche de parvenu.

Sur quoi, Vieri avait repoussé Cristina sur le côté pour se jeter sur Ezio et lui assener un direct du droit. Ezio avait aisément paré le coup avant de faire un croche-pied à son adversaire qui, emporté par son élan, avait mordu la poussière.

— Ça ira comme ça, l'ami ? avait raillé Ezio.

Cependant Vieri s'était relevé aussitôt pour se précipiter de nouveau sur lui. Il avait réussi à toucher Ezio à la pommette droite mais ce dernier avait esquivé un crochet du gauche et était parvenu à en placer deux, le premier à l'estomac et, au moment où Vieri se pliait en deux, le second à la mâchoire. Ezio s'était alors retourné vers Cristina pour voir si elle allait bien. Le souffle court, Vieri recula, mais en portant la main à sa dague. Cristina s'en aperçut et laissa échapper un cri d'alarme alors que Vieri s'apprêtait à poignarder Ezio dans le dos. Ce dernier avait pivoté en un éclair et avait agrippé le poignet de Vieri pour lui arracher son arme, qui tomba au sol. Les deux jeunes gens s'étaient fait face, haletants.

— C'est le mieux que tu puisses faire ? avait lâché Ezio entre ses dents serrées.

— Ferme-la ou pardieu, je te tue !

Ezio avait éclaté de rire.

— J'imagine que je ne devrais pas m'étonner de te voir tenter d'abuser d'une jolie fille qui te considère manifestement comme un vrai tas de bouse – avec ton cher banquier de papa qui s'efforce de mettre Florence en coupe réglée.

— Pauvre imbécile ! C'est ton père qui aurait besoin d'une leçon d'humilité.

— Il serait grand temps que les Pazzi cessent de nous diffamer. Mais bon, vous êtes surtout des beaux parleurs.

La lèvre de Vieri saignait abondamment. Il l'avait épongée avec sa manche.

— Vous me le paierez… toi et toute ta lignée. Je ne l'oublierai pas, Auditore !

Il avait craché aux pieds d'Ezio, s'était accroupi pour récupérer sa dague, puis avait tourné les talons et s'était enfui. Ezio l'avait regardé filer.

Tout cela lui revenait alors que, depuis le clocher de l'église, il contemplait la demeure de Cristina. Il se remémora son soulagement lorsqu'en se retournant vers la jeune fille, il avait remarqué la chaleur dans son regard tandis qu'elle le remerciait.

— Tout va bien, *signorina* ? avait-il demandé.

— Maintenant, oui. Je vous en remercie. (Elle avait hésité, la voix encore tremblante.) Vous m'avez demandé mon nom. Eh bien, c'est Cristina. Cristina Calfucci.

Ezio avait fait une révérence.

— Je suis honoré de faire votre connaissance, *signorina* Cristina. Ezio Auditore.

— Connaissez-vous cet homme ?

— Vieri ? Nos chemins se sont déjà croisés. Mais nos deux familles n'ont aucune raison de s'aimer.

— Je ne veux plus le revoir.

— Si je peux l'en empêcher, ce sera le cas.

Elle avait souri timidement, puis avait ajouté :

— Ezio, vous avez toute ma gratitude... et à ce titre, je suis prête à vous offrir une seconde chance, après ce bien piètre début !

Elle avait eu un petit rire, puis l'avait embrassé sur la joue avant de disparaître dans sa résidence.

Le petit attroupement qui s'était comme de juste formé autour d'eux l'avait alors gratifié d'une salve d'applaudissements. Il les avait salués de bonne grâce, en souriant, mais alors qu'il rebroussait chemin, il avait pris conscience que s'il s'était certes fait une nouvelle amie, il s'était aussi fait un ennemi implacable.

— Laisse dormir Cristina, répéta Federico, le tirant soudain de sa rêverie.

— Elle aura tout le temps, plus tard. Il faut que je la voie.

— Très bien, si tu le juges indispensable... J'essaierai de distraire père. Mais sois prudent. Les hommes de Vieri pourraient bien traîner encore dans les parages.

Sur quoi, Federico descendit du clocher pour rejoindre le toit avant de sauter sur une charrette de foin garée dans la rue qui menait à leur domicile.

Ezio le regarda s'éloigner avant de décider de l'imiter. La charrette était bien loin en contrebas mais, se souvenant de ses leçons, il maîtrisa sa respiration, se calma, se concentra.

Alors seulement il s'élança dans les airs et entreprit le plus grand bond qu'il ait jamais réalisé. Un bref instant, il crut avoir mal calculé sa trajectoire mais, dominant ce court épisode de panique, il atterrit sain et sauf dans le foin. Un vrai saut dans l'inconnu ! Le souffle court, mais en même temps soulagé par son succès, Ezio sauta de la charrette sur la chaussée.

Le soleil venait d'apparaître au ras des collines à l'est mais il y avait encore bien peu de monde dans les rues. Ezio s'apprêtait à prendre la direction de la résidence de Cristina quand il entendit des pas et, cherchant désespérément une cachette, il alla se tapir à l'ombre du porche de l'église et retint son souffle. Et de fait, Vieri et deux des gardes des Pazzi firent leur apparition au coin de la rue.

— Autant laisser tomber, chef, dit l'aîné des gardes. Cela fait belle lurette qu'ils se sont envolés.

— Je suis sûr qu'ils sont quelque part dans les parages, aboya Vieri. Je les flaire presque.

Les trois hommes se contentèrent d'arpenter la place de l'église sans faire mine d'aller plus loin. Le soleil levant rapetissait les ombres. Redoublant de prudence, Ezio retourna se glisser à l'abri du foin ; il resta allongé dessus durant ce qui lui parut une éternité, tant il avait hâte de repartir. À un moment, Vieri passa si près qu'Ezio put presque sentir son odeur mais, finalement, d'un geste irrité, il fit signe à ses hommes de quitter les lieux. Ezio se tint immobile quelques instants encore avant de redescendre sur la chaussée, avec un gros soupir de soulagement. Il s'épousseta et couvrit rapidement la courte distance qui le séparait de Cristina, en priant que personne ne soit déjà levé dans la maisonnée.

La demeure était encore silencieuse même s'il se doutait que les domestiques devaient déjà préparer les feux aux cuisines à l'arrière. Il savait où se trouvait la fenêtre de Cristina et jeta une poignée de gravillons contre ses volets. Le bruit lui parut assourdissant et il attendit, le cœur serré. Puis les volets s'ouvrirent et elle apparut au balcon. Sa chemise de nuit révélait les délicieux contours de son corps quand il leva les yeux vers elle. Il fut aussitôt éperdu de désir.

— Qui est là ? demanda-t-elle à voix basse.

Il recula pour ne pas être vu.

— Moi.

Cristina poussa un soupir, mais sans hostilité.

— Ezio ! J'aurais dû m'en douter.

— Puis-je monter, *mia colomba* ?

Elle jeta un regard derrière elle avant de glisser dans un murmure :

— D'accord. Mais alors juste une minute.

— Il ne m'en faut pas plus.

Elle sourit.

— Vraiment ?

La réponse le désarçonna.

— Euh, non, désolé... ce n'est pas ce que je voulais dire ! Laisse-moi te montrer...

S'étant assuré que la rue était toujours déserte, il prit pied sur l'un des gros anneaux de fer scellés au mur pour attacher les chevaux et se hissa. La maçonnerie en retrait offrait des prises faciles. En deux temps, trois mouvements, il avait chevauché la balustrade et prenait la jeune fille dans ses bras.

— Oh, Ezio ! soupira-t-elle en l'embrassant. Regarde ta tête. Qu'as-tu encore fait ce coup-ci ?

— Ce n'est rien. Juste une égratignure. (Ezio se tut, sourit.) Maintenant que je suis monté, on peut y aller, peut-être ?

— Où ça ?

Il prit un air innocent :

— Mais dans ta chambre.

— Eh bien, peut-être... si tu es sûr qu'une minute te suffira...

Se tenant toujours par la taille, ils franchirent la porte-fenêtre pour entrer dans la douce lumière de la chambre de Cristina.

Une heure plus tard, ils furent réveillés par le soleil filtrant à travers les fenêtres, le bruit des chariots et des piétons dans la rue et – c'était le pire – le son de la voix du père de Cristina au moment où ce dernier ouvrait la porte.

— Cristina, s'écria-t-il. Debout, debout, fillette ! Ton tuteur sera ici d'un instant à l'… diantre ! Sacré nom de Dieu !

Ezio embrassa Cristina, un baiser rapide mais fougueux.

— Oh oh, je crois qu'il est temps de partir.

Et, s'emparant de ses vêtements, il fila vers la fenêtre, descendit le long du mur, et il était déjà en train de se rhabiller quand Antonio Calfucci apparut au balcon. L'homme était blême de rage.

— *Perdonate, messere*, lança Ezio.

— Je t'en donnerai, des « *perdonate, messere* », hurla Calfucci. À la garde ! À la garde ! Attrapez-moi cette *cimice* ! Ramenez-moi sa tête ! Et je veux ses *coglioni* en prime !

— Je vous ai dit que j'étais désolé…, commença Ezio… mais déjà les portes de la résidence s'ouvraient pour livrer passage aux gardes du corps de Calfucci qui se précipitaient, l'épée dressée.

À moitié rhabillé, Ezio piqua un sprint, esquivant les charrettes, doublant les passants, hommes d'affaires fortunés en habits noirs solennels, négociants vêtus de brun et de rouge, gens du peuple dans leurs humbles tuniques tissées main et même, à un moment, une procession religieuse – qu'il manqua percuter en renversant la statue de la Vierge portée par des moines encapuchonnés de noir. Enfin, après avoir emprunté des ruelles et sauté par-dessus des murs, il s'arrêta pour tendre l'oreille. Silence. Il n'entendait même plus les cris et les invectives des gens qu'il avait bousculés. Quant aux gardes, il était certain de les avoir semés.

Il espérait juste que le signor Calfucci ne l'avait pas reconnu. Cristina ne le trahirait pas, Ezio en était sûr. Et de toute manière, elle pourrait toujours embobiner son père qui l'adorait. Et puis même s'il découvrait le pot aux roses, s'avisa Ezio, le garçon ne serait pas un si mauvais parti. Son père dirigeait l'une des plus grosses banques de la cité et il se pouvait même qu'un jour, elle surpasse celle des Pazzi ou, qui sait, celle des Medici.

Empruntant de petites rues, il regagna son domicile. Le premier à l'accueillir fut son frère, qui le considéra l'air grave, avec un hochement de tête qui ne présageait rien de bon.

— Ce coup-ci, t'es mal barré, lui dit-il d'emblée. Et tu ne diras pas que je ne t'avais pas prévenu.

Chapitre 2

Le bureau de Giovanni Auditore était situé au premier étage et dominait les jardins derrière le *palazzo*, visibles à travers deux portes-fenêtres à double battant qui donnaient sur un large balcon. Les murs étaient couverts de boiseries de chêne foncé dont la sévérité était quelque peu atténuée par les moulages en plâtre du plafond. Deux bureaux se faisaient face – le plus imposant appartenait à Giovanni – et les murs étaient recouverts de rayonnages garnis de registres et de rouleaux de parchemins d'où pendaient de lourds sceaux de cire rouge. L'ensemble était conçu pour signifier ceci aux visiteurs : ici, vous trouverez opulence, respectabilité et confiance. En tant que directeur de la Banque internationale Auditore, spécialisée dans les prêts aux divers royaumes composant (du moins en théorie) le Saint Empire romain germanique, Giovanni Auditore était tout à fait conscient du poids et de la responsabilité de sa fonction. Il avait l'espoir que ses deux fils aînés allaient finir par revenir à la raison et l'aideraient enfin à porter le fardeau que lui avait légué son propre père, mais ça n'en prenait pas le chemin. Néanmoins…

Il jeta un regard noir à son fils, assis en face de lui. Federico se tenait près de l'autre bureau, celui abandonné par la secrétaire de Giovanni pour laisser son père et son frère entre eux, pour un tête à tête qu'Ezio pressentait particulièrement douloureux. On était en tout début d'après-midi. Toute la matinée, il avait redouté cette convocation, même s'il avait réussi à dormir deux heures et à finalement redevenir à peu près présentable. Il s'était douté que son père lui avait laissé ce délai délibérément afin de mieux lui passer un savon ensuite.

— Me crois-tu sourd et aveugle, mon fils ? tonnait Giovanni. Crois-tu que je ne suis pas au courant de ton altercation avec Vieri de' Pazzi et sa bande, là-bas près du pont, hier soir ? Parfois, Ezio, je me dis que tu ne vaux guère mieux que lui, et que les Pazzi s'en prennent à de bien dangereux ennemis. (Ezio voulut parler mais son père l'interrompit, la main levée.) Laisse moi terminer, je te prie. (Il inspira.) Et comme si ça ne suffisait pas, tu t'es mis dans l'idée de courir après Cristina Calfucci, la fille d'un des négociants les plus prospères de toute la Toscane, et par-dessus le marché, tu vas la culbuter sur son propre lit ! C'est intolérable ! Et la réputation de notre famille, y as-tu songé ? (Il marqua un temps et Ezio, surpris, crut discerner comme une lueur d'ironie dans son regard. Puis Giovanni reprit :) Tu es bien conscient de ce que cela signifie ? Tu sais à qui tu me fais penser, n'est-ce pas ?

Ezio baissa la tête mais il vit avec étonnement son père se lever, traverser la pièce et lui passer le bras autour de l'épaule, tout sourires.

— Espèce de petit diable ! Tu me fais penser à moi quand j'avais ton âge ! (Mais aussitôt, Giovanni redevint grave.) Ne va pas t'imaginer, toutefois, que je n'aurais pas hésité à te punir sans merci si je n'avais pas grand besoin de toi à mes côtés. Sinon, crois-moi sur parole, je t'aurais expédié chez ton oncle Mario pour qu'il te recrute dans son escadron de *condottieri*. Ça te mettrait un peu de plomb dans la tête ! Mais je dois compter sur toi et même si ça n'a pas l'air d'avoir pénétré ta cervelle, notre cité est en train de franchir un cap difficile. Comment va la tête ? Je vois que tu as ôté ton pansement.

— Bien mieux, père.

— J'en déduis donc que rien ne s'oppose à la tâche que j'ai prévu de te confier pour aujourd'hui ?

— C'est promis, père.

— Une promesse que tu auras intérêt à tenir.

Giovanni regagna son bureau et sortit d'un compartiment une lettre frappée de son sceau personnel. Il la donna à son fils, en même temps que deux parchemins dans leur étui de cuir.

— Je veux que tu portes ceci à Lorenzo de' Medici, à sa banque, sans délai.

— Puis-je savoir de quoi il retourne, père ?

— Pour ce qui est des documents, il ne vaut mieux pas. Mais autant que tu saches que la lettre met Lorenzo au fait de nos tractations avec Milan. J'ai passé toute la matinée à l'élaborer. Je ne peux en dire plus mais si tu ne me fais pas confiance, jamais tu ne sauras prendre des responsabilités. Il y a des rumeurs de complot contre le duc Galeazzo, une bien ténébreuse affaire, je te l'accorde, mais Florence ne peut se permettre de voir Milan déstabilisée.

— Qui est dans le coup ?

Giovanni plissa les yeux.

— Les principaux instigateurs seraient Giovanni Lampugnani, Gerolamo Olgiati et Carlo Visconti ; mais il semblerait que notre cher Francesco de' Pazzi soit également impliqué et, surtout, qu'un plan plus vaste soit en cours, n'impliquant pas seulement la politique de nos deux cités-États. Pour l'heure, les *Gonfaloniere* ont déjà placé en détention Francesco mais les Pazzi ne vont pas apprécier du tout. (Giovanni se tut soudain.) Et voilà, je t'en ai déjà bien trop dit. Assure-toi que ce pli parvienne à Lorenzo au plus vite – je me suis laissé dire qu'il s'apprêtait à partir pour

Careggi prendre l'air à la campagne. Et quand le chat n'est pas là…

— J'y file de ce pas.

— Brave garçon. Va!

Ezio se mit en route, se tenant le plus possible à un itinéraire dérobé, sans penser un seul instant que Vieri puisse encore être à ses trousses. Mais soudain, dans une ruelle tranquille à quelques minutes de la banque Medici, voilà qu'il lui barrait la route. Voulant rebrousser chemin, Ezio s'avisa que d'autres hommes de Vieri lui bloquaient le passage.

Ezio se retourna et lança:

— Désolé, mon petit cochonou, mais ce coup-ci, je n'ai vraiment pas le temps de te flanquer une raclée.

— Ce n'est pas moi qui vais la recevoir, la raclée, rétorqua son adversaire. Tu es coincé; mais ne t'inquiète pas: j'enverrai une jolie couronne pour tes obsèques.

Les hommes des Pazzi se rapprochaient. Nul doute que Vieri devait déjà être au courant de l'incarcération de son père. Ezio regarda autour de lui, éperdu. Il se retrouvait pris dans la souricière de hauts murs et de vastes demeures. Ayant arrimé avec soin autour de sa taille la sacoche contenant les précieux documents, il choisit la maison la plus accessible et se précipita vers la façade, tirant parti du mur aux pierres à la taille grossière pour l'escalader. Une fois sur le toit, il s'arrêta un instant pour contempler un Vieri furieux.

— Je n'ai même pas le temps de te pisser dessus, lâcha-t-il avant de détaler en longeant le faîtage puis de regagner le sol d'un bond.

Il s'éclipsa et fut bientôt débarrassé de ses poursuivants.

Quelques instants plus tard, il se trouvait aux portes de la banque. Il entra et reconnut Boetio, l'un des plus fidèles domestiques de Lorenzo. Pour un coup de veine! Ezio l'aborda aussitôt.

— Hé, Ezio, qu'est-ce qui t'amène ici avec une telle hâte ?

— Boetio, il n'y a pas une minute à perdre. J'ai sur moi des lettres adressées par mon père à Lorenzo.

Boetio redevint sérieux et ouvrit les mains :

— *Ahimè*, Ezio ! Tu viens trop tard. Il est parti à Careggi.

— Alors tu dois tout faire pour lui transmettre tout ceci au plus vite.

— Je suis sûr qu'il ne restera absent qu'un jour ou deux. Par les temps qui courent…

— Je commence à être au courant. Assure-toi qu'il ait en main ces documents, Boetio. Et le plus vite possible !

Une fois de retour au *palazzo* familial, il se précipita vers le bureau paternel, sans tenir compte de l'aimable babil de Federico qui flemmardait sous un arbre dans le jardin, ni des tentatives de Giulio, le secrétaire de son père, pour l'empêcher de franchir la porte close du sanctuaire privé de Giovanni. Il y découvrit son père en grande conversation avec le juge suprême de Florence, le gonfalonier Uberto Alberti. Rien de surprenant jusque-là car les deux hommes étaient de vieux amis, au point qu'Ezio considérait Alberti un peu comme un oncle. Mais il avait surpris la gravité de l'expression des deux hommes.

— Ezio, mon garçon ! s'écria Uberto, cordial. Comment vas-tu ? Toujours pressé, pour ne pas changer, à ce que je vois.

Ezio lorgna son père, inquiet.

— J'essayais de calmer ton père, poursuivait Uberto. Il y a eu pas mal d'agitation, comme tu le sais, mais… (il se tourna vers Giovanni pour poursuivre, bien plus sérieux :) la menace est passée.

— As-tu remis les documents ? s'enquit Giovanni d'une voix tendue.

— Oui, père. Mais le duc Lorenzo était déjà parti.

Giovanni fronça les sourcils.

— Je n'avais pas prévu qu'il s'en irait si tôt.

— J'ai confié les pièces à Boetio, précisa Ezio. Il les lui transmettra le plus vite possible.

— Il se peut qu'il soit trop tard, observa sombrement Giovanni.

Uberto lui donna une petite tape dans le dos.

— Allons, ça ne devrait pas durer plus d'un jour ou deux. Nous avons mis Francesco sous les verrous. Que pourrait-il se passer dans une période si brève ?

Giovanni ne parut guère rassuré mais il était clair que les deux hommes n'en avaient pas encore terminé et que la présence d'Ezio n'était pas souhaitée.

— Va voir ta mère et ta sœur, dit Giovanni. Tu devrais consacrer du temps au reste de ta famille, pas exclusivement à Federico, tu sais ? Et repose-moi cette sacrée caboche : j'aurai encore besoin de toi plus tard.

Et sur ces mots, il le congédia d'un geste.

Ezio déambula dans la maison, salua deux ou trois domestiques, ainsi que Giulio qui regagnait en hâte son bureau à la banque, en tenant une liasse de papiers et l'air, comme toujours, fort absorbé par sa tâche. Ezio fit un petit signe à son frère, qui continuait à se prélasser au jardin, mais il n'avait aucune envie de le rejoindre. En outre, on lui avait donné l'ordre de tenir compagnie à sa sœur et à sa mère : il aurait été malavisé de désobéir à son père, surtout après leur petite discussion dans la matinée.

Il retrouva sa sœur assise, seule dans la loggia, un livre de Pétrarque ouvert sur les genoux. Normal, il savait qu'elle était amoureuse.

— *Ciao*, Claudia.

— *Ciao*, Ezio. Mais où étais-tu donc passé ?

Ezio ouvrit les mains.

— Je faisais une course pour père.

— Il n'y a pas eu que ça, ai-je cru comprendre, rétorqua-t-elle, mais son sourire était machinal et peu convaincu.

— Où est mère ?

Claudia soupira.

— Elle est allée voir ce jeune peintre dont tout le monde parle. Tu sais, celui qui vient de terminer son apprentissage auprès de Verrocchio.

— Vraiment ?

— Ne prêtes-tu donc aucune attention à ce qui se passe ici ? Elle lui a même commandé plusieurs œuvres. Elle est convaincue que c'est un bon investissement pour l'avenir.

— C'est ta mère tout craché.

Mais Claudia ne répondit pas et, pour la première fois, Ezio prit conscience de sa tristesse. Soudain il lui sembla qu'elle faisait bien plus que ses seize ans. S'installant sur le banc de pierre à ses côtés, il lui demanda :

— Qu'y a-t-il, *sorellina* ?

Elle poussa un soupir, le regarda, timide et réservée, avant d'avouer enfin :

— C'est à cause de Duccio.

— Duccio, qu'a-t-il fait ?

Elle avait les larmes aux yeux.

— J'ai découvert qu'il me trompait.

Ezio fronça les sourcils. Duccio et Claudia étaient quasiment fiancés et même s'il n'y avait pas encore eu d'annonce officielle…

— Qui te l'a dit ? demanda-t-il en l'entourant de son bras.

— Les autres filles. (Elle s'essuya les yeux, le regarda.) Je les prenais pour mes amies mais j'ai eu l'impression qu'elles étaient contentes de me le dire.

Ezio se leva, furieux.

— Alors, elles ne valent guère mieux que des harpies ! Autant que tu cesses de les fréquenter.

— Mais je l'aimais !

Ezio prit son temps pour répondre.

— En es-tu certaine ? Peut-être as-tu tout bêtement cru que tu l'aimais. Quels sentiments éprouves-tu maintenant ?

Les yeux de Claudia étaient secs.

— J'aimerais le voir souffrir, un tant soit peu. Il m'a vraiment blessée, Ezio.

Ezio regarda sa sœur, la tristesse dans ses yeux, une tristesse teintée d'une bonne dose de colère. Il prit une résolution.

— Je crois que je vais aller lui rendre une petite visite.

Duccio Dovizi n'était pas chez lui mais la gouvernante dit à Ezio où le trouver. Il traversa donc le Ponte Vecchio puis longea, vers l'ouest, la rive sud de l'Arno pour rejoindre l'église de San Jacopo Soprano. Il y avait alentour plusieurs jardins retirés où les amants allaient parfois cacher leurs fredaines. Le sang d'Ezio n'avait fait qu'un tour, et quand bien même il lui fallait d'autres preuves de l'infidélité de Duccio que de simples racontars, il eut l'impression qu'il n'allait pas tarder à les trouver.

Et de fait, il avisa bien vite le blond jeune homme, attifé en parfait séducteur, installé sur un banc dominant le fleuve, un bras passé autour de la taille d'une brune qu'Ezio ne connaissait pas. Il s'approcha du couple avec précaution.

— Chéri, il est magnifique, était en train de dire la belle en étendant la main.

Ezio entrevit l'éclat d'une bague en diamant.

— Toujours ce qu'il y a de mieux, pour toi, *amore mio*, roucoula Duccio, l'attirant à elle pour l'embrasser.

Mais la jeune fille se déroba.

— Pas si vite. On ne m'achète pas comme ça. On se connaît à peine, après tout, et j'ai appris que tu étais fiancé à Claudia Auditore.

Duccio cracha.

— C'est fini. Et de toute façon, mon père dit que je peux viser plus haut qu'une Auditore. (Il lui mit la main aux fesses.) Toi, par exemple !

— Espèce de *birbante* ! Marchons un peu.

— J'avais l'idée d'une activité autrement plus amusante, poursuivit Duccio, en lui glissant la main entre les jambes.

C'en était trop pour Ezio. Il aboya :

— Hé, *lurido porco !*

Pris de court, Duccio lâcha la fille et se retourna.

— Eh, Ezio, mon ami ! s'écria-t-il. (Mais il y avait de la nervosité dans sa voix. Qu'avait vu Ezio, au juste ?) Je ne crois pas avoir eu l'occasion de te présenter ma… cousine ?

Enragé par la duplicité de son ancien ami, Ezio s'avança vers lui et lui expédia son poing en plein visage.

— Duccio, tu devrais avoir honte ! Tu insultes ma sœur en t'exhibant ainsi avec cette… *puttana* !

— Qui traites-tu de *puttana* ? cracha la fille, mais prudente, elle se leva pour battre en retraite.

— J'aurais cru que même une fille comme toi serait fichue de trouver mieux que ce connard, poursuivit Ezio. Tu crois vraiment qu'il va faire de toi une dame ?

— Ne t'avise pas de lui parler de la sorte, siffla Duccio. Elle au moins est moins avare de ses faveurs que ton cul coincé de sœur. Mais je parie qu'elle a le trou aussi sec que celui d'une bonne sœur. Dommage, j'aurais pu lui enseigner deux ou trois choses. Mais d'un autre côté…

Ezio l'interrompit, glacial.

— Tu lui as brisé le cœur, Duccio…

— Pas possible ? Quel dommage.

— … et c'est pourquoi je suis venu te briser le bras.

À ces mots, la fille laissa échapper un cri et s'enfuit. Ezio s'empara d'un Duccio gémissant et lui passa le bras par-dessus le dossier du banc de pierre sur lequel le séducteur était assis, avec la trique, à peine quelques instants plus tôt. Ezio appuya sur l'avant-bras jusqu'à ce que les gémissements de Duccio virent aux larmes.

— Arrête, Ezio ! Je t'en supplie ! Je suis le fils unique de mon père !

Ezio le toisa avec mépris mais il le relâcha. Duccio s'effondra et roula sur lui-même, geignant et caressant son bras. Son joli pourpoint était tout déchiré et maculé.

— Tu n'en vaux pas la peine, lâcha Ezio. Mais si tu ne veux pas que je change d'avis au sujet de ton bras, tiens-toi à bonne distance de Claudia. Et de moi.

Après cet incident, Ezio prit son temps pour rentrer, déambulant le long des berges jusqu'à ce qu'il se retrouve quasiment hors de la ville. Quand il se décida à faire demi-tour, les ombres s'étiraient mais il avait recouvré son calme. Jamais il ne deviendrait vraiment un homme s'il laissait ainsi sa colère toujours prendre le dessus.

Parvenu près de chez lui, il avisa son petit frère qu'il n'avait pas revu depuis la veille au matin. Il salua chaleureusement le gamin.

— *Ciao*, Petruccio. Qu'est-ce que tu fabriques encore ici ? Tu as échappé à ton tuteur ? Et de toute manière, n'est-il pas l'heure d'aller au lit ?

— Ne sois pas idiot. Je suis pratiquement un adulte. D'ici à quelques années, je serai capable de te mettre une correction !

Les deux frangins échangèrent un large sourire. Petruccio tenait serré contre sa poitrine un écrin en bois de poirier. Celui-ci était ouvert et Ezio vit à l'intérieur une poignée de plumes blanches et brunes. Le garçon expliqua :

— Ce sont des plumes d'aigle. (Et d'indiquer la tour au sommet d'un bâtiment voisin.) Il y a là-haut un nid abandonné. Les petits ont dû prendre leur essor. On voit encore plein d'autres plumes accrochées à la maçonnerie. (Regard implorant à son frère aîné.) Ezio, tu voudrais bien aller m'en chercher d'autres ?

— Ma foi… Et c'est pour quoi faire ?

Petruccio baissa la tête.

— C'est un secret.

— Si je vais te les chercher, tu me promets de rentrer ? Il est tard. Promis ?

— Promis.

— Alors c'est d'accord.

Ezio se dit qu'après tout il avait bien rendu un service à Claudia aujourd'hui, alors pourquoi ne pas faire de même avec Petruccio ?

Escalader la tour se révéla être délicat, car la pierre était lisse et Ezio devait se concentrer pour trouver des prises dans les joints de la maçonnerie. Un peu plus haut, il put prendre appui sur des moulures. Au total, il lui fallut une demi-heure, mais il réussit à trouver quinze plumes – toutes celles à sa portée – qu'il rapporta à son jeune frère.

— Tu en as oublié une, remarqua ce dernier en pointant le doigt.

— Au lit ! le tança son aîné.

Petruccio détala.

Ezio espérait que le cadeau plairait à leur mère. Les secrets de Petruccio étaient vite éventés.

Il sourit en rentrant à son tour.

Chapitre 3

Le lendemain, Ezio se réveilla tard mais, à son grand soulagement, il découvrit que son père n'avait aucune affaire pressante à lui confier. Il alla donc se balader dans le jardin, où il retrouva sa mère en train de superviser l'entretien de ses cerisiers qui venaient tout juste de fleurir. Elle sourit en le voyant et il la salua. Maria Auditore était une femme grande, de belle prestance, la quarantaine à peine entamée ; elle portait une longue tresse de cheveux bruns rassemblée sous une coiffe de pure mousseline blanche décorée d'un liseré d'or et de sable, qui étaient les couleurs de la famille.

— Ezio ! *Buon giorno.*

— *Madre.*

— Comment te sens-tu ? Mieux, j'espère.

Elle effleura délicatement la blessure au front de son fils.

— Je vais bien.

— Ton père a dit que tu devrais te reposer le plus longtemps possible.

— Je n'ai nul besoin de repos, mamma !

— Eh bien, toujours est-il que tu n'auras pas l'occasion de t'exciter ce matin. Ton père m'a demandé de t'avoir à l'œil. Je suis au fait de tes derniers exploits.

— Je ne vois pas de quoi vous voulez parler.

— Ne joue pas au plus malin avec moi, Ezio. Je suis au courant de ton algarade avec Vieri.

— Il colportait des horreurs sur notre famille. Je ne pouvais pas laisser impuni un tel affront.

— Vieri est sous pression, surtout depuis l'arrestation de son père. (Elle marqua un temps, songeuse.) Francesco de' Pazzi a sans doute bien des défauts, mais jamais je ne l'aurais imaginé capable de tremper dans un complot pour assassiner un duc.

— Que va-t-il lui arriver ?

— Il y aura un procès. J'imagine que ton père y sera un témoin clé, sitôt revenu notre duc Lorenzo.

Ezio parut inquiet.

— Ne te fais pas de souci, tu n'as rien à craindre. Et je ne vais rien te demander qui pourrait te déplaire… En fait, je voudrais juste que tu m'accompagnes pour une course. Ça ne sera pas long et il se pourrait même que tu trouves cela distrayant.

— Je serai ravi de vous aider, mamma.

— Alors suis-moi. Ce n'est pas très loin d'ici.

Ils quittèrent le *palazzo* bras dessus, bras dessous, pour se diriger vers la cathédrale et les quelques rues voisines où nombre d'artistes florentins avaient leur atelier. Certains, comme celui de Verrocchio ou de l'étoile montante Alessandro di Mariano Filipepi – qu'on surnommait déjà Botticelli – étaient vastes et pleins d'activité, remplis d'assistants et d'apprentis chargés de pilonner les couleurs et de mélanger les pigments, d'autres étaient plus humbles. C'est à la porte d'un de ces derniers que Maria s'arrêta pour toquer. On lui ouvrit aussitôt. Apparut un beau jeune homme fort bien vêtu, presque avec affectation, mais d'allure toutefois athlétique, arborant une épaisse tignasse brune et une barbe fournie. Il devait avoir six ou sept ans de plus qu'Ezio.

— Madonna Auditore ! Soyez la bienvenue ! Je vous attendais.

— Leonardo, *buon giorno.*

Tous deux se firent la bise. *Cet artiste doit être au mieux avec ma mère*, songea Ezio, mais l'homme lui plaisait déjà.

— Je vous présente mon fils Ezio, poursuivait Maria.

L'artiste s'inclina.

— Leonardo da Vinci. *Molto onorato, signore.*

— Maestro.

— Pas tout à fait… Enfin, pas encore, sourit Leonardo. Mais où ai-je la tête ? Entrez, entrez donc ! Attendez ici, je vais voir si mon assistant peut vous trouver un peu de vin pendant que je vais chercher vos tableaux.

L'atelier n'était déjà pas vaste, mais le désordre ambiant lui donnait l'air encore plus exigu. Sur des tables s'empilaient des squelettes d'oiseaux et de petits mammifères, tandis que des pots remplis d'un liquide incolore contenaient toutes sortes d'objets organiques qu'Ezio aurait été bien en peine d'identifier. Au fond, reposant sur un large établi, se trouvaient de curieuses constructions en bois à la structure complexe, et deux chevalets portaient des toiles inachevées, aux tons plus sombres que d'habitude, aux contours moins bien définis.

Ezio et Maria se mirent à l'aise et bientôt, émergeant d'une pièce attenante, un beau jeune homme apparut, portant sur un plateau du vin et des petits gâteaux. Il les servit, leur adressa un sourire timide, puis se retira.

— Leonardo a beaucoup de talent.

— Si vous le dites, *madre.* Je ne m'y connais guère en art.

Ezio s'était toujours dit qu'il était destiné à suivre les traces de son père, même si, au tréfonds de lui-même, il se savait habité d'un souffle de rébellion et d'aventure qui, il en était bien conscient, détonnerait avec l'image d'un banquier florentin. Quoi qu'il en soit, il se considérait, au même titre que son frère aîné, comme un homme d'action, pas comme un artiste ou un connaisseur.

— Tu sais, trouver son mode d'expression personnel est un élément essentiel pour comprendre la vie et en jouir pleinement. (Elle le regarda.) Tu devrais te trouver un exutoire, mon chéri.

Ezio se sentit piqué au vif.

— Des exutoires, j'en ai tout un tas.

— Je veux dire en dehors des putes, rétorqua sa mère, du tac au tac.

— Mère !

Mais Maria se contenta de répondre d'une moue et d'un haussement d'épaules.

— Ça te ferait le plus grand bien de cultiver l'amitié d'un homme comme Leonardo. Je crois qu'il a un avenir prometteur.

— Considérant l'état de son antre, souffrez que je ne partage pas votre opinion.

— Ne sois pas insolent !

Le retour de Leonardo interrompit leur différend. Il portait deux caisses. Il posa la première au sol puis, se tournant vers Ezio, il s'enquit :

— Tu veux bien me prendre celle-ci ? J'aurais bien demandé à Agniolo mais il doit rester garder la boutique. Et puis, je crains qu'il n'ait pas la vigueur physique pour ce genre de corvée, le pauvre chéri.

Ezio se pencha pour saisir la caisse et fut surpris par son poids. Il faillit la lâcher.

— Attention ! prévint Leonardo. Les tableaux qu'elles contiennent sont fragiles et ta mère vient de les payer une somme rondelette.

— Bon, on y va ? s'impatienta Maria. J'ai hâte de les accrocher. J'ai choisi des emplacements qui, je l'espère, vous plairont, ajouta-t-elle à l'adresse de Leonardo ; cela fit quelque peu tiquer Ezio : un artiste naissant méritait-il une telle déférence ?

Tandis qu'ils marchaient, Leonardo devisait cordialement, et Ezio dut bien admettre que, quoi qu'il en soit, le charme de l'artiste l'avait conquis. Et pourtant, d'instinct, Ezio sentait en Leonardo quelque chose de troublant, même s'il n'aurait su dire quoi. De la froideur ? Un certain détachement vis-à-vis de ses congénères ? Peut-être simplement parce que Leonardo avait la tête perdue dans les nuages, comme tant d'autres, c'est en tout cas ce qu'Ezio s'était laissé dire. Toujours est-il qu'il éprouva d'emblée un profond respect pour cet homme.

— Alors dis-moi, Ezio, que fais-tu donc dans la vie ? lui demanda Leonardo.

Maria répondit pour lui :

— Il travaille pour son père.

— Ah. Un financier ! Eh bien, tu es né dans la ville idéale.

— Idéale également pour les artistes, nota Ezio. Avec tous ces riches mécènes.

— Oui, mais nous sommes si nombreux, bougonna Leonardo. Il est difficile d'attirer l'attention. D'où ma gratitude envers ta mère. Elle a l'œil fort averti.

— Tu te concentres exclusivement sur la peinture ? s'enquit Ezio, songeant à la diversité d'objets qu'il avait aperçus dans l'atelier.

Leonardo parut songeur.

— Question difficile. À vrai dire, j'avoue avoir du mal à me concentrer sur une activité particulière, maintenant que je suis livré à moi-même. J'adore peindre et je sais que je suis doué mais… quelque part, je vois déjà l'œuvre achevée avant même d'être parvenu au bout et quelquefois, j'avoue avoir du mal à finir les choses. Il faut qu'on me pousse ! Mais ce n'est pas tout. J'ai souvent l'impression que mon travail manque… comment dire?… de finalité. Est-ce que cela rime à quelque chose?

—Vous devriez avoir un peu plus confiance en vous, Leonardo, conseilla Maria.

—Merci, mais il y a des moments où je me dis que je devrais me livrer à des travaux plus concrets, des travaux qui ont un intérêt pratique. Je veux comprendre la vie – comment elle fonctionne, comment toutes les choses fonctionnent.

—Alors, il faudrait que tu sois cent personnes à la fois, remarqua Ezio.

—Si seulement cela pouvait être possible! Je sais tous les domaines que j'aimerais explorer: l'architecture, l'anatomie et même la mécanique. Je ne veux pas me contenter de reproduire le monde avec mes pinceaux, je veux le changer!

Il manifestait une telle passion qu'Ezio s'avoua plus impressionné qu'irrité: l'homme n'était certainement pas un fanfaron. Il semblait même tourmenté par le bouillonnement d'idées qui se bousculaient en lui. *Si ça se trouve, il va nous dire qu'il s'intéresse également à la musique et à la poésie!*

—Veux-tu déposer cette caisse et te reposer un moment, Ezio? demanda Leonardo. Elle est peut-être un petit peu trop lourde pour toi.

Ezio serra les dents.

—Non, *grazie*. Du reste, nous sommes quasiment rendus.

Quand ils arrivèrent au *palazzo* Auditore, il transporta la caisse dans l'entrée avant de la déposer avec autant de lenteur et de précaution que le permettaient ses muscles endoloris, et il dut bien admettre, même à son corps défendant, qu'il était enfin soulagé.

— Merci, Ezio, lui dit sa mère. Je crois qu'on pourra désormais se débrouiller sans toi, même si, bien sûr, tu as envie de nous aider pour l'accrochage...

— Merci, mère, mais je pense qu'il vaut mieux que je vous laisse vous en charger tous les deux.

Leonardo lui tendit la main.

— J'ai été ravi de faire ta connaissance, Ezio. J'espère que nos chemins se croiseront de nouveau bientôt.

— *Anch'io.*

— Tu n'auras qu'à appeler un des domestiques pour qu'il vienne donner un coup de main à Leonardo, lui suggéra Maria.

— Non, intervint l'artiste. Je préfère m'en occuper seul. Imaginez que quelqu'un laisse échapper une de ces caisses !

Et, s'accroupissant, il coinça au creux de son bras celle qu'Ezio venait de déposer, puis, tournant la tête vers Maria :

— On y va ?

— C'est par ici. Au revoir, Ezio, on se revoit ce soir pour le dîner. Suivez-moi, Leonardo.

Ezio les regarda s'éloigner. Ce Leonardo méritait sans aucun doute le respect.

Après le déjeuner, en fin d'après-midi, Giulio arriva précipitamment (comme toujours) pour annoncer à Ezio que son père le réclamait dans son bureau. Le jeune homme se hâta de suivre le secrétaire jusqu'au bout du long couloir couvert de boiseries de chêne qui menait à l'arrière de l'hôtel particulier.

— Ah, Ezio, entre, mon garçon.

Le ton de Giovanni était sérieux, affairé. Il se tenait debout derrière son bureau sur lequel étaient posés deux plis épais, enveloppés de vélin et cachetés par un sceau.

— On dit que le duc Lorenzo doit rentrer demain ou après-demain au plus tard, indiqua Ezio.

— Je sais. Mais il n'y a pas de temps à perdre. Je veux que tu livres ces plis à certains de mes associés qui résident en ville.

Giovanni les fit glisser sur le bureau.

— Bien, père.

— J'aurai également besoin que tu me récupères un message qu'un pigeon voyageur devrait avoir ramené au pigeonnier de la piazza au bout de la rue. Tâche de t'assurer que personne ne te voie faire.

— J'y veillerai.

— Alors, pour une fois, tiens-toi tranquille. Pas d'esclandre, ce coup-ci.

Ezio décida de s'occuper d'abord du pigeonnier. La nuit n'allait pas tarder à tomber et il savait qu'à cette heure, il n'y aurait pas grand monde dans les rues – alors qu'un peu plus tard, la place serait envahie de citadins faisant leur *passeggiata*.

Parvenu au but, il remarqua des inscriptions sur le mur du pigeonnier et autour de celui-ci. Il fut intrigué. Étaient-elles récentes ou bien lui auraient-elles tout simplement jusqu'ici échappé ? Il reconnut une citation de l'Ecclésiaste, rédigée avec soin : « TEL QUI ACCROÎT SON SAVOIR ACCROÎT SES PEINES. » Un peu plus bas, quelqu'un avait ajouté, d'une écriture plus grossière : « OÙ EST LE PROPHÈTE ? »

Mais bien vite, Ezio revint à sa mission. Il reconnut d'emblée le pigeon qu'il cherchait : c'était le seul qui portait un billet attaché à la patte. Il détacha prestement celui-ci avant de reposer délicatement le volatile sur son perchoir, puis il eut une hésitation. Devait-il lire le message ? Le petit billet n'était pas scellé. Il le déroula en hâte et vit que n'y était inscrit qu'un nom : celui de Francesco de' Pazzi. Ezio haussa les épaules. Sans doute cela serait-il plus parlant pour son père. Quant à lui, il avait du mal à saisir l'intérêt de cette révélation du nom du père de Vieri comme l'un des éventuels instigateurs d'un complot visant à renverser le duc de Milan – autant de faits déjà connus de Giovanni. Sauf s'il s'agissait simplement de les confirmer.

Mais il devait se dépêcher. Il fourra le message dans la pochette fixée à sa ceinture et se rendit à l'adresse indiquée sur la première enveloppe. Un brin surpris, il remarqua qu'elle était située dans le quartier chaud de la ville. Un endroit où il s'était souvent rendu avec Federico – enfin, avant sa rencontre avec Cristina, bien sûr – mais où il ne s'était jamais senti à l'aise. C'est donc la main posée sur le pommeau de sa dague pour se rassurer qu'il s'engagea dans la ruelle indiquée par son père. L'adresse se trouva être celle d'une taverne voûtée mal éclairée où l'on servait du mauvais Chianti dans des carafes en céramique.

Ne sachant trop quoi faire, car l'endroit semblait désert, il sursauta en entendant soudain une voix près de lui.

— T'es bien le fiston de Giovanni ?

Il se retourna et découvrit un rustaud dont l'haleine empestait l'oignon. Le gaillard était accompagné par une femme qui avait dû être belle mais dont tout le charme semblait avoir été laminé par dix années passées sur le dos. S'il lui en restait, il était niché dans ses yeux clairs pétillant d'intelligence.

— Mais non, idiot, railla-t-elle. C'est juste une coïncidence s'il est le portrait craché de son père.

— T'as quelque chose pour nous, poursuivit l'homme, sans tenir compte de la pique. File-nous ça.

Ezio hésita. Il vérifia l'adresse. C'était la bonne.

— Allez, donne, l'ami, insista le type en se rapprochant.

Ezio prit son haleine en plein visage. Ne se nourrissait-il que d'ail et d'oignon ?

Ezio déposa le pli dans sa main ouverte qui se referma aussitôt pour le transférer dans une bourse en cuir attachée à son flanc.

— Brave garçon, sourit-il.

Ezio remarqua, surpris, que ce sourire conférait aux traits de l'homme – mais oui – une certaine noblesse. Aussitôt démentie toutefois par son langage :

— T'inquiète, poursuivit-il, on n'est pas contagieux. (Puis, après un bref coup d'œil à sa compagne :) Enfin, pas moi, du moins.

La femme rit et lui flanqua une bourrade. Puis ils s'éclipsèrent.

Ezio ressortit du passage, soulagé. L'adresse indiquée sur la seconde lettre le menait vers une rue située juste à l'ouest du baptistère. Un quartier nettement plus huppé mais fort calme à cette heure. Il s'y rendit sans tarder.

L'attendait sous une arche enjambant la ruelle un homme râblé aux allures de soldat. Le type était vêtu d'une tenue de paysan en cuir, mais il sentait bon le propre et il était rasé de près.

— Par ici, l'invita-t-il.

— J'ai quelque chose pour vous, indiqua Ezio. De la part de…

— Giovanni Auditore ?

La voix de l'homme n'était guère qu'un murmure.

— *Si* !

L'homme scruta les deux côtés de la rue. Seul un allumeur de réverbère était visible, à quelque distance.

— T'a-t-on suivi ?

— Non… Pourquoi m'aurait-on filé ?

— T'occupe, donne-moi la lettre. Vite.

Ezio la lui tendit.

— Ça commence à sentir le roussi, poursuivit l'homme. Dis à ton père qu'ils vont agir ce soir. Il aurait intérêt à se mettre à l'abri.

Ezio fut interloqué.

— Quoi ? De quoi parles-tu ?

— J'en ai déjà trop dit. Dépêche-toi de rentrer.

Et l'homme se fondit dans l'ombre.

— Attends, lui lança Ezio. Que veux-tu dire ? Reviens !

Mais l'homme avait disparu.

Ezio rejoignit en hâte l'allumeur de réverbère et lui demanda l'heure. L'homme plissa les yeux et regarda le ciel.

— Ça doit faire une heure que j'ai pris mon service… Aux alentours de la vingtième heure, je dirais.

Ezio fit un rapide calcul. Il avait dû quitter le *palazzo* deux heures auparavant et il avait encore une bonne vingtaine de minutes de trajet pour rentrer. Il se mit à courir, soudain frappé par une horrible prémonition.

Dès qu'il vit apparaître la résidence des Auditore, il sut qu'il y avait un problème : pas une lumière aux fenêtres, et le porche était grand ouvert. Il pressa encore le pas, tout en appelant :

— Père ! Federico !

Le grand hall du *palazzo* était sombre et vide mais il y filtrait assez de lumière pour qu'Ezio voie les tables renversées, les chaises cassées, la vaisselle et les verres brisés. Quelqu'un avait arraché des murs les tableaux de Leonardo avant de les lacérer au couteau. Un peu plus loin dans l'ombre, Ezio perçut des sanglots… ceux d'une femme : sa mère !

Il se dirigeait vers elle quand une ombre s'avança derrière lui, tenant un objet levé au-dessus de la tête. Ezio pivota et saisit un lourd chandelier d'argent juste avant que celui-ci lui fracasse le crâne. Il tordit le poignet de son agresseur qui laissa échapper l'objet avec un cri de détresse. Ezio jeta au loin le chandelier et saisit le bras de l'assaillant pour l'attirer vers le peu de lumière. Il avait des envies de meurtre et déjà il avait dégainé sa dague.

— Oh ! *Ser* Ezio ! C'est vous ! Dieu soit loué !

Ezio reconnut la voix et bientôt le visage d'Annetta, la servante, une robuste paysanne qui était dans la famille depuis des années.

— Mais enfin, que s'est-il passé ?

Ezio avait entouré de ses mains les poignets de la femme et il la secouait presque, tant il était inquiet et paniqué.

— Ils sont venus – les gardes de la cité. Ils ont arrêté votre père et Federico – ils ont même pris le petit Petruccio, ils l'ont arraché aux bras de sa mère !

— Où est ma mère ? Où est Claudia ?

— Nous sommes ici, répondit une voix tremblante.

Claudia émergea de l'obscurité, sa mère appuyée à son bras. Ezio redressa un siège pour permettre à cette dernière de s'asseoir. Dans la pénombre, il vit que Claudia saignait, que ses habits étaient sales et déchirés. Maria ne le reconnut même pas. Elle resta assise, en silence, se balançant sur la chaise. Elle serrait dans ses mains le petit écrin en bois de poirier que Petruccio lui avait offert moins de deux jours auparavant… une éternité.

— Mon Dieu, Claudia ! Est-ce que tu vas bien ? (Il la contempla et la colère le submergea.) T'ont-ils… ?

— Non… je vais bien. Ils m'ont un peu bousculée parce qu'ils pensaient que je pourrais leur dire où tu étais. Mais mère… Oh, Ezio, ils ont conduit père, Federico et Petruccio au Palazzo Vecchio !

— Votre mère est en état de choc, intervint Annetta. Quand elle leur a résisté, ils… ils l'ont… (Elle craqua.) *Bastardi* !

Ezio réfléchit prestement.

— Nous ne sommes pas en sûreté, ici. Y a-t-il un endroit où tu peux les emmener, Annetta ?

— Oui, oui… chez mes sœurs. Elles y seront en sécurité.

Annetta pouvait à peine articuler, tant la suffoquaient la peur et l'angoisse.

— Alors il faut faire vite. La garde va presque à coup sûr revenir me chercher. Claudia, mère, il n'y a plus de temps à perdre. Ne prenez rien avec vous, suivez juste Annetta, tout de suite ! Claudia, aide ta mère.

Il les escorta jusqu'à la porte de leur logis ravagé. Lui-même était encore sous le choc. Il fit un bout de chemin avec elles avant de les confier aux mains expertes de la loyale Annetta qui déjà reprenait ses esprits. Ezio avait la tête en feu lorsqu'il songeait à toutes les implications : tout son univers avait été bouleversé par ces terribles événements. Il essayait tant bien que mal d'évaluer les conséquences possibles, la conduite à tenir, ce qu'il devait faire pour sauver son père et ses frères…

D'emblée, il sut qu'il devait trouver un moyen de voir son père, de découvrir ce qui avait conduit à cette attaque, à cette agression contre sa famille. Mais le Palazzo Vecchio ! À tous les coups, son père et ses frères avaient été incarcérés dans les deux petites cellules de la tour. Peut-être restait-il alors une chance… Sauf que la place était fortifiée comme un donjon et qu'elle avait dû être mise sous bonne garde, surtout ce soir-là.

Il se força à réfléchir avec calme tout en se faufilant le long des rues et en rasant les murs jusqu'à la Piazza Della Signoria. Levant les yeux, il avisa les torches qui brûlaient sur les remparts et au sommet de la tour, illuminant l'immense fleur de lys de gueules qui était l'emblème de la cité, ainsi que la grande horloge à sa base. Plus haut – en plissant les yeux pour mieux voir –, Ezio crut discerner la chiche lueur d'une chandelle derrière les barreaux de la petite fenêtre près du sommet. Des gardes étaient postés devant la porte à double battant de l'entrée du *palazzo*, d'autres se trouvaient en faction sur les remparts. Mais Ezio n'en vit aucun en haut de la tour dont les créneaux étaient de toute manière situés au-dessus de la fenêtre qu'il devait atteindre.

Il s'éloigna du *palazzo* en contournant la place et s'engagea dans une ruelle qui s'éloignait en longeant la muraille nord du palais. Par chance, il y avait encore un peu de monde dans les rues, des promeneurs qui profitaient de l'air du soir. Ezio eut soudain l'impression de vivre dans un autre univers qu'eux, l'impression d'avoir été arraché à la société où il nageait encore comme un poisson dans l'eau quelques heures plus tôt à peine. Ça le hérissait d'imaginer que pour tous ces gens la vie pouvait suivre son petit bonhomme de chemin, quand on venait de ruiner la sienne et celle de toute sa famille. Encore une fois, son cœur s'emplit de colère et de peur. Mais il se concentra de nouveau sur sa mission et une résolution inébranlable se lut bientôt sur ses traits.

Le mur qui se dressait au-dessus de lui était d'une hauteur vertigineuse mais l'obscurité allait jouer en sa faveur. Qui plus est, les pierres qui avaient servi à bâtir l'édifice étaient grossièrement taillées, lui offrant moult prises qui l'aideraient grandement dans son ascension. Le seul problème serait la présence éventuelle de gardes postés du côté nord des remparts, mais chaque chose en son temps. Pour l'heure, Ezio nourrissait l'espoir que le plus gros des troupes se soit regroupé sur le flanc ouest du palais, où se dressait la façade principale.

Il inspira, scruta les alentours – il n'y avait pas un chat dans cette allée sombre –, puis, d'un bond, prit fermement appui sur les échancrures du mur avant d'en entreprendre l'ascension.

Lorsqu'il eut atteint les remparts, il s'accroupit, les mollets en feu. Il y avait là deux gardes mais ils lui tournaient le dos et contemplaient la place illuminée en contrebas. Ezio demeura quelques instants immobile, le temps de s'assurer qu'aucun bruit n'avait trahi sa présence. Toujours baissé, il se jeta sur eux et les prit par le cou, les tirant vers l'arrière, profitant de leur poids et de l'élément de surprise pour les faire tomber à la renverse. En un clin d'œil, il les avait débarrassés de leur casque et cognait violemment les deux têtes l'une contre l'autre : les types furent inconscients avant même d'avoir pu manifester la moindre surprise. S'il n'avait pas réussi à les assommer, Ezio les aurait égorgés sans la moindre hésitation.

Il marqua un nouveau temps d'arrêt, le souffle court. La tour à présent. Les pierres de la maçonnerie étaient mieux taillées et l'ascension se révéla difficile. Sans compter qu'il devait passer du flanc nord au flanc ouest, où s'ouvrait la fenêtre de la cellule. Il pria pour que personne sur la place ou sur les remparts n'ait l'idée de lever la tête pour regarder vers le haut. Il n'avait pas envie de se faire descendre d'un carreau d'arbalète après être allé déjà si loin.

L'angle entre les murs nord et ouest était délicat et guère encourageant à négocier ; durant un moment, Ezio resta plaqué à la paroi, figé, cherchant du regard une prise qui semblait inexistante. Il regarda vers le bas et vit, loin en contrebas, un des gardes aux remparts lever les yeux. Le visage pâle était parfaitement net : Ezio distinguait même ses yeux. Il se plaqua contre la paroi. Avec sa tenue sombre, il était aussi visible qu'un cafard sur une nappe blanche. Mais, inexplicablement, l'homme rabaissa la tête et reprit sa patrouille. L'avait-il aperçu ? N'en avait-il pas cru ses yeux ? La gorge serrée, Ezio ne parvint à se relaxer et à respirer de nouveau qu'au bout d'une longue minute.

Après un effort monumental, il toucha au but, pas mécontent d'avoir un étroit rebord où se percher pour contempler l'étroite cellule derrière la fenêtre. *Dieu est miséricordieux*, songea-t-il en reconnaissant la silhouette de son père, le dos tourné ; il semblait lire à la lueur d'une chandelle.

— Père ! lança-t-il à voix basse.

Giovanni se retourna brusquement.

— Ezio ! Au nom du ciel, comment as-tu… ?

— Peu importe, père.

Lorsque Giovanni s'approcha, Ezio vit ses mains couvertes de sang et d'ecchymoses, ses traits pâles et tirés.

— Mon Dieu, père, que vous ont-ils fait ?

— Ils m'ont un peu tabassé, mais je vais bien. Plus important, comment vont ta mère et ma fille ?

— Elles sont en sûreté.

— Avec Annetta ?

— Oui.

— Dieu soit loué.

— Que s'est-il passé, père ? Vous vous y attendiez ?

— Pas aussi vite. Ils ont également arrêté Federico et Petruccio – je crois qu'ils sont dans la cellule voisine. Si Lorenzo avait été là, ça ne se serait pas passé ainsi. J'aurais dû me méfier.

— De quoi parlez-vous ?

— Il n'est plus temps d'en discuter ! (Giovanni criait presque.) Maintenant, écoute-moi : tu dois retourner chez nous. Il y a une porte dérobée dans mon bureau. Un coffre est caché derrière. Ouvre-le et prends tout ce qu'il contient. Tu m'entends ? Absolument tout. La plupart des objets te paraîtront bizarres, mais tous ont leur importance.

— Oui, père.

Ezio se dandina un peu, changeant d'appui, toujours agrippé aux barreaux de la fenêtre et en équilibre instable. Il n'osait pas regarder vers le bas et il ne savait pas combien de temps il allait encore pouvoir rester ainsi, immobile.

— Tu y trouveras entre autres une lettre accompagnée de certains documents. Tu devras les porter sans délai – ce soir! – à *messer* Alberti.

— Le gonfalonier?

— Tout juste. File, maintenant.

— Mais, père…

Ezio avait du mal à trouver ses mots. Mais ne voulant pas se cantonner au rôle de coursier, il bredouilla:

— Les Pazzi sont-ils derrière tout ça? J'ai lu le billet du pigeon voyageur. On y lisait…

Mais son père le fit taire. Ezio entendit la clé tourner dans la serrure.

— Ils viennent me chercher pour m'interroger. File avant qu'ils te découvrent. Mon Dieu, tu es un garçon courageux. Tu seras à la hauteur. Maintenant, pour la dernière fois, tu files!

Ezio se dégagea précautionneusement du rebord de la fenêtre pour aller se plaquer au mur, hors de vue, en entendant qu'on emmenait son père. C'était presque au-delà du supportable. Puis il s'arma de courage pour la redescente. Il savait que les redescentes étaient presque toujours plus délicates que les ascensions, mais rien que ces dernières quarante-huit heures, il avait eu tout le temps de s'y entraîner. S'aidant des pieds et des mains, glissant une ou deux fois, il regagna néanmoins sans encombre les remparts où les deux gardes gisaient toujours, inanimés. Encore un coup de veine! Il les avait cognés de toutes ses forces, mais s'ils avaient repris leurs esprits alors qu'il était encore en haut de la tour et qu'ils avaient donné l'alarme… mieux valait ne pas y songer.

Du reste, il n'avait pas le temps de penser à ce genre de choses. Il se jucha sur le rempart et regarda vers le bas. Plus question de traîner. S'il découvrait un élément quelconque susceptible d'amortir sa chute, il pourrait tenter de sauter. Comme ses yeux s'habituaient à la pénombre, il avisa la banne tendue d'une échoppe déserte au pied du mur. Allait-il s'y risquer ? En cas de réussite, ce seraient de précieuses minutes de gagnées. En cas d'échec, une jambe cassée serait le cadet de ses soucis. Il devait avoir confiance en lui.

Il inspira un grand coup et plongea dans le noir.

Vu la hauteur, la banne s'effondra sous son poids, mais elle était bien arrimée et résista juste assez pour amortir correctement sa chute. Il avait le souffle coupé, il aurait quelques bleus sur les côtes, mais au moins, il était en bas ! Et sans avoir déclenché l'alarme.

Il reprit ses esprits et fila dans la direction de ce qui, à peine quelques heures auparavant, était encore son logis. Quand il y fut parvenu, il se rendit compte que, dans sa hâte, son père avait omis de lui indiquer comment localiser la porte dérobée. Giulio le saurait, lui, mais où était-il ?

Par chance, aucun garde n'avait été laissé en faction et Ezio put donc s'introduire dans les lieux sans encombre. Il s'était juste arrêté une minute avant d'entrer, incapable de se propulser au cœur des ténèbres de l'embrasure… comme si la demeure avait changé, comme si on l'avait profanée. Une fois encore, Ezio dut se ressaisir, conscient que le moindre geste était désormais critique. Sa famille comptait désormais sur lui. Il s'enfonça dans l'obscurité. Quelques instants plus tard, il se trouvait au centre du bureau, éclairé par l'éclat blafard d'une chandelle, et regardait alentour.

La pièce avait été ravagée par les gardes qui avaient de toute évidence confisqué bon nombre de documents bancaires. Et le chaos formé par les étagères effondrées, les chaises renversées, les tiroirs jetés à terre, les papiers et les livres jonchant le sol n'allaient pas lui faciliter la tâche. Mais il connaissait les lieux, il avait l'œil vif et il fit travailler ses méninges. Les murs étaient épais : n'importe lequel aurait pu abriter en son sein une chambre secrète, mais Ezio se dirigea vers celui où s'adossait la vaste cheminée pour entamer ses recherches. C'était là que la maçonnerie serait la plus épaisse, afin de contenir le conduit de cheminée. La chandelle à la main, l'oreille toujours aux aguets, il finit par discerner, sur le côté gauche du manteau de pierre sculptée, le mince contour d'une porte intégrée aux boiseries. Aucune poignée n'était visible. Il regarda attentivement les colosses de pierre qui supportaient le manteau. Le nez de celui de gauche avait dû être brisé puis réparé car on voyait une mince craquelure à sa base. Ezio l'effleura et découvrit que le nez avait un léger jeu. Le cœur battant, il l'actionna doucement et tout d'un coup la porte s'ouvrit sans bruit vers l'intérieur, articulée sur des charnières à ressorts, révélant derrière un corridor qui partait vers la gauche.

Lorsqu'il entra, son pied droit buta sur une dalle qui s'enfonça et, ce faisant, des lampes à huile encastrées dans les parois de la galerie s'allumèrent soudain. Le couloir en légère pente donnait sur une chambre circulaire décorée dans un style plus syrien qu'italien. L'ensemble lui évoquait un tableau accroché dans le cabinet privé de son père et figurant le château de Masyaf, qui avait hébergé le siège de l'antique ordre des Assassins. Mais Ezio n'eut guère le temps de s'interroger sur la signification éventuelle de cette bien curieuse décoration. La pièce était dépourvue de meubles et en son centre trônait une grosse malle à ferrures métalliques, solidement fixée au sol et fermée par deux lourds cadenas. Il chercha des yeux une clé mais, en dehors de l'ornementation, les lieux étaient vides. Ezio en était à se demander s'il allait devoir regagner le bureau ou bien fouiller le cabinet particulier de son père, et si même il en aurait le temps, quand, par le plus grand des hasards, sa main effleura l'un des cadenas qui, à son seul contact, se libéra. L'autre s'ouvrit tout aussi aisément. Son père lui avait-il procuré quelque pouvoir mystérieux ? Les cadenas étaient-ils programmés pour réagir au contact d'un individu précis ? Les énigmes continuaient à s'amonceler, mais Ezio n'avait guère le temps d'y réfléchir.

Il ouvrit la malle et vit qu'elle contenait une cagoule blanche, manifestement ancienne, confectionnée à l'aide d'un tissu vaguement laineux qu'il fut incapable d'identifier. Une impulsion le poussa à la coiffer et, aussitôt, il se sentit investi d'un étrange pouvoir. Il rabaissa la cagoule mais la garda autour du cou.

La malle contenait également un manchon de cuir, une lame de dague cassée, fixée non pas à un manche mais à un mécanisme bizarre au fonctionnement mystérieux, une épée, une page de parchemin couverte de symboles, de lettres et d'un dessin évoquant le fragment d'un plan, ainsi que la lettre et les documents que son père lui avait demandé de porter à Uberto Alberti. Ezio réunit le tout, rabattit le couvercle de la malle, puis il regagna le bureau de son père, non sans avoir, avec précaution, refermé derrière lui la porte dérobée. Dans la pièce, il découvrit une giberne ayant appartenu à Giulio ; il y fourra le contenu de la malle, avant de la ceindre en travers de son torse. Il fixa l'épée à sa ceinture. Il ne savait trop quoi faire de cette collection disparate, et, faute de temps pour réfléchir aux raisons qui avaient conduit son père à la garder dans une chambre secrète, il regagna précautionneusement l'entrée principale du *palazzo*.

Mais, alors qu'il entrait dans l'avant-cour, il avisa deux gardes de la cité sur le point d'y pénétrer. Trop tard pour se cacher. Ils l'avaient vu.

— Halte ! s'écria l'un des hommes avant de s'élancer vers lui avec son compagnon.

Nulle retraite possible. Ezio vit qu'ils avaient déjà dégainé leur épée.

— Que venez-vous faire ici ? M'arrêter ?

— Non, répondit celui qui avait parlé. Nous avons ordre de te tuer.

Et, sur ces mots, l'autre se précipita sur Ezio.

Ce dernier avait dégainé à son tour. L'arme lui était peu familière mais elle lui parut légère et maniable, et c'était comme s'il l'avait utilisée toute sa vie. Il para les premiers coups, à gauche comme à droite, car les deux gardes l'avaient assailli en même temps. Des étincelles jaillissaient des trois armes mais Ezio sentit que sa nouvelle lame, parfaitement aiguisée, tenait fort bien le choc. À l'instant où le second garde abattait son épée pour lui trancher le bras au ras de l'épaule, Ezio feinta sur la droite. Puis, basculant en appui vers l'avant, il bondit. L'homme se retrouva déséquilibré quand son arme cogna dans un bruit sourd l'épaule d'Ezio, sans lui occasionner le moindre mal. Profitant de son élan, Ezio releva sa lame et plongea celle-ci dans le cœur de son adversaire. Se redressant de toute sa hauteur, il se jucha sur la pointe des pieds, leva le pied gauche et repoussa le cadavre embroché sur sa lame avant de pivoter pour affronter son second opposant. Celui-ci se jeta sur lui avec un rugissement ; il brandissait une lourde épée.

— Prépare-toi à mourir, *traditore* !

— Je ne suis pas un traître, pas plus qu'aucun autre membre de ma famille.

D'un grand mouvement, le garde le frappa, déchirant sa manche gauche. Le sang jaillit. Ezio grimaça, mais pas plus d'une seconde. Le garde poussa son avantage et Ezio le laissa progresser, puis, reculant d'un pas, il lui fit un croche-pied avant d'abattre sa propre épée sur la nuque de l'homme qui s'effondrait, lui tranchant la tête avant même qu'il ait touché le sol.

Un instant, Ezio demeura tout tremblant, le souffle court, dans le brusque silence qui avait suivi la mêlée. C'étaient ses premiers meurtres – mais étaient-ce bien les premiers ? Car il sentait au tréfonds de lui une autre vie, une existence passée durant laquelle il lui semblait avoir eu des années d'expérience dans cette pratique.

L'impression le terrifia. Cette nuit l'avait vu vieillir bien plus que son âge réel mais cette sensation nouvelle semblait avoir éveillé en lui quelque force noire. Cela dépassait de loin l'expérience éprouvante des toutes dernières heures. C'est le dos voûté qu'il parcourut les rues sombres pour gagner la résidence d'Alberti. Il sursautait au moindre bruit, se retournait sans cesse. Enfin, au bord de l'épuisement mais parvenu malgré tout à résister, il se présenta devant le domicile du gonfalonier. Il leva les yeux vers la façade et vit une faible lumière derrière une fenêtre. Il tambourina contre la porte avec le pommeau de son arme.

Pas de réaction. Impatient et nerveux, il frappa de nouveau, plus fort. Toujours rien.

Mais, après la troisième tentative, un guichet glissa fugitivement puis enfin la porte s'ouvrit presque aussitôt après. Il fut accueilli par un domestique soupçonneux. Il s'annonça d'une voix chevrotante et fut alors conduit à l'étage dans une pièce où Alberti était installé devant un bureau couvert de papiers. Derrière lui, leur tournant à moitié le dos, assis dans un fauteuil près d'un feu mourant, Ezio crut distinguer un autre homme, de grande taille et de carrure imposante. Mais seule une partie de son profil était visible, et encore, peu distinctement.

— Ezio ? (Alberti s'était levé, surpris.) Que viens-tu faire ici à cette heure ?

— Je… je ne…

Alberti s'approcha et lui posa la main sur l'épaule.

— Attends, mon enfant. Respire. Reprends-toi.

Ezio acquiesça. Il se sentait maintenant plus en sécurité, mais aussi plus vulnérable. Les événements de la soirée et de la nuit le rattrapèrent soudain. L'horloge en laiton posée sur le bureau lui révéla qu'il n'était pas minuit. Se pouvait-il que douze heures seulement se soient écoulées depuis qu'Ezio, l'adolescent, avait accompagné sa mère pour aller récupérer les tableaux d'un artiste dans son atelier ? Malgré lui, il se sentait au bord des larmes. Mais il se ressaisit et ce fut Ezio, l'homme, qui parla.

— Mon père et mes frères ont été emprisonnés – j'ignore qui en a donné l'ordre –, ma mère et ma sœur se cachent et la résidence familiale a été mise à sac. Mon père m'a enjoint de vous remettre cette lettre et ces papiers…

Ezio sortit les documents de la giberne.

— Merci.

Alberti chaussa une paire de lunettes et rapprocha la missive de Giovanni de la lumière de la bougie qui brûlait sur le bureau. Il n'y avait pas un bruit dans la pièce, hormis le tic-tac de l'horloge et, par moments, le doux crissement des braises vacillant dans l'âtre. S'il y avait une autre présence avec eux, Ezio l'avait oubliée.

Alberti reporta son attention sur les documents. Il prit son temps pour les étudier et finalement en glissa discrètement un dans son pourpoint noir. Les autres, il les mit soigneusement de côté, à l'écart des autres papiers jonchant son bureau.

— Il s'est produit un terrible malentendu, mon cher Ezio, dit-il en ôtant ses lunettes. Il est vrai que des accusations ont été portées – de graves allégations – et qu'un procès doit s'ouvrir demain matin. Mais il semblerait que quelqu'un, peut-être pour des raisons qui lui sont propres, a fait du zèle. Mais ne te tracasse pas. Je vais arranger tout ça.

Ezio n'en croyait pas ses oreilles.

— Comment ?

— Les documents que tu m'as remis contiennent les preuves d'un complot contre ton père et contre la cité. Je présenterai ces papiers demain à l'audience et Giovanni comme tes frères seront relâchés. Je te le garantis.

Le jeune homme éprouva un soulagement intense. Il saisit la main du gonfalonier.

— Comment pourrais-je vous remercier ?

— Administrer la justice, c'est mon travail, Ezio. Je le prends fort au sérieux et (il hésita une fraction de seconde)… ton père est l'un de mes amis les plus chers. (Alberti sourit.) Mais je manque à tous mes devoirs. Je ne t'ai même pas offert un verre de vin. (Une pause.) Et où comptes-tu passer la nuit ? J'ai encore plusieurs affaires urgentes à régler, mais mes domestiques veilleront à ce que tu aies de quoi boire et manger, puis un bon lit bien chaud.

Sur le coup, Ezio n'aurait su dire pourquoi il refusa une offre si cordiale.

Il était minuit largement passé quand il quitta la résidence du gonfalonier. Remettant sa cagoule, il rôda dans les rues, cherchant à mettre de l'ordre dans ses pensées. Bientôt, il sut où le portaient ses pas.

Une fois rendu, il escalada le mur jusqu'au balcon avec bien plus d'aisance qu'il l'aurait cru possible – sans doute l'urgence de la situation lui procurait-elle un surcroît de tonus musculaire. Il toqua doucement contre les persiennes et chuchota :

— Cristina ! *Amore mio* ! Lève-toi ! C'est moi.

Il attendit, silencieux comme un chat, aux aguets. Il l'entendit bouger, se lever. Et puis sa voix, craintive, de l'autre côté des volets.

— Qui est là ?

— Ezio.

Elle ouvrit prestement les volets.

— Qu'y a-t-il ? Qu'est-ce qui ne va pas ?

— Laisse-moi entrer, s'il te plaît.

Il alla s'asseoir sur son lit et lui narra toute l'histoire.

— Je savais que quelque chose n'allait pas, remarqua-t-elle. Mon père a eu l'air soucieux toute la soirée. Mais il semble que les choses doivent s'arranger.

— J'aurais besoin que tu m'héberges cette nuit – ne t'en fais pas, je serai parti bien avant l'aube – et j'ai également besoin de te confier quelque chose. (Il dégrafa sa sacoche et la déposa entre eux deux.) Mais je dois te faire confiance.

— Oh ! Ezio, bien sûr que tu peux !

Il s'endormit entre les bras de Cristina d'un sommeil agité.

Chapitre 4

C'était un matin gris, couvert, et la cité semblait oppressée par la chaleur moite piégée sous la couche de nuages. Ezio arriva à la Piazza Della Signoria et découvrit, à sa plus grande surprise, qu'une foule dense s'y était déjà rassemblée. On avait érigé une estrade sur laquelle se dressait une table couverte d'un lourd drap de velours frappé des armes de la ville. Debout derrière, l'un et l'autre vêtus d'une robe cramoisie, se tenaient Uberto Alberti et un homme de grande taille, à la stature imposante, au nez busqué et aux petits yeux prudents et calculateurs – ce dernier était un inconnu, du moins pour Ezio. Mais l'attention du jeune homme fut bien vite détournée par les autres occupants de l'estrade : son père et ses frères, tous enchaînés ; et juste derrière eux se dressait une haute charpente avec une lourde traverse à laquelle étaient suspendus trois nœuds coulants.

Ezio était arrivé sur la piazza habité par un optimisme modéré : le gonfalonier ne lui avait-il pas promis que tout serait réglé ce jour-là ? Mais bien vite, l'optimisme laissa place à l'inquiétude. Quelque chose n'allait pas… n'allait pas du tout. Il essaya de se frayer un passage mais sans parvenir à fendre la cohue – il se sentait près d'être submergé par la claustrophobie. Paniqué, il essaya de se calmer, d'agir de manière rationnelle. Il marqua donc une pause, la cagoule rabattue sur la tête, rajustant l'épée à sa ceinture. Alberti n'allait quand même pas le laisser tomber ? Il remarqua que l'homme de grande taille, un Espagnol, à en juger par sa tenue, son visage et son teint, ne cessait de scruter la foule avec ce même regard perçant. Qui était-ce ? Pourquoi éveillait-il chez Ezio comme un souvenir refoulé ? Ezio l'avait-il déjà vu quelque part ?

Resplendissant dans la tenue de sa charge, le gonfalonier éleva les deux bras pour calmer la foule et, aussitôt, le silence retomba sur la place.

— Giovanni Auditore, dit Alberti sur un ton autoritaire qui, à l'oreille fine d'Ezio, dissimulait mal une nuance de terreur. Toi et vos complices êtes accusés du crime de trahison. As-tu une preuve quelconque pour répondre à cette accusation ?

Giovanni eut l'air à la fois surpris et gêné.

— Oui, vous avez tous les documents qui vous ont été fournis hier soir.

Mais Alberti répondit :

— Je n'ai pas eu connaissance de tels documents, Auditore.

Ezio se rendit compte aussitôt qu'il s'agissait d'un procès truqué, mais il ne comprenait pas les raisons de ce double jeu de la part d'Alberti. Il s'écria :

— Il ment !

Mais sa voix fut noyée par le grondement de la foule. Il joua des coudes pour se rapprocher, écartant sans ménagement des citoyens furieux, mais ils étaient bien trop nombreux et il se retrouva piégé dans la cohue.

Alberti avait repris la parole :

— Les preuves réunies contre vous ont été amassées puis examinées. Elles sont irréfutables. En l'absence d'éléments à décharge, je suis contraint par ma charge à vous déclarer, toi et tes complices, Federico, Petruccio et – *in absentia* – ton fils Ezio, coupables du crime dont on vous accuse. (Il fit une pause et la foule se tut de nouveau.) En conséquence, je vous condamne à mort, la sentence sera exécutée immédiatement !

La foule se remit à rugir. Sur un signal d'Alberti, le bourreau prépara les nœuds coulants tandis que deux de ses assistants allaient d'abord chercher le petit Petruccio qui refoulait ses larmes pour le conduire au gibet. On lui glissa la corde autour du cou tandis qu'il bredouillait une brève prière et que le prêtre lui aspergeait la tête d'eau bénite. Puis le bourreau tira sur un levier intégré à l'échafaudage, une trappe s'ouvrit et le jeune garçon se balança, fouettant l'air avec ses jambes avant de cesser de bouger.

— Non ! souffla Ezio, qui en croyait à peine ses yeux. Non, mon Dieu, je vous en supplie, non !

Mais les mots s'étranglèrent dans sa gorge.

Federico était le suivant. Il hurla son innocence et celle de sa famille, se débattit en vain pour échapper aux gardes qui le conduisaient de force vers le gibet. Ezio, désormais hors de lui, et cherchant de nouveau à fendre la foule, vit une larme rouler sur la joue blême de son père. Horrifié, il vit son frère aîné, son meilleur ami, se balancer au bout de la corde – il lui fallut plus de temps qu'à Petruccio pour quitter ce bas monde mais, à la longue, lui aussi cessa de se débattre pour osciller doucement – dans le silence, on entendait craquer la poutre transversale. Ezio devait se pincer pour y croire… Comment était-ce possible ?

La foule se remit à murmurer mais soudain une voix ferme la fit taire. Giovanni Auditore avait pris la parole.

— C'est toi le traître, Uberto ! Toi, l'un de mes associés et amis les plus proches, toi à qui j'avais confié ma vie ! Quel imbécile je fais ! Je n'avais pas compris que tu étais l'un d'eux ! (Il éleva le ton, dans un grand cri de rage et d'angoisse.) Tu peux bien nous ôter la vie aujourd'hui, mais écoute-moi bien : nous aurons la tienne en échange !

Il inclina la tête et se tut. S'ensuivit un profond silence, tout juste rompu par les prières que marmonnait le prêtre, tandis que Giovanni Auditore s'avançait, très digne, vers le gibet et préparait son âme à son ultime grande aventure.

D'abord, Ezio fut trop choqué pour éprouver du chagrin. Il se sentait comme assommé par un gigantesque poing de fer. Mais quand la trappe s'ouvrit sous les pieds de Giovanni, il ne put s'empêcher de crier « Père ! » d'une voix qui se brisa.

Aussitôt, les yeux de l'Espagnol furent sur lui. L'homme avait-il un don de vision surnaturel pour le repérer ainsi au milieu d'une telle cohue ? Comme au ralenti, Ezio vit l'Espagnol se pencher vers Alberti, lui murmurer à l'oreille, puis désigner le jeune homme.

— À la garde ! s'écria Alberti, en pointant le doigt à son tour. Là ! Un autre membre de la bande ! Emparez-vous de lui !

Avant que la foule ait pu réagir et le maîtriser, Ezio s'était approché du bord du gibet, jouant des coudes et des poings contre tous ceux qui lui barraient le passage. Un garde l'attendait déjà. Il agrippa Ezio, rabattit sa cagoule. Mû désormais par une sorte d'instinct, Ezio se libéra, dégaina son épée d'une main et, de l'autre, saisit le garde à la gorge. Il avait réagi bien plus vite que l'avait anticipé son adversaire et avant que ce dernier ait eu le temps de lever les bras pour se défendre, Ezio avait resserré son étreinte et, d'un mouvement vif, il l'avait embroché, puis avait aussitôt retiré son épée : les intestins de l'homme jaillirent de sous sa tunique pour se répandre sur le pavé. Le jeune homme écarta le corps et se retourna vers l'estrade, regardant Alberti droit dans les yeux.

— Je te tuerai pour cela ! hurla-t-il, d'une voix étranglée par la haine et la rage.

Mais d'autres gardes s'approchaient. Désormais guidé par son instinct de survie, Ezio leur échappa, fuyant vers la sécurité relative des rues étroites derrière la place. À son grand désarroi, il vit deux autres gardes se précipiter pour lui barrer la route.

Ils se rejoignirent à la lisière de la place. Les deux gardes lui firent face, bloquant sa retraite, tandis que les autres approchaient derrière lui. Ezio se défendit comme un beau diable. Et puis, à l'issue d'une parade malencontreuse, il se vit arracher son épée. Redoutant que la fin soit proche, il tourna les talons pour fuir ses agresseurs. Mais avant qu'il ait pu prendre son élan, il se produisit une chose extraordinaire. Surgi de l'étroite ruelle vers laquelle il cherchait à se diriger, apparut un homme grossièrement vêtu. Vif comme l'éclair, il se jeta sur les deux gardes et les attaqua par-derrière avec une longue dague. Il trancha profondément leur aisselle droite, sectionnant les tendons et rendant leur bras inerte. L'homme était si rapide qu'Ezio arrivait à peine à suivre ses mouvements, alors que l'inconnu s'était déjà penché pour récupérer l'épée du jeune homme et la lui lancer. Ezio le reconnut soudain… – et sentit une fois encore cette odeur d'ail et d'oignons. En cet instant, aucune rose de Damas n'aurait pu fleurer aussi bon.

— Tire-toi, vite, dit l'homme.

Et déjà, le voici qui s'était éclipsé. Ezio plongea dans la ruelle et s'engagea rapidement dans ces vanelles et ces chemins de traverse qu'il connaissait comme sa poche, grâce à ses virées nocturnes avec Federico. Dans son dos, le tollé s'atténua. Ezio rejoignit le fleuve et trouva bientôt refuge dans une cabane de guet située derrière un des entrepôts appartenant au père de Cristina.

À cet instant, Ezio cessa définitivement d'être un garçon pour devenir un homme. Le poids de la responsabilité qu'il ressentait désormais, celle de venger sa famille et de rétablir la justice, lui tomba sur les épaules comme une lourde cape.

Affalé sur un tas de sacs abandonnés, il se mit à trembler de tout son corps. Son univers venait d'être mis en pièces. Son père… Federico… et, Dieu, le petit Petruccio… tous partis, tous morts, assassinés ! La tête entre les mains, il craqua, incapable de contenir ce déferlement de chagrin, de peur et de haine. Ce ne fut qu'au bout de plusieurs heures qu'il se sentit capable de dévoiler de nouveau son visage et ses yeux injectés de sang et brûlant désormais d'une lueur de vengeance inextinguible. Ezio sut que sa vie antérieure était bel et bien finie : le jeune Ezio avait disparu pour toujours. Désormais, sa vie ne serait plus consacrée qu'à une seule et unique mission : la vengeance.

Bien plus tard ce même jour, pleinement conscient que la garde devait toujours patrouiller à sa recherche, il rebroussa chemin pour revenir vers la résidence de la famille de Cristina. Il n'avait aucune intention de mettre la famille en danger mais il avait besoin de récupérer sa besace avec son précieux contenu. Il patienta dans une alcôve obscure qui empestait l'urine, immobile même quand des rats grouillaient autour de ses pieds, jusqu'à ce qu'une lampe à la fenêtre de la jeune fille lui révèle qu'elle était montée se coucher.

— Ezio ! s'écria-t-elle lorsqu'elle le vit apparaître sur son balcon. Dieu merci, tu es vivant. (Le soulagement inonda son visage, mais bien vite le chagrin reprit le dessus.) Ton père et tes frères…

Elle fut incapable de poursuivre et inclina la tête.

Ezio la prit dans ses bras et tous deux restèrent ainsi durant plusieurs minutes. Enfin, elle s'écarta de lui.

— Tu es fou ! Que fais-tu encore à Florence ?

— J'ai toujours des affaires à régler, répondit-il sur un ton grave. Mais je ne peux pas m'attarder ici, c'est un trop gros risque pour ta famille. S'ils savaient que tu m'héberges…

Cristina ne dit rien.

— Donne-moi ma sacoche et je file.

Elle alla la lui chercher mais, avant de la lui restituer, elle l'interrogea :

— Et ta famille ?

— C'est ma première tâche. Enterrer mes morts. Je ne peux pas les voir jetés à la fosse commune comme de vulgaires criminels.

— Je sais où ils ont été emmenés.

— Comment ?

— Toute la ville en a parlé toute la journée. Mais l'endroit sera désert à l'heure qu'il est. On a transféré les corps près de la Porta San Niccolò, avec ceux des pauvres. La fosse est déjà creusée et on n'attend plus que l'arrivée des sacs de chaux dans la matinée. Oh ! Ezio… !

Ezio réagit d'une voix calme mais résolue.

— Je dois veiller à ce que mon père et mes frères puissent quitter cette terre d'une manière décente. Je ne peux pas leur offrir une messe de requiem, mais je peux au moins épargner à leurs dépouilles une telle indignité.

— Je t'accompagnerai.

— Non ! Tu imagines un peu les conséquences si on te trouvait avec moi ?

Cristina baissa les yeux.

— Je dois également veiller à la sécurité de ma mère et de ma sœur, désormais, et je dois à ma famille d'exercer ma vengeance. (Il hésita.) Ensuite seulement, je partirai. Peut-être pour toujours. La seule question est : m'accompagneras-tu ?

Elle eut un mouvement de recul et il lut dans ses yeux quantité d'émotions qui se bousculaient. Il y avait de l'amour, bien sûr, un amour profond, solide, mais lui-même avait tant vieilli par rapport à elle depuis le jour de leur première étreinte.

Elle était toujours une petite fille. Comment pouvait-il exiger d'elle un tel sacrifice ?

— Je voudrais tant, Ezio, tu n'imagines pas à quel point... Mais ma famille... mes parents en mourraient.

Ezio la contempla, avec beaucoup de douceur. Ils avaient beau être du même âge, son expérience récente l'avait fait mûrir considérablement. Il n'avait plus de famille sur qui s'appuyer dorénavant, il ne lui restait plus que des devoirs, des responsabilités, et c'était difficile.

— J'ai eu tort de te demander. Et qui sait, peut-être qu'un jour, quand tout ceci sera loin derrière nous...

Il porta la main à son cou et tira de sous les plis de son col un lourd pendentif en argent accroché à une fine chaîne d'or. Il l'ôta. Le médaillon était tout simple : juste la lettre « A », initiale de sa famille.

— Je veux te donner ceci. Prends-le, je t'en prie.

Elle l'accepta d'une main tremblante, en pleurant doucement. Elle contempla le médaillon, puis releva les yeux pour remercier Ezio, s'excuser encore.

Mais il avait disparu.

Sur la rive sud de l'Arno, près de la Porta San Niccolò, Ezio trouva le lieu sordide où les corps avaient été déposés, au bord d'une fosse béante. Deux gardes à l'air maussade, apparemment de jeunes recrues, patrouillaient à proximité, traînant plus que portant leur hallebarde. La vue de l'uniforme réveilla la colère d'Ezio et son impulsion première fut de les tuer, mais il avait eu son content de mort pour la journée et puis il ne s'agissait que de petits gars de la campagne qui avaient endossé l'uniforme faute de mieux. Son cœur se serra quand il vit les dépouilles de son père et de ses frères au bord de la fosse, la corde encore passée à leur cou brûlé, mais il put constater qu'une fois les gardes endormis, il pourrait transporter les corps jusqu'à la berge où il avait déjà amarré une barque qu'il avait remplie de brindilles.

La troisième heure approchait et les premières lueurs de l'aube blanchissaient le ciel quand il eut enfin achevé sa tâche. Seul au bord du fleuve, il regarda l'embarcation portant les corps de son père et de ses frères lentement dériver, en flammes, au gré du courant, jusqu'à la mer. Il continua à la contempler jusqu'à ce que les éclats du feu disparaissent au loin...

Il revint vers la cité. Désormais, sa résolution avait pris le pas sur son chagrin. Il restait tant à faire. Mais d'abord, il devait se reposer. Il revint se terrer dans sa cabane de garde et s'y installa du mieux possible. Quelques heures de sommeil ne seraient pas du luxe ; mais même alors, Cristina ne devait pas quitter ses pensées... ou ses rêves.

Il savait à peu près où habitait Paola, la sœur d'Annetta, même s'il ne s'était jamais rendu chez elle, et ne l'avait du reste jamais rencontrée. Mais Annetta avait été sa nourrice et il savait que s'il ne pouvait pas se fier à elle, il ne se fierait à personne. Il se demanda si elle était déjà au courant du triste sort de son père et de ses frères, et, dans ce cas, si elle en avait déjà informé la mère et la sœur d'Ezio.

Il redoubla de précautions pour s'approcher de la maison, empruntant un itinéraire détourné et, chaque fois que c'était possible, passant par les toits pour éviter les rues pleines de monde où, il en était sûr, Uberto Alberti avait posté ses hommes. Ezio ne pouvait s'empêcher de penser à la traîtrise d'Alberti. À quelle faction son père avait-il fait allusion sur le gibet ? Qu'est-ce qui avait pu conduire Alberti à causer la mort de l'un de ses alliés les plus proches ?

La demeure de Paola était située dans une rue au nord de la cathédrale, Ezio le savait. Mais une fois sur place, comment savoir laquelle était la bonne ? Il n'y avait guère d'enseignes pour distinguer les divers bâtiments et il ne pouvait pas se permettre de flâner dans les parages, au risque d'être reconnu. Il s'apprêtait à quitter les lieux lorsqu'il vit Annetta en personne arriver de la Piazza San Lorenzo.

Il rabattit sa capuche pour masquer son visage puis se dirigea vers elle, en se forçant à marcher d'un pas tranquille, tâchant de se mêler du mieux possible au reste de ses compatriotes vaquant à leurs affaires. Il croisa Annetta et constata, satisfait, qu'elle ne l'avait apparemment pas remarqué. Un peu plus loin, il tourna les talons et lui emboîta le pas.

— Annetta…

Elle eut la présence d'esprit de ne pas se retourner.

— Ezio. Tu es sain et sauf.

— Je n'irais pas jusque-là. Est-ce que ma mère et ma sœur…

— Elles sont protégées. Oh ! Ezio, ton pauvre père ! Et Federico ! Et (elle retint un sanglot) le petit Petruccio… Je reviens à l'instant de San Lorenzo. J'y ai fait brûler un cierge à Saint-Antoine. On dit que le duc est sur le point de revenir. Peut-être qu'alors…

— Ma mère et ma sœur sont-elles au courant ?

— Nous nous sommes dit que mieux valait le leur cacher pour l'instant.

Ezio réfléchit quelques secondes.

— Cela vaut mieux, en effet. Je leur révélerai le moment venu. (Il marqua une pause.) Veux-tu bien me conduire auprès d'elles ? Je n'ai pas réussi à localiser la maison de ta sœur.

— Je m'y rendais justement. Tu n'as qu'à me suivre.

Il se laissa légèrement distancer sans toutefois la perdre de vue.

Le bâtiment où elle entra avait l'aspect sévère de bien d'autres édifices florentins plus imposants, avec cette façade évoquant une forteresse, mais, une fois le seuil franchi, Ezio découvrit avec surprise un tout autre aspect, plutôt inattendu.

Il se retrouva dans une vaste antichambre richement décorée. La pièce était haute de plafond, sombre, l'atmosphère lourde. D'épaisses tentures de velours brun ou rouge couvraient les murs, alternant avec des tapisseries orientales décrivant explicitement des scènes de plaisir et de débauche. Des chandelles éclairaient les lieux et une odeur d'encens flottait dans l'air. Le mobilier se réduisait pour l'essentiel à de confortables lits de jour garnis de coussins recouverts de brocart coûteux et de tables basses sur lesquelles étaient déposés des plateaux avec carafes de vin en argent, verres en cristal de Venise et coupes en or remplies de douceurs. Mais le plus surprenant de tout, c'étaient les occupantes des lieux. Une dizaine de filles superbes, vêtues de tenues de soie ou de satin vert et jaune, coupées à la florentine mais aux jupes fendues jusqu'en haut de la cuisse et aux décolletés si plongeants qu'ils ne laissaient plus guère à l'imagination que la promesse de plaisirs interdits. Sur trois des murs de la pièce, derrière les tentures et les tapisseries, on apercevait un grand nombre de portes.

Ezio tourna la tête sans trop savoir par où commencer.

— Es-tu sûre que c'est le bon endroit ?

— *Ma certo* ! s'exclama Annetta. Et voici du reste ma sœur qui vient nous accueillir.

Une femme élégante, sans doute la trentaine même si elle paraissait dix ans plus jeune, aussi belle qu'une *principessa* mais sans aucun doute mieux vêtue que la plupart, arrivait du centre de la pièce. L'ombre de tristesse voilant son regard ne faisait qu'accroître encore leur charge érotique et, malgré tous les tourments qui lui accaparaient l'esprit, Ezio dut s'avouer troublé.

Elle lui tendit une main fine aux longs doigts couverts de bagues.

— C'est un plaisir de faire votre connaissance, *messer* Auditore. (Elle le jaugea d'un regard appréciateur.) Annetta a toujours dit le plus grand bien de vous. Je comprends mieux pourquoi, désormais.

Rougissant malgré lui, Ezio répondit :

— J'apprécie votre amabilité, *madonna*...

— Je vous en prie, appelez-moi Paola.

Ezio s'inclina.

— Je n'ai pas de mots pour exprimer ma gratitude envers vous d'accorder votre protection à ma mère et à ma sœur, *madon*... pardon, Paola.

— C'était bien le moins que je puisse faire.

— Sont-elles ici ? Puis-je les voir ?

— Non... Ce ne serait pas un endroit convenable pour elles, d'autant que certains de mes clients font partie des édiles de cette cité.

— Cet endroit est-il donc... pardonnez-moi, mais... ce que je crois deviner ?

Rire de Paola.

— Bien entendu ! Mais j'ose espérer qu'il se démarque quelque peu de ces gargotes près des entrepôts ! Il est vraiment encore tôt pour travailler mais nous aimons bien être prêtes, au cas où un client se présenterait avant de se rendre à ses affaires. Vous arrivez au moment idéal.

— Où est ma mère ? Où est Claudia ?

— Elles sont en lieu sûr, Ezio ; mais il serait trop risqué de vous y conduire tout de suite car l'on ne doit pas compromettre leur sécurité.

Elle le conduisit vers un sofa et s'assit avec lui. Entre-temps, Annetta avait disparu dans les entrailles de la demeure pour vaquer à ses propres occupations.

— Je crois que le mieux pour vous, poursuivit Paola, serait de quitter Florence avec elles au plus vite. Mais vous devez souffler d'abord. Recouvrer vos forces car la voie qui s'ouvre devant vous sera longue et tortueuse. Peut-être aimeriez-vous…

— Vous êtes fort aimable, Paola, interrompit-il d'une voix douce, et votre suggestion est la bienvenue. Mais pour l'heure, je ne peux pas rester.

— Pourquoi ? Où allez-vous ?

Tout au long de leur conversation, Ezio avait senti un grand calme l'envahir peu à peu, comme si ses pensées en déroute se rassemblaient soudain. Il se sentait enfin capable de surmonter son état de choc et la peur car il était parvenu à une décision, il s'était trouvé un objectif, l'un comme l'autre irrévocable, il le savait.

— Je m'en vais tuer Uberto Alberti, lâcha-t-il.

Paola manifesta son inquiétude.

— Je comprends votre désir de vengeance, mais le gonfalonier est un homme puissant et vous n'êtes pas un tueur-né, Ezio…

Le sort est en train de me transformer, songea-t-il, mais il se contenta de répondre, aussi poliment que possible :

— Ne me faites pas la leçon, je vous prie.

Ezio voulait rester motivé par sa mission.

Paola ne tint pas compte de son intervention et termina sa phrase :

— … mais je peux vous aider à le devenir.

Ezio retint un soupçon.

— Et pourquoi voudriez-vous m'enseigner à tuer ?

Elle hocha la tête.

— Pour vous apprendre à survivre.

— Je ne suis pas certain d'avoir besoin de vos lumières.

Elle sourit.

— Je sais ce que vous ressentez mais laissez-moi s'il vous plaît aiguiser les dons que vous possédez déjà, j'en suis sûre. Considérez mon enseignement comme une arme de plus dans votre panoplie.

Elle commença sa formation le jour même, recrutant pour l'aider les filles qui n'étaient pas de service et quelques domestiques de confiance. Dans le jardin ceint de hauts murs situé derrière la maison, elle répartit ses troupes en cinq groupes de quatre. Ils se mirent alors à sillonner le jardin, se croisant, bavardant et riant ; certaines filles jetaient au jeune homme des sourires aguicheurs. Ezio, toujours lesté de sa précieuse sacoche, demeurait insensible à leurs charmes.

— À vrai dire, lui expliqua Paola, la discrétion est fondamentale dans mon activité. Nous devons être capables d'arpenter les rues librement… vues, mais invisibles. Toi aussi, tu vas devoir apprendre à te fondre dans la foule comme nous, ne faire plus qu'un avec elle. (Ezio allait protester mais elle leva la main.) Je sais ! Annetta me dit que tu ne te débrouilles pas si mal, mais tu as encore des choses à apprendre. Je veux que tu sélectionnes un groupe et que tu essaies de te mêler à lui. Je veux être incapable de te remarquer. Rappelle-toi ce qui a failli t'arriver lors de l'exécution.

La remarque l'aiguillonna, mais la tâche ne lui semblait pas si difficile, pourvu qu'il fasse montre de discrétion. Pourtant, sous le regard impitoyable de Paola, il s'aperçut que c'était plus délicat qu'il l'avait imaginé. Il bousculait maladroitement telle ou telle personne, trébuchait même, contraignant les membres du groupe choisi à s'écarter de lui, l'exposant d'emblée à la vue de tous. Le jardin était un endroit agréable, ensoleillé et luxuriant, les oiseaux pépiaient dans les arbres ornementaux, mais, pour Ezio, c'était devenu un dédale de rues hostiles, où chaque passant était un ennemi mortel potentiel. Et il restait toujours aiguillonné par les implacables critiques de Paola.

— Attention ! s'écriait-elle. Tu ne peux pas foncer ainsi ! Témoigne un minimum de respect à mes filles ! Avance avec précaution quand tu es à proximité ! Comment espères-tu te fondre au milieu des gens si tu passes ton temps à les bousculer ? Oh ! Ezio, je m'attendais à mieux de ta part !

Mais à la longue, le troisième jour, les remarques acerbes se firent plus rares et, au matin du quatrième, il était capable de passer sous le nez de Paola sans la faire ciller. De fait, après un bon quart d'heure sans la moindre remarque, Paola lança :

— D'accord, Ezio, j'abandonne ! Où es-tu ?

Fort content de lui, il émergea d'un groupe de filles, copie conforme d'un jeune domestique de la maison. Paola sourit et applaudit, aussitôt imitée par les autres.

Mais le travail ne s'achevait pas là.

— Maintenant que tu as appris à te fondre dans une foule, lui dit Paola le lendemain matin, je vais te montrer comment utiliser tes nouvelles aptitudes, mais cette fois pour voler.

Ezio tiqua, mais Paola se hâta d'expliquer :

— C'est une technique essentielle à la survie et il se pourrait que tu en aies besoin au cours de ton voyage. Un homme n'est rien sans argent et tu ne seras pas toujours en état d'en gagner honnêtement. Je sais que jamais tu ne déroberais quoi que ce soit si c'est indispensable à quelqu'un ou si cela appartient à un ami. Considère plutôt cela comme un canif que tu n'utilises qu'à l'occasion, mais cela rassure de savoir qu'on l'a sous la main.

Apprendre à vider les poches était bien plus difficile que se fondre dans une foule. Il parvenait certes à se porter à la hauteur d'une fille, mais dès qu'il refermait la main sur la bourse à sa ceinture, elle criait : « *Al ladro* ! » avant de détaler.

La première fois qu'il réussit à soutirer quelques pièces, il resta sur place, radieux, mais sentit bientôt une lourde patte se poser sur son épaule.

— *Ti arresto* ! dit avec un grand sourire le domestique qui pour l'occasion jouait le rôle d'un vigile de la cité.

Mais Paola ne souriait pas.

— Une fois que tu as volé quelqu'un, Ezio, tu ne dois pas t'attarder.

Il apprenait plus vite, toutefois, et commençait désormais à mesurer à quel point l'acquisition de ces compétences allait se révéler indispensable à la réussite de sa mission. Une fois qu'il eut dépouillé avec succès dix filles – les cinq dernières sans même que Paola le remarque –, cette dernière l'informa que la formation était terminée.

— Maintenant, au boulot, les filles, lança-t-elle. Fin de la récréation.

— Est-ce qu'il faut vraiment ? murmurèrent les filles, un peu rétives, avant de prendre congé d'Ezio. Il est si mignon, si innocent…

Mais Paola se montra inflexible.

Elle déambula seule avec lui dans le jardin. Comme toujours, il gardait une main posée sur sa sacoche.

— Maintenant que tu as appris comment approcher l'ennemi, lui dit-elle, nous devrons te trouver une arme adéquate… quelque chose d'autrement plus subtil qu'une épée.

— Fort bien, mais que me suggérez-vous ?

— Ma foi, tu as déjà la réponse !

Et de lui exhiber la lame et la courroie de cuir qu'Ezio avait récupérées dans le coffre paternel et qu'il croyait toujours en sûreté au fond de sa besace. Interloqué, il l'ouvrit et fouilla dedans. Les objets en avaient bel et bien disparu.

— Paola, comment diable…

Paola éclata de rire.

— … ai-je fait pour les avoir ? Mais en recourant précisément aux aptitudes que je viens de t'enseigner. Voilà une nouvelle petite leçon pour toi. Maintenant que tu sais vider les poches et les bourses, tu dois également apprendre à te protéger de ceux qui ont les mêmes compétences !

Ezio lorgna d'un air torve les deux objets qu'elle venait de lui restituer.

— Il y a une sorte de mécanisme qui va avec. Rien de tout cela n'est vraiment en état de marche, précisa-t-il.

— Ah. C'est vrai. Mais je pense que tu connais déjà *messer* Leonardo.

— Da Vinci ? Oui, je l'ai rencontré peu avant… (Il se tut, refusant de s'appesantir sur des souvenirs douloureux.) Mais comment un peintre pourrait-il m'être utile en ce domaine ?

— C'est bien plus qu'un peintre. Apporte-lui les pièces. Tu verras.

Voyant ce qu'elle voulait dire, Ezio acquiesça, avant d'ajouter :

— Avant que j'y aille, puis-je vous poser une dernière question ?

— Bien sûr.

— Pourquoi m'avoir accordé si volontiers votre aide… à moi, un parfait inconnu ?

Paola lui adressa un sourire triste. En guise de réponse, elle releva une de ses manches, révélant un avant-bras pâle et délicat, dont la beauté était gâchée par les affreuses balafres sombres qui s'y entrecroisaient. Ezio comprit aussitôt. À un moment de son existence, cette femme avait été torturée.

— Moi aussi, j'ai connu la trahison, lui dit-elle.

Et Ezio reconnut d'emblée en elle une âme sœur.

Chapitre 5

Il n'y avait pas loin de la luxueuse maison de plaisirs de Paola aux ruelles animées où se trouvait l'atelier de Leonardo, mais pour s'y rendre, Ezio devait traverser la Piazza del Duomo, vaste et noire de monde : ses nouvelles compétences à se fondre dans la foule s'y révélèrent bien utiles. Cela faisait une bonne dizaine de jours que les exécutions avaient eu lieu et Alberti devait sans doute s'imaginer qu'Ezio avait quitté Florence depuis belle lurette, mais le jeune homme préférait ne prendre aucun risque – tout comme Alberti, du reste, à en juger par le nombre de gardes postés alentour. Sans compter, sans doute, les agents en civil. Ezio garda la tête baissée, surtout entre la cathédrale et le baptistère, là où la place était la plus animée. Il passa au pied du campanile de Giotto qui dominait la cité depuis près d'un siècle et demi, et de l'imposante masse rouge du dôme de Brunelleschi, achevé à peine quinze années plus tôt, sans les regarder, même s'il était conscient de côtoyer des groupes de visiteurs espagnols et français, les yeux levés, béats d'admiration, et il éprouva une brève bouffée d'orgueil pour sa cité. Mais était-ce encore vraiment la sienne ?

Réprimant ces pensées moroses, il gagna rapidement le côté sud de la piazza et rejoignit l'atelier de Leonardo. On l'informa que le maître était dans ses appartements, au fond de la cour. Le chaos régnant dans l'atelier était encore plus impressionnant que la fois précédente – si la chose était possible – même si Ezio eut l'impression de discerner un semblant de méthode dans ce délire. Les appareillages qu'il avait remarqués lors de sa visite précédente avaient été rassemblés et l'on avait suspendu au plafond une étrange construction en bois évoquant un squelette de chauve-souris géante. Épinglé sur l'un des chevalets se trouvait un grand parchemin recouvert d'un imposant schéma au dessin incroyablement complexe, avec, dans un coin, des griffonnages indéchiffrables rédigés de la main de Leonardo. Agniolo avait été rejoint par Innocento, un autre assistant du maître, et les deux hommes essayaient de mettre un semblant d'ordre dans l'atelier, en cataloguant les divers objets à des fins de classement.

— Il est dans la cour, l'informa Agniolo. Tu n'as qu'à traverser. Ça ne le dérange pas.

Ezio trouva Leonardo absorbé dans une bien étrange activité. N'importe où dans Florence, on pouvait acheter des oiseaux en cage. Les gens les accrochaient à leur fenêtre pour les écouter chanter et quand les oiseaux mouraient, leurs propriétaires les remplaçaient, tout simplement. Leonardo était cerné d'une dizaine de ces cages et, sous le regard d'Ezio, il en choisit une, ouvrit le petit portillon en osier, souleva la cage et regarda son occupant – une linotte en l'occurrence – gagner l'ouverture, s'y faufiler et s'envoler à tire-d'aile. Leonardo regarda son départ attentivement et il se retournait pour sélectionner une autre cage quand il remarqua la présence d'Ezio.

Il lui adressa un sourire chaleureux avant de l'étreindre. Puis son visage redevint grave.

— Ezio, mon ami. Si je m'attendais à te trouver ici, après ce que tu as vécu. Mais bienvenue, bienvenue ! Laisse-moi juste une minute. Ce ne sera pas long.

Ezio le regarda libérer les uns après les autres grives, bouvreuils, alouettes et même de coûteux rossignols, que Leonardo observait toujours avec le plus grand soin.

— Qu'est-ce que tu fais ? s'étonna Ezio.

— Toute vie est précieuse, répondit simplement Leonardo. Je ne supporte pas de voir d'autres êtres vivants emprisonnés ainsi, au seul prétexte qu'ils ont une belle voix.

— Est-ce ta seule raison pour les libérer ?

Ezio soupçonnait un autre motif. Leonardo sourit mais sans répondre directement.

— Et j'ai décidé de cesser de manger de la viande. Pourquoi une pauvre bête devrait-elle mourir simplement parce qu'on lui trouve bon goût ?

— Les paysans se retrouveraient sans travail.

— Ils pourraient tous se reconvertir dans la culture du blé.

— Imagine l'ennui. Et puis, il y aurait surproduction.

— Ah, j'oubliais que tu étais *finanziatore*. Et moi, j'oublie mes bonnes manières. Qu'est-ce qui t'amène ici ?

— J'ai besoin d'un service, Leonardo.

— En quoi puis-je t'être utile ?

— Il y a un objet... que j'ai hérité de mon père et que j'aimerais que tu répares, si c'est possible.

Le regard de Leonardo s'illumina.

— Mais bien sûr. Viens par ici. Dans mes appartements privés. Ces gamins sont en train de tout mettre en désordre dans l'atelier, comme d'habitude. Je me demande parfois à quoi bon les employer tous !

Ezio sourit. Il commençait à deviner les raisons de son ami, mais dans le même temps, il pressentait que le premier amour de Leonardo était et resterait à jamais son travail.

— Suis-moi.

Le cabinet particulier de Leonardo consistait en une pièce plus petite et encore plus mal rangée que son atelier. Toutefois, au sein de cette masse de livres, de spécimens et de papiers recouverts de ces pattes de mouche indéchiffrables, l'artiste – comme toujours, et de manière assez incongrue, impeccablement vêtu et parfumé – réussit, en empilant avec soin une partie de ce bric-à-brac, à dégager un espace suffisant sur une grande table de travail.

— Pardonne-moi cette pagaille, mais au moins nous avons une oasis. Voyons voir ce que tu m'as apporté. À moins que tu préfères d'abord un verre de vin.

— Non, non.

— Bien.

Leonardo semblait ravi.

Ezio sortit avec précaution la lame, le manchon et le mécanisme, préalablement emballés avec soin dans la mystérieuse page de parchemin qui les accompagnait. Leonardo essaya sans succès de remonter le mécanisme et, après plusieurs tentatives infructueuses, il eut l'air un instant désemparé.

— Je n'en sais rien, Ezio... Ce mécanisme est ancien – très ancien – mais il est pourtant fort élaboré et d'une manufacture que je qualifierais d'en avance sur notre époque. Fascinant. (Il leva les yeux.) Je n'ai certainement jamais rien vu de semblable. Mais j'ai bien peur d'être démuni sans les plans originaux.

Puis il reporta son attention sur la feuille de parchemin qu'il avait saisie pour remballer les divers articles quand soudain il s'écria en se penchant dessus :

— Attends une seconde !

Et il redéposa la lame brisée et le brassard de cuir, étala la feuille et, s'y reportant, il entreprit de fourrager dans une rangée de manuscrits et de grimoires posés sur une étagère voisine. Lorsqu'il eut trouvé les deux ouvrages qu'il recherchait, il les déposa sur la table et se mit à les feuilleter.

— Que fais-tu ? s'impatienta Ezio.

— C'est très intéressant, commenta Leonardo. Ça ressemble vraiment à une page de Codex.

— De quoi ?

— Si ce n'est pas malheureux. Les gens ne devraient jamais arracher les pages ainsi. (Leonardo marqua un temps.) À moins bien sûr que l'ensemble…

— Quoi ?

— Rien. Écoute, le contenu de ces pages est crypté ; mais si mon hypothèse est correcte… et à voir ces croquis, ce pourrait bien être le cas…

Ezio attendit mais Leonardo était perdu dans son univers. Ezio prit un siège et attendit patiemment, tandis que l'artiste fouillait, scrutait, étudiait des piles de livres et de rouleaux, cochait des éléments, notait des références, et cela toujours de cette curieuse écriture inversée de gaucher. Ezio n'était sans doute pas le seul à vivre en regardant toujours derrière lui. À en juger par ce qu'il avait deviné de l'activité régnant dans cet atelier, si jamais l'Église avait vent de certains des projets auxquels s'était attelé Leonardo, Ezio ne doutait pas un instant que son nouvel ami serait bon pour la corde.

Enfin, Leonardo leva les yeux. Dans l'intervalle, Ezio avait commencé à somnoler.

— Remarquable, marmonna l'artiste, *in petto*, puis, d'une voix plus forte : Remarquable ! Si nous transposons les lettres puis n'en sélectionnons ensuite qu'une sur trois…

Il s'attela à la tâche, ramenant vers lui les pièces détachées. Il alla pêcher sous la table une boîte à outils, installa un étau et se plongea tranquillement dans son labeur. Une heure s'écoula, puis deux… Désormais, Ezio dormait du sommeil du juste, bercé par la douce chaleur enfumée de la pièce et par les bruits discrets du marteau et de la lime maniés par Leonardo. Et enfin…

— Ezio ! Debout !

— Hein ?

— Regarde !

Leonardo lui désigna l'établi. La lame de dague, entièrement restaurée, avait été adaptée au mécanisme étrange, et ce dernier fixé sur le manchon de cuir. Tous ces éléments avaient été astiqués et polis, comme s'ils venaient de sortir de l'atelier, mais rien ne brillait.

— J'ai opté pour un fini mat, expliqua Leonardo. Tout ce qui brille reflète les rayons du soleil et trahit à coup sûr ta présence.

Ezio s'empara de l'arme qu'il soupesa. Elle était légère mais la lame robuste était parfaitement équilibrée. Il n'avait jamais rien vu de semblable. Une dague au mécanisme à ressort qu'on pouvait dissimuler au-dessus du poignet. Il n'avait qu'à fléchir la main pour faire jaillir la lame, prête à tailler ou à piquer, au choix de l'utilisateur.

— Je te prenais pour un homme pacifique, observa Ezio, se souvenant des oiseaux.

— Les idées prennent le dessus, rétorqua Leonardo sur un ton sans appel. Quelles qu'elles soient. (Puis, brandissant marteau et ciseau, il ajouta :) Et maintenant, dis-moi. Tu es droitier, n'est-ce pas ? Parfait. Alors pose, s'il te plaît, ton annulaire droit sur ce petit billot.

— Que vas-tu faire ?

— Je suis désolé mais c'est indispensable. La lame est conçue pour garantir l'engagement plein et entier de celui qui la porte.

— Ce qui veut dire ?

— Qu'elle ne fonctionnera que si nous amputons ce doigt.

Ezio plissa les yeux. Un cortège d'images lui repassa soudain dans la tête : l'amitié supposée d'Alberti pour son père, ses assurances réitérées après l'arrestation de ce dernier, les exécutions, sa propre quête. Il serra les mâchoires.

— Vas-y.

— Peut-être devrais-je utiliser plutôt un fendoir. La coupe sera plus nette. (Et Leonardo d'exhiber de sous la table une feuille de boucher.) Voilà. Maintenant, place ton doigt… *così*.

Ezio se raidit tandis que Leonardo relevait la lame.

Ezio ferma les yeux lorsqu'il l'entendit s'abattre – « Schlak ! » – sur le bloc de bois. Mais il n'avait rien senti. Il rouvrit les yeux. La lame de l'ustensile était enfoncée dans le billot, à quelques centimètres de sa main, toujours intacte.

— Espèce de salaud !

Une plaisanterie de fort mauvais goût. Ezio était à la fois outré et furieux.

Leonardo leva les deux mains.

— On se calme ! Ce n'était qu'une petite blague ! Cruelle, je l'admets, mais je n'ai pas pu m'en empêcher. Je voulais m'assurer de ta détermination. Vois-tu, à l'origine, l'utilisation de cette machine exigeait bel et bien un tel sacrifice. Sans doute un rapport avec quelque antique cérémonie initiatique, j'imagine. Mais j'ai procédé à deux ou trois réglages. Si bien que tu peux dorénavant conserver ton doigt. Regarde ! La lame jaillit désormais à bonne distance des doigts et j'ai par ailleurs ajouté une garde qui se déploie sitôt que la lame est dégainée. La seule précaution que tu dois prendre est de ne pas oublier de bien écarter les doigts au moment où elle sort. Ainsi tu pourras conserver ton doigt. Mais tu aurais peut-être intérêt à porter des gants. La lame est acérée.

Ezio était trop fasciné – et reconnaissant – pour rester longtemps fâché.

— C'est extraordinaire, observa-t-il en actionnant le mécanisme à plusieurs reprises, jusqu'à maîtriser la séquence à la perfection. Incroyable.

— N'est-ce pas ? Tu es sûr de ne pas avoir sous la main d'autres pages similaires ?

— Désolé.

— Eh bien, écoute, si jamais tu devais tomber sur d'autres, apporte-les-moi, je t'en prie.

— Tu as ma parole. Et combien te dois-je pour ce…

— Rien du tout. Ce fut des plus instructif. Inutile de…

Ils furent interrompus par un tambourinement à la porte de l'atelier. Leonardo revint aussitôt vers la pièce de devant tandis qu'Agniolo et Innocento levaient un regard inquiet. L'inconnu dehors s'était mis à beugler.

— Ouvrez, sur ordre de la garde florentine !

— Un instant ! rétorqua Leonardo sur le même ton, avant d'ajouter, plus bas, pour Ezio : Reste derrière.

Puis il ouvrit la porte et resta sur le seuil, bloquant le passage au garde.

— Tu es Leonardo da Vinci ? demanda le soldat sans ménagement.

— Que puis-je pour vous ? répondit, affable, Leonardo, tout en sortant sur le trottoir, forçant ainsi l'homme à reculer.

— Je suis mandaté pour te poser un certain nombre de questions.

Leonardo avait désormais manœuvré de sorte à contraindre son visiteur à tourner le dos à la porte de l'atelier.

— Quel est le problème ?

— On nous a signalé qu'on t'aurait vu fréquenter un ennemi avéré de notre cité.

— Qui ça, moi ? Fréquenter ? Ridicule !

— Quand as-tu vu ou eu pour la dernière fois un entretien avec Ezio Auditore ?

— Qui ça ?

— Ne me prends pas pour un imbécile. Nous savons que tu étais un proche de la famille. Que tu as vendu à la mère deux de tes croûtes. Peut-être faut-il qu'on te rafraîchisse la mémoire ?

Et le garde lui flanqua un grand coup de hallebarde dans l'estomac. Leonardo poussa un cri de douleur et se plia en deux avant de s'effondrer aux pieds de l'homme qui lui décocha des coups de pied.

— Alors, on est prêt à bavarder, maintenant ? J'aime pas les artistes. C't'une bande de pédés.

Mais l'incident avait donné à Ezio tout le temps de se faufiler dehors en silence pour se positionner derrière le soldat. La rue était déserte. La nuque en sueur du garde était bien visible. Autant tester tout de suite l'efficacité de son nouveau jouet. Ezio leva la main, déclencha le mécanisme et l'arme jaillit sans un bruit. D'un geste preste, il la fit glisser le long du cou de l'homme. La lame parfaitement aiguisée s'enfonça comme dans du beurre et trancha la jugulaire. Le garde s'effondra, il était mort avant d'avoir touché le sol.

Ezio aida Leonardo à se relever.

— Je suis désolé, je n'avais pas l'intention de le tuer, je n'ai pas eu le temps de…

— Parfois, on n'a guère le choix. Mais je devrais en avoir pris l'habitude.

— Que veux-tu dire ?

— J'ai été impliqué dans l'affaire Saltarelli.

Ça lui revenait à présent. Quelques semaines auparavant, Jacopo Saltarelli, modèle du jeune artiste, avait été victime d'une dénonciation anonyme. On lui reprochait de se livrer à la prostitution et Leonardo, ainsi que trois autres citoyens, avait été accusé de proxénétisme. L'affaire avait été classée, faute de preuves, mais la réputation de Leonardo en avait pris un coup.

— Mais ici, on ne poursuit pas les hommes pour homosexualité, observa Ezio. Je crois même me souvenir que les Allemands vont jusqu'à les surnommer des « Florentins » – des *Florenzer*.

— C'est toujours officiellement hors la loi, rétorqua sèchement Leonardo. On peut toujours se voir infliger une amende. Et avec des hommes comme Alberti aux affaires…

— Que fait-on du corps ?

— Oh, fit Leonardo. C'est plutôt une aubaine. Aide-moi à le rentrer avant que quelqu'un nous remarque. Je le mettrai avec les autres.

— Une aubaine ? Et quels autres ?

— Ma cave est bien fraîche. Ils se conservent bien une semaine. Je récupère de temps à autre un ou deux cadavres non réclamés à l'hôpital. Tout cela de manière absolument officieuse, bien entendu. Mais je les dissèque et je farfouille un peu… Ça m'aide dans mes recherches.

Ezio lorgna son ami, plus qu'interloqué.

— Quoi ?

— Je crois te l'avoir dit : j'aime savoir comment fonctionnent les choses.

Ils traînèrent le corps à l'abri et les deux assistants de Leonardo se chargèrent de le faire disparaître par une porte au sous-sol.

— Mais s'ils envoient quelqu'un à sa recherche pour savoir ce qu'il est devenu ?

Leonardo haussa les épaules.

— Je dirai que je n'en sais rien. (Un clin d'œil.) Je ne suis pas dépourvu d'amis influents, Ezio.

Ce dernier s'avoua perplexe.

— Ma foi, tu m'as l'air bien confiant…

— Abstiens-toi simplement de mentionner l'incident à quiconque.

— Bien sûr. Et encore merci pour tout, Leonardo.

— Ce fut un plaisir. Et n'oublie pas (une lueur de convoitise brillait dans ses yeux), si jamais tu tombes sur d'autres pages de ce Codex, apporte-les-moi. Qui sait quels autres plans elles pourraient contenir.

— C'est promis !

C'est d'une humeur allègre qu'Ezio regagna la demeure de Paola, même s'il n'omit pas de se perdre dans l'anonymat de la foule lors de sa traversée de la cité pour rejoindre les quartiers nord.

Paola l'accueillit, non sans soulagement.

— Tu es resté parti plus longtemps que prévu.

— Leonardo aime bien bavarder.

— Mais j'espère qu'il ne s'est pas contenté de faire la causette.

— Oh que non : tenez, regardez !

Il lui montra sa dague de poignet, l'exhibant hors de sa manche avec un geste théâtral et un sourire enfantin.

— Impressionnant.

Ezio contempla l'appareil, admiratif.

— J'ai encore besoin d'un peu de pratique. Je tiens à garder tous mes doigts.

Paola prit un air sérieux.

— Eh bien, Ezio, il me semble désormais que tu es fin prêt. Je t'ai enseigné les aptitudes nécessaires, Leonardo a réparé ton arme. (Elle soupira.) Tout ce qu'il te reste à faire, c'est passer à l'action.

— Oui, répondit Ezio, soudain redevenu sérieux. La question reste de trouver la meilleure façon d'approcher *messer* Alberti.

Paola réfléchit.

— Le duc Lorenzo est de retour parmi nous. Il n'a pas apprécié les exécutions auxquelles a procédé Alberti en son absence, mais il n'a pas le pouvoir de défier le gonfalonier. Quoi qu'il en soit, une inauguration est prévue demain soir : celle de la dernière œuvre du maestro Verrocchio, au cloître de Santa Croce. Le tout Florence s'y pressera, y compris Alberti. (Elle regarda Ezio.) Je pense que tu devrais en être, toi aussi.

Ezio découvrit que la sculpture qu'on devait y dévoiler était un bronze de David, le héros biblique à qui Florence s'était associée, prise en tenaille qu'elle était entre les deux Goliath de Rome au sud et les rois de France au nord. Elle avait été commandée par les Medici et devait être installée au Palazzo Vecchio. Le maestro s'était mis à l'œuvre trois ou quatre ans auparavant et la rumeur voulait que la tête ait été modelée sur le visage d'un des plus beaux jeunes apprentis de Verrocchio en ce temps-là : un certain Leonardo da Vinci. En tout cas, c'était la grande affaire du jour et chacun se demandait déjà quelle tenue porter pour l'occasion.

Ezio avait toutefois d'autres chats à fouetter.

— Veillez sur ma mère et ma sœur en mon absence.

— Comme si c'étaient les miennes, promit Paola.

— Et si jamais il devait m'arriver malheur…

— Aie confiance, ça n'arrivera pas.

Ezio se rendit de bonne heure à Santa Croce le lendemain soir. Il avait consacré les heures précédentes à se préparer et à se perfectionner dans le maniement de sa nouvelle arme, jusqu'à ce qu'il s'estime satisfait du résultat. Il ne cessait de repenser à la mort de son père et de ses frères, et la voix cruelle d'Alberti lorsqu'il avait énoncé la sentence résonnait toujours avec acuité dans sa tête.

En approchant de l'édifice, il reconnut deux silhouettes qui marchaient devant lui, à quelque distance d'une petite escouade de gardes du corps dont l'uniforme arborait un blason d'or à cinq billettes de gueules. Ils semblaient en grande discussion et Ezio pressa le pas pour surprendre leur échange. Ils marquèrent un arrêt devant le portail de l'église et il s'attarda à proximité, hors de vue, l'oreille tendue. Les deux hommes conversaient sans aménité. Le premier était Uberto Alberti, l'autre un jeune homme mince, la vingtaine, nez saillant, visage décidé, richement vêtu d'une cape rouge sur une tunique gris argent. Le duc Lorenzo – *« il Magnifico »*, comme l'appelaient ses sujets, au grand dam des Pazzi et de leur faction.

— Tu ne peux pas me reprocher ça, était en train de dire Alberti. J'ai agi selon les informations recueillies et sur des preuves irréfutables, et dans le cadre strict de la loi et de mes fonctions.

— Non ! Tu as outrepassé tes prérogatives, gonfalonier, et tu as profité de mon absence de Florence pour ce faire. Je suis plus que mécontent.

— Tu as beau jeu de parler de prérogatives ! Tu t'es emparé du pouvoir, tu t'es déclaré duc de la cité, sans même demander le consentement officiel de la Signoria ou de qui que ce soit.

— Je n'ai jamais fait une chose pareille !

Alberti se permit un rire sardonique.

— Je savais bien que tu dirais ça. Toujours à jouer l'innocence. C'est tellement pratique pour toi. À Careggi, tu t'es entouré d'hommes que le reste d'entre nous considère comme de dangereux libres penseurs : Ficino, Mirandola et ce sournois de Poliziano ! Mais au moins aurons-nous eu cette fois-ci l'occasion de tester l'étendue de ton pouvoir…

finalement nulle en pratique. Ce qui s'est révélé être une bien fructueuse leçon pour tous mes alliés et moi.

— Oui, tes alliés les Pazzi. C'est cela le fin mot de l'histoire, en somme ?

Alberti fit mine d'examiner ses ongles avec attention avant de répondre.

— À ta place, duc, je pèserais mes paroles. Tu pourrais attirer une attention bien malvenue.

Mais il n'avait pas l'air de croire entièrement à sa menace.

— C'est toi qui devrais surveiller tes paroles, gonfalonier. Et je te suggère de transmettre le conseil à tes associés… Considère cela comme un conseil d'ami.

Sur quoi Lorenzo s'éclipsa avec ses gardes du corps pour entrer dans le cloître. Au bout d'un moment, marmonnant toujours dans sa barbe, Alberti le suivit. On aurait dit, songea Ezio, que l'homme se maudissait lui-même.

Le cloître avait été décoré pour l'occasion de tentures dorées qui reflétaient l'éclat éblouissant de centaines de chandelles. Installé sur une estrade près de la fontaine au centre du jardin, un groupe de musiciens jouait, tandis que sur une autre estrade se dressait la statue de bronze, une silhouette à échelle un demi d'une exquise beauté. À peine entré – se dissimulant dans l'ombre de la colonnade –, Ezio vit Lorenzo en train de complimenter l'artiste. Il reconnut également le mystérieux personnage encapuchonné qui côtoyait Alberti sur le gibet.

Non loin de là, ce même Alberti se tenait entouré d'une cour d'admirateurs et de courtisans. Grâce aux bribes de conversations qu'il put saisir, Ezio comprit que les nobliaux locaux félicitaient le gonfalonier d'avoir débarrassé la cité du chancre de la famille Auditore. Jamais il n'aurait cru que son père avait autant d'ennemis – autant que d'amis – mais il se rendit compte en même temps qu'ils avaient attendu que son principal allié, Lorenzo, soit absent pour se manifester. Ezio sourit malgré tout en entendant une gente dame dire à Alberti qu'elle espérait que le duc avait apprécié son intégrité. Il était manifeste qu'Alberti apprécia peu le sous-entendu. Mais bientôt, Ezio en entendit un peu plus.

— Et qu'en est-il de l'autre fils ? était en train de demander un noble. Ezio, n'est-ce pas ? S'est-il échappé pour de bon ?

Alberti réussit à sourire.

— Le garçon ne présente pas le moindre danger. Mou du bras, et le cerveau plus ramolli encore. Il sera capturé et exécuté avant la fin de la semaine.

Rire général de la compagnie.

— Or donc, quel est le prochain objectif, Uberto ? s'enquit un autre courtisan. Le siège de la Signoria, peut-être ?

Alberti ouvrit les mains.

— À la grâce de Dieu. Mon seul intérêt est de continuer à servir Florence, avec zèle et fidélité.

— Ma foi, quel que soit votre choix, sachez que vous aurez toujours notre soutien.

— C'est fort réconfortant. Nous verrons bien ce que l'avenir nous réserve. (Alberti rayonnait, mais avec modestie.) Et maintenant, mes amis, je suggère que nous mettions de côté la politique pour pleinement profiter de la beauté de cette sublime œuvre d'art, si généreusement offerte par les nobles Medici.

Ezio attendit que les compagnons d'Alberti se soient dispersés pour s'approcher du *David*. De son côté, Alberti avait pris un gobelet de vin et contemplait la scène, avec dans les yeux un mélange de contentement et de lassitude. Ezio savait que c'était l'occasion ou jamais. Tous les autres regards étaient tournés vers la statue près de laquelle Verrocchio ânonnait une brève allocution. Ezio se glissa auprès d'Alberti.

— Ce dernier remerciement a dû te rester sur l'estomac, siffla Ezio. Mais il est normal que tu restes hypocrite jusqu'au bout.

Alberti le reconnut, et s'exclama, les yeux écarquillés de terreur :

— Toi !

— Oui, gonfalonier. C'est moi, Ezio. Venu venger le meurtre de mon père – ton ami – et de mes frères innocents.

Alberti entendit le cliquetis sourd d'un ressort, un bruit métallique, et sentit la lame sous sa gorge.

— Adieu, gonfalonier, dit froidement Ezio.

— Arrête, balbutia Alberti. À ma place, tu aurais fait la même chose… pour protéger ceux que tu aimes. Pardonne-moi, Ezio, je n'avais pas le choix.

Ezio s'approcha, sans tenir compte des prières du vieil homme. Il savait qu'Alberti avait eu le choix – un choix honorable – et qu'il avait été trop servile pour le faire.

— Et moi, crois-tu donc que je ne protège pas ceux que j'aime ? De quelle miséricorde ferais-tu preuve envers ma mère et ma sœur si tu pouvais poser la main sur elles ? Maintenant, dis-moi : où sont les documents que je t'ai confiés provenant de mon père ? Tu as dû les mettre en lieu sûr.

— Tu ne les auras jamais. Je les garde toujours sur moi !

Alberti voulut repousser le jeune homme et reprit son souffle pour appeler à la garde, mais Ezio plongea la dague dans sa gorge et la fit glisser jusqu'à l'artère jugulaire. Incapable d'émettre un simple gargouillis, Alberti tomba à genoux, les mains plaquées sur son cou dans un geste instinctif et vain pour étancher le sang qui ruisselait sur l'herbe du cloître. Au moment où Alberti s'affalait, Ezio se pencha vers lui et, prestement, sectionna le cordon de la pochette fixée à la ceinture de sa victime. Il l'ouvrit. Ultime témoignage de sa prétention démesurée, Alberti avait dit vrai. Les documents s'y trouvaient bien.

Mais le silence régnait désormais. Verrocchio s'était tu en voyant les invités se retourner les uns après les autres, sans bien comprendre encore ce qui s'était passé. Ezio se redressa et leur fit face.

— Oui ! Vous avez bien vu. Et ce que vous avez vu a pour nom « vengeance ». La famille Auditore est toujours vivante. Je suis toujours là ! Ezio Auditore !

Il reprit son souffle à l'instant même où une voix féminine s'exclamait :

— *Assassino* !

Le chaos régnait à présent. Les gardes du corps de Lorenzo avaient encerclé Ezio, l'épée dégainée. Les invités s'égaillaient, certains cherchant à s'échapper, les plus braves faisant mine à tout le moins de vouloir s'emparer d'Ezio, mais sans réelle conviction. Ezio vit la silhouette encapuchonnée s'éclipser dans l'ombre. Verrocchio était resté pour protéger sa statue. Les femmes hurlaient, les hommes criaient, et les gardes de la cité avaient envahi le cloître, sans trop savoir qui poursuivre. Ezio en tira profit, escaladant la colonnade pour gagner le toit et sauter dans la cour voisine dont les portes ouvertes débouchaient sur le parvis de l'église où une foule curieuse se rassemblait déjà, attirée par les bruits et l'agitation.

— Que se passe-t-il ? demanda quelqu'un, s'adressant à Ezio.

— Justice a été faite, répondit ce dernier avant de prendre ses jambes à son cou et de rallier l'abri de la résidence de Paola.

Il s'arrêta en chemin pour vérifier le contenu du portefeuille d'Alberti. Pour ses dernières paroles, au moins avait-il été honnête. Tout était bien là. Et il y avait autre chose. Une lettre de la main d'Alberti. Peut-être un indice inédit pour

Ezio, qui s'empressa d'en rompre le cachet et de dérouler le parchemin.

Mais ce n'était qu'un billet personnel d'Alberti adressé à son épouse. En le lisant, Ezio comprit quel genre de force pouvait être mis en œuvre pour ruiner l'intégrité d'un individu.

« Mon amour,

J'ai couché ces pensées sur le papier dans l'espoir qu'un jour j'aurai le courage de les partager avec toi. Le temps venu, tu apprendras sans nul doute que j'ai trahi Giovanni Auditore, que je l'ai qualifié de traître et condamné à mort. L'histoire verra sans doute dans cet acte une vulgaire affaire de politique et d'avidité personnelle. Mais tu dois comprendre que ce n'est pas le destin mais la peur qui m'a forcé la main.

Quand les Medici eurent dépouillé notre famille de tous ses biens, j'ai pris peur. Pour toi. Pour notre fils. Pour notre avenir. Quel espoir reste-t-il en ce bas monde pour un homme désormais privé de moyens convenables ? Quant aux autres, ils me proposaient de l'argent, des terres et un titre en échange de ma collaboration.

Et c'est ainsi que j'en suis venu à trahir mon ami le plus proche. Aussi inqualifiable que cela puisse paraître, cet acte me semblait nécessaire à l'époque.

Et encore aujourd'hui, lorsque j'y repense, je ne vois pas d'autre solution… »

Ezio enroula soigneusement la missive et la replaça dans la pochette. Il allait la sceller de nouveau et veillerait à ce qu'elle soit transmise à sa destinataire. Il était bien décidé à ne plus jamais céder à la mesquinerie.

Chapitre 6

— C'est fait, dit-il simplement.

Après une brève étreinte, Paola recula d'un pas.

— Je sais. Je suis contente que tu sois sain et sauf.

— Je crois qu'il est temps pour moi de quitter Florence.

— Où vas-tu aller ?

— Mon oncle paternel Mario possède un domaine près de Monteriggioni. Nous irons là-bas.

— Ils ont déjà lancé une véritable chasse à l'homme, Ezio. Il y a des affiches avec ton portrait placardées partout. Et les orateurs publics ont déjà pris parti contre toi. (Elle marqua un temps, songeuse.) Je vais envoyer quelques-uns de mes gens en ville déchirer le plus possible de ces affiches ; quant aux orateurs, on pourra toujours monnayer leur silence. (Une autre idée lui vint.) Et j'aurais intérêt à te faire confectionner des papiers pour votre voyage.

Ezio hocha la tête. Il songeait à Alberti.

— Dans quel monde vivons-nous où l'on peut si aisément manipuler les convictions ?

— Alberti s'est retrouvé dans une position intenable à ses yeux, mais il aurait dû tenir bon. (Elle soupira.) La vérité se marchande tous les jours. Il faudra t'y faire, Ezio.

Il prit ses mains entre les siennes.

— Merci.

— Florence sera un endroit plus vivable dorénavant, surtout si le duc Lorenzo peut faire élire un des siens comme gonfalonier. Mais il n'y a plus de temps à perdre. Ta mère et ta sœur sont ici. (Elle se retourna et tapa dans ses mains.) Annetta !

Annetta émergea du fond de la maison, accompagnée de Maria et de Claudia. Instant d'intense émotion. Ezio vit que sa mère ne s'était pas vraiment remise et continuait à serrer dans sa main le petit écrin de Petruccio. Elle lui rendit son étreinte mais distraitement, sous le regard attristé de Paola.

Pour sa part, Claudia se cramponna à lui.

— Ezio ! Où étais-tu passé ? Paola et Annetta étaient si gentilles mais elles n'ont pas voulu nous laisser revenir à la maison. Et mère n'a pas dit un mot depuis… (Elle s'interrompit, retenant ses larmes. Puis, s'étant ressaisie :) Peut-être que père sera désormais en mesure de régler tout cela. Il doit s'agir d'un horrible malentendu, n'est-ce pas ?

Paola le regarda, puis lui souffla :

— Le moment est peut-être venu. Elles devront savoir la vérité, tôt ou tard.

Le regard de Claudia glissa vers Paola avant de revenir à Ezio. Maria s'était assise près d'Annetta qui avait passé le bras autour d'elle. Maria regardait dans le vide, avec un sourire vague, tout en continuant à caresser l'écrin en bois de poirier.

— Que se passe-t-il, Ezio ? demanda Claudia, d'une voix emplie de crainte.

— Il est arrivé quelque chose.

— Que veux-tu dire ?

Ezio resta silencieux, faute de mots, mais son expression était éloquente.

— Oh ! Dieu, non !

— Claudia…

— Dis-moi que ce n'est pas vrai !

Ezio hocha la tête.

— Non, non, non, non, non !

— Chut ! (Il essaya de la calmer.) J'ai fait tout ce que j'ai pu, *piccina*.

Claudia enfouit la tête contre son torse et se mit à pleurer à gros sanglots, tandis qu'Ezio faisait de son mieux pour la réconforter. Il regarda sa mère mais celle-ci n'avait, semblait-il, rien entendu. Peut-être, à sa manière, savait-elle déjà. Après la catastrophe qui venait de frapper son existence, voir sa sœur et sa mère ainsi plongées dans les tréfonds du désespoir lui brisait le cœur. Il resta ainsi, tenant sa sœur dans ses bras, durant ce qui lui parut une éternité – sentant toute la lourde charge de responsabilités lui peser sur les épaules. Il lui revenait désormais d'assurer la protection de sa famille, d'être digne du nom d'Auditore. Il n'était plus un enfant… Il rassembla ses esprits.

— Écoute, dit-il à Claudia, une fois qu'elle eut quelque peu recouvré son calme. Ce qui compte maintenant c'est de filer d'ici. Vers un endroit sûr, où notre mère et toi pourrez demeurer en sécurité. Mais pour cela, j'ai besoin que tu sois courageuse. Tu devras être forte pour moi, et veiller sur notre mère. Est-ce que tu comprends ?

Elle l'écouta, se racla la gorge, s'écarta légèrement et leva les yeux vers lui.

— Oui.

— Alors passons tout de suite aux préparatifs. Va faire vos bagages, mais prends le minimum : nous allons devoir partir à pied – il serait trop dangereux d'emprunter un attelage. Choisis les vêtements les plus simples. Inutile d'attirer l'attention sur nous. Et dépêche-toi !

Claudia ressortit avec sa mère et Annetta.

— Tu devrais aller prendre un bain et te changer, lui dit Paola. Tu te sentiras mieux.

Deux heures plus tard, leurs papiers étaient prêts et ils pouvaient partir. Ezio vérifia une dernière fois soigneusement le contenu de sa sacoche. Peut-être que son oncle pourrait lui expliquer la teneur des documents qu'il avait pris à Alberti et qui avaient semblé d'une importance si vitale pour ce dernier. Sa nouvelle dague était fixée à son avant-bras droit, hors de vue. Il resserra sa ceinture.

Claudia conduisit leur mère au jardin, puis elle revint se poster près de la porte par où ils allaient s'en aller. Auprès d'elle, Annetta essayait de retenir ses larmes.

Ezio se tourna vers Paola.

— Adieu. Et encore merci pour tout.

Elle l'étreignit et l'embrassa, tout près de la bouche.

— Prends soin de toi, Ezio, et sois vigilant. Je pressens que tu as encore une longue route à faire.

Il s'inclina avec gravité puis coiffa sa cagoule et rejoignit sa mère et sa sœur, récupérant au passage le sac qu'elles avaient préparé. Ils embrassèrent Annetta et, peu après, ils étaient dans la rue, en direction du nord, Claudia tenant leur mère par le bras. Au début, tous gardèrent le silence. Ezio mesurait la responsabilité qui reposait désormais sur ses épaules. Il priait pour être à la hauteur, mais c'était dur. Il devrait rester fort mais il y arriverait, par amour pour Claudia et pour sa pauvre mère qui semblait s'être totalement repliée sur elle-même.

Ils avaient rejoint le centre de la ville quand Claudia se mit à parler, et elle débordait de questions. Ezio remarqua toutefois, Dieu merci, que la voix de sa sœur semblait un peu plus assurée.

— Comment une telle chose a-t-elle pu nous arriver ?

— Je n'en sais rien.

— Crois-tu que nous pourrons revenir un jour ?

— Je l'ignore, Claudia.

— Que va-t-il advenir de notre maison ?

Il hocha la tête. Il n'avait pas eu le temps de prendre la moindre disposition et quand bien même, avec qui aurait-il pu s'en charger ? Peut-être le duc Lorenzo serait-il en mesure de la faire boucler et surveiller, mais l'espoir était faible.

— Leur a-t-on… leur a-t-on accordé des obsèques décentes ?

— Je… j'y ai moi-même veillé.

Ils traversaient à présent l'Arno et le jeune homme laissa son regard s'attarder au fil du courant.

Enfin, ils approchèrent des portes sud et Ezio se félicita qu'ils soient parvenus jusqu'ici sans être repérés, mais c'était une phase dangereuse car les poternes étaient sous bonne garde. Heureusement, les faux papiers que leur avait fournis Paola furent acceptés sans problème et les gardes étaient de plus à la recherche d'un jeune homme seul aux abois, pas d'une petite famille modestement vêtue.

Ils continuèrent à marcher vers le sud toute la journée, ne marquant qu'une brève pause à bonne distance de la cité pour se procurer du pain, du fromage et du vin dans une ferme, avant de se reposer une heure à l'ombre d'un chêne au bord d'un champ de maïs. Ezio devait contenir son impatience car ils étaient à près de cinquante kilomètres de Monteriggioni et qu'ils devaient cheminer à l'allure de sa mère. La quarantaine passée, elle était toujours pleine de vigueur, mais la terrible épreuve qu'elle venait de subir l'avait vieillie prématurément. Ezio priait le ciel qu'une fois installés chez l'oncle Mario elle se remettrait, mais il pressentait que si rétablissement il devait y avoir, ce dernier serait lent. Il espérait néanmoins avoir rejoint, sauf imprévu, le domaine de son oncle le lendemain après-midi.

Ils passèrent cette nuit-là dans une grange abandonnée, mais au moins était-elle emplie de foin propre et chaud. Ils dînèrent des reliefs de leur déjeuner, puis ils installèrent Maria du mieux qu'ils purent. Elle ne se plaignit pas, même si elle semblait totalement absente, mais quand Claudia voulut, juste avant de la coucher, la délester de l'écrin offert par Petruccio, Maria protesta avec véhémence et repoussa sa fille en l'agonisant d'injures comme une poissonnière. Ses deux enfants en furent tout ébranlés.

Mais elle dormit paisiblement et semblait requinquée le lendemain matin. Ils se lavèrent dans un ruisseau, burent de l'eau claire en guise de petit déjeuner et reprirent leur route. La journée était belle et douce mais avec une brise rafraîchissante et ils avancèrent d'un bon pas, ne croisant en chemin qu'une poignée d'attelages et ne voyant personne, hormis de rares paysans dans les champs et vergers qu'ils longeaient. Ezio put même acheter quelques fruits, assez en tout cas pour Claudia et sa mère, mais il n'avait de toute façon pas faim ; il était trop nerveux pour manger.

Enfin, en milieu d'après-midi, il aperçut, soudain réconforté, la petite ville fortifiée de Monteriggioni, baignée de soleil sur sa colline au loin. Mario gouvernait de fait le district. Un ou deux milles encore et ils seraient sur son territoire. Ragaillardi, le petit groupe pressa le pas.

— Nous y sommes presque, dit-il à Claudia.

— *Grazie a Dio*, répondit-elle en lui rendant son sourire.

Ils commençaient tout juste à se détendre quand, au détour du chemin, un personnage familier, accompagné d'une dizaine de sbires en livrées d'azur et d'or, leur barra le passage. L'un des gardes portait un étendard frappé de l'emblème honni, d'azur aux dauphins et aux croix d'or.

— Ezio ! l'accueillit l'homme. *Buon giorno* ! Et avec ta famille ; du moins, ce qu'il en reste. Quelle agréable surprise !

Il adressa un signe à ses hommes qui se déployèrent, hallebarde tendue.

— Vieri !

— Lui-même. Dès qu'ils ont relâché mon père, ce dernier fut trop heureux de financer cette petite expédition punitive. J'étais blessé. Après tout, comment pouvais-tu imaginer quitter Florence sans des adieux en bonne et due forme ?

Ezio avança d'un pas, repoussant les deux femmes derrière lui.

— Que veux-tu, Vieri ? J'aurais imaginé que tu aurais été satisfait de ce qu'ont réussi à obtenir les Pazzi.

Vieri écarta les mains.

— Ce que je veux ? Ma foi, difficile de savoir par où commencer... Tant de choses ! Voyons voir... Déjà, un palais plus grand, une femme plus jolie, bien plus d'argent et... quoi d'autre ? Ah oui, ta tête !

Il dégaina son épée, fit signe à ses gardes de se tenir prêts et s'avança vers Ezio.

— Tu me surprends, Ezio. Vieri – comptes-tu vraiment m'affronter en combat singulier ? Mais bien sûr, tes hommes de main sont là pour te prêter main-forte !

— Je ne crois pas que tu sois digne de ma lame, cracha Vieri en rengainant celle-ci. Je crois plutôt que je vais t'achever à coups de poing. Désolé de te faire de la peine, *tesora*, ajouta-t-il à l'adresse de Claudia, mais ne t'inquiète pas, ce ne sera pas long et on verra ensuite si je peux te réconforter, et – qui sait ? –, peut-être ta petite mamma également !

Ezio s'avança vivement et frappa Vieri à la mâchoire, prenant son adversaire au dépourvu. Vieri tituba mais, reprenant son équilibre, et après avoir fait signe à ses hommes de reculer, il se jeta sur Ezio en poussant un cri de rage, jouant des pieds et des poings. La férocité de l'attaque était telle que le jeune homme, s'il parvenait à esquiver les coups, se retrouva dans l'incapacité d'en porter un. Les deux hommes étaient accrochés l'un à l'autre, se débattant pour prendre le dessus, ne reculant que pour mieux se jeter l'un sur l'autre avec une ardeur renouvelée. À la longue, Ezio parvint à retourner la colère de Vieri contre lui-même – nul ne se battait de manière efficace quand il était enragé. Vieri prit son élan pour lui assener un grand moulinet du droit ; Ezio s'avança alors et le coup partit dans le vide, déséquilibrant Vieri vers l'avant. Ezio lui fit un croc-en-jambe et l'autre alla rouler dans la poussière. Mouché et ensanglanté, Vieri fila se réfugier derrière ses hommes avant de se relever et de s'épousseter avec ses mains écorchées.

— Bon. Assez ri, dit-il avant de lancer à ses gardes : Achevez-le, et les bonnes femmes avec. Je peux trouver mieux que ce petit têtard décharné et sa *carcassa* de mère.

— *Coniglio* ! hurla Ezio, le souffle court.

Il dégaina son épée mais les gardes les avaient encerclés et brandissaient leurs hallebardes. Il comprit qu'ils allaient lui donner du fil à retordre.

Le cercle se referma. Ezio pivotait sur lui-même, gardant sa mère et sa sœur à l'abri derrière lui, mais la situation semblait désespérée et le rire malveillant de Vieri avait des accents de triomphe.

Soudain, il y eut un sifflement aigu, presque éthéré, et deux des gardes sur la gauche d'Ezio s'effondrèrent à genoux pour basculer vers l'avant en lâchant leur arme. Il vit dans leur dos un poignard enfoncé jusqu'à la garde et manifestement lancé avec une précision mortelle. Le sang ruisselait sur leur tunique, en une fleur écarlate.

Leurs compagnons battirent en retraite, inquiets, non sans que dans l'intervalle plusieurs soient jetés à terre à leur tour, là aussi un poignard fiché dans le dos.

— Quelle est cette sorcellerie ? glapit Vieri, d'une voix hachée par la terreur, alors qu'il dégainait son épée et regardait autour de lui, affolé.

Lui répondit un rire tonnant.

— La sorcellerie n'a rien à y voir, mon garçon : tout n'est qu'une question d'adresse !

La voix provenait d'un bosquet voisin.

— Montre-toi !

Un grand barbu chaussé de hautes bottes et protégé par un plastron léger émergea du petit bois. Derrière lui apparurent plusieurs comparses à la mise analogue.

— Comme tu voudras, répondit-il, sardonique.

— Des mercenaires ! cracha Vieri avant de se tourner vers ses propres troupes. Qu'attendez-vous ? Tuez-les. Tuez-les tous !

Mais le grand type s'avança, s'empara de l'épée de Vieri avec une grâce incroyable et la rompit sur son genou comme une vulgaire brindille.

— Je ne crois pas que ce soit une très bonne idée, petit Pazzi, même si je dois reconnaître que tu es bien digne de la réputation familiale.

Vieri s'abstint de répondre mais il pressa ses hommes d'intervenir. Sans trop d'entrain, ceux-ci se rapprochèrent de nouveau des étrangers tandis que Vieri, récupérant une hallebarde sur un des cadavres, se jetait sur Ezio, lui arrachant des mains son épée et la projetant hors d'atteinte à l'instant même où ce dernier la dégainait.

— Tiens, Ezio, prends celle-ci ! dit le grand bonhomme en lui lançant une autre épée qui vola dans les airs pour se ficher, tremblante, dans le sol aux pieds du jeune homme.

En un éclair, Ezio l'avait saisie. C'était une arme pesante qu'il devait manier à deux mains mais elle lui permit de sectionner le manche de la hallebarde de Vieri. Ce dernier, constatant que ses hommes se faisaient battre à plate couture par les *condottieri* et que deux autres encore venaient de mordre la poussière, battit le rappel de ses troupes et s'enfuit, non sans hurler des imprécations. Le grand bonhomme s'approcha d'Ezio et des deux femmes, tout sourires.

— Je suis content d'être venu à votre rencontre, observa-t-il. M'est avis que je suis arrivé juste à temps.

— Vous avez toute ma gratitude, qui que vous soyez.

L'homme se remit à rire et il y avait dans sa voix quelque chose de familier.

— Est-ce que je vous connais ? s'enquit Ezio.

— Cela fait un bail mais je suis quand même surpris que tu ne reconnaisses pas ton propre oncle.

— Oncle Mario ?

— Lui-même.

Il serra Ezio dans ses bras, puis il s'approcha des deux femmes. Le désarroi se peignit sur ses traits quand il vit l'état de Maria.

— Écoute, ma petite, dit-il à Claudia. Je m'en vais ramener Ezio au *castello*, mais je te laisse mes hommes pour vous protéger et ils vous donneront à manger et à boire. Je vais envoyer un cavalier quérir un attelage qui viendra vous chercher pour terminer le trajet. Vous avez assez marché pour aujourd'hui et je vois bien que ma pauvre belle-sœur est… (il fit une pause, avant d'ajouter, avec délicatesse :) épuisée.

— Merci, oncle Mario.

— Eh bien, c'est une affaire entendue. On se revoit sous peu.

Il se retourna pour adresser des ordres à ses hommes puis, passant un bras autour des épaules d'Ezio, il le reconduisit vers son château qui dominait la bourgade.

— Comment avez-vous eu connaissance de notre arrivée ? demanda Ezio.

Mario se montra quelque peu évasif.

—Oh, un ami à Florence a dépêché une estafette à cheval. Mais j'étais déjà au courant. Je n'ai pas les moyens de marcher sur Florence mais, maintenant que Lorenzo est de retour, prions qu'il ait les Pazzi à l'œil. Tu ferais bien de me mettre au courant du sort de mon frère... et de celui de mes neveux.

Ezio marqua un temps. Le souvenir de la disparition de son père et de ses frères le hantait encore.

—Ils... on les a exécutés pour trahison. (Une pause.) J'en ai réchappé par le plus grand des hasards.

—Mon Dieu, s'exclama Mario, le visage grimaçant de douleur. Sais-tu ce qui est arrivé ?

—Non, mais j'espère que vous pourrez m'aider à trouver les réponses.

Et Ezio poursuivit en narrant à son oncle l'histoire du coffre secret et de son contenu, de sa vengeance contre Alberti et des documents récupérés sur lui. Puis il ajouta :

—Le plus important me semble être une liste de noms. (Il s'interrompit, brisé par le chagrin.) Je n'arrive toujours pas à croire qu'il ait pu nous trahir !

Mario lui tapota le bras.

—Je connais un petit peu les affaires de ton père.

Et Ezio s'avisa soudain que Mario n'avait pas eu l'air surpris outre mesure lorsqu'il lui avait parlé du coffre dans la chambre secrète.

—Nous débrouillerons ce mystère. Mais nous devons avant tout nous assurer qu'on s'occupe convenablement de ta mère et de ta sœur. Mon château n'est pas vraiment l'endroit idéal pour des dames de qualité et les soldats comme moi ne se rangent jamais vraiment ; mais il existe un couvent à moins de deux kilomètres d'ici où elles seront parfaitement en sécurité et où l'on prendra soin d'elles. Si tu es d'accord, nous les enverrons là-bas. Car toi et moi, nous allons avoir fort à faire.

Ezio acquiesça. Il veillerait à leur installation et convaincrait Claudia que c'était là la meilleure solution... temporaire en tout cas, car il l'imaginait mal vouloir rester longtemps recluse.

Ils approchaient de la bourgade.

— Je croyais Monteriggioni ennemie de Florence, observa Ezio.

— Moins de Florence que des Pazzi, rectifia son oncle. Mais tu es assez vieux pour que je n'aie rien à t'apprendre sur les alliances entre cités-États, quelle que soit leur taille. Une année règne l'amitié, l'année suivante, c'est l'hostilité. Et l'année qui suit, l'amitié se renoue. Et cela semble se reproduire à l'infini, comme une folle partie d'échecs. Mais tu vas te plaire ici. Les gens sont honnêtes et durs à la tâche, et les biens que nous facturons sont solides et durables. Le curé est un brave homme, il ne boit pas trop et ne s'occupe que de ses affaires. Et j'agis de la même manière à son égard, même si je n'ai jamais été personnellement le plus dévot des fils de l'Église. Mais ce que nous avons de mieux, c'est notre vin : le meilleur chianti que tu pourras jamais boire provient de mes propres vignobles. Allez viens, quelques pas encore et nous serons rendus.

Le château de Mario était l'ancienne résidence des Auditore. Il avait été bâti dans les années 1250, même si le site avait été occupé au préalable par des édifices bien plus anciens. Mario avait agrandi et embelli la construction qui évoquait désormais plutôt une villa opulente, quand bien même elle conservait ses hautes murailles épaisses de plusieurs mètres et bien fortifiées. Au pied du bâtiment, en lieu et place du jardin, se trouvait un vaste champ de manœuvres sur lequel Ezio aperçut une vingtaine de jeunes gens en armes s'entraînant à peaufiner leurs techniques de combat.

— *Casa, dolce casa*, dit Mario. Tu n'étais plus revenu depuis ta prime enfance. Il y a eu quelques changements entre-temps. Qu'en dis-tu ?

— C'est fort impressionnant, mon oncle.

Le reste de la journée fut chargé. Mario lui fit visiter le château, organisa son accueil, veilla au logement des deux femmes dans le couvent proche dont l'abbesse était une amie de longue date et, s'il fallait en croire la rumeur, une ancienne maîtresse. Mais, le lendemain matin, Ezio fut convoqué dès l'aube dans le cabinet de son oncle, une vaste pièce haute de plafond aux murs décorés de cartes, d'armures et d'armes, meublée de chaises autour d'une lourde table en chêne.

— Tu aurais intérêt à descendre en ville sans tarder, lui dit peu après Mario, d'un ton sérieux. Pour t'équiper convenablement. Un de mes hommes t'accompagnera. Reviens ici dès que tu as fini et nous pourrons commencer.

— Commencer quoi, mon oncle ?

Mario parut surpris.

— Je pensais que tu étais venu ici pour être formé.

— Non, mon oncle, telle n'était pas mon intention. C'était en fait le premier lieu sûr qui m'est venu à l'esprit lorsque nous avons dû quitter Florence. Mais je compte bien repartir avec ma sœur et ma mère.

Mario prit un air grave.

— Mais ton père ? Ne crois-tu pas qu'il aurait voulu te voir achever sa tâche ?

— Quoi ? Celle de banquier ? L'affaire familiale a disparu, la maison Auditore n'existe plus, à moins que le duc Lorenzo ait réussi à la garder hors de portée des mains des Pazzi.

— Ce n'est pas à cela que je pensais, commença Mario avant de s'interrompre. Veux-tu dire que Giovanni ne t'en a jamais parlé ?

— Je suis désolé, mon oncle, mais je ne vois vraiment pas de quoi il s'agit.

Mario hocha la tête.

— J'ignore ce que ton père a dû en penser. Peut-être avait-il jugé le moment inopportun. Mais les événements l'emportent désormais sur de telles considérations. (Il regarda fixement Ezio.) Nous devons parler, sérieusement, longuement. Laisse-moi les documents que tu détiens. Je dois les étudier pendant que tu descendras en ville pour t'équiper. Voici une liste d'articles et de l'argent pour les acheter.

C'est dans un grand état de perplexité qu'Ezio se rendit en ville en compagnie d'un des sergents de son oncle, un vieux soldat grisonnant du nom d'Orazio, et que, selon ses conseils, il acquit auprès de l'armurier local une dague de combat, une cotte de mailles légère, et – auprès du médecin – des pansements et une trousse de secours. De retour au château, il retrouva Mario qui l'attendait, impatient.

— *Saluto*, dit Ezio. J'ai fait ce que vous m'avez demandé.

— Et sans traîner. *Ben fatto* ! À présent, il va falloir t'enseigner à te battre.

— Pardonnez-moi, mon oncle, mais comme je vous l'ai dit, je n'ai nullement l'intention de rester.

Mario se mordit la lèvre.

— Écoute, Ezio, tu as tout juste pu tenir tête à Vieri. Si je n'étais pas arrivé à temps… (Il laissa la phrase en suspens.) Eh bien, pars, s'il le faut, mais au moins apprends d'abord à te défendre ou tu ne survivras pas plus d'une semaine sur la route.

Ezio resta silencieux.

Mario insista.

— Si ce n'est pas pour moi, fais-le par égard pour ta mère et ta sœur.

Ezio soupesa les options, mais il dut reconnaître la validité de l'argument.

— Eh bien d'accord. Puisque vous avez eu la bonne grâce de me faire équiper.

Rayonnant, Mario lui assena une claque sur l'épaule.

— Brave garçon ! Tu m'en remercieras plus tard !

S'ensuivit, dans les semaines qui vinrent, une séance d'instruction militaire des plus intensives. Mais en même temps qu'il acquérait de nouvelles techniques de combat, Ezio en apprenait également plus sur l'histoire familiale et sur les secrets que son père n'avait pas eu le temps de lui confier. Et, Mario lui ayant ouvert sa bibliothèque, il découvrit avec une perplexité grandissante qu'il était sans doute appelé à un destin bien plus important qu'il l'aurait cru possible.

— Vous dites que mon père était plus qu'un simple banquier ?

— Bien plus, confirma Mario, l'air grave. Ton père était un tueur expérimenté.

— C'est impossible... Mon père a toujours été un financier, un homme d'affaires... Comment aurait-il pu être un tueur ?

— Non, Ezio, il était même bien plus. Il était né et avait été élevé pour tuer. C'était un membre haut placé de l'ordre des Assassins. (Mario hésita.) Je sais que la bibliothèque a déjà dû te procurer des informations complémentaires. Nous devons discuter des documents qui t'ont été confiés et de ceux que – Dieu merci ! – tu as eu la présence d'esprit de récupérer sur Alberti. Cette liste de noms, elle n'a rien à voir avec un catalogue de débiteurs. Non, c'est celle de tous les responsables de l'assassinat de ton père, et ces hommes font partie d'un complot d'encore plus vaste envergure.

Ezio avait du mal à absorber cette avalanche d'informations : tout ce qu'il avait toujours cru savoir de son père ou de sa famille ne semblait désormais que demi-vérités. Comment son père avait-il pu lui cacher cela ? C'était tellement inconcevable, tellement irréel. Ezio choisit ses mots avec soin – son père devait avoir une bonne raison de garder un tel secret.

— J'accepte volontiers de ne pas avoir tout su de mon père, et pardonnez-moi d'avoir douté de votre parole, mais pourquoi un tel besoin de secret ?

Mario ne répondit pas tout de suite.

— Es-tu familier de l'ordre des Chevaliers du Temple ?

— J'en ai entendu parler.

— Il a été fondé il y a bien des siècles, peu après la première croisade, et devint une force d'élite pour Dieu – dans la pratique, c'étaient des moines combattants. Ils avaient fait vœux d'abstinence et de pauvreté. Mais les années passant, leur statut a changé. Peu à peu, ils se sont impliqués dans la finance internationale – là aussi, avec succès. Les autres ordres chevaleresques – les Hospitaliers, les Teutoniques – les considéraient d'un œil méfiant et leur pouvoir finit par inquiéter, même les rois. Ils s'établirent dans le sud de la France et envisagèrent de créer leur propre État. Ils ne payaient pas d'impôts, finançaient leur armée privée et se mirent à toiser tout le monde. À la longue, il y a près de deux siècles, Philippe le Bel, roi de France, décida de les attaquer. Il y eut une terrible purge, les Templiers furent arrêtés, pourchassés, massacrés et, pour finir, excommuniés par le pape. Mais on ne put les traquer tous : ils avaient quinze mille chapitres répartis dans toute l'Europe. Néanmoins, leurs biens et terres ayant été annexés, les Templiers parurent disparaître, désormais privés de tout pouvoir, du moins en apparence.

— Que leur est-il arrivé ?

Mario hocha la tête.

— Bien entendu, c'était une ruse pour garantir leur survie. Ils sont entrés dans la clandestinité, thésaurisant les richesses qu'ils avaient pu sauver, continuant à entretenir leur organisation et plus que jamais orientés dorénavant vers leur but réel.

— Qui était ?

— Qui *est*, parle au présent ! (Les yeux de Mario flamboyèrent.) Leur intention n'est rien moins que la domination globale. Et une seule organisation s'est juré de les contrer. L'ordre des Assassins, auquel ton père et moi-même avons l'honneur d'appartenir.

Ezio eut besoin d'un moment pour digérer ces informations.

— Et donc Alberti aurait été un des Templiers ?

Mario acquiesça, solennel.

— Oui. Comme tous les autres sur la liste de ton père.

— Et… Vieri ?

— Également, mais aussi son père Francesco et tout le clan des Pazzi.

Ezio rumina tout cela.

— Voilà qui explique bien des choses. (Puis il ajouta :) Il reste une chose que je ne t'ai pas encore montrée…

Et, remontant sa manche, il dévoila sa dague secrète.

— Ah, fit Mario. Tu as eu la sagesse de ne pas la révéler avant d'être entièrement certain que j'étais digne de confiance. Je me demandais ce qu'elle était devenue. Et je vois que tu l'as fait réparer. C'était celle de ton père, donnée par notre propre père, et ainsi de suite au fil des générations. Elle avait été brisée lors d'une… confrontation impliquant ton géniteur, il y a bien des années, mais jamais il n'avait réussi à trouver un artisan assez talentueux ou fiable pour la faire restaurer. Tu as bien fait, mon garçon !

— Il n'empêche, reprit Ezio, toute cette histoire d'assassins et de templiers me fait l'effet d'un conte antique… d'un récit fantastique.

Sourire de Mario.

— Comme issu d'un vieux parchemin couvert d'une écriture sibylline, peut-être ?

— Vous connaissez la page du Codex ?

Mario haussa les épaules.

— Aurais-tu oublié ? Elle était parmi les papiers que tu m'as confiés.

— Pouvez-vous me dire de quoi il s'agit ?

Ezio avait quelque réticence à évoquer ici son ami Leonardo, tant que la nécessité ne s'en ferait pas sentir.

— Ma foi, qui que soit la personne qui a réparé ta lame, elle a dû pouvoir en déchiffrer au moins une partie, observa Mario. (Il leva la main en voyant Ezio ouvrir déjà la bouche.) Mais je ne te poserai aucune question. Je vois bien que tu désires protéger quelqu'un et je respecte ce vœu. Il y a là toutefois plus qu'un simple manuel d'instructions pour ton arme. Les pages du Codex sont dispersées dans toute l'Italie. Il s'agit d'un guide des rouages de l'ordre des Assassins, précisant ses origines, ses objectifs et ses techniques. C'est, si tu préfères, notre Credo. Ton père était convaincu que le Codex contenait un secret prodigieux. Un secret capable de changer le monde de fond en comble. (Il marqua un temps de réflexion.) Peut-être est-ce pour cela qu'ils s'en sont pris à lui.

Ezio était bouleversé par cette information – c'était un gros morceau à avaler d'un coup.

— Des assassins, des templiers, cet étrange Codex…

— Je serai ton guide, Ezio. Mais tu dois d'abord apprendre à ouvrir ton esprit ; et surtout rappelle-toi toujours ceci : rien n'est vrai. Tout est permis.

Mario ne voulut pas en dire davantage, malgré l'insistance d'Ezio. À la place, son oncle lui fit poursuivre de plus belle cet entraînement militaire rigoureux et, de l'aube au crépuscule, le jeune homme se retrouva sur le champ de manœuvres, à l'exercice avec les jeunes *condottieri*, pour s'effondrer chaque soir sur son lit, trop épuisé pour songer à autre chose qu'au sommeil. Et puis, un beau jour…

— Bien joué, neveu ! lui dit son oncle. Je crois que cette fois, tu es prêt.

Ezio était ravi.

— Merci, mon oncle, pour tout ce que vous m'avez donné.

Mario se contenta d'une vigoureuse étreinte.

— Tu fais partie de la famille. C'était à la fois mon devoir et mon désir !

— Je suis content que vous m'ayez convaincu de rester.

Mario le lorgna d'un air entendu.

— Alors… as-tu révisé ta décision de partir ?

Ezio lui rendit son regard.

— Je suis désolé, mon oncle, mais ma décision est prise. Pour la sécurité de mamma et de Claudia, j'ai toujours l'intention de rejoindre la côte et d'embarquer pour l'Espagne.

Mario ne cacha pas son dépit.

— Pardonne-moi, mon neveu, mais je ne t'ai pas enseigné ces talents par plaisir personnel ou pour ton bénéfice exclusif. Je te les ai enseignés pour que tu sois mieux préparé à frapper nos ennemis, le jour venu.

— Et s'ils me retrouvent, c'est bien ce que je ferai.

— Or donc, reprit Mario, un peu amer, tu as l'intention de partir ? Et de jeter aux orties tout ce pour quoi ton père s'est battu et a donné sa vie ? Et de renier ton véritable héritage ? Ma foi, je ne vais pas te cacher que je suis déçu, cruellement déçu. Mais puisqu'il en est ainsi… Orazio te conduira au couvent au moment que tu auras jugé opportun pour que ta mère reprenne la route et il veillera à votre départ. Je te souhaite *buona furtuna*.

Sur quoi, Mario tourna le dos à son neveu et s'éloigna à grands pas.

D'autres jours passèrent encore, après qu'Ezio eut découvert qu'il devait laisser à sa mère un répit supplémentaire pour achever de se rétablir. De son côté, ce fut le cœur lourd qu'il procéda à ses derniers préparatifs. Enfin, il s'apprêta pour ce qu'il imaginait être l'ultime visite au couvent pour voir sa mère avant son départ et il trouva les deux femmes en meilleure condition qu'il l'aurait espéré. Claudia avait lié amitié avec certaines religieuses parmi les plus jeunes et il fut clair pour Ezio – à sa surprise, et à son déplaisir – qu'elle commençait à se sentir attirée par cette vie monastique. Pendant ce temps, sa mère se remettait lentement mais sûrement, et l'abbesse, ayant eu vent des plans du jeune homme, souleva des objections, l'avisant que le repos demeurait indispensable et qu'il n'était pas encore question qu'elle voyage.

De sorte que lorsqu'il revint au château de son oncle, Ezio était empli de doutes – et il se rendit compte que son indécision n'avait fait que croître au fil des jours.

Au même moment, des préparatifs militaires se déroulaient à Monteriggioni et ces derniers semblaient avoir atteint leur point culminant. Le spectacle le divertit. Son oncle demeurait invisible, mais Ezio parvint à localiser Orazio du côté de la salle des cartes.

— Que se passe-t-il ? Où est mon oncle ?

— Il se prépare à livrer bataille.

— Quoi ? Contre qui ?

— Oh, j'imagine qu'il te l'aurait dit s'il avait pensé que tu restais. Mais nous savons tous que telle n'est pas ton intention.

— Ma foi…

— Écoute, ton vieil ami Vieri de' Pazzi est venu prendre pied à San Gimignano. Il y a triplé la garnison et a laissé entendre que sitôt qu'il serait prêt, il viendrait raser Monteriggioni. Alors nous avons décidé de prendre les devants, d'écraser ce petit serpent et de donner aux Pazzi une leçon qu'ils n'oublieront pas de sitôt.

Ezio poussa un énorme soupir. Voilà qui à coup sûr changeait complètement la donne. Et peut-être était-ce le destin : ce stimulus qu'il avait recherché inconsciemment.

— Où est mon oncle ?

— Aux écuries.

Ezio était déjà presque dehors.

— Hé, où vas-tu ?

— Aux écuries ! Il doit bien y avoir un cheval pour moi aussi !

Orazio avait le sourire aux lèvres en regardant Ezio s'éloigner.

Chapitre 7

Mario, Ezio chevauchant à ses côtés, mena ses forces aux abords de San Gimignano au milieu d'une nuit de printemps de l'an de grâce 1477. Ce devait être le début d'une rude confrontation.

— Redis-moi ce qui t'a fait changer d'avis, demanda Mario, encore sous le coup de l'agréable surprise du revirement de son neveu.

— Ça vous fait plaisir de l'entendre, hein ?

— Et pourquoi pas, diantre ? De toute façon, je me doutais qu'il faudrait encore du temps à Maria pour se rétablir et les deux femmes sont à l'abri là où elles sont, comme tu le sais fort bien.

Ezio sourit.

— Comme je vous l'ai déjà dit, je voulais prendre mes responsabilités. Et comme je vous l'ai dit également, si Vieri vous cause des problèmes, c'est par ma faute.

— Et moi je t'ai dit, jeune homme, tu as sans nul doute une bonne dose de suffisance. En vérité, si Vieri nous cherche noise, c'est parce que c'est un templier et que nous sommes des assassins.

Tout en parlant, Mario scrutait les hautes tours de la forteresse de San Gimignano. Les constructions de plan carré semblaient presque effleurer le ciel et Ezio eut une étrange impression de déjà-vu, comme s'il se trouvait dans un rêve ou peut-être une autre vie, car il n'en avait aucun souvenir précis.

Le sommet des tours était illuminé par la lueur des torches et l'on en voyait quantité d'autres sur les remparts de la ville ainsi qu'aux portes de celle-ci.

— La garnison est solide, constata Mario. Et à en juger par les torches, il semblerait que Vieri nous attende. C'est regrettable mais je ne suis pas surpris. Après tout, il a ses espions, tout comme moi. (Une pause.) J'aperçois des archers sur les remparts et les portes sont solidement gardées. (Il continua à scruter la ville.) Cela dit, il ne semble pas qu'il dispose d'effectifs suffisants pour couvrir tous les accès. La porte méridionale me semble la moins bien défendue ; ce doit être à cet endroit qu'il s'attend le moins à une attaque. Ce sera donc là que nous frapperons.

Il leva le bras et piqua des éperons. Ses forces le suivirent. Ezio chevauchait toujours à ses côtés. Mario poursuivit, d'une voix pressante.

— Voici comment nous allons procéder. Mes hommes et moi allons engager le combat avec les gardes à la poterne, pendant que tu devras trouver le moyen d'escalader la muraille et nous ouvrir la porte de l'intérieur. Il faudra être prompt et silencieux.

Il tendit au jeune homme une ceinture garnie de couteaux de jet.

— Tiens, prends-les. Tu t'en serviras pour éliminer les archers.

Sitôt qu'ils furent assez près des remparts, ils mirent pied à terre. Mario dirigea un groupe de ses meilleurs soldats vers la cohorte de gardes postés à l'entrée sud de la ville. Ezio les laissa et couvrit les cent derniers mètres à pied, profitant de l'abri des arbustes et des buissons pour dissimuler sa progression jusqu'au pied de la muraille. Il avait coiffé sa cagoule et, à la lueur des torches de la poterne, il remarqua que l'ombre de son capuchon projetée sur le mur évoquait étrangement la tête d'un aigle. Il leva les yeux. Le rempart s'élevait au-dessus de lui, haut de seize mètres voire plus. Impossible de voir s'il y avait du monde aux créneaux. Après avoir soigneusement serré sa ceinture de couteaux, il entreprit l'escalade. Elle était difficile car les murs étaient de pierre bien parée, n'offrant que fort peu de prises, mais les meurtrières près du sommet lui permirent de se caler solidement tandis qu'il lorgnait avec précaution par-dessus les créneaux. Le long des remparts sur sa gauche, deux archers, le dos tourné, étaient penchés au-dessus du mur, visant vers le bas. Ils avaient vu le début de l'attaque de Mario et se préparaient à tirer leurs traits sur les *condottieri* de l'assassin. Ezio n'hésita pas. C'était leur vie ou celle de ses amis et il mesurait désormais à leur juste valeur les aptitudes nouvelles que son oncle avait absolument tenu à lui enseigner. Très vite, affûtant son œil et son esprit dans la semi-obscurité vacillante, Ezio dégaina deux couteaux qu'il lança, l'un après l'autre, avec une précision meurtrière. Le premier atteignit l'archer au creux de la nuque… un coup immédiatement fatal. L'homme s'effondra sur les créneaux sans un soupir. Le second couteau toucha sa cible légèrement plus bas, s'enfonçant dans le dos de l'homme avec une telle force que, poussant un cri caverneux, celui-ci bascula dans les ténèbres.

En contrebas, au pied d'un étroit escalier de pierre, Ezio aperçut la poterne. Il avait pu désormais évaluer que les forces dont disposait Vieri n'étaient pas suffisantes pour garder la cité avec une efficacité absolue, car aucun homme n'était posté du côté intérieur des portes. Il dévala l'escalier quatre à quatre, volant presque, et il eut tôt fait de localiser le levier qui actionnait les verrous fermant les lourds battants de chêne massif hauts de trois mètres. Il tira dessus de toutes ses forces car le dispositif n'était pas conçu pour être manœuvré par un homme seul, mais il finit par y arriver et tira aussitôt sur un des énormes anneaux scellés dans le battant à hauteur d'épaule. Bientôt, ce dernier s'ouvrit avec lenteur, révélant Mario et ses hommes en train de parachever leur sanglante besogne. Deux des assassins étaient morts mais vingt soldats de Vieri avaient été envoyés *ad patres*.

— Bien joué, Ezio ! s'écria Mario, à voix basse.

Jusqu'ici, il semblait que l'alarme n'avait pas été donnée, mais cela ne tarderait pas.

— Allons-y ! ordonna Mario. Et en silence, maintenant. (Il se tourna vers l'un de ses sergents et lui intima :) Retourne chercher le gros de nos forces.

Puis il les guida avec précaution de par les rues silencieuses. Vieri avait dû imposer une sorte de couvre-feu car on ne voyait pas un chat. À un moment, ils faillirent tomber nez à nez avec une patrouille des Pazzi. Se tapissant dans l'ombre, ils la laissèrent passer avant de se ruer derrière les hommes pour les neutraliser avec une efficacité proprement chirurgicale.

— Et maintenant ? demanda Ezio en regardant son oncle.

— Il faut qu'on localise le capitaine de la garde. Il s'appelle Roberto. Il saura où se trouve Vieri. (Mario semblait plus tendu que d'habitude.) On perd trop de temps. Mieux vaudrait qu'on se sépare. Écoute, je connais Roberto. À cette heure de la nuit, soit il est ivre dans sa taverne habituelle, soit il ronfle déjà dans la citadelle. Tu t'occupes de cette dernière. Prends Orazio et une dizaine d'hommes avec toi.

Il regarda le ciel qui commençait à pâlir et huma l'air déjà chargé de la fraîcheur d'un jour nouveau.

— Tu me retrouveras près de la cathédrale avant le chant du coq pour me faire ton rapport. Et n'oublie pas… je te laisse le commandement de cette bande de voyous !

Il adressa un sourire affectueux à ses hommes, entraîna ses propres forces et disparut au bout de la rue qui menait au sommet de la colline.

— La citadelle est située au nord-ouest de la ville, monsieur, dit Orazio. Il arborait un grand sourire, tout comme ses hommes.

Ezio percevait à la fois leur loyauté envers Mario et leur réticence à se retrouver sous les ordres d'un officier aussi peu expérimenté.

— Alors allons-y, répondit Ezio d'une voix ferme. Suivez-moi. À mon signal.

La citadelle formait un angle de la place principale, non loin de la cathédrale et à proximité du sommet de l'éminence sur laquelle la ville était bâtie. Ils l'atteignirent sans difficulté, mais, avant qu'ils y entrent, Ezio remarqua plusieurs gardes des Pazzi postés à l'entrée. Il fit signe à ses hommes de se tenir en retrait puis s'approcha, restant dans l'ombre, furtif comme un renard, jusqu'à se retrouver assez près pour surprendre la conversation entre deux des hommes. Ils n'avaient manifestement pas l'air satisfaits du commandement de Vieri et le plus véhément des deux était en pleine diatribe.

— Moi, je te le dis, Tebaldo, ce jeune chiot de Vieri ne me dit rien qui vaille. Il ne doit pas être foutu de pisser droit dans un seau, encore moins de défendre une ville contre un adversaire déterminé. Quant au capitaine Roberto, il boit tant qu'on dirait plutôt une bouteille de chianti attifée d'un uniforme.

— Tu parles trop, Zohane, l'avertit Tebaldo. Souviens-toi de ce qui est arrivé à Bernardo quand il s'est risqué à ouvrir la bouche.

L'autre se reprit et, hochant sobrement la tête, concéda :

— Tu as raison… J'ai entendu dire que Vieri lui avait fait crever les yeux.

— Eh bien, j'aimerais ne pas finir aveugle, merci beaucoup, alors autant couper court. Qui sait combien de nos camarades partagent notre opinion, et Vieri a ses espions partout.

Satisfait, Ezio revint auprès de ses troupes. Une garnison mécontente est rarement efficace, mais rien ne garantissait que Vieri n'avait pas sous ses ordres un solide noyau de fidèles du clan Pazzi. Et pour ce qui était du reste de ses hommes, Ezio avait pu constater les effets de la crainte de l'autorité du chef. Mais la mission pour l'heure était d'entrer dans la citadelle. Ezio scruta la place. En dehors du petit contingent de gardes, elle était vide et sombre.

— Orazio ?

— Oui, chef ?

— Veux-tu engager le combat avec ces hommes et me les liquider ? Vite et en silence. Je vais tâcher de gagner les toits pour vérifier s'il y en a d'autres, postés dans la cour intérieure.

— C'était le but de notre mission, monsieur.

Laissant Orazio et ses hommes se charger des gardes et après avoir vérifié qu'il lui restait suffisamment de couteaux de jet, il dévala au pas de course une ruelle voisine de la citadelle, grimpa sur un toit voisin et, de là, bondit sur celui de la citadelle, édifiée autour d'une cour centrale. Il remercia le ciel que Vieri ait manifestement omis de poster des vigies dans les hautes tours flanquant les demeures des familles influentes, car depuis ces points d'observation élevés ponctuant toute la ville, elles auraient pu voir tout ce qui s'y passait. Mais il savait aussi que prendre le contrôle de ces tours serait le premier objectif du gros des troupes de Mario. Depuis le toit de la citadelle, il remarqua que la cour intérieure était déserte. Il bondit alors sur le toit de sa colonnade et, de là, sauta au sol. Ce fut un jeu d'enfant d'ouvrir les portes et de positionner ses hommes qui entrèrent en traînant les corps des factionnaires pour aller les déposer dans l'ombre de la colonnade. Afin de n'éveiller aucun soupçon, ils avaient refermé sur eux les portes de la citadelle.

Cette dernière semblait déserte. Mais bientôt, ils entendirent des voix montant de la place en contrebas, et un autre groupe d'hommes de Vieri apparut. Ils ouvrirent les portes et entrèrent dans la cour intérieure tout en soutenant un homme trapu, plutôt gros, visiblement ivre.

— Où diable ces connards de gardes ont-ils filé ? voulut savoir l'homme. Ne me dites pas que Vieri a contredit mes ordres pour les expédier faire une de ces maudites patrouilles !

— *Ser* Roberto, implora l'un des hommes qui le soutenaient. Vous ne croyez pas qu'il serait temps d'aller dormir un peu ?

— Qu'est-ce que tu racontes ? bredouilla l'autre. Chuis revenu sans encombre, non ? Après tout, la nuit vient à peine de commencer !

Les nouveaux venus parvinrent à installer leur chef au bord de la fontaine centrale et firent cercle autour de lui, indécis.

— On va dire que je ne suis pas un bon capitaine, geignit complaisamment Roberto.

— Balivernes, chef, dit le garde le plus proche.

— C'est pourtant l'opinion de Vieri, rétorqua l'officier. Tu devrais entendre comment il parle de moi ! (Il marqua un temps, jeta un vague regard circulaire, puis reprit sur le même ton geignard :) Ce n'est qu'une question de temps avant qu'on me remplace – ou pire ! (Nouvel arrêt, pour renifler.) Où est cette putain de bouteille ? File-la-moi ! (Il but une grande lampée, examina la bouteille pour s'assurer qu'elle était bien vide, puis la jeta au loin.) C'est la faute à Mario ! Je n'en ai pas cru mes oreilles quand nos espions ont signalé qu'il avait pris son neveu sous son aile – sauvé ce petit salopiot des mains de Vieri en personne ! Désormais, Vieri est aveuglé par la rage et c'est à moi d'affronter mon vieux *compagno* ! (Un coup d'œil alentour, hagard.) Ce cher vieux Mario. On a été compagnons d'armes, dans le temps, vous saviez ça ? Mais il a refusé de se rallier aux Pazzi avec moi, même si on était mieux payé, mieux logé, mieux équipé… tout le barda ! J'aimerais l'avoir à mes côtés, aujourd'hui. Pour un peu, je…

— Excusez-moi, interrompit Ezio, surgi de l'ombre.

— Que… qui êtes-vous ?

— Permettez-moi de me présenter. Je suis le neveu de Mario.

— Quoi ? rugit Roberto, qui se releva tant bien que mal, tout en cherchant en vain à saisir son épée. Arrêtez-moi ce petit coquin ! (Il se pencha vers Ezio. Son haleine empestait la piquette, les oignons aussi. Il sourit.) Tu sais quoi, Ezio, je devrais te remercier. Maintenant que je te tiens, Vieri ne pourra rien me refuser. Peut-être que je vais prendre ma retraite. Une bien belle petite villa sur la côte, peut-être…

— Ne vends pas encore la peau de l'ours, *capitano*, l'avertit Ezio.

Roberto fit volte-face pour découvrir ce qu'avaient déjà constaté ses hommes : qu'ils étaient cernés par des mercenaires des Assassins, tous armés jusqu'aux dents.

— Ah, fit Roberto, s'affalant de nouveau.

Toute force semblait l'avoir abandonné.

Une fois les gardes menottés et conduits au cachot de la citadelle, Roberto, assis avec Ezio autour d'une table au poste de garde en compagnie d'une bouteille neuve, s'était mis à parler. Il semblait enfin convaincu.

— Tu veux Vieri ? Je vais te dire où il se trouve. De toute façon, j'ai plus rien à perdre. Rends-toi au *palazzo* du

Dauphin, sur la place près de la porte nord. Il s'y tient une réunion et…

— Qui doit-il rencontrer ? Le sais-tu ?

Roberto haussa les épaules.

— De nouveaux partisans de Florence, j'imagine. Censés lui apporter des renforts.

Ils furent interrompus par un Orazio inquiet.

— Ezio ! Vite ! On se bat près de la cathédrale. On ferait mieux d'y aller !

— Très bien. Courons-y !

— Et lui ?

Ezio regarda Roberto.

— Laisse-le. Je crois bien qu'il a fini par choisir son camp.

Sitôt qu'ils furent ressortis, Ezio perçut les bruits des combats en provenance de la cathédrale. En approchant, il vit que les hommes de son oncle, lui tournant le dos, étaient en train de battre en retraite devant une imposante brigade de soldats des Pazzi. Usant de ses couteaux de jet pour s'ouvrir un passage, Ezio rejoignit bientôt son oncle et le mit au fait des récents développements.

— Tant mieux pour Roberto, dit Mario, échappant de justesse à un coup, tout en continuant à tailler en pièces leurs agresseurs. J'ai toujours regretté qu'il file chez les Pazzi, mais il a enfin décidé de retourner sa veste. Allez, file ! Trouve-nous ce que machine ce Vieri.

— Mais vous ? Serez-vous capable de les contenir ?

Mario prit un air sinistre.

— Un moment, en tout cas, mais le gros de nos troupes doit s'être déjà rendu maître de la plupart des tours, et il ne tardera pas à nous rejoindre. Alors ne traîne pas, Ezio ! Ne laisse pas Vieri s'échapper !

Le *palazzo* était situé à l'extrême nord de la cité, à l'écart des combats, même si les gardes des Pazzi étaient déjà là en nombre – sans doute les renforts dont avait parlé Roberto – et qu'Ezio dut redoubler de prudence pour les éviter.

Il arriva juste à temps : la réunion semblait s'être achevée et il avisa un groupe de quatre hommes en robe se diriger vers des chevaux attachés à proximité. Ezio reconnut Jacopo de' Pazzi, son neveu Francesco, Vieri lui-même et – le voyant, il laissa échapper un cri de surprise – l'Espagnol de haute stature présent lors de l'exécution de son père. Surprise plus grande encore, Ezio reconnut les insignes de cardinal brodés sur la manche de sa cape. Les hommes s'immobilisèrent près de leurs montures et Ezio réussit à gagner le couvert d'un arbre proche, dans l'espoir de surprendre leur conversation. Il dut tendre l'oreille et les mots ne lui parvenaient que par bribes, mais le peu qu'il entendit suffit à l'intriguer.

— Alors, c'est réglé, était en train de dire l'Espagnol. Vieri, tu vas rester ici et rétablir notre position au plus vite. Francesco organisera nos forces à Florence en attendant le moment opportun pour frapper et toi, Jacopo, tu dois te préparer à calmer la population, une fois que nous aurons pris le pouvoir. Inutile de nous hâter : mieux notre action sera préparée, plus nous aurons de chances de réussir.

— Mais, *ser* Rodrigo, intervint Vieri, que suis-je censé faire de cet *ubriacone* de Mario ?

— Débarrasse-toi de lui ! Il ne doit en aucun cas découvrir nos intentions.

L'homme qu'ils avaient appelé « Rodrigo » se jucha en selle. Ezio vit clairement son visage durant un bref instant, les yeux froids, le nez aquilin ; l'homme devait avoir la quarantaine.

— Il a toujours cherché les ennuis, observa Francesco. Tout comme son *bastardo* de frère.

— Ne vous en faites pas, *padre*, dit Vieri. Je les aurai sous peu réunis... dans la mort !

— Venez, dit celui qui se faisait appeler Rodrigo. Nous n'avons que trop traîné.

Jacopo et Francesco enfourchèrent eux aussi leur monture et tous trois prirent la direction de la poterne nord dont les gardes ouvraient déjà les portes.

— Que le Père de tout Entendement nous guide tous !

Ils franchirent la poterne et les portes se refermèrent derrière eux. Ezio se demandait si l'occasion n'était pas toute trouvée de tenter de neutraliser Vieri, mais l'homme était trop bien protégé et, par ailleurs, mieux valait sans doute le capturer vivant pour l'interroger. Mais Ezio prit soin de mémoriser le nom des hommes dont il avait surpris la conversation, avec la ferme intention de les ajouter à la liste paternelle ; de toute évidence, il se préparait un complot dans lequel trempaient tous ces individus.

Il fut interrompu dans ses réflexions par l'arrivée d'une nouvelle escouade de gardes des Pazzi dont le chef se précipita vers Vieri.

— Qu'y a-t-il ? aboya ce dernier.

— *Commandante*, j'ai de mauvaises nouvelles. Les hommes de Mario Auditore ont enfoncé nos dernières défenses.

Vieri sourit avec mépris.

— C'est ce qu'il croit. Mais regarde... (Et d'indiquer les renforts assemblés autour de lui.) D'autres hommes sont arrivés de Florence. Nous allons le bouter hors de San Gimignano avant la fin du jour, comme la vermine qu'il est ! (Puis, élevant la voix pour s'adresser à ses troupes assemblées :) Sus à l'ennemi ! Écrasez-moi toute cette vermine !

Poussant un cri de guerre, la milice des Pazzi se regroupa sous les ordres de ses officiers et repartit vers le sud pour traverser la cité à la rencontre des *condottieri* de Mario. Ezio pria pour que son oncle ne soit pas pris par surprise car il serait alors en position d'infériorité. Mais Vieri était resté en retrait avec seulement sa garde personnelle et il s'apprêtait à réintégrer l'abri du *palazzo.* Nul doute qu'il avait encore à régler quelque affaire en rapport avec la rencontre récente. Ou peut-être retournait-il se harnacher pour la bataille. Quoi qu'il en soit, le soleil n'allait pas tarder à pointer. C'était maintenant ou jamais. Ezio surgit de l'ombre et rabattit sa cagoule pour révéler ses traits.

— Bien le bonjour, *messer* de' Pazzi. La nuit a été longue ?

Vieri fit volte-face, une expression de surprise mêlée de terreur se peignit fugitivement sur son visage. Il se reprit bien vite et fanfaronna :

— J'aurais dû me douter que tu reviendrais. Recommande ton âme à Dieu, Ezio... J'ai d'autres chats à fouetter, autrement plus importants que toi. Tu n'es qu'un vulgaire pion à balayer de l'échiquier.

Ses gardes se ruèrent sur Ezio mais ce dernier était prêt. Il abattit le premier à l'aide de son ultime couteau de jet – la lame courte fendit l'air dans un sifflement diabolique. Puis il dégaina son épée et sa dague de combat avant de s'approcher du reste de la troupe. Il se mit à tailler et à trancher comme un dément dans un tourbillon de sang. Ses mouvements étaient mesurés mais meurtriers et bientôt le dernier de ses adversaires, grièvement blessé, s'éloigna en traînant la jambe. Mais Vieri se ruait déjà sur Ezio, brandissant une hache de guerre prise sur la selle de sa monture demeurée à l'endroit où les autres avaient attendu attachées. Ezio esquiva cette arme redoutable, mais même si le coup n'avait fait que glisser sur son armure, il l'envoya bouler, le jetant au sol et lui faisant lâcher son épée. En un instant, Vieri était sur lui ; d'un coup de pied, il projeta l'épée de son adversaire hors de portée et brandit la hache bien haut au-dessus de sa tête. Mobilisant ses ultimes forces, Ezio lança un pied vers le bas-ventre de son adversaire, mais Vieri l'avait vu venir et il recula d'un bond. Alors qu'Ezio se risquait à se relever, Vieri projeta sa hache vers son poignet gauche, lui arrachant la dague de combat et lui entaillant profondément le dessus de la main. Il dégaina à son tour ses armes de poing.

— Quand on veut du travail bien fait, autant s'en charger soi-même, commenta Vieri. Parfois, je me demande pourquoi je paie ces prétendus gardes du corps. Adieu, Ezio ! s'écria-t-il en fondant sur son ennemi.

La brûlure de la douleur avait transpercé le corps du jeune homme. La tête lui tourna, sa vision se brouilla. C'est alors que lui revinrent toutes les leçons apprises, et l'instinct reprit le dessus. Il se secoua et, au moment où Vieri s'apprêtait à porter le coup fatal à un adversaire apparemment désarmé, Ezio fléchit la main droite tout en écartant largement les doigts. Aussitôt, le mécanisme de la dague secrète cliqueta, la lame jaillit sur toute sa longueur, le fini mat du métal dissimulant son tranchant meurtrier. Le bras de Vieri était levé. Son flanc exposé. Ezio y plongea la dague qui pénétra sans la moindre résistance.

Vieri demeura un bref instant éberlué, puis, lâchant ses armes, il tomba à genoux. Le sang cascadait entre ses côtes. Ezio le cueillit au moment où il s'effondrait.

— Tu n'as plus beaucoup de temps, Vieri, lui dit-il d'une voix pressante. À ton tour maintenant de faire la paix avec Dieu. Dis-moi, de quoi discutiez-vous ? Quels sont vos plans ?

Vieri lui répondit avec un lent sourire.

— Jamais vous ne nous battrez. Jamais vous n'aurez le dessus sur les Pazzi et certainement jamais sur Rodrigo Borgia.

Ezio savait qu'il n'avait que quelques secondes avant de s'adresser à un cadavre. Il insista de plus belle.

— Dis-moi, Vieri. Mon père avait-il découvert vos plans ? Est-ce pour cela que tes hommes l'ont fait tuer ?

Mais le visage de Vieri était devenu terreux. Il étreignit le bras d'Ezio. Un filet de sang goutta du pli de ses lèvres, ses yeux devinrent vitreux. Il réussit toutefois à lui adresser un sourire ironique.

— Ezio, à quoi t'attendais-tu ? À une confession détaillée ? Je suis désolé mais je n'ai tout simplement pas… le temps… (Il haleta pour reprendre son souffle et un nouveau flot de sang jaillit de sa bouche.) Quel dommage, vraiment. Dans un autre monde, nous aurions même pu être… des amis.

Ezio sentit se relâcher l'étreinte sur son bras.

Mais au même moment la douleur occasionnée par sa blessure le submergea de nouveau, associée au vif souvenir de la mort de ses parents, et une froide colère l'envahit.

— Amis ? Bougre de salopard ! Ton cadavre devrait rester pourrir au bord de la route comme celui d'un corbeau. Nul ne te pleurera ! Si je regrette une chose, c'est que tu n'aies pas souffert plus ! Je…

— Ezio, dit une voix forte, mais douce, derrière lui. Il suffit ! Témoigne-lui un minimum de respect.

Ezio se releva et se retourna brusquement pour faire face à son oncle.

— Du respect ? Après tout ce qui est arrivé ? Vous croyez que s'il avait gagné, il ne nous aurait pas tous pendus au premier arbre venu ?

Mario était ravagé, couvert de poussière et de sang, mais il tint bon.

— Mais il n'a pas gagné, Ezio. Et tu n'es pas comme lui. Ne deviens pas comme lui.

Il s'agenouilla près du corps et, avançant sa main gantée, il se pencha pour lui clore les yeux.

— Que la mort te procure la paix que recherchait ta pauvre âme éperdue. *Requiescat in pace.*

Ezio regarda en silence. Quand son oncle se releva, il lui demanda :

— Est-ce terminé ?

— Non. Il y a encore des combats acharnés. Mais le vent tourne en notre faveur, Roberto nous a apporté le renfort d'une partie de ses hommes et ce n'est désormais qu'une affaire de temps. (Une pause.) Ça te fera j'en suis sûr de la peine d'apprendre qu'Orazio est mort.

— Orazio ?

— Il m'a dit combien tu étais valeureux juste avant son trépas. Sois digne de ces louanges, Ezio.

— J'essaierai.

Ezio se mordit la lèvre. Même s'il se refusait consciemment à l'admettre, c'était encore une rude leçon pour lui.

— Je dois rejoindre mes troupes. Mais j'ai quelque chose pour toi : une chose qui t'en apprendra un peu plus sur notre ennemi. C'est une lettre que j'ai obtenue de l'un de ces prêtres. Elle était adressée au père de Vieri, mais le fait est que Francesco n'est plus là pour la recevoir. (Il lui tendit la missive dont le sceau avait été déjà brisé.) Ce même prêtre veillera aux services funèbres. Je vais lui envoyer l'un de mes sergents pour prendre les dispositions nécessaires.

— J'ai des choses à vous dire…

Mario leva la main.

— Plus tard, quand nous en aurons terminé ici. Après ce revers, nos ennemis ne seront plus en mesure d'évoluer aussi vite qu'ils l'avaient espéré et, à Florence, Lorenzo va redoubler de prudence. Pour l'heure, nous avons l'avantage sur eux. (Il se tut.) Mais je dois repartir. Lis la lettre, Ezio, et réfléchis. Et soigne-moi cette main.

Il était déjà reparti. Ezio s'éloigna de la dépouille de Vieri et s'assit sous l'arbre derrière lequel il s'était dissimulé quelques instants plus tôt. Des mouches tournaient déjà autour du visage de Vieri. Ezio ouvrit la lettre et lut :

« *Messer* Francesco,

J'ai suivi vos instructions et parlé avec votre fils. Je partage votre évaluation, quoique seulement en partie. Oui, Vieri est bravache et enclin à agir de manière irréfléchie ; et il a la mauvaise habitude de traiter ses hommes comme des pantins, des pions d'échecs dont la vie n'aurait pas plus de prix pour lui que s'ils étaient faits de bois ou d'ivoire. Et ses châtiments sont certes cruels : on m'a signalé au moins trois hommes qui s'en sont trouvés défigurés.

Mais je ne pense pas, comme vous, qu'il soit irrécupérable. Je pense plutôt que la solution est assez simple. Il recherche votre approbation. Votre attention. Ces saillies ne sont que le résultat d'un manque d'assurance né du sentiment de ne pas être à la hauteur. Il parle de vous avec affection et, fort souvent, exprime le désir d'être auprès de vous. Alors, quand bien même il se montre violent, excessif et colérique, je crois que c'est uniquement parce qu'il cherche à se faire remarquer. Qu'il veut être aimé.

Agissez comme vous l'entendrez à partir des informations que je viens de vous procurer mais je dois à présent vous demander de mettre un terme à cette correspondance. Si jamais il devait découvrir la nature de nos échanges, j'avoue redouter ce qu'il risquerait d'advenir de ma personne.

Votre très respectueux serviteur,
Le père Giocondo »

Ezio resta assis un long moment, immobile et songeur, après avoir achevé la lecture de la missive. Il regarda le corps de Vieri. Celui-ci portait à la ceinture une sacoche qu'Ezio n'avait pas encore remarquée. Il s'approcha, la saisit et retourna sous son arbre pour en examiner le contenu. Il y avait le portrait miniature d'une femme, quelques florins dans une bourse, un petit carnet que Vieri n'avait pas eu l'occasion d'utiliser et, roulée avec soin, une feuille de parchemin. Les mains tremblantes, Ezio l'ouvrit et l'identifia aussitôt : une nouvelle page de Codex…

Le soleil avait pris de la hauteur et un groupe de moines apparut, portant une civière en bois sur laquelle ils déposèrent le corps de Vieri avant de l'emporter.

Le printemps laissa place à l'été, azalées et mimosas firent place aux lis et aux roses, et une paix fragile revint sur la Toscane. Ezio remarqua avec plaisir les progrès du rétablissement de sa mère, même si elle avait eu les nerfs tellement ébranlés par la tragédie qui l'avait frappée qu'elle semblait à jamais incapable de quitter un jour le calme paisible du couvent. Claudia envisageait de prononcer les vœux qui la conduiraient au noviciat, une perspective qui plaisait beaucoup moins au jeune homme. Mais il savait sa sœur aussi têtue que lui : tenter de l'en dissuader ne ferait que renforcer sa résolution.

Mario avait pris le temps de s'assurer que San Gimignano et son territoire, désormais soumis au pouvoir raisonné et modéré de son vieux camarade Roberto, ne constituent plus une menace et que l'on avait élagué les dernières poches de résistance des Pazzi. Monteriggioni était désormais sûre, et après avoir dûment célébré leur victoire, les *condottieri* de Mario eurent droit à une permission bien méritée, qu'ils consacrèrent, selon les goûts, à passer du temps avec leur famille, à boire, ou à fréquenter des prostituées, mais sans jamais négliger leur entraînement. Pendant ce temps leurs écuyers affûtaient leurs armes et briquaient leurs armures, les maçons et les charpentiers s'assuraient du bon entretien des fortifications du château et de la ville. Au nord, la menace extérieure représentée par la France était contenue depuis que le roi Louis était occupé à se débarrasser des envahisseurs anglois et à se colleter avec les problèmes que lui causait le duc de Bourgogne ; tandis qu'au sud, le pape Sixte IV, allié potentiel des Pazzi, était trop affairé à placer les membres de sa famille et à superviser la construction d'une superbe chapelle au Vatican pour songer à s'immiscer dans les affaires de la Toscane.

Mario et Ezio s'étaient cependant longuement et maintes fois étendus sur une menace dont ils savaient qu'elle n'avait pas disparu.

— Je dois te parler un peu de Rodrigo Borgia, dit un jour Mario à son neveu. Il est natif de Valence mais il a fait ses études à Bologne et n'est jamais retourné en Espagne, car il a plus de chances d'assouvir ses ambitions ici. Pour l'heure, c'est un membre influent de la Curie romaine, mais il a toujours nourri de plus grandes ambitions. C'est l'un des hommes les plus puissants d'Europe mais il est bien plus qu'un politicien roué au sein de l'Église. (Il baissa la voix.) Rodrigo est le chef de l'ordre des Templiers.

Ezio se sentit défaillir.

— Voilà qui explique sa présence lors de l'assassinat de mon pauvre père et de mes frères. Il était derrière.

— Oui, et il ne t'aura pas oublié, d'autant que c'est en grande partie par tes soins qu'il a perdu sa base politique en Toscane. Et il connaît ton hérédité et le danger que tu continues à représenter pour lui. Reste bien conscient, Ezio, qu'il te fera liquider à la première occasion.

— Auquel cas je dois lui tenir tête si je veux un jour être libre.

— On doit le garder à l'œil mais, pour l'heure, il y a d'autres affaires plus pressantes plus près de nous, et nous sommes déjà suffisamment occupés. Mais viens plutôt dans mon bureau.

Ils quittèrent le jardin pour se rendre dans une salle située au bout d'un couloir partant de la salle des cartes. Un lieu retiré, sombre sans être lugubre, aux murs couverts de livres, évoquant plus le cabinet d'un *accademico* qu'un poste de commandement militaire. Les étagères étaient couvertes d'objets manufacturés qui semblaient provenir de Turquie ou de Syrie, ainsi que de volumes qui, à en juger par les inscriptions sur leurs dos, étaient rédigés en arabe. Ezio avait interrogé son oncle à leur sujet mais n'avait reçu que des réponses évasives.

Sitôt entré, Mario déverrouilla une armoire et en retira une pochette en cuir dont il sortit une liasse de papiers. Ezio en reconnut d'emblée certains.

— Voici la liste de ton père, mon garçon – bien que je ne devrais plus l'appeler ainsi, puisque tu es désormais un homme et un guerrier de plein droit –, à laquelle j'ai ajouté les noms dont tu m'as parlé à San Gimignano. (Il regarda son neveu et lui tendit le document.) Il est temps pour toi de te mettre au travail.

— Tous les templiers dont le nom est inscrit sur ce document tomberont sous mon épée, dit Ezio d'un ton égal. (Son regard s'illumina quand il lut le nom de Francesco de' Pazzi.) Je vais commencer par lui. C'est le pire du clan et il nourrit une haine fanatique à l'égard de nos alliés les Medici.

— Tu as parfaitement raison, approuva Mario. Tu comptes donc retourner à Florence ?

— J'y suis bien résolu.

— À la bonne heure. Mais tu dois en savoir plus si tu veux être complètement paré. Suis-moi.

Mario se retourna vers une bibliothèque pour effleurer un bouton logé en son flanc. Le meuble pivota sans bruit pour révéler un mur de pierre sur lequel avaient été dessinées plusieurs cases carrées. Cinq étaient remplies, les autres étaient vides.

Les yeux d'Ezio pétillèrent. Les cinq cases occupées l'étaient par des pages du Codex !

— Je vois que ça te dit quelque chose, constata Mario. Et je n'en suis pas surpris. Après tout, il s'agit de la page que t'a laissée ton père et que ton habile ami florentin a su décoder, et de celles que Giovanni est parvenu à trouver et à traduire avant sa mort.

— Plus celle que j'ai récupérée sur le corps de Vieri, ajouta Ezio. Mais sa teneur demeure un mystère.

— Tu as hélas raison. Je ne suis pas un lettré comme ton père, même si, à chaque page ajoutée et avec l'aide des livres de ma bibliothèque, je m'approche de la solution du mystère. Regarde ! As-tu remarqué comme les mots sautent d'une page à l'autre, de quelle manière les symboles s'enchaînent ?

Ezio regarda attentivement, et une curieuse sensation de déjà-vu inonda son esprit, comme si quelque instinct héréditaire se réveillait... Et soudain les gribouillis sur les pages du Codex semblèrent prendre vie, leurs intentions se dévoiler sous ses yeux.

— Oui ! Et l'on dirait les pièces d'un puzzle, qui assemblées formeraient comme une sorte de carte !

— Giovanni avait réussi à déchiffrer une manière de prophétie qui courrait tout au long de ces pages. Je partage désormais son pressentiment, mais il me reste encore à découvrir à quoi ce récit fait allusion. Une histoire qualifiée de « fragment de l'Éden ». Qui aurait été écrite il y a fort longtemps par un assassin comme nous, un certain Altaïr. Et il y a plus. L'auteur poursuit en effet en parlant d'une « chose cachée sous la terre, aussi puissante qu'elle est ancienne »... mais nous n'avons pas encore découvert de quoi il s'agit.

— Voici la page de Vieri, dit Ezio, ajoutez-la.

— Pas encore. Mais je la recopierai avant ton départ. Porte toutefois l'original à ton ami florentin à l'esprit si brillant. Il n'a pas encore besoin de connaître l'ensemble, à tout le moins pour l'instant et, du reste, il pourrait être dangereux pour lui de détenir un tel savoir. Plus tard, le parchemin de Vieri rejoindra les autres sur ce mur et nous serons un peu plus près de la solution du mystère.

— Et qu'en est-il des autres pages ?

— Elles restent encore à découvrir. Ne t'en préoccupe pas. Car tu dois avant tout te concentrer sur les tâches immédiates.

Chapitre 8

Ezio avait des préparatifs à faire avant de quitter Monteriggioni. Il lui restait tant à apprendre auprès de son oncle sur le *Credo de l'Assassin* et ainsi être d'autant mieux préparé pour les tâches à venir. Il devait également s'assurer que son séjour à Florence soit relativement sûr, veiller aussi à son logement, car les espions de Mario dans la ville avaient rapporté que le *palazzo* familial avait été fermé et barricadé avec des planches, même s'il demeurait sous la protection de la garde des Medici, ce qui avait empêché toute dégradation. Une série de retards et de revers avaient accru l'impatience d'Ezio jusqu'à ce qu'enfin, un beau matin de mars, son oncle lui dise de boucler ses sacs.

— Ce fut un long hiver…, constata Mario.

— Trop long, convint Ezio.

— … mais désormais, tout est réglé, poursuivit son oncle. Et je te rappellerai qu'une préparation méticuleuse reste le gage de bien des victoires. À présent, écoute-moi bien ! J'ai une amie à Florence qui se propose de te loger non loin de son propre domicile.

— Qui est-ce, mon oncle ?

Mario prit un air de conspirateur.

— Son nom importe peu, mais tu as ma parole que tu peux te fier à elle autant qu'à moi. Toujours est-il qu'elle n'est pas en ville en ce moment. Si jamais tu as besoin d'aide, rapproche-toi de ton ancienne domestique, Annetta : son adresse n'a pas changé et elle travaille dorénavant pour les Medici même s'il vaudrait mieux que le moins de monde possible soit au courant de ta présence à Florence. Il y a cependant une personne que tu dois absolument contacter, même si elle n'est pas aisément accessible. J'ai couché son nom sur ce papier. Tâche de te renseigner discrètement. Interroge ton ami scientifique pendant que tu lui montres la page de Codex mais n'en dis pas trop, c'est pour son propre bien ! Et, tiens, au fait, voici l'adresse de ton logement. (Il tendit à Ezio deux bouts de papier et une grosse bourse en cuir.) Et une centaine de florins pour t'aider à démarrer, ainsi que des documents de voyage en bonne et due forme. La meilleure nouvelle est que tu peux te mettre en route dès demain !

Ezio consacra le peu de temps qui lui restait pour se rendre au couvent afin de prendre congé de sa sœur et de sa mère, pour emballer ses affaires et pour faire ses adieux à son oncle et à tous les citadins des deux sexes qui étaient ses compagnons et alliés depuis si longtemps. Mais enfin, c'est d'un cœur allègre et plein de détermination qu'il sella son cheval et franchit les portes du château le lendemain à l'aube.

Le trajet fut long mais sans histoire et, à l'heure du dîner, il s'installait dans ses nouveaux quartiers et s'apprêtait à renouer connaissance avec sa ville natale mais qu'il n'avait plus revue depuis bien longtemps. Il ne s'agissait pas malgré tout d'un voyage sentimental et, une fois qu'il eut retrouvé ses marques et se fut permis un unique passage nostalgique devant la façade de l'ancienne résidence de sa famille, il fila droit vers l'atelier de Leonardo da Vinci, sans oublier de se munir de la page de Codex ayant appartenu à Vieri de' Pazzi.

Depuis le départ d'Ezio, Leonardo avait agrandi sa propriété en reprenant le vaste entrepôt jouxtant son domicile sur la gauche, une surface importante propice à héberger les résultats concrets des fruits de son imagination fertile.

Deux longues tables à tréteaux couraient d'un bout à l'autre, éclairées par des lampes à huile et des fenêtres ouvertes au sommet des murs... Autant éviter les regards indiscrets. Sur les tables, aux murs, ou encore au sol, en pièces détachées, on voyait un nombre incalculable d'appareils, de machines et de pièces mécaniques, tandis que des centaines de dessins et de croquis étaient épinglés aux murs. Dans ce tohu-bohu de créativité, on voyait s'affairer une demi-douzaine d'assistants, sous les ordres d'Agniolo et d'Innocento, un peu plus âgés, mais toujours aussi séduisants. Là, le modèle réduit d'un chariot, tout rond, hérissé d'armes et recouvert d'une bulle blindée semblable au couvercle d'une marmite et percée en son sommet d'une trappe par laquelle un homme pouvait passer la tête et ainsi diriger l'engin. Ici, le dessin d'un navire en forme de requin mais muni sur son dos d'une étrange tourelle. Encore plus étrange, à y regarder de plus près, il semblait que l'embarcation évoluait sous l'eau. Des cartes, des croquis anatomiques décrivant aussi bien le fonctionnement de l'œil que le coït en passant par l'embryon dans le ventre de sa mère – et quantité d'autres qu'Ezio aurait été bien en peine de décrire – encombraient tout le reste de l'espace disponible sur les murs, tandis que les échantillons et le fatras amassés sur les tables lui évoquaient le chaos découvert lors de sa première visite, mais ici développé au centuple. On voyait également des images fort détaillées d'animaux, familiers ou surnaturels, et les plans de toutes sortes d'objets, allant de la pompe hydraulique aux fortifications.

Mais ce qui attira surtout le regard d'Ezio était accroché au plafond. Il se souvenait d'en avoir déjà vu une version, en réduction, mais celle-ci ressemblait au modèle en demi-grandeur de ce qui pourrait bien être un jour une véritable machine. L'objet évoquait toujours un squelette de chauve-souris et une sorte de cuir animal avait été tendu entre deux longs étais en bois. À proximité, un chevalet portait divers papiers. Parmi les notes et les calculs, Ezio lut ceci :

« … ressort de corne ou d'acier fixé sur une tige de bois de saule dans une canule de roseau.

L'impulsion maintient les oiseaux en vol durant la période où les ailes n'appuient pas sur les airs, de sorte qu'ils gagnent encore de l'altitude.

Si un homme pèse deux cents livres et se trouve au point *n*, et qu'il élève les ailes grâce à ce palan qui représente cent cinquante livres, avec une puissance que l'on peut estimer à trois cents livres, il pourrait s'élever avec deux ailes… »

Tout cela était de l'hébreu pour Ezio mais au moins c'était lisible : Agniolo devait l'avoir transcrit à partir des gribouillis indéchiffrables de Leonardo. Au même moment, Ezio vit ce même Agniolo le dévisager et il détourna promptement son attention. Il savait le goût du secret de son maître.

Ce dernier arrivait justement de son ancien studio et se jeta aussitôt sur Ezio pour l'embrasser chaleureusement.

— Mon cher Ezio ! Tu es revenu ! Je suis si content de te voir. Après tous ces événements, nous avons bien cru…

Mais il laissa sa phrase en suspens et prit un air gêné.

Ezio essaya de le détendre.

— Regarde-moi cet endroit ! Certes, je n'y comprends goutte, mais j'imagine que tu sais ce que tu fais ! Aurais-tu renoncé à la peinture ?

— Que non, rétorqua Leonardo. Je ne fais que suivre… d'autres pistes qui ont captivé mon attention.

— Je vois. Et tu t'es agrandi. Tu dois être prospère. Ces deux dernières années t'ont été favorables.

Mais Leonardo discernait à présent le sous-entendu de tristesse mêlée de sévérité qui s'était peint désormais sur les traits de son ami.

— Peut-être. On me laisse tranquille. J'imagine qu'ils pensent que je serai utile à celui, quel qu'il soit, qui un jour détiendra le pouvoir absolu... Non que j'imagine qu'une telle chose advienne jamais. (Il changea de sujet.) Mais toi, mon ami, donne-moi de tes nouvelles...

Ezio le regarda.

— Il viendra un temps, je l'espère, où nous pourrons nous asseoir tous les deux et discuter de tout ce qui s'est passé depuis notre dernière rencontre. Mais pour l'heure, j'ai de nouveau besoin de ton aide.

Leonardo ouvrit les mains.

— Tout ce que tu voudras !

— J'ai quelque chose à te montrer qui je crois t'intéressera.

— Alors, autant qu'on repasse dans mon atelier – on y sera plus au calme.

Une fois qu'ils furent revenus dans les anciens quartiers de Leonardo, Ezio sortit de sa bourse la page de Codex et l'étala sur la table devant lui.

Leonardo écarquilla les yeux d'excitation.

— Tu te souviens du premier ?

— Comment pourrais-je oublier ? dit l'artiste en contemplant la page. C'est absolument fascinant ! Est-ce que je peux ?

— Bien sûr.

Leonardo étudia la page avec attention, en faisant courir ses doigts sur le document. Puis, ayant pris une feuille et des crayons, il entreprit de recopier les mots et les symboles. Presque aussitôt, il allait et venait, consultant livres et manuscrits, fort absorbé. Ezio le regarda travailler avec patience et gratitude.

— C'est intéressant, constata Leonardo. Plusieurs langues inconnues – de moi, en tout cas – mais qui sembleraient constituer une sorte de motif. Hmm. Oui, voici une glose en araméen qui éclaire quelque peu le propos. (Il leva les yeux.) Tu vois, si l'on associe ce fragment avec l'autre page, on pourrait presque croire qu'elles font partie d'un guide – à un premier niveau, tout du moins – des diverses formes d'assassinat. Mais bien entendu, il n'y a pas que cela, même si je n'ai pas la moindre idée du reste. Tout ce que je sais, c'est que nous ne faisons qu'égratigner la surface d'une révélation bien plus vaste. Il nous faudrait récupérer l'ensemble. Tu ne vois pas où chercher les autres pages ?

— Je n'en ai pas la moindre idée.

— Ou même combien de feuillets composent le volume entier ?

— Il est possible… que d'aucuns le sachent.

— Ha ha, fit Leonardo. Toujours les secrets ! Enfin, je dois les respecter. (Mais son attention fut attirée par autre chose.) Regarde plutôt ceci…

Ezio regarda par-dessus l'épaule du maître, sans voir autre chose qu'une succession de symboles en forme de coins, regroupés en un bloc.

— Qu'est-ce ?

— Je ne saisis peut-être pas très bien, mais si je ne m'abuse, cette section contient la formule d'un métal ou d'un alliage totalement inconnu, et qui, en toute logique, ne devrait même pas pouvoir exister !

— Y a-t-il autre chose ?

— Oui, et c'est la partie la plus facile à déchiffrer. C'est, en gros, le schéma d'une autre arme qui semble venir en complément de celle que tu détiens déjà. Mais celle-ci, nous devrons la fabriquer en partant de rien.

— Quelle sorte d'arme ?

— Relativement simple, en fait. Une plaque métallique fixée sur un brassard en cuir. On la porterait sur l'avant-bras gauche – ou droit si l'on est gaucher, comme moi – et elle servirait à protéger des coups d'épée, voire de hache. Le plus extraordinaire est que, bien que forcément d'une résistance extrême, le métal que nous allons avoir à forger sera également d'une légèreté incroyable. Et l'arme intègre en outre une dague à lame dédoublée, munie d'une détente par ressort comme la première.

— Penses-tu pouvoir la fabriquer ?

— Oui, même si cela prendra un petit peu de temps.

— Je n'en ai guère.

Leonardo modéra son propos.

— Je pense avoir sous la main tout le nécessaire, et mes hommes ont la technique et les compétences pour la forger. (Il réfléchit un moment. Murmura un calcul muet. Il conclut :) Cela prendra deux jours. Reviens à ce moment et l'on verra si ça marche.

Ezio s'inclina.

— Leonardo, je te suis immensément reconnaissant. Et je peux te payer.

— C'est moi qui te remercie. Ton Codex élargit mes connaissances – je me piquais d'être un innovateur mais ces pages antiques m'offrent largement de quoi m'intriguer. (Il sourit et murmura comme pour lui-même :) Et toi, Ezio, tu ne peux imaginer à quel point je te suis reconnaissant de m'avoir présenté ces pages. Montre-moi toutes celles que tu pourras encore trouver… où que ce soit, c'est ton problème. Leur contenu seul m'intéresse et le fait que personne en dehors de notre petit cercle n'en ait connaissance. C'est la seule récompense que j'exige.

—Promesse tenue.

—*Grazie*! À vendredi donc… au soir?

—À vendredi.

Leonardo et ses assistants s'acquittèrent fort bien de leur tâche. La nouvelle arme, bien que par essence défensive, se révéla extraordinairement utile. Les jeunes assistants de Leonardo simulèrent une attaque contre Ezio à armes réelles – dont sabres et haches de guerre – et la plaque de poignet, malgré sa légèreté et sa facilité de manœuvre, n'eut aucune difficulté à dévier les coups.

—C'est une arme incroyable, Leonardo.

—Certes.

—Et qui pourrait bien me sauver la vie.

—Espérons que tu ne récolteras pas d'autre balafre que celle qui traverse le dos de ta main gauche.

—Un vieux souvenir d'un… vieil ami, commenta Ezio. Mais maintenant j'aimerais un autre service.

Leonardo haussa les épaules.

—Si je puis t'être utile…

Ezio lorgna les assistants du maître.

—En privé, peut-être…?

—Suis-moi.

De retour dans l'atelier, Ezio déplia le bout de papier que lui avait confié Mario et le tendit à Leonardo.

—Voici la personne que mon oncle m'a demandé de rencontrer. Il m'a précisé que je ne devrais pas chercher à la contacter directement…

Mais Leonardo regardait le nom inscrit sur la feuille. Quand il leva les yeux, son visage était empli d'anxiété.

—Sais-tu de qui il s'agit?

— J'ai lu le nom : *la Volpe*. J'imagine que c'est un sobriquet.

— « Le Renard » ! Oui. Mais ne le prononce jamais à haute voix, ou en public. C'est un homme dont les yeux sont partout, mais qui reste lui-même toujours invisible.

— Où pourrais-je le trouver ?

— Impossible à dire, mais si tu veux un point de départ – tout en redoublant de prudence –, tu devrais essayer le quartier du Mercato Vecchio…

— Mais c'est là que traînent tous les brigands qui ne sont pas déjà sous les verrous ou pendus au gibet…

— Je t'ai dit de redoubler de prudence. (Leonardo regarda alentour, comme s'il redoutait les oreilles indiscrètes.) Je… je devrais être en mesure de lui faire parvenir un mot… Mets-toi à sa recherche demain après vêpres. Peut-être seras-tu fortuné… ou pas.

Malgré l'avertissement de son oncle, il y avait une personne encore à Florence qu'Ezio était bien décidé à revoir. Pendant sa longue période d'absence, elle n'avait jamais été loin de son cœur et, les douleurs de l'amour étaient devenues encore plus insupportables à présent qu'il la savait aussi proche. Mais il ne pouvait prendre trop de risques. Son visage avait changé ; avec l'expérience et les années, il était devenu plus anguleux, mais il était encore reconnaissable. Sa cagoule aidait, en lui permettant de « se fondre » dans la foule, et Ezio la portait toujours baissée sur les yeux ; mais il savait que, malgré l'influence dominante des Medici, les Pazzi n'avaient pas pour autant rentré leurs griffes. Ils attendaient leur heure et ils devaient rester sur leurs gardes. Ezio en était certain, comme il était sûr que si jamais ils le prenaient au dépourvu, ils le tueraient aussitôt, Medici ou pas. Néanmoins, dès le lendemain, il ne put s'empêcher de porter ses pas vers la demeure des Calfucci.

Les portes principales étaient ouvertes, révélant la cour intérieure inondée de soleil, et c'est là qu'il la vit : plus mince, plus grande si c'était possible, les cheveux remontés en chignon, désormais femme. Il la héla.

Quand elle l'aperçut, elle pâlit au point qu'il crut qu'elle allait défaillir, mais elle se ressaisit et dit quelques mots à sa suivante pour l'éloigner avant de venir à lui, les mains tendues. Il l'attira prestement dans l'ombre propice d'une arcade proche dont les pierres blondes étaient festonnées de lierre. Il lui caressa le cou et remarqua qu'elle portait toujours la mince chaîne à laquelle était fixé son pendentif, même si ce dernier demeurait caché entre ses seins.

— Ezio !

— Cristina !

— Que fais-tu ici ?

— Je suis là pour mon père.

— Mais où étais-tu passé ? Cela fait deux ans, deux ans que je n'avais pas de nouvelles de toi.

— J'étais... ailleurs. Là aussi, pour mon père.

— On t'a dit mort, tout comme ta sœur et ta mère.

— Le destin en a voulu autrement. (Il marqua un temps.) Je ne pouvais pas t'écrire, mais jamais tu n'as quitté mes pensées.

Ses yeux, qui brillaient jusqu'ici, se voilèrent soudain.

— Qu'y a-t-il, *carissima* ?

— Rien.

Elle voulut se dégager mais il ne la laissa pas faire.

— Il y a quelque chose, c'est évident. Dis-moi !

Elle croisa son regard et il vit ses yeux s'emplir de larmes.

— Oh ! Ezio ! Je suis fiancée et je dois me marier !

Ezio était trop abasourdi pour répondre. Il la relâcha, conscient soudain de la tenir serrée trop fort, de lui faire mal. Il vit soudain le sillon solitaire qu'il allait devoir creuser désormais.

— C'est mon père, expliqua-t-elle. Il ne cessait de me harceler, de me forcer à choisir. Tu avais disparu. Je te croyais mort. Et puis mes parents se sont mis à accepter les visites de Manfredo d'Arzenta… Tu sais, le fils de fondeurs de monnaie. Ils sont venus de Lucques peu après ton départ. Oh ! mon Dieu, Ezio, ils ne cessaient de me demander de ne pas abandonner la famille, de faire un beau mariage tant que c'était encore possible ! Je ne pensais pas te revoir un jour. Et maintenant…

Elle fut interrompue par les cris paniqués d'une voix féminine, en provenance de la placette au bout de la rue.

Cristina se crispa aussitôt.

— C'est Gianetta… tu te souviens d'elle ?

Les cris redoublaient à présent et Gianetta lança un nom :

— Manfredo !

— On ferait bien d'y aller, dit Ezio en se dirigeant vers l'origine de l'altercation.

Sur la place, ils retrouvèrent trois personnes : l'amie de Cristina, une jeune fille qu'Ezio ne reconnut pas, et un homme plus âgé qui, se souvint-il, avait travaillé comme chef de bureau pour le père de Cristina.

— Que se passe-t-il ? demanda Ezio.

— C'est Manfredo ! s'écria Gianetta. Encore ses dettes de jeu ! Cette fois, ils vont le tuer, à coup sûr !

— Quoi ? fit Cristina.

— Oh ! je suis tellement désolé, *signorina* ! intervint l'employé. Deux hommes à qui il doit de l'argent. Ils l'ont traîné jusqu'au pied du Pont-Neuf. Ils ont dit qu'ils allaient lui faire cracher sa dette. Je suis tellement désolé, *signorina*. Je n'ai rien pu faire.

— Ça ne fait rien, Sandeo. Va quérir les vigiles de la maison. Je ferais mieux d'aller…

— Attends une minute, coupa Ezio. Qui diable est Manfredo ?

Cristina le regarda comme si elle était prise au piège.

— C'est mon *fidanzato*.

— Laisse-moi voir ce que je peux faire.

Et Ezio se précipita dans la rue qui descendait vers le pont. Une minute plus tard, il se trouvait au bord du quai surmontant l'étroite bande de terre près de la première arche du pont, au ras des eaux jaunes que charriait lentement et pesamment l'Arno. Là, un jeune homme élégamment vêtu de noir et d'argent était au sol, à genoux. Deux autres jeunes gens s'échinaient à le tabasser avec entrain, jouant des pieds et des poings.

— Je rembourserai, je le jure ! gémit le jeune homme en noir et argent.

— On en a soupé, de tes excuses, dit l'un de ses bourreaux. Tu nous as ridiculisés. Alors, on a décidé de faire un exemple.

Et d'un coup de botte, il écrasa son visage dans la boue, tandis que son comparse lui flanquait des coups de pied dans les côtes.

Le premier agresseur s'apprêtait à lui piétiner les reins quand il se sentit agrippé par le cou et les pans de sa tunique. Quelqu'un venait de le soulever du sol et, l'instant d'après, il se retrouva projeté dans les airs, pour atterrir quelques secondes plus tard au milieu des détritus et des eaux d'égout qui venaient frôler la première arche du pont. Trop occupé à recracher l'eau répugnante qui l'étranglait, il ne remarqua sûrement pas que son compagnon venait de subir le même sort.

Ezio tendit la main pour aider le jeune homme maculé de boue à se relever.

— *Grazie, signore.* Je crois bien qu'ils m'auraient tué ce coup-ci. Mais ils auraient été bien bêtes. J'aurais pu les payer… honnêtement ?

— N'avez-vous pas peur qu'ils s'en prennent à vous de nouveau ?

— Plus maintenant qu'ils savent que j'ai un garde du corps comme vous.

— Je ne me suis pas présenté. Ezio… de Castronovo.

— Manfredo d'Arzenta, pour vous servir.

— Je ne suis pas votre garde du corps, Manfredo.

— Peu importe. Vous m'avez débarrassé de ces bouffons et je vous en suis reconnaissant. Vous ne pouvez savoir à quel point. En fait, je tiens absolument à vous récompenser. Mais auparavant, laissez-moi le temps de me débarbouiller et de vous offrir un verre. Il y a un petit tripot du côté de la Via Fiordaliso…

— Attendez une minute, fit Ezio, conscient de l'arrivée de Cristina et de ses amis.

— Qu'y a-t-il ?

— Vous jouez beaucoup ?

— Pourquoi pas ? C'est le meilleur moyen que je connaisse pour passer le temps.

— L'aimez-vous ? coupa Ezio.

— Comment ça ?

— Votre *fidanzata* – Cristina – *est-ce que vous l'aimez* ?

Manfredo parut soudain inquiet devant cette brusque véhémence de son sauveteur.

— Bien sûr que je l'aime, même si ça ne vous regarde pas. Vous pourriez me tuer sur-le-champ et je mourrais en continuant à l'aimer.

Ezio hésita. L'homme semblait dire vrai.

— Alors, écoute-moi : tu ne t'adonneras plus jamais au jeu. Tu as entendu ?

— Oui, répondit un Manfredo terrorisé.

— Jure-le !

— Je le jure !

— Tu ne te doutes pas de la chance que tu as. Je veux que tu me promettes de te montrer pour elle un bon mari. Si jamais j'apprends que tu ne l'es pas, je te traquerai et te tuerai de mes propres mains !

Manfredo vit bien que son sauveteur ne plaisantait pas du tout. Il regarda ses yeux gris froids et crut se souvenir de quelque chose.

— Est-ce qu'on se connaît ? Vous me dites quelque chose.

— Nous ne nous sommes jamais rencontrés, dit Ezio. Et nous n'avons pas besoin de nous revoir à l'avenir, à moins que... (Il se tut. Cristina guettait à l'entrée du pont, penchée vers eux.) File la rejoindre, et tiens ta promesse.

— Je la tiendrai. (Manfredo hésita.) Je l'aime sincèrement, vous savez. Peut-être que l'expérience d'aujourd'hui m'aura servi de leçon. Et je ferai tout ce qui est en mon pouvoir pour la rendre heureuse. Je n'ai pas besoin d'être menacé de mort pour tenir une telle promesse.

— Je l'espère. Maintenant, file !

Ezio regarda Manfredo remonter sur le quai ; il était incapable de détacher ses yeux de Cristina. Leurs regards se croisèrent un instant et il leva timidement la main en signe d'adieu. Puis il tourna les talons et s'éloigna. Jamais, depuis la disparition de ses proches, il ne s'était senti le cœur si lourd.

Le samedi soir le trouva toujours plongé dans une profonde mélancolie. Dans ses moments les plus sombres, il lui semblait qu'il avait tout perdu – père, frères, maison, position, carrière – et, désormais, son épouse ! Et puis il se rappela la gentillesse et la protection de Mario, il se souvint de sa sœur et de sa mère qu'il avait pu sauver et protéger. Quant à un avenir et à une carrière – il avait encore l'un et l'autre, hormis qu'ils s'orientaient désormais dans une direction différente de celle qu'il avait imaginée jusqu'ici. Il avait une mission à accomplir et ne plus avoir à se tourmenter pour Cristina l'aiderait à la mener à bien. Certes, elle serait toujours dans son cœur mais il devrait accepter le destin solitaire que le sort lui avait accordé. Peut-être était-ce la destinée de l'Assassin ? Peut-être était-ce inhérent au Credo qu'il devait suivre ?

C'est d'humeur sinistre qu'il se dirigea vers le Mercato Vecchio. La plupart de ses connaissances évitaient le quartier dans lequel, pour sa part, il ne s'était rendu qu'une seule fois jusque-là. La vieille place du marché était défraîchie, abandonnée, tout comme les bâtisses et les rues avoisinantes. On voyait quelques passants, mais ce n'étaient pas des *passegiata*. Ces gens n'étaient certainement pas des flâneurs, ils avaient un but, ne perdaient pas de temps, avançaient tête baissée. Ezio avait choisi une mise discrète et il s'était abstenu de prendre une épée, même s'il avait pris soin de se munir de ses armes nouvelles, dague à ressort et bouclier de poignet, au cas où. Il savait toutefois qu'il avait intérêt à se tenir à l'écart de la foule et il restait plus que jamais aux aguets.

Il se demanda quel parti adopter et envisageait de se rendre dans un petit bar à bières situé à l'angle de la place, voir s'il pourrait, discrètement, trouver un moyen d'entrer en contact avec le Renard, quand un jeune homme mince surgi de nulle part vint soudain le bousculer.

— *Scusi*, *signore*, dit poliment le jeune homme, tout sourires, avant de filer prestement. D'instinct, la main d'Ezio effleura sa ceinture. Il avait laissé chez lui ses précieuses affaires mais il avait pris une bourse avec quelques florins et voilà qu'elle avait disparu. Il se retourna et vit le voleur filer vers une des rues qui menaient hors de la place et se lança aussitôt à ses trousses. Voyant cela, le jeune homme pressa encore le pas mais Ezio réussit à ne pas le perdre de vue et il finit par l'alpaguer alors qu'il s'apprêtait à entrer dans une grande bâtisse anonyme de la Via Sant'Angelo.

— Rends-moi ça !

— Je ne vois pas de quoi vous voulez parler, rétorqua le voleur, mais l'effroi se lisait dans ses yeux.

Ezio, qui avait été sur le point de libérer sa dague, contint sa colère. Il lui vint soudain à l'esprit que l'homme pourrait peut-être lui procurer l'information qu'il cherchait.

— Je n'ai aucun intérêt à te faire du mal, l'ami. Rends-moi simplement ma bourse et l'on en restera là.

Après une hésitation, l'autre céda :

— Vous avez gagné, lâcha-t-il, tristement, en saisissant la pochette à son côté.

— Encore une chose, dit Ezio.

L'homme fut aussitôt sur ses gardes.

— Quoi donc ?

— Sais-tu où je pourrais trouver un homme qui se fait appeler « *la Volpe* » ?

Cette fois, l'autre parut vraiment terrorisé.

— Jamais entendu parler. Tenez, prenez votre argent, *signore*, et laissez-moi partir !

— Pas tant que tu ne m'auras pas répondu.

— Une minute, coupa une voix rocailleuse dans son dos. Peut-être que je pourrais t'aider.

Ezio se retourna et découvrit un type large d'épaules, de même taille que lui, mais peut-être de dix ou quinze ans son aîné. L'homme portait une cagoule assez semblable à la sienne ; elle lui dissimulait en partie le visage mais, en dessous, Ezio se sentit transpercé par le regard de deux yeux violets qui brillaient d'une étrange énergie.

— Je te prierais de laisser mon collègue. Je réponds de lui. (Puis, s'adressant au jeune voleur :) Rends son argent au gentilhomme, Corradin, et disparais. On en reparlera plus tard.

Il s'exprimait avec une telle autorité qu'Ezio relâcha son étreinte. En une seconde, Corradin avait déposé la bourse dans la main d'Ezio et disparu dans la bâtisse.

— Qui êtes-vous ? demanda Ezio.

L'homme esquissa un sourire.

— Mon nom est Gilberto mais on m'en donne bien d'autres : « meurtrier », par exemple, et « *tagliagole* » ; pour mes amis toutefois, je suis tout simplement le Renard. (Il s'inclina légèrement, mais en gardant toujours Ezio sous ce regard si pénétrant.) Et je suis à votre service, *messer* Auditore. À vrai dire, je t'attendais.

— Comment… comment sais-tu mon nom ?

— C'est mon travail de tout savoir dans cette ville. Et je crois savoir justement pourquoi tu crois que je peux t'aider.

— Mon oncle m'a donné ton nom…

Le Renard sourit de nouveau, mais il ne dit rien.

— J'ai besoin de trouver quelqu'un… et d'avoir un coup d'avance sur lui, si c'est possible.

— Qui cherches-tu ?

— Francesco de' Pazzi.

— Du gros gibier, je vois. (Le Renard prit un air sérieux.) Il se pourrait que je puisse t'aider. (Il réfléchit un instant.) Je me suis laissé dire que plusieurs personnes venues de Rome auraient récemment débarqué. Elles viennent assister à une réunion censée rester secrète, mais elles ne me connaissent pas et se doutent encore moins que je suis les yeux et les oreilles de cette ville. L'organisateur de cette rencontre est l'homme que tu cherches.

— Quand doit-elle se tenir ?

— Ce soir ! (Nouveau sourire du Renard.) Ne t'inquiète pas, Ezio. Le destin n'a rien à y voir. J'aurais envoyé quelqu'un te contacter si tu ne m'avais pas trouvé tout seul, mais ça m'amusait de te mettre à l'épreuve. Bien peu de gens parviennent à me localiser.

— Tu veux dire que tu m'as monté un coup avec Corradin ?

— Pardonne-moi ce petit côté théâtral. Mais je devais également m'assurer que tu n'étais pas suivi. C'est un tout jeune homme et c'était également une manière de test pour lui aussi. Vois-tu, je t'ai peut-être tendu un piège avec lui, mais il n'avait aucune idée du service qu'il me rendait. Il croyait juste que je lui avais désigné une victime. (Le ton devint plus dur, pragmatique.) À présent, tu dois trouver un moyen d'espionner cette réunion, mais ce ne sera pas facile. (Il regarda le ciel.) La nuit tombe. Nous devons nous hâter et le chemin le plus court passe par les toits. Suis-moi !

Sans ajouter un mot, il tourna les talons pour escalader le mur derrière lui à une telle vitesse qu'Ezio eut du mal à tenir le rythme. Ils foncèrent sur les toits de tuiles rouges, enjambant d'un saut les tranchées des rues dans les dernières lueurs du couchant, silencieux comme des chats, discrets comme des renards, filant vers le nord-ouest pour parvenir en vue de Santa Maria Novella. Le Renard s'immobilisa devant la façade de l'imposante église. Ezio le rejoignit aussitôt, mais il remarqua qu'il était plus essoufflé que son aîné.

— Tu as eu un bon maître, commenta le Renard.

Mais Ezio eut la nette impression que, s'il l'avait voulu, son nouveau compagnon l'aurait distancé sans peine ; et cela ne fit qu'accroître sa décision d'améliorer encore ses techniques. Mais l'heure n'était pas aux jeux ou aux compétitions.

— C'est là que *messer* Francesco tient sa réunion.

Le Renard avait pointé le doigt vers le bas.

— Dans l'église ?

— Dessous. Allez, viens !

En cette heure, la piazza était quasiment déserte. Le Renard bondit du toit et atterrit avec grâce en position accroupie. Ezio le suivit. Ils traversèrent le parvis en diagonale pour rejoindre une poterne encastrée dans le mur latéral. Le Renard y fit passer Ezio et tous deux se retrouvèrent dans la chapelle Rucellai. Le Renard s'était arrêté près de la tombe de bronze qui en occupait le centre.

— Il y a là-dessous tout un réseau de catacombes qui sillonnent la ville de long en large. Je les ai trouvées bien pratiques pour mon activité, mais, hélas, je ne suis pas le seul à les utiliser. Peu de gens connaissent leur existence, toutefois, ou comment s'y repérer, mais Francesco de' Pazzi est du nombre. C'est là qu'il organise sa réunion avec les émissaires de Rome. Cette entrée est la plus proche mais il faudra que tu te fraies un chemin tout seul. Tu trouveras une chapelle, dans une crypte abandonnée, cinquante mètres sur ta droite lorsque tu seras descendu. Et, surtout, fais bien attention car les sons se propagent très bien dans ces galeries. Il y fera noir, en plus, aussi prends soin d'accoutumer tes yeux à la pénombre – tu auras tôt fait d'être guidé par les lumières dans la chapelle.

Il posa la main sur un bossage en pierre ornant le piédestal de la tombe et pressa dessus. À ses pieds, une dalle pivota sur des charnières invisibles, révélant une volée de marches en pierre. Il s'écarta.

— *Buona fortuna*, Ezio.

— Tu ne viens pas ?

— Ce n'est pas nécessaire. Et même avec toutes mes compétences, deux personnes font plus de bruit qu'une seule. Je t'attendrai ici. Va !

Une fois sous terre, Ezio se fraya un chemin dans la galerie de pierre humide qui courait sur sa droite. Il avançait à tâtons car les parois étaient assez proches pour qu'il puisse les effleurer des deux mains et il constata, soulagé, que ses pieds ne faisaient aucun bruit sur le sol humide en terre battue. Par moments, des tunnels latéraux s'ouvraient de part et d'autre ; il les sentait plus qu'il les voyait lorsque ses mains se retrouvaient dans le vide obscur. Être perdu ici devait représenter un cauchemar car il était douteux qu'on puisse jamais y retrouver son chemin. De petits bruits le firent sursauter au début jusqu'à ce qu'il se rende compte qu'il ne s'agissait que de rats qui détalaient à ses pieds même si, une fois, lorsqu'il marcha sur une des bestioles, il eut bien du mal à retenir un cri. Des niches creusées dans les parois lui révélaient parfois, ensevelis depuis des lustres, des cadavres aux crânes recouverts de toiles d'araignées – il y avait quelque chose de primitif et de terrifiant dans ces catacombes et Ezio dut contenir un sentiment grandissant de panique.

Il avisa enfin une pâle lueur devant lui et, redoublant désormais de prudence, il progressa dans sa direction. Il prit soin de rester dans l'ombre quand il parvint à portée de voix des cinq hommes qu'il pouvait distinguer désormais, découpés en silhouettes par la lampe qui éclairait une minuscule chapelle très ancienne.

Il reconnut d'emblée Francesco : un petit bonhomme noueux et nerveux qui, à l'instant où Ezio arrivait, se tenait incliné devant deux prêtres portant tonsure qu'Ezio ne reconnut pas. Le plus âgé des deux donnait la bénédiction à Francesco d'une voix nasillarde : « *Et benedictio Dei Omnipotentis, Patris et Filii et Spiritu Sancti descendat super vos et maneat semper...* » Lorsque la lumière caressa son visage, Ezio le reconnut : c'était Stefano da Bagnone, le secrétaire particulier de Jacopo, l'oncle de Francesco. Jacopo lui-même se tenait à ses côtés.

— Merci, *padre*, dit Francesco à l'issue de la bénédiction. (Il se redressa et s'adressa à un quatrième larron qui se tenait à côté des deux prêtres.) Bernardo, fais-nous ton rapport.

— Tout est paré. Nous avons un arsenal complet d'épées, de bâtons, de lances, d'arcs et d'arbalètes.

— Une simple dague serait plus appropriée, remarqua le cadet des deux prêtres.

— Tout dépend des circonstances, Antonio, observa Francesco.

— Ou alors le poison, poursuivit le jeune prélat. Mais peu importe, tant qu'il meurt. J'aurai du mal à lui pardonner d'avoir détruit Volterra, ma ville natale, mon seul vrai foyer...

— Calme-toi, interrompit le dénommé Bernardo. Nous avons tous nos raisons personnelles. Désormais, grâce au pape Sixte, nous avons également les moyens.

— Si fait, *messer* Baroncelli, répondit Antonio. Mais avons-nous sa bénédiction ?

Une voix s'éleva de l'ombre derrière la lampe, au fond de la chapelle.

— Il donne sa bénédiction à notre opération « pourvu que personne ne soit tué ».

L'auteur de la remarque apparut dans la lumière et Ezio retint un sursaut en reconnaissant la silhouette encapuchonnée vêtue d'écarlate, même si l'on ne discernait de son visage que l'ombre de ses lèvres ricanantes. Ainsi donc, le principal visiteur venu de Rome n'était autre que Rodrigo Borgia, *il Spagnolo* !

Les comploteurs échangèrent eux aussi des sourires entendus. Tous savaient de quel côté penchait la loyauté du Saint-Père ; ils savaient aussi qu'elle était contrôlée par celui qui se tenait devant eux. Mais, bien sûr, le souverain pontife ne pouvait ouvertement tolérer une effusion de sang.

— Il est bon que la tâche soit enfin accomplie, observa Francesco. Nous avons connu suffisamment de revers. De fait, les tuer dans la cathédrale nous attirera bien des critiques.

— Oui, mais c'est notre seule et ultime option, rétorqua Rodrigo, sur un ton autoritaire. Et puisque nous accomplissons l'œuvre divine en débarrassant Florence de cette lie, l'endroit est approprié. Du reste, une fois que nous contrôlerons la ville, que les gens s'avisent de murmurer contre nous... s'ils l'osent !

— Il n'empêche, ils ne cessent de changer leurs plans, nota Bernardo Baroncelli. J'ai même fini par devoir demander à quelqu'un de recourir à son frère cadet Giuliano pour être sûr qu'il sera là à temps pour la grand-messe.

Tous rirent à cette remarque, excepté Jacopo et l'Espagnol, qui avait remarqué l'expression grave du premier.

— Qu'y a-t-il, Jacopo ? demanda Rodrigo à l'aîné des Pazzi. Crois-tu qu'ils se doutent de quelque chose ?

Avant que Jacopo puisse répondre, son neveu intervint, impatient :

— C'est impossible ! Les Medici sont trop arrogants ou stupides pour simplement le remarquer !

— Ne sous-estime pas nos adversaires, le tança Jacopo. Ne vois-tu pas que c'est l'argent des Medici qui a financé la campagne contre nous à San Gimigniano ?

— Il n'y aura pas ce genre de problème cette fois, ricana son neveu, vexé de s'être ainsi fait moucher devant ses pairs et encore affligé par le souvenir de la mort de son fils Vieri.

Dans le silence qui s'ensuivit, Bernardo se tourna vers Stefano de Bagnone.

— J'aurai besoin d'emprunter une de vos tenues d'apparat pour demain matin, *padre*. Plus ils se croiront entourés de prélats, plus ils se croiront en sécurité.

— Qui frappera ? s'enquit Rodrigo.

— Moi, dit Francesco.

— Et moi ! répondirent en chœur Stefano, Antonio et Bernardo.

— Bien. (Rodrigo fit une pause.) Tout bien considéré, je pense que les dagues seraient les plus appropriées. Tellement plus faciles à dissimuler, et si maniables lorsqu'il faut agir de près. Mais il est bon malgré tout de disposer de l'arsenal du pape – je ne doute pas qu'il faudra quelque peu déblayer le terrain, une fois qu'auront été éliminés les frères Medici. (Il leva la main et bénit d'un signe de croix ses compagnons de complot.) *Dominus vobiscum*, messieurs. Et que le Père de tout Entendement nous guide. (Un regard circulaire.) Ma foi, je pense que ceci met un terme à notre réunion. Vous me pardonnerez si je dois prendre congé maintenant. J'ai encore plusieurs choses à faire avant de regagner Rome et je dois avoir repris la route avant l'aube. Il serait malséant qu'on me voie à Florence le jour même où s'effondre la maison des Medici.

Ezio attendit, plaqué au mur dans l'ombre, jusqu'à ce que les six conjurés soient repartis, le laissant seul dans l'obscurité. Ce ne fut qu'une fois sûr d'être absolument seul qu'il exhiba sa lampe et battit le briquet pour en allumer la mèche.

Il rebroussa chemin. Le Renard l'attendait dans l'ombre de la chapelle Rucellai. Ezio lui narra immédiatement ce qu'il venait d'entendre.

— ... assassiner Lorenzo et Giuliano de' Medici dans la cathédrale lors de la grand-messe demain matin ? dit le Renard quand Ezio eut terminé et ce dernier vit que pour une fois, l'homme semblait pris de court. Sacrilège ! Et pis que cela : si Florence devait tomber aux mains des Pazzi, alors que Dieu nous vienne en garde !

Ezio était abîmé dans ses réflexions.

— Peux-tu m'obtenir une place dans la cathédrale demain ? Près de l'autel. À proximité des Medici ?

Le Renard prit un air grave.

— Difficile mais peut-être pas impossible. (Il considéra le jeune homme.) Je sais à quoi tu penses, Ezio, mais ce n'est pas une opération que tu peux réaliser seul.

— Je peux toujours essayer, et je bénéficierai de l'effet de surprise. Par ailleurs, plus d'un visage inconnu parmi l'*aristrocrazia* assise aux premiers rangs sera susceptible d'éveiller les soupçons des Pazzi. Mais tu dois d'abord me faire entrer dans les lieux, Gilberto.

— Appelle-moi « le Renard », lui répondit l'intéressé avant de sourire. Seuls les renards sont aussi rusés que moi. (Il marqua un temps.) Retrouve-moi devant le Duomo une demi-heure avant le début de la messe. (Il fixa Ezio droit dans les yeux, avec un regard désormais empreint de respect.) Je t'aiderai si je peux, *messer* Ezio. Ton père aurait été fier de toi.

Chapitre 9

Ezio s'éveilla avant l'aube le lendemain, dimanche 26 avril, et se rendit aussitôt à la cathédrale. Il y avait encore fort peu de monde, même si déjà une poignée de moines et de sœurs se rassemblaient pour accomplir le rite des laudes. Conscient qu'il devait éviter de se faire remarquer, il grimpa jusqu'au sommet du campanile, d'où il regarda le soleil se lever sur la cité. Peu à peu, en contrebas, la place s'emplit de citadins de toutes origines, familles et couples, aristocrates et marchands, pressés d'assister au premier office de la journée, honoré par la présence du duc et de son jeune frère. Ezio examina en détail l'assistance et, dès qu'il vit le Renard escalader les degrés de la cathédrale, il se coula vers le côté de la tour le moins exposé et redescendit, agile comme un singe, pour le rejoindre, prenant soin de garder la tête baissée et de se fondre du mieux possible dans la foule, se mêlant à celle-ci pour s'y cacher. Il avait endossé ses plus beaux atours pour l'occasion, et ne portait aucune arme ouvertement, quand bien même nombre de ses compatriotes de sexe masculin, banquiers ou négociants, arboraient à leur ceinture une épée d'apparat. Il ne put s'empêcher de chercher Cristina du regard, mais en vain.

—Ah, te voici, dit le Renard quand Ezio le rejoignit. Toutes les dispositions ont été prises et une place t'a été réservée dans la nef, au troisième rang. (Alors qu'il parlait, la foule sur les marches s'ouvrit et les hérauts alignés portèrent leur trompette à leurs lèvres pour sonner une fanfare.) Mais les voilà, ajouta-t-il.

Entrant sur la place côté baptistère, Lorenzo de' Medici apparut en premier, son épouse Clarice à ses côtés. Elle tenait par la main la petite Lucrezia, leur fille aînée, tandis que le petit Piero, cinq ans, marchait, très fier, à la droite de son père. Derrière eux, accompagnée par sa nourrice, venait la petite Maddalena, trois ans, tandis qu'une autre portait le bébé, Leo, tout emmitouflé de satin blanc. Les suivaient Giuliano et sa maîtresse, Fioretta, enceinte jusqu'aux yeux. La foule s'inclina sur leur passage, alors qu'ils traversaient la place pour être accueillis à l'entrée du Duomo par deux des prêtres assistants qu'Ezio reconnut avec un frisson d'horreur : Stefano da Bagnone et le prêtre de Volterra, dont le nom, lui avait indiqué le Renard, était Antonio Maffei.

La famille Medici entra dans la cathédrale, suivie par les prêtres, eux-mêmes suivis par les citoyens de Florence, dans l'ordre protocolaire. Le Renard donna une bourrade à Ezio et pointa le doigt. Dans la cohue, il venait de repérer Francesco de' Pazzi et son complice Bernardo Baroncelli, déguisés en diacres.

— Vas-y, souffla-t-il à Ezio d'une voix pressante. Ne les lâche pas.

De plus en plus de gens s'entassaient dans la cathédrale qui fut bientôt comble, si bien que ceux qui avaient espéré une place durent se contenter de rester dehors. Dix mille fidèles s'étaient réunis en tout et le Renard, de toute sa vie, n'avait jamais vu telle foule à Florence. Il pria en silence pour le succès de l'entreprise d'Ezio.

À l'intérieur, les fidèles attendaient dans la chaleur étouffante. Ezio n'avait pas eu la possibilité de s'approcher autant qu'il aurait voulu de Francesco et de ses complices, mais il les tenait à l'œil, calculant le meilleur moyen de les intercepter dès qu'ils auraient lancé leur attaque. Entre-temps, l'évêque de Florence avait pris place devant le grand autel et la messe commença.

C'est au moment où l'évêque bénissait le pain et le vin qu'Ezio remarqua le regard échangé entre Francesco et Bernardo. La famille Medici était assise juste devant eux. Au même moment, les deux prêtres, Bagnone et Maffei, placés sur les marches inférieures de l'autel, au plus près de Lorenzo et Giuliano, s'étaient mis à jeter des regards à la dérobée. L'évêque se retourna vers l'assemblée des fidèles, éleva le ciboire d'or et entonna :

— Le Sang du Christ…

Soudain, tout se passa simultanément : Baroncelli se dressa d'un bond au cri de : « *Creapa, traditore* ! » avant de plonger sa dague dans la nuque de Giuliano. Un flot de sang jaillit de la blessure, éclaboussant Fioretta qui s'effondra en larmes à genoux.

— Laisse-moi achever ce bâtard ! hurla Francesco, bousculant Baroncelli et jetant à terre Giuliano qui essayait d'étancher lui-même sa blessure.

Francesco l'enfourcha et plongea à plusieurs reprises sa dague dans le corps de sa victime, pris d'une telle frénésie qu'à un moment, sans apparemment s'en rendre compte, il se transperça la cuisse. Giuliano était mort bien longtemps avant que Francesco lui ait assené son dix-neuvième et dernier coup de couteau.

Dans le même moment, Lorenzo, poussant un cri d'alarme, avait pivoté pour affronter les agresseurs de son frère tandis que Clarice et les nourrices regroupaient les enfants et Fioretta pour les conduire en lieu sûr. La confusion était générale. Lorenzo avait écarté l'idée d'avoir ses gardes du corps à proximité – un attentat meurtrier dans une église était chose inimaginable – mais, désormais, pour le rejoindre, ces derniers devaient bousculer la foule des fidèles paniqués et perplexes, qui jouaient des coudes et se piétinaient mutuellement pour s'éloigner de cette boucherie et la situation était encore aggravée par la chaleur et le fait qu'il n'y avait quasiment pas de place pour bouger...

À l'exception de la proximité immédiate de l'autel. L'évêque et ses assistants demeuraient figés, interdits, mais Bagnone et Maffei, voyant Lorenzo leur tourner le dos, saisirent l'occasion pour dégainer les dagues de sous leur soutane avant de se jeter sur lui par-derrière.

Les prêtres sont rarement des tueurs patentés et si noble qu'ils croient être leur cause, ils ne réussirent tout au plus qu'à l'égratigner avant que Lorenzo se débarrasse d'eux. Mais dans la mêlée, ils finirent par avoir le dessus et, cette fois, Francesco, claudiquant à cause de la blessure qu'il s'était lui-même infligée, mais dynamisé par toute la haine qui bouillonnait en lui, s'approchait à son tour et, rugissant des imprécations, il éleva lui aussi sa dague. Bagnone et Maffei, atterrés par leur acte, avaient tourné les talons et fui en direction de l'abside. Mais Lorenzo titubait, ruisselant de sang, tandis qu'une entaille au sommet de l'épaule droite l'avait rendu invalide.

— Ton heure est venue, Lorenzo ! hurla Francesco. Toute ta bâtarde de famille est en train de périr par mon épée !

— *Infame* ! rétorqua Lorenzo. Je m'en vais te tuer !

— Avec ce bras ? ricana Francesco en levant sa dague pour frapper.

Au moment où son poing s'abattait, une main vigoureuse le saisit au poignet, immobilisant son geste, avant de le faire pivoter. Francesco se retrouva face à face avec un autre ennemi juré.

— Ezio ! gronda-t-il. Toi ! Ici !

— C'est ton heure à toi qui est venue, Francesco !

La cohue s'éclaircissait et les gardes de Lorenzo approchaient. Baroncelli était arrivé aux côtés de Francesco. Il hurla :

— Viens, il faut qu'on parte. C'est terminé.

— Pas avant d'en avoir fini avec ces misérables, dit Francesco, mais il avait les traits tirés ; sa propre blessure saignait abondamment.

— Non ! Nous devons battre en retraite !

Francesco avait l'air furieux mais il acquiesça, non sans lancer à Ezio :

— Ce n'est pas terminé.

— Non, ça ne l'est pas. Où que tu ailles, nous te suivrons, Francesco, jusqu'à ce que je t'aie taillé en pièces.

Furieux, Francesco tourna les talons et suivit Baroncelli qui disparaissait déjà derrière le grand autel. Il devait y avoir une porte de sortie dans l'abside. Ezio s'apprêta à les suivre.

— Attends ! dit une voix brisée derrière lui. Laisse-les filer, ils n'iront pas loin. J'ai besoin de toi ici. J'ai besoin de ton aide.

Ezio se retourna pour découvrir le duc affalé au sol entre deux chaises renversées. Pas très loin, sa famille s'était blottie, en larmes, Clarice, l'air horrifié, serrant très fort les deux aînés de ses enfants. Fioretta fixait, le regard vide, le cadavre tordu et mutilé de Giuliano.

Les gardes de Lorenzo étaient arrivés.

— Veillez sur ma famille, leur dit ce dernier. La cité va être en grand émoi. Ramenez-les au palais et barricadez les portes.

Il se tourna vers Ezio.

— Tu m'as sauvé la vie.

— J'ai fait mon devoir ! Dorénavant, les Pazzi devront chèrement le payer !

Ezio aida Lorenzo à se relever et l'assit avec précaution sur une chaise. Levant les yeux, il vit que l'évêque et les autres prélats avaient disparu. Derrière lui, les gens continuaient à se bousculer, à s'agripper et à s'échiner pour sortir de la cathédrale par les grandes portes ouest.

— Il faut que je coure sus à Francesco !

— Non, dit Lorenzo. Je ne suis pas en état de me mettre à couvert seul. Tu dois m'aider. Conduis-moi à San Lorenzo. J'y ai des amis.

Ezio était déchiré mais il savait tout ce que Lorenzo avait fait pour sa famille. Il ne pouvait pas lui reprocher de n'avoir pu empêcher la mort de ses parents, car qui aurait pu prévoir la soudaineté d'une telle attaque ? Et désormais, c'était Lorenzo la victime. Il était certes encore en vie. Mais cela risquait de ne pas durer s'il n'était pas soigné au plus vite. L'église de San Lorenzo n'était qu'à une brève distance au nord-ouest du baptistère.

Ezio pansa du mieux qu'il put les blessures de Lorenzo, à l'aide de bandelettes découpées dans sa propre chemise. Puis il le releva avec précaution.

— Mettez votre bras autour de mon épaule. Bien. Maintenant, on devrait pouvoir sortir par-derrière l'autel...

Ils clopinèrent dans la direction prise peu auparavant par les agresseurs et parvinrent bientôt devant une petite porte béante au seuil maculé de sang. C'était sans nul doute la voie empruntée par Francesco. Les attendrait-il, tapi non loin ? Il serait difficile pour Ezio de libérer sa dague à ressort, et plus encore de se battre, tout en soutenant Lorenzo avec son bras droit. Mais il avait son bouclier métallique fixé à l'avant-bras gauche.

Ils se frayèrent un chemin jusqu'à la place devant le mur nord de la cathédrale, où ils découvrirent des scènes de confusion et de chaos. Ils longèrent l'édifice pour rallier le flanc ouest après qu'Ezio eut pris le temps de passer sa cape autour des épaules de Lorenzo, en un camouflage improvisé. Sur la piazza séparant la cathédrale du baptistère, des groupes d'individus portant la livrée des Pazzi et des Medici se livraient à des combats au corps à corps, si absorbés par leur tâche qu'Ezio put se couler entre eux sans encombre, mais alors qu'ils parvenaient à la rue menant à la Piazza San Lorenzo, ils se retrouvèrent nez à nez avec deux hommes arborant l'insigne aux dauphins et aux croix. Tous deux étaient armés de fort méchants braquemarts.

— Halte ! s'écria l'un des gardes. Où croyez vous aller comme ça ?

— Je dois mettre cet homme en sûreté, dit Ezio.

— Et à qui ai-je l'honneur ? s'enquit le second garde, sur un ton peu amène.

Il s'approcha pour dévisager Lorenzo. Ce dernier, défaillant à demi, tourna la tête, mais, ce faisant, il fit glisser la cape, révélant le blason des Medici adornant son pourpoint.

— Oh oh, fit l'autre en se tournant illico vers son ami. On dirait bien qu'on vient de faire une grosse prise, Terzago !

Ezio réfléchit à toute vitesse. Il ne pouvait pas lâcher Lorenzo qui continuait à perdre du sang. Mais dès lors il ne pouvait plus faire usage de son arme. Il leva prestement le pied gauche et donna un coup de pied au vilain. Ce dernier alla s'étaler au sol. Dans la seconde, son acolyte s'était précipité, l'arme dressée. Lorsque l'homme abattit sa lame, Ezio leva son bouclier pour dévier le cap. Dans le même temps, il avait ramené le bras gauche, repoussant l'arme, et taillada l'homme à l'aide de la dague à double lame attachée à son bouclier, même s'il n'avait pas assez d'élan pour tuer. Mais voici que l'autre s'était déjà relevé pour accourir à l'aide de son camarade qui avait reculé en titubant à son tour, encore surpris de ne pas avoir réussi à trancher l'avant-bras d'Ezio.

Ezio bloqua le second fauchon de la même manière mais, cette fois, il réussit à faire glisser l'arête de son bouclier le long du fil de la lame jusqu'à la garde, amenant ainsi sa main à proximité du poignet de son adversaire. Qu'il saisit et tordit si promptement que l'homme lâcha son arme avec un glapissement de douleur. Ezio se pencha aussitôt pour récupérer le fauchon avant que celui-ci ait touché le sol. Il n'était pas aisé de se débrouiller de la main gauche tout en étant lesté par le poids de Lorenzo, mais Ezio réussit à pivoter et à entailler pour moitié le cou de son adversaire avant que ce dernier ait eu le temps de se ressaisir. L'autre garde accourait de nouveau, beuglant de colère. Ezio para à l'aide de son braquemart et tous deux se battirent d'estoc et de taille. Mais le garde, ignorant toujours la présence du bouclier métallique dissimulé sur le bras gauche de son opposant, s'échinait bien en vain à y porter ses coups. Ezio avait le bras tout endolori et il tenait à peine debout mais, enfin, il vit une ouverture. Le casque de l'homme s'était desserré sans que celui-ci s'en soit rendu compte, car il continuait à lorgner l'avant-bras d'Ezio, s'apprêtant à y porter un nouveau coup. Vivement, Ezio releva sa propre lame, feintant comme s'il avait raté sa cible mais réussissant en réalité à faire tomber le casque. Puis, avant que le garde ait pu dire « ouf », Ezio lui aplatit le lourd braquemart sur le crâne qu'il fendit en deux. La lame resta bloquée et Ezio fut incapable de la retirer. L'autre demeura interdit, une seconde, les yeux encore écarquillés de surprise, avant de mordre la poussière. Après un rapide regard circulaire, Ezio traîna Lorenzo vers le bout de la rue.

— Nous voici presque rendus, *Altezza*.

Ils atteignirent l'église sans autre tracas mais les portes en étaient barricadées. Regardant derrière lui, Ezio vit que, au bout de la rue, les corps des deux gardes qu'il avait occis venaient d'être découverts par un parti de leurs camarades qui levaient à présent les yeux dans leur direction. Il tambourina sur les battants et enfin un judas coulissa, révélant un œil et un fragment de visage soupçonneux.

— Lorenzo a été blessé, haleta Ezio. Ils sont à nos trousses. Ouvrez la porte !

— Il me faut le mot de passe, dit l'homme à l'intérieur.

Ezio ne sut que faire mais Lorenzo avait entendu le son de la voix et, reconnaissant celle-ci, il se ressaisit.

— Angelo, s'écria-t-il d'une voix forte. C'est moi, Lorenzo ! Ouvre cette putain de porte !

— Par la Sainte-Trinité, s'exclama l'homme. Nous vous croyions mort ! (Et de se tourner pour héler quelqu'un d'invisible.) Déverrouille-moi ça ! Et vite !

Le judas se referma et l'on entendit des verrous coulisser. Entre-temps, les gardes des Pazzi s'étaient mis à remonter la rue au pas de course. Juste à temps, l'une des lourdes portes s'entrouvrit pour laisser passer Ezio et Lorenzo avant de se refermer aussitôt dans leur dos, tandis que le portier repoussait prestement les loquets. On entendit un terrible fracas de combat à l'extérieur. Ezio se retrouva à regarder fixement les yeux verts et placides d'un homme raffiné d'environ vingt-cinq ans.

— Angelo Poliziano, dit ce dernier pour se présenter. J'ai dépêché certains de mes hommes à revers pour intercepter cette bande de rats. Ils ne devraient plus nous importuner.

— Ezio Auditore.

— Ah, Lorenzo m'a parlé de toi. (Il s'interrompit.) Mais nous pourrons parler plus tard. Laisse-moi t'aider à l'asseoir sur un banc. Nous examinerons alors ses blessures.

— Il est en sécurité maintenant, dit Ezio en confiant Lorenzo à deux assistants qui, avec moult précautions, le menèrent vers un banc encastré dans le mur nord de l'église.

— On va le recoudre, étancher le sang et, sitôt qu'il aura récupéré, nous le reconduirons à son *palazzo*. Ne t'inquiète pas, Ezio, il est bel et bien en sécurité désormais et nous n'oublierons pas ce que tu as fait.

Mais Ezio songeait déjà à Francesco de' Pazzi. L'homme avait eu tout le temps du monde pour s'enfuir.

— Je dois partir.

— Attends ! dit Lorenzo.

Après un signe de tête à Poliziano, Ezio s'approcha et s'agenouilla au côté du blessé.

— Je suis ton obligé, dit Lorenzo. J'ignore pourquoi tu m'as aidé ou comment tu as pu savoir ce qui se tramait, quand bien même mes propres espions en ignoraient tout. (Il marqua un temps, plissant les yeux de douleur alors qu'un des domestiques nettoyait sa blessure à l'épaule.) Qui es-tu ? poursuivit-il quand il eut quelque peu recouvré ses esprits.

— C'est Ezio Auditore, intervint Poliziano en venant poser une main sur l'épaule du jeune homme.

— Ezio ! (Lorenzo le dévisagea, profondément ému.) Ton père était un grand homme et un bon ami. C'était l'un de mes plus fidèles alliés. Il savait ce qu'étaient l'honneur, la loyauté, et n'a jamais fait passer ses intérêts avant ceux de Florence. Mais… (Nouvelle pause, faible sourire.) J'étais là quand Alberti est mort. Était-ce toi ?

— Oui.

— Tu as pris une revanche aussi rapide que méritée. Comme tu le vois, je n'ai pas eu le même succès. Mais, pour l'heure, malgré leur ambition démesurée, les Pazzi se sont eux-mêmes tranché la gorge. Je prie pour que…

L'un des hommes de la patrouille des Medici dépêchée à l'extérieur pour s'occuper des Pazzi revenait en hâte, le visage maculé de sang et de sueur.

— Qu'y a-t-il ? demanda Poliziano.

— De mauvaises nouvelles, monsieur. Les Pazzi se sont regroupés et sont en train d'envahir le Palazzo Vecchio. Nous ne pourrons les contenir bien longtemps.

Poliziano pâlit.

— Mauvaise nouvelle, en effet. S'ils s'en emparent, ils tueront tous les partisans que nous y avons et, s'ils prennent le pouvoir…

— S'ils prennent le pouvoir, reprit Lorenzo, ma survie n'aura plus aucun sens. Nous serons tous des hommes morts. (Il voulut se relever mais retomba avec un gémissement de douleur.) Angelo ! Tu dois prendre avec toi les troupes qui nous restent ici et…

— Non ! Ma place est auprès de vous. Nous devons vous reconduire au Palazzo Medici dès que possible. De là-bas, nous serons à même d'organiser la riposte.

— Je vais m'en aller, intervint Ezio. Il se trouve que je n'en ai pas fini avec *messer* Francesco.

Lorenzo le regarda.

— Tu en as fait assez.

— Pas tant que la tâche n'est pas terminée, *Altezza*. Et Angelo a raison, il a une mission plus importante à accomplir – vous conduire à l'abri de votre *palazzo*.

— *Signori*, intervint le messager des Medici. J'ai d'autres nouvelles. J'ai vu Francesco de' Pazzi mener une troupe vers l'arrière du Palazzo Vecchio. Il cherche un moyen de s'introduire par le flanc aveugle de la Signoria.

Poliziano lorgna Ezio.

— Va ! Arme-toi et prends avec toi un détachement, fais vite. Cet homme va t'accompagner et te servir de guide. Il va te montrer par où passer pour quitter cette église sans encombre. De là, il ne vous faudra que dix minutes pour rallier le Palazzo Vecchio.

Ezio s'inclina et tourna les talons pour partir.

— Florence n'oubliera jamais ce que tu fais pour elle, dit Lorenzo. Va, à la grâce de Dieu !

Dehors, les cloches de presque toutes les églises carillonnaient, ajoutant à la cacophonie de l'acier cliquetant, des cris, des pleurs et des gémissements. La cité était sens dessus dessous, des chariots incendiés brûlaient dans les rues, de petits groupes de soldats des deux camps couraient çà et là ou s'affrontaient en mêlées épiques. Les cadavres gisaient partout, sur les places et le long des chaussées, mais il y avait trop de tumulte pour que les corbeaux osent descendre pour le festin qu'ils contemplaient de leur œil noir depuis les toits.

Les portes occidentales du Palazzo Vecchio étaient grandes ouvertes et l'on entendait le bruit des combats qui se déroulaient dans la cour. Ezio fit s'arrêter sa petite troupe et il aborda un officier des Medici qui accourait vers le palais, à la tête d'une autre escouade.

— Sais-tu ce qui se passe ?

— Les Pazzi sont entrés par l'arrière et ils ont ouvert les portes de l'intérieur. Mais nos hommes dans le *palazzo* les tiennent toujours en respect. Les pazzi n'ont pas encore réussi à quitter la cour intérieure. Avec de la chance, nous serons en mesure de les y contenir !

— A-t-on des nouvelles de Francesco de' Pazzi ?

— Lui et ses hommes tiennent l'entrée arrière du *palazzo*. Si nous pouvions en prendre le contrôle, nous les piègerions à coup sûr.

Ezio se retourna vers ses hommes et hurla :

— Allons-y !

Ils traversèrent la place au pas de course et dévalèrent la ruelle qui longeait la muraille nord du *palazzo*, celle qu'un Ezio bien différent avait escaladée deux ans plus tôt pour rejoindre la cellule de son père, et, prenant immédiatement à main droite, ils tombèrent sur la troupe des Pazzi qui gardait l'entrée arrière sous les ordres de Francesco.

Ils furent aussitôt sur leurs gardes et quand Francesco reconnut Ezio, il s'écria :

— Encore toi ! Pourquoi n'es-tu pas encore mort ? Tu as assassiné mon fils !

— Il essayait de me tuer !

— Tuez-le ! Tuez-le sur-le-champ !

Les deux camps engagèrent aussitôt le combat, un combat farouche, taillant et tranchant avec une fureur et une énergie proches du désespoir, car les Pazzi savaient combien il importait de protéger leur voie de retraite. Ezio, le cœur habité d'une rage froide, se fraya un passage jusqu'à Francesco qui l'affronta, le dos plaqué à la porte du *palazzo*. L'épée qu'Ezio avait empruntée à l'armurerie des Medici était bien équilibrée, sa lame était en acier de Tolède, mais il n'était pas familiarisé avec l'arme et, en conséquence, ses coups étaient légèrement moins efficaces qu'ils auraient dû l'être. Il avait estropié plutôt que tué les hommes qui s'étaient trouvés sur sa route. Ce que Francesco n'avait pas manqué de remarquer.

— Tu te crois désormais un maître bretteur, n'est-ce pas, mon garçon ? Tu n'es même pas fichu de tuer proprement. Laisse-moi te donner une petite leçon.

Ils se jetèrent l'un sur l'autre et des étincelles jaillirent de leurs lames entrecroisées. Mais Francesco avait moins de place qu'Ezio pour manœuvrer et, plus âgé de vingt ans, il commençait à fatiguer, même s'il avait moins combattu ce jour-là que son adversaire.

— À la garde ! s'écria-t-il enfin. À moi !

Mais ses hommes avaient reculé devant l'assaut des Medici. Ezio et lui se faisaient désormais face, seul à seul. Francesco chercha désespérément une issue mais il n'y en avait aucune, excepté par l'intérieur du palais. Il ouvrit la porte dans son dos et gravit l'escalier de pierre enchâssé dans le mur d'enceinte. Ezio se rendit compte que la plupart des défenseurs des Medici devaient être concentrés sur l'avant du palais où se déroulait le plus gros des combats et qu'ils n'avaient sans doute pas assez d'hommes pour couvrir également l'arrière. Ezio se lança aux trousses de Francesco jusqu'au second étage.

Les salles avaient été désertées puisque tous les occupants du *palazzo*, à l'exception d'une demi-douzaine de clercs qui s'égaillèrent sitôt qu'ils les virent, se trouvaient en bas à lutter pour contenir les Pazzi dans la cour. Ezio et Francesco traversèrent une succession de salles d'apparat au haut plafond doré et finirent par déboucher sur un balcon qui dominait la Piazza Della Signoria. Le fracas de la bataille se déroulant en contrebas montait à leurs oreilles et Francesco cria désespérément à l'aide, mais il n'y avait personne pour l'entendre et toute retraite lui était désormais coupée.

— Défends-toi et bats-toi, lui ordonna Ezio. Cela se réglera désormais entre toi et moi.

— *Maledetto* !

Ezio assena un grand coup, entaillant son bras gauche.

— Allons, Francesco, où est passé le courage dont tu as fait montre quand tu as fait tuer mon père ? Quand tu as poignardé Giuliano ce matin ?

— Hors de ma vue, foutre de rejeton du diable !

Francesco plongea, mais il fatiguait, et son coup passa au large. Il avança en titubant, déséquilibré, et Ezio s'effaça prestement, relevant le pied pour dévier la lame de Francesco et jeter l'homme à terre dans le même élan.

Avant que Francesco ait pu se ressaisir, Ezio lui avait piétiné la main, le forçant à lâcher la garde, puis il l'avait agrippé par l'épaule et forcé à se retourner sur le dos. Comme Francesco se débattait pour se relever, Ezio lui donna un grand coup de pied au visage. Les yeux de Francesco se révulsèrent tandis qu'il luttait pour ne pas perdre connaissance. Ezio s'agenouilla et entreprit de fouiller au corps le vieil homme à demi inconscient, arrachant sa cotte de mailles et son doublet pour révéler le corps maigre et pâle. Mais Francesco n'avait sur lui aucun document. Juste une poignée de florins dans sa bourse.

Ezio jeta de côté l'épée et libéra sa dague à ressort. Il posa un bras sous le cou de Francesco et le redressa de sorte que leurs deux visages se touchent presque.

Les paupières de Francesco battirent. Ses yeux exprimaient un mélange d'horreur et de peur.

— Épargne-moi ! réussit-il à coasser.

En cet instant, un grand cri de victoire monta de la cour. Ezio écouta les voix et en saisit assez pour comprendre que les Pazzi avaient été mis en déroute.

— T'épargner ? J'épargnerais plus volontiers un loup enragé !

— Non ! couina Francesco. Par pitié !

— Celui-ci, c'est pour mon père, dit Ezio en lui poinçonnant le gosier. Et celui-là, pour Federico (et il poignarda derechef). Et celui-là, pour Petruccio ; et celui-là, pour Giuliano !

Le sang giclait et jaillissait à flots des blessures, recouvrant Ezzio, mais celui-ci aurait continué à larder de coups le mourant si les paroles de Mario ne lui étaient pas revenues à l'esprit : « *Ne deviens pas l'homme qu'il était* ». Il se laissa retomber en appui sur les talons. Les yeux de Francesco luisaient encore même si leur éclat s'éteignait. Il bredouillait quelque chose. Ezio se pencha pour écouter.

— Un prêtre... un prêtre... par pitié, va me quérir un prêtre.

Ezio était profondément ébranlé, maintenant que la fureur était retombée, devant la sauvagerie avec laquelle il avait occis son adversaire. Ce n'était pas conforme au Credo.

— Il n'y a plus le temps. Je ferai dire une messe pour le repos de ton âme.

Un gargouillis étranglé sortait à présent de la gorge de Francesco. Puis ses membres se raidirent, il eut un soubresaut et, au seuil de la mort, son dos s'arqua, sa bouche s'ouvrit tout grand alors qu'il livrait l'ultime et vain combat contre l'invincible ennemi que nous devons tous affronter un jour; et, enfin, il s'affala, telle une outre vide, petite chose pâle, molle et ratatinée.

— *Requiescat in pace*, murmura Ezio.

Alors un nouveau rugissement monta de la place. Un parti de cinquante à soixante combattants déboula de l'angle sud-ouest, mené par un homme qu'Ezio reconnut : Jacopo, l'oncle de Francesco ! Ils brandissaient la bannière des Pazzi.

— *Libertà ! Libertà ! Popolo e libertà !* s'écriaient-ils. Dans le même temps, les forces des Medici jaillissaient du *palazzo* pour se porter à leur rencontre mais ses hommes étaient las et, Ezio put le constater, en infériorité numérique.

Il se retourna vers le corps.

— Eh bien, Francesco, je crois avoir trouvé un moyen de te faire rembourser ta dette, même maintenant.

Prestement, il glissa les mains sous les épaules du cadavre, le hissa debout – il était étonnamment léger – et le transporta jusqu'au balcon. Là, ayant trouvé une corde à laquelle était suspendue une bannière, il en prit un tronçon et s'en servit pour la passer autour du cou du vieillard défunt. Il attacha rapidement l'autre extrémité à une épaisse colonne de pierre et, rassemblant toutes ses forces, il hissa le cadavre et le fit passer par-dessus le parapet. La corde se dévida puis se tendit brusquement avec un bruit sec. Le corps inerte de Francesco se balança dans le vide, les orteils pointés mollement vers le sol.

Ezio se tapit derrière la colonne.

— Jacopo ! lança-t-il d'une voix tonnante. Jacopo de' Pazzi ! Regarde ! Ton chef est mort ! Ta cause est perdue !

En dessous, il vit Jacopo lever les yeux et défaillir. Derrière lui, ses hommes hésitèrent à leur tour. Les troupes des Medici avaient suivi son regard et, poussant à présent des vivats, elles accouraient. Mais les Pazzi s'étaient déjà débandés… pour prendre la fuite.

En l'affaire de quelques jours, tout était terminé. Le pouvoir des Pazzi sur Florence avait pris fin. Leurs biens et propriétés furent saisis, leurs armoiries déchirées et piétinées. Malgré les appels à la clémence de Lorenzo, la foule florentine traqua et tua tous les sympathisants des Pazzi qu'elle put trouver, même si leurs chefs avaient déjà fui. Un seul des prisonniers obtint la clémence : Raffaele Riario, un neveu du pape que Lorenzo jugea trop crédule et naïf pour avoir été sérieusement impliqué, même si nombre de conseillers du duc estimèrent qu'avec une telle décision, Lorenzo faisait montre de plus d'humanité que d'habileté politique.

Sixte IV était furieux, néanmoins, et il mit le ban sur Florence, mais, en dehors de cela, il était impuissant et les Florentins accueillirent sa décision avec dédain.

Quant à Ezio, il fut un des premiers à être mandé par le duc. Il retrouva Lorenzo sur un balcon dominant l'Arno, abîmé dans la contemplation du fleuve. Le duc avait encore des pansements mais ses blessures guérissaient et la pâleur avait quitté ses joues. Il se tenait, grand et fier, méritant de nouveau pleinement le surnom que lui avait attribué Florence : *il Magnifico*.

Après qu'ils se furent salués, Lorenzo montra le fleuve à Ezio.

— Sais-tu, Ezio, que lorsque j'avais six ans, je suis tombé dans l'Arno ? Je me suis bien vite retrouvé en train de dériver dans les ténèbres, assuré que ma vie prenait fin. Au lieu de cela, je m'éveillai au bruit des sanglots de ma mère. À ses côtés se tenait un inconnu, trempé mais souriant. Elle m'expliqua qu'il m'avait sauvé. L'inconnu s'appelait Auditore. Et c'est ainsi que débuta une longue et fructueuse relation entre nos deux familles. (Il se retourna vers Ezio, solennel.) Je suis désolé de n'avoir pu sauver tes parents.

Ezio ne sut que dire. Ce monde froid de la politique, où les distinctions entre bien et mal étaient trop souvent brouillées, il le comprenait, certes, mais il le rejetait.

— Je sais que vous les auriez sauvés si cela avait été en votre pouvoir.

— Ta maison de famille est au moins sauvée et placée sous la protection de la cité. Je l'ai confiée à ton ancienne domestique, Annetta, et elle est dotée et gardée à mes frais. Quoi qu'il advienne, elle t'attendra, le jour où tu souhaiteras y retourner.

— Votre *Altezza* est bien bonne.

Ezio marqua un temps. Il songeait à Cristina. Peut-être n'était-il pas trop tard pour la persuader de rompre ses fiançailles, de l'épouser et de l'aider à ressusciter la lignée des Auditore ? Mais deux brèves années l'avaient métamorphosée et il avait dorénavant une autre mission – un engagement envers le Credo.

— Nous avons remporté une grande victoire, dit-il enfin. Mais nous n'avons pas gagné la guerre. Nombre de nos ennemis se sont échappés.

— Mais la sécurité de Florence est assurée. Le pape Sixte voulait convaincre Naples de marcher contre nous mais j'ai persuadé Ferdinando de n'en rien faire ; il en sera de même avec Bologne et Milan.

Ezio ne pouvait parler au duc de la bataille plus vaste dans laquelle il était engagé car il ne pouvait savoir avec certitude si Lorenzo était au fait des secrets des Assassins.

— Pour encore mieux garantir notre sécurité, indiqua-t-il, j'ai besoin de votre permission pour aller traquer Jacopo de' Pazzi.

Lorenzo se rembrunit.

— Ce couard ! cracha-t-il avec colère. Il a fui avant que je puisse poser la main sur lui.

— A-t-on la moindre idée de l'endroit où il aurait pu se rendre ?

Lorenzo hocha la tête.

— Non. Ils l'ont bien caché. Mes espions signalent que Baroncelli pourrait tenter de rallier Constantinople, mais pour ce qui est des autres…

— Donnez-moi leurs noms, proposa Ezio, avec dans la voix une telle assurance que Lorenzo comprit qu'il avait devant lui un homme qu'il valait mieux ne pas croiser sur son chemin.

— Comment pourrais-je jamais oublier les noms des assassins de mon frère ? Et si tu les traques et les trouves, je t'en serai à jamais reconnaissant. Ce sont les prêtres Antonio Maffei et Stefano da Bagnone. J'ai déjà mentionné Bernardo Baroncelli. Et il y en a un quatrième. Il n'est pas directement impliqué dans les meurtres mais c'est un dangereux allié de nos ennemis. Il s'agit de l'archevêque de Pise, Francesco Salviati – encore un membre de la famille Riario, les limiers du pape. J'ai fait preuve de clémence à l'égard de son jeune cousin. J'essaie de ne pas être comme eux. Je me demande parfois si c'est bien avisé.

— J'ai moi-même une liste, dit Ezio. Leurs noms s'y ajouteront.

Il se prépara à prendre congé.

— Où vas-tu aller à présent ? demanda Lorenzo.

— Je retourne chez mon oncle Mario à Monteriggioni. Ce sera ma base.

— Alors, que Dieu soit avec toi, Ezio, mon ami. Mais avant ton départ, j'ai une chose qui pourrait t'intéresser…

Lorenzo ouvrit la poche en cuir fixée à sa ceinture et il en sortit un rouleau de parchemin. Avant même que le duc l'ait déroulé, Ezio sut de quoi il s'agissait.

Lorenzo poursuivit :

— Je me rappelle, il y a bien des années, avoir parlé à ton père de documents anciens. C'était un intérêt que nous partagions. Je sais qu'il en a traduit certains. Tiens, prends celui-ci… Je l'ai trouvé parmi les papiers de Francesco de' Pazzi, et comme il n'en a désormais plus besoin, je me suis dit que tu apprécierais peut-être de l'avoir… d'autant qu'il me rappelait ton père. Peut-être voudras-tu l'ajouter à sa… collection.

— Je vous en suis infiniment reconnaissant, *Altezza*.

— Je m'en doutais, dit Lorenzo, sur un ton qui conduisit Ezio à s'interroger sur l'étendue des informations que détenait le prince. J'espère que ce document te sera utile.

Avant d'emballer ses affaires et de se préparer pour son voyage, Ezio, muni de la page de Codex que venait de lui donner Lorenzo, se hâta de rendre une brève visite à son ami Leonardo da Vinci. Malgré les événements de la semaine écoulée, l'activité de l'atelier se poursuivait comme si de rien n'était.

— Je suis heureux de te voir sain et sauf, Ezio, dit Leonardo en l'accueillant.

— Je vois que tu as traversé les événements sans encombre, toi aussi, répondit Ezio.

— Je te l'ai dit : ils me laissent tranquille. Ils doivent penser que je suis trop fou, ou trop mauvais, ou trop dangereux pour être touché ! Mais bois donc un peu de vin, et il doit y avoir des gâteaux quelque part, s'ils ne sont pas rassis – ma cuisinière est une souillon – et dis-moi ce qui te trotte par la tête.

— Je quitte Florence.

— Si vite ? Mais on me dit que tu es le héros du moment. Pourquoi ne pas rester en profiter un peu ?

— Je n'ai pas le temps.

— Encore des ennemis à poursuivre ?

— Comment le sais-tu ?

Leonardo sourit.

— Merci d'être venu me dire au revoir.

— Avant que je m'en aille, reprit Ezio, j'ai une autre page du Codex pour toi.

— C'est assurément une bonne nouvelle. Puis-je la voir ?

— Bien entendu.

Leonardo examina avec grand soin le nouveau document.

— Je commence à entrevoir l'idée générale, observa-t-il. Je n'arrive toujours pas à discerner au juste quel est le diagramme à l'arrière-plan mais la partie écrite me devient familière. On dirait bien la description d'une nouvelle arme. (Il se leva et rapporta une pile de vieux grimoires à l'aspect fragile qu'il déposa sur la table.) Voyons voir… Je dois dire que, qui que soit l'inventeur qui a rédigé tout ceci, il devait être très en avance sur son temps. Rien que la partie mécanique… (Il laissa sa phrase en suspens, abîmé dans ses pensées. Puis il reprit :) Ha ha ! Je vois ! Ezio, c'est le plan d'une nouvelle lame : une qui s'adaptera au mécanisme que tu fixes à ton bras, au cas où tu aurais besoin de cette dernière en lieu et place de la lame initiale.

— En quoi est-elle différente ?

— Si je ne me trompe pas, celle-ci est passablement vicieuse… Creusée en son milieu, tu vois ? Et par le tube dissimulé dans l'épaisseur de la lame, l'utilisateur peut injecter du poison dans le corps de sa victime. La mort assurée ! Cette arme te rendrait pratiquement invincible !

— Peux-tu la fabriquer ?

— Selon les mêmes termes qu'auparavant ?

— Bien sûr.

— Bien ! De combien de temps disposé-je ?

— Disons… la fin de la semaine ? J'ai encore quelques préparatifs à faire et… il y a quelqu'un que j'aimerais bien voir… pour lui faire mes adieux. Mais il faut que je me mette en route au plus vite.

— Ça ne me donne pas beaucoup de temps. Mais j'ai toujours les outils utilisés pour la première tâche et mes assistants ont pris le coup de main, donc je ne vois pas pourquoi ça n'irait pas.

Ezio profita du délai pour régler ses affaires à Florence, préparer ses sacs, et quérir un coursier pour porter une lettre à Monteriggioni. Il se surprit à reporter sans cesse l'ultime tâche qu'il s'était imposée, mais il savait bien qu'il ne pourrait pas y couper. Enfin, l'avant-dernier soir, ses pas le menèrent vers la résidence Calfucci. Il avait des semelles de plomb.

Mais quand il approcha de la résidence, il la découvrit bouclée et plongée dans le noir. Conscient d'agir comme un insensé, il escalada le mur jusqu'au balcon de Cristina, juste pour découvrir que ses fenêtres étaient hermétiquement closes. Les capucines dans leur pot sur le balcon étaient ratatinées et mortes. Il redescendit péniblement, avec l'impression que son cœur venait d'être recouvert d'un suaire. Il resta devant la porte comme dans un rêve, durant un temps indéterminé, mais quelqu'un avait dû l'observer car, finalement, une fenêtre s'ouvrit au premier et une femme passa la tête dehors.

— Ils sont partis, vous savez. Le signor Calfucci a pressenti l'imminence de moments difficiles et il a préféré évacuer sa famille à Lucques – c'est de là que vient le fiancé de sa fille.

— Lucques ?

— Oui. Les deux familles sont devenues très proches, m'a-t-on dit.

— Quand seront-ils de retour ?

— Aucune idée. (La femme le regarda.) Vous aurais-je déjà vu quelque part ?

— Je ne pense pas, dit Ezio.

Il passa cette nuit-là à rêver en alternance de Cristina et de la fin sanglante de Francesco.

Au matin, le ciel était couvert, un temps en harmonie avec son état d'esprit. Il se rendit à l'atelier de Leonardo, heureux que ce jour soit celui où il allait quitter Florence. La nouvelle lame était prête. Elle était en acier poli gris mat, d'une dureté extrême et d'un tranchant tel qu'il suffisait, pour couper un mouchoir de soie, de le laisser mollement tomber sur son fil. L'orifice au bout de la pointe était minuscule.

— La garde contient le poison et tu le libères simplement en fléchissant le muscle du bras contre ce bouton intérieur. Sois prudent, le dispositif est assez sensible.

— Quel poison devrais-je employer ?

— J'ai utilisé un distillat concentré de ciguë pour te dépanner au départ mais, quand tu seras à court, tu pourras te faire dépanner par le premier médecin venu.

— Du poison ? Auprès d'un médecin ?

— À forte dose, ce qui soigne peut tuer.

Ezio acquiesça tristement.

— J'ai encore une fois en dette envers toi.

— Tiens, voici ta page de Codex. Dois-tu vraiment partir si tôt ?

— Florence est une ville sûre… pour le moment. Mais j'ai encore du travail.

Chapitre 10

— Ezio ! s'écria un Mario radieux, la barbe toujours aussi mal rasée, le visage brûlé par le soleil toscan. Heureux de te revoir !

— Mon oncle !

Le visage de Mario redevint sérieux.

— Je vois à tes traits que tu as dû traverser bien des épreuves au cours de ces derniers mois. Et quand tu auras pris un bain et que tu te seras reposé, tu me raconteras tout ça. (Il marqua un temps.) Nous avons entendu toutes les nouvelles de Florence et je me suis surpris – oui, même moi ! – à prier pour qu'un miracle t'épargne. Mais non seulement tu as été épargné, mais tu as retourné le sort contre les Pazzi ! Pour cela, les Templiers vont te vouer une haine inextinguible, Ezio.

— C'est réciproque.

— Repose-toi d'abord, tu me raconteras tout ensuite.

Ce soir-là, les deux hommes s'installèrent dans le cabinet de Mario. L'oncle écouta attentivement son neveu lui narrer tout ce qu'il savait des événements survenus à Florence. Ezio lui restitua la page de Codex de Vieri, puis il lui confia celle que lui avait donnée Lorenzo, décrivant le schéma de la lame empoisonnée qu'elle contenait avant de lui montrer sa réalisation pratique. Mario se montra fort impressionné mais il reporta bien vite son attention sur la nouvelle page.

— Mon ami n'a pas été capable de déchiffrer plus que la simple description de l'arme, dit Ezio.

— C'est aussi bien. Toutes les pages ne contiennent pas de telles instructions et seules ces dernières devraient se révéler d'un quelconque intérêt pour lui, prévint Mario, avec dans la voix une touche d'avertissement implicite. Quoi qu'il en soit, ce n'est que lorsque toutes les pages seront réunies que nous serons à même de pleinement comprendre la signification du Codex. Mais cette page-ci, une fois que nous l'aurons disposée avec celle de Vieri et toutes les autres, devrait nous faire encore bien progresser.

Il se leva pour se diriger vers la bibliothèque qui dissimulait le mur sur lequel les pages de Codex étaient fixées, la fit pivoter, puis il réfléchit au meilleur moyen de disposer les nouvelles pages. La première se raccordait avec celles déjà en place. L'autre lui était reliée par un angle.

— Il est intéressant que Vieri et son père aient détenu des pages qui étaient manifestement proches. À présent, voyons voir ce que… (Il se tut, pour mieux se concentrer.) Hmmm… lâcha-t-il enfin, mais sa voix était perplexe.

— Est-ce que cela nous avance, mon oncle ?

— Je ne suis pas sûr. Nous pourrions être toujours autant dans le brouillard mais il y a décidément une référence à un prophète – pas un de ceux de la Bible, mais soit un prophète vivant, soit un à venir…

— Qui pourrait-ce être ?

— Ne brûlons pas les étapes. (Mario rumina sur les pages, ses lèvres bougeaient, s'exprimant dans une langue inconnue d'Ezio.) Pour autant que je puisse en juger, ce fragment-ci pourrait se traduire en gros par : « Seul le Prophète a le droit de l'ouvrir… » Et là, nous avons une référence à deux « fragments de l'Éden » mais ce que cela signifie, je l'ignore. Nous devons être patients, attendre d'avoir d'autres pages du Codex.

— Je sais que le Codex est important, mon oncle, mais ma raison d'être ici est bien plus pressante que la révélation de son mystère. Je cherche un renégat, Jacopo de' Pazzi.

— Il est certainement parti vers le sud après avoir fui Florence. (Mario hésita avant de poursuivre :) Je n'avais pas l'intention de t'en parler ce soir, Ezio, mais la question est aussi importante pour moi qu'elle l'est apparemment pour toi et nous devons commencer nos préparatifs au plus vite. Mon vieil ami Roberto a été chassé de San Gimignano qui est redevenue une place forte des Templiers. Elle est trop proche de Florence – et de nous – pour le demeurer. Je crois que Jacopo pourrait bien chercher à y trouver refuge.

— J'ai une liste des noms des autres conspirateurs, dit Ezio, en la sortant de sa pochette pour la tendre à son oncle.

— Bien. Certains de ces hommes n'auront pas les possibilités de repli de Jacopo et pourraient être faciles à débusquer. Dès l'aube, je vais envoyer des espions battre la campagne et l'on verra ce qu'ils peuvent découvrir à leur sujet. Dans l'intervalle, nous devons nous préparer à reprendre San Gimignano.

— Vous pouvez toujours préparer vos hommes, mais, pour ma part, il n'y a pas une seconde à perdre si je veux abattre ces meurtriers.

Mario réfléchit.

— Peut-être as-tu raison. Un homme seul peut souvent tailler une brèche dans un mur là où une armée entière en serait bien incapable. Et nous devrions les neutraliser tant qu'ils se croient encore en sécurité. (Il réfléchit quelques instants.) Je te donne donc ma permission. Va de l'avant et vois ce que tu peux découvrir. Je sais que tu es plus que capable de te débrouiller seul à présent.

— Mon oncle, mille mercis !

— Pas si vite, Ezio ! Je t'accorde cette permission à une seule et unique condition.

— Qui est ?

— Que tu retardes ton départ d'une semaine.

— D'une *semaine ?*

— Si tu dois aller seul sur le terrain, sans aucun renfort, il te faudra plus que ces armes du Codex pour t'aider. Tu es désormais un homme et un combattant courageux pour les Assassins. Mais ta réputation va rendre les Templiers encore plus assoiffés de ton sang et je sais qu'il te manque encore certaines compétences.

Ezio secoua la tête avec impatience.

— Non, mon oncle, je suis désolé, mais une *semaine*... !

Mario avait froncé les sourcils mais il n'éleva qu'imperceptiblement le ton. C'était suffisant.

— J'ai entendu dire beaucoup de bien de toi, Ezio, mais pas que du bien non plus. Tu as perdu le contrôle quand tu as tué Francesco. Et tu as laissé tes sentiments pour Cristina te détourner de ta route. Ton devoir est de te consacrer exclusivement au Credo car, si tu le négliges, il se pourrait bien que tu ne puisses profiter de ce monde car il ne sera plus. (Il se redressa de toute sa hauteur.) Je parle avec la voix de ton père quand j'exige ton obéissance.

Ezio avait regardé son oncle grandir en stature et même en taille, alors qu'il lui parlait. Et si douloureux que ce soit à accepter, il reconnaissait la vérité de ce qu'on lui avait dit. Amer, il baissa la tête.

— Bien, dit Mario, sur un ton plus doux. Et tu m'en sauras gré. Ton nouvel entraînement au combat commence dès ce matin. Et souviens-toi, tout est dans la préparation !

Une semaine plus tard, armé et paré, Ezio chevauchait vers San Gimignano. Mario lui avait conseillé de prendre contact avec une des patrouilles de *condottieri* qu'il avait postées en vue de la ville pour surveiller les allées et venues, et Ezio se joignit à l'un de leurs campements pour sa première nuit hors de Monteriggioni.

Le sergent responsable, un dur à cuir âgé de vingt-cinq ans, couturé de cicatrices au combat, et répondant au nom de « Gambaldo », lui donna une tranche de pain avec du pecorino et une chope de vernaccia épais, et, tandis qu'Ezio se restaurait, il lui donna les nouvelles.

— Je trouve que c'est une honte qu'Antonio Maffei ait pu même quitter Volterra. Il a fait une fixation sur Lorenzo et croit que le duc a détruit sa ville natale, quand il s'est contenté de la placer sous la tutelle de Florence. À présent, Maffei est devenu fou. Il s'est installé au sommet de la tour de la cathédrale, entouré d'archers des Pazzi, et passe ses journées à déverser à parts égales les prêches et les flèches. Dieu seul sait quel est son plan – convertir les citoyens à sa cause avec ses sermons ou les achever avec ses flèches. Le bon peuple de San Gimignano le déteste mais, tant qu'il continuera à régner par la terreur, la cité est impuissante face à lui.

— Donc, il faut le neutraliser.

— Ma foi, cela affaiblirait à coup sûr la base politique des Pazzi dans la cité.

— Quel est l'état de leurs défenses ?

— Quantité d'hommes aux tours de guet et aux poternes. Mais la relève de la garde intervient à l'aube. À ce moment, un homme comme toi pourrait être à même de franchir la muraille et de pénétrer dans la cité sans être vu.

Ezio réfléchit en se demandant si cela le distrayait de sa mission personnelle – traquer Jacopo. Mais il se dit qu'il devait être capable d'avoir une vue plus globale – ce Maffei était un soutien des Pazzi et, plus généralement, c'était le devoir d'Ezio en tant qu'Assassin de déloger ce cinglé.

À l'aube le lendemain, un citadin de San Gimignano particulièrement attentif aurait pu remarquer une mince silhouette aux yeux gris coiffée d'une cagoule en train de se glisser tel un spectre dans les rues menant au parvis de la cathédrale. Les commerçants du marché installaient déjà leurs étals mais c'était le moment creux de la journée, quand les gardes, las et déprimés, se mettent à somnoler, accrochés à leur hallebarde. Le côté ouest du campanile était encore plongé dans les ténèbres et personne ne vit la silhouette vêtue de noir l'escalader avec l'aisance tranquille et la grâce d'une araignée.

Le prêtre, hâve, l'œil cave et le cheveu en bataille, était déjà en position. Les quatre arbalétriers Pazzi avaient également pris place, chacun à un angle de la tour. Mais, comme s'il ne leur faisait pas entièrement confiance pour le protéger, Antonio Maffei, tout en tenant une Bible dans la main gauche, avait une dague dans la droite. Il pérorait déjà et, lorsque Ezio s'approcha du sommet de la tour, il commença à saisir ses paroles.

— Citoyens de San Gimignano, écoutez bien mes paroles ! Vous devez vous repentir ! VOUS REPENTIR ! Et chercher le pardon... Joignez-vous à moi dans la prière, mes enfants, pour que, tous ensemble, nous puissions nous dresser contre les ténèbres qui ont recouvert notre bien-aimée Toscane ! Prêtez-nous l'oreille, ô Cieux, et je parlerai ; et écoute, ô Terre, les mots qui sortent de ma bouche ! Que mon enseignement s'écoule comme la pluie, que ma voix se distille comme la rosée, comme les gouttes de pluie sur l'herbe tendre, comme l'averse sur la prairie ; car je proclame le Nom du Seigneur ! Il est le Roc ! Son Œuvre est parfaite, car ses Voies sont justes ! Vertueux et droit, Il est ! Mais ceux qui se sont corrompus, ils ne sont plus ses enfants – génération imparfaite, perverse et impie ! Citoyens de San Gimignano, est-ce ainsi que vous traitez le Seigneur ? Oh, peuple imbécile et malavisé ! N'est-Il pas votre Père, qui vous a portés ? Par la lumière de Sa miséricorde, soyez lavés !

Ezio bondit légèrement par-dessus le parapet de la tour et prit position à proximité de la trappe qui ouvrait sur l'escalier menant aux niveaux inférieurs. Les arbalétriers pivotèrent pour tenter de braquer leurs armes sur lui, mais il était trop près et il bénéficiait de l'effet de surprise. Il s'accroupit, saisit aux chevilles un des archers et le fit basculer par-dessus le parapet. Avec un long hurlement, l'homme dégringola pour s'écraser sur le pavé soixante mètres plus bas. Avant que les autres aient pu réagir, Ezio s'était rué sur un deuxième et l'avait poinçonné au bras. L'homme parut surpris par la petitesse de la blessure mais soudain il vira au gris et s'effondra, privé de vie en un instant. Ezio s'était harnaché avec sa nouvelle lame empoisonnée car l'heure n'était pas vraiment au combat loyal. Il se rabattit sur le troisième, qui avait lâché son arbalète et tentait de regagner les marches. Lorsqu'il y parvint, Ezio lui botta le derrière et l'homme dévala les marches de bois, tête la première, pour aller se rompre le cou au bas de la première volée. Le dernier leva les mains en l'air et bredouilla quelque chose. Ezio baissa les yeux et vit qu'il avait mouillé ses chausses. Il s'effaça et, avec une révérence ironique, invita l'archer terrifié à détaler dans l'escalier en enjambant le cadavre disloqué de son camarade.

Puis il reçut au bas de la nuque un grand coup du lourd pommeau d'acier d'une dague. Maffei s'était remis de la surprise consécutive à l'attaque pour fondre sur Ezio par-derrière. Le jeune homme fut projeté vers l'avant.

—Je te mettrai à genoux, pécheur ! glapit le prêtre, la bouche écumante. Implore le pardon !

Pourquoi les gens perdent-ils toujours leur temps à bavasser ? songea Ezio, qui avait eu le temps de se ressaisir pour se retourner pendant que le prêtre parlait.

Les deux hommes se tournèrent autour dans cet espace confiné. Maffei vrillait l'air avec sa lourde dague. C'était de toute évidence un combattant novice mais le désespoir allié à son fanatisme le rendait de fait fort dangereux et, plus d'une fois, Ezio dut sautiller pour esquiver la trajectoire erratique de la dague, sans pouvoir lui-même porter de coup fatal. Mais, à la longue, il réussit à saisir le poignet du prêtre et à l'attirer vers lui jusqu'à ce que leurs deux torses se touchent.

— Je vais t'envoyer gémir en enfer, aboya Maffei.

— Montre un peu de respect à l'égard de la mort, mon ami, rétorqua Ezio.

— Je t'en donnerai, moi, du respect !

— Rends-toi ! Je te donnerai le temps de prier.

Maffei cracha dans les yeux d'Ezio, le forçant à lâcher prise. Puis, avec un hurlement, il plongea avec sa dague vers l'avant-bras gauche d'Ezio, mais seulement pour voir sa lame glisser, sans mal, sur le côté, déviée par le brassard métallique.

— Quel démon te protège ?

— Tu parles trop, dit Ezio, en enfonçant légèrement sa propre dague dans le cou du prêtre, avant de bander les muscles de son avant-bras. Lorsque le poison s'écoula à travers la lame pour pénétrer dans l'artère jugulaire de Maffei, ce dernier se raidit et ouvrit la bouche mais il n'en sortit qu'une haleine pestilentielle. Puis il repoussa Ezio, recula en titubant jusqu'au parapet, se redressa un instant, puis bascula vers l'avant dans les bras de la mort.

Ezio se pencha au-dessus du cadavre de Maffei. De sous sa soutane, il sortit une lettre qu'il ouvrit et parcourut rapidement.

« Padrone :

C'est la peur au cœur que j'écris ces mots. Le Prophète est arrivé. Je le sens. Jusqu'aux oiseaux qui n'ont plus leur comportement habituel. Ils tournoient sans but dans le ciel. Je les vois de ma tour. Je n'assisterai pas à notre réunion comme vous l'avez demandé, car je ne peux plus rester ainsi exposé à la vue du public, de peur que le Démon me retrouve. Pardonnez-moi, mais je dois écouter ma voix intérieure.

Que le Père de tout Entendement vous guide. Et me guide.

Frère A. »

Gambalto disait vrai, songea Ezio, l'homme avait perdu la raison. Sombrement, car il se souvenait de l'admonestation de son oncle, il ferma les paupières du prêtre, tout en prononçant : « *Requiescat in pace.* »

Conscient que l'archer qu'il avait épargné devait avoir maintenant donné l'alarme, il regarda par-dessus le parapet de la tour mais ne remarqua en bas aucune activité particulière. Les gardes des Pazzi continuaient à somnoler à leur poste et le marché avait ouvert pour quelques rares clients. Nul doute que l'arbalétrier se trouvait déjà dans la campagne, en route pour son logis, ayant jugé la désertion préférable à la cour martiale et peut-être la torture. Ezio repoussa la lame dans son logement, dissimulé sur son avant-bras, en prenant garde à ne la toucher que de la main gantée, puis il descendit l'escalier jusqu'au pied de la tour. Le soleil était levé et Ezio aurait été par trop visible s'il avait redescendu le mur du campanile.

Quand il eut rejoint la troupe de mercenaires de Mario, Gambalto l'accueillit, tout excité.

— Ta présence nous a porté chance, lui dit-il. Nos éclaireurs ont localisé l'archevêque Salviati !

— Où ?

— Pas très loin d'ici. Vois-tu cette belle villa, par là-bas sur la colline ?

— Oui.

— Il est là. (Puis Gambaldo se reprit.) Mais d'abord, je dois te demander, *capitano*, comment s'est passée ton expédition en ville ?

— Il n'y aura plus de sermon haineux du haut de cette tour.

— Les gens te béniront, *capitano*.

— Je ne suis pas capitaine.

— Pour nous, tu l'es, dit simplement Gambalto. Prends un détachement de mes hommes. Salviati est bien gardé et la villa est un vieux bâtiment fortifié.

— Très bien, dit Ezio. Il est bon que les œufs soient rapprochés, presque réunis dans un seul nid.

— Les autres ne peuvent pas être bien loin, Ezio. Nous ferons notre possible pour les localiser en ton absence.

Ezio choisit une dizaine de combattants parmi les meilleurs éléments de Gambalto pour le combat au corps à corps et il les mena à pied à travers les champs qui les séparaient de la villa où Salviati avait trouvé refuge. Il avait fait se déployer ses hommes mais en restant à portée de voix, et les avant-postes des Pazzi que Salviati avait positionnés furent aisément évités ou neutralisés. Mais Ezio avait perdu cinq de ses hommes durant la manœuvre d'approche.

Il avait espéré prendre la villa par surprise, avant que ses occupants se soient rendu compte de l'attaque, mais, quand il approcha de l'imposante porte principale, une silhouette apparut sur les murs la surmontant, une silhouette vêtue d'une robe d'archevêque, qui agrippait les remparts avec des mains comme des serres. Un visage de rapace les lorgna avant de disparaître prestement.

C'est Salviati, se dit Ezio.

Il n'y avait pas d'autres gardes postés à l'extérieur. Ezio fit signe à ses hommes de se rapprocher des murs pour empêcher les archers d'avoir un dégagement suffisant pour décocher leurs traits. Il ne faisait aucun doute que Salviati avait dû concentrer le restant de ses gardes du corps à l'intérieur des murs qui étaient hauts et suffisamment épais pour qu'aucune brèche n'y paraisse possible. Ezio s'était demandé s'il devait encore une fois tenter l'escalade, pour, de l'intérieur, ouvrir les portes à ses troupes, mais il savait que les gardes des Pazzi seraient aussitôt avertis de sa présence.

Faisant signe à ses hommes de rester invisibles, tapis contre le mur, il s'accroupit et revint de quelques pas en arrière au milieu des herbes hautes jusqu'à l'endroit où gisait le corps d'un de leurs ennemis. Prestement, il débarrassa l'homme de son uniforme qu'il enfila aussitôt, roulant en boule ses propres vêtements sous son bras.

Il rejoignit les siens – quelque peu inquiets au début en voyant approcher un individu aux allures des Pazzi –, et confia ses habits à l'un d'eux. Puis il alla tambouriner à la porte avec le pommeau de son épée.

— Ouvrez ! s'écria-t-il. Au nom du Père de tout Entendement !

Une minute s'écoula, tendue. Ezio s'était reculé pour être bien visible des murailles. Et puis il entendit le bruit de verrous qui coulissaient pesamment.

Sitôt que les battants eurent commencé à s'ouvrir, Ezio et ses hommes se ruèrent à l'intérieur, les repoussant et dispersant les gardes placés derrière. Ils se retrouvèrent dans une cour autour de laquelle la villa se développait sur trois côtés. Salviati se tenait au sommet d'une volée de marches au milieu du corps de bâtiment principal. Une dizaine d'hommes trapus, armés jusqu'aux dents, se tenaient entre Ezio et lui. D'autres occupaient la cour.

— Infâme traîtrise ! s'exclama l'archevêque. Mais tu ne t'en tireras pas aussi aisément que tu es entré. (Il éleva la voix pour lancer d'un ton autoritaire :) Tuez-les ! Tuez-les tous !

Les troupes des Pazzi se rapprochèrent, encerclant quasiment les hommes d'Ezio. Mais les Pazzi n'avaient pas subi l'entraînement d'un homme comme Mario Auditore et, bien que les chances soient contre eux, les *condottieri* d'Ezio engagèrent victorieusement le combat contre leurs adversaires dans la cour, tandis que leur chef se ruait d'un bond vers les marches. Il libéra sa lame empoisonnée qu'il brandit vers les hommes entourant Salviati. Peu importait l'endroit touché ; chaque fois qu'il faisait mouche et que le sang jaillissait, ne serait-ce que d'une éraflure à la joue, la victime mourait sur-le-champ.

— Tu es bel et bien un démon – venu du Quatrième Anneau du Neuvième Cercle !

Salviati parlait d'une voix hachée maintenant qu'il se retrouvait enfin face à face avec Ezio.

Ezio rétracta sa lame empoisonnée et dégaina sa dague de combat. Il saisit Salviati par le col de sa chasuble et plaqua la lame contre le cou de l'archevêque.

— Les Templiers ont perdu leur foi chrétienne le jour où ils ont découvert la banque, dit-il d'une voix égale. As-tu oublié ton propre évangile ? « Vous ne pouvez pas servir Dieu et Mammon » ! Mais voici que se présente pour toi une chance de te racheter. Dis-moi… où est Jacopo ?

Salviati lui lança un regard de défi.

— Tu ne le retrouveras jamais !

Ezio fit doucement mais fermement glisser sa lame ; un filet de sang jaillit.

— Il faudra être un peu plus coopératif, *arcivescovo*.

— La nuit nous protège quand nous nous rencontrons… Et maintenant, termine ton ouvrage !

— Donc, vous rôdez comme les Assassins que vous êtes, à la faveur de l'obscurité ? Merci du renseignement. Je vais te reposer la question : où ?

— Le Père de tout Entendement saura que ce que je fais maintenant est pour le plus grand bien, dit Salviati d'une voix glaciale et, agrippant soudain à deux mains le poignet d'Ezio, il enfonça lui-même la dague au fond de sa propre gorge.

— Dis-le-moi ! hurla Ezio.

Mais l'archevêque, la bouche écumante de sang, s'était déjà affalé à ses pieds, maculant de rouge sa magnifique soutane blanc et or.

Il s'écoula plusieurs mois avant qu'Ezio ait des nouvelles des conspirateurs qu'il traquait. Entre-temps, il avait travaillé avec Mario à un plan pour reprendre San Gimignano et libérer ses citoyens du joug cruel des Templiers, mais ces derniers avaient retenu la leçon de la fois précédente et ils tenaient la cité sous une poigne de fer. Sachant que les Templiers devaient eux aussi rechercher les pages toujours manquantes du Codex, Ezio se démenait comme un beau diable pour les trouver lui aussi, mais sans succès. Les pages déjà en possession des Assassins demeuraient cachées, sous la garde inflexible de Mario, car, sans elles, le secret du Credo ne risquait pas d'être livré aux Templiers.

Puis, un jour, un coursier venu de Florence chevaucha jusqu'à Monteriggioni, porteur d'une lettre de Leonardo pour Ezio. Ce dernier alla aussitôt quérir un miroir car il connaissait la manie de son ami gaucher d'écrire à l'envers – quand bien même ses pattes de mouche auraient été bien difficiles à déchiffrer même par le plus talentueux des lecteurs. Ezio rompit le sceau et lut avidement, le cœur de plus en plus léger à chaque ligne :

« *Gentile* Ezio,

Le duc Lorenzo m'a demandé de te donner des nouvelles... de Bernardo Baroncelli ! Il semble que l'homme ait réussi à embarquer pour Venise et, de là, il aurait en secret fait route, incognito, jusqu'à la cour du sultan ottoman de Constantinople, escomptant y trouver refuge. Mais il n'a fait que passer à Venise et n'a donc pas eu l'occasion d'apprendre que les Vénitiens avaient récemment signé la paix avec les Turcs – ils leur ont même dépêché l'un de leurs meilleurs peintres, Gentile Bellini, pour leur brosser le portrait du sultan Mehmet. Tant et si bien que dès son arrivée et sitôt que fut connue sa véritable identité, il se fit arrêter.

Tu imagineras sans peine l'échange de lettres entre Venise et la Sublime Porte ; mais les Vénitiens sont également nos alliés – pour le moment, du moins – et le duc Lorenzo est assurément un diplomate hors pair. Baroncelli est revenu enchaîné à Florence et aussitôt soumis à la question. Mais l'homme était entêté, ou stupide, ou courageux, je ne saurais dire – et il a résisté au chevalet comme au fer rouge, à la flagellation comme aux rats lui grignotant les orteils, en nous lâchant seulement que les conspirateurs se rencontraient la nuit dans une ancienne crypte sous Santa Maria Novella. On a bien sûr procédé à des fouilles mais elles n'ont rien donné. On l'a donc pendu. J'ai commis un assez bon croquis de cette pendaison que je te montrerai lors de notre prochaine rencontre. Je le crois, du point de vue anatomique, assez exact.

Distinti saluti
Ton ami,
Leonardo da Vinci »

— Il vaut mieux que le bonhomme soit mort, commenta Mario quand Ezio lui présenta la lettre. Il était du genre à dépouiller sa propre mère. Mais hélas, tout cela ne nous dit guère ce que trament les Templiers ni où se cache Jacopo.

Ezio avait trouvé le temps de rendre visite à sa mère et sa sœur qui continuaient à tuer le temps dans la sérénité du couvent, sous la bienveillante tutelle de l'abbesse. Maria – il le lisait à sa tristesse – était allée aussi loin qu'elle pourrait jamais aller sur la voie du rétablissement. Ses cheveux étaient devenus gris prématurément et l'on voyait de fines pattes d'oie au coin de ses yeux mais elle avait trouvé un certain calme intérieur et quand elle parlait de son époux et de ses fils défunts, c'était avec affection et un souvenir empreint de fierté. Mais la seule vue du petit écrin en poirier aux plumes d'aigle, cadeau du petit Petruccio qu'elle conservait en permanence sur sa table de chevet, lui faisait toujours monter les larmes aux yeux. Quant à Claudia, c'était à présent une *novizia* mais même si Ezio regrettait ce qu'il considérait comme un gâchis de beauté et d'esprit, il devait bien reconnaître qu'il y avait dorénavant sur ses traits une lumière qui le forçait à s'incliner devant sa décision et à s'en réjouir pour elle. Il leur rendit de nouveau visite pour la Noël et, dès le jour de l'an, il avait repris son entraînement, même si, en son for intérieur, il bouillait d'impatience. En guise de compensation, Mario l'avait nommé vice-commandant de son château et Ezio envoyait sans relâche son propre réseau d'espions et d'éclaireurs battre la campagne en quête du gibier qu'il traquait toujours implacablement.

Et puis, enfin, il y eut du nouveau. Un beau matin de la fin du printemps, Gambalto s'encadra au seuil de la salle des cartes où Ezio et Mario étaient en grande conférence. Son regard étincelait.

— *Signori* ! Nous avons trouvé Stefano da Bagnone ! Il a trouvé refuge dans l'abbaye d'Asmodeo, à quelques kilomètres à peine au sud d'ici. Il était quasiment sous notre nez depuis le début !

— Ils vivent en bande, comme les chiens qu'ils sont, cracha Mario, tandis que ses doigts boudinés de travailleur manuel dessinaient prestement un itinéraire sur la carte étalée devant eux. (Il regarda Ezio.) Mais c'est lui le chef de la meute. Le secrétaire de Jacopo ! Si on n'arrive pas à lui extorquer des renseignements… !

Mais Ezio était déjà en train de donner l'ordre qu'on selle sa monture au plus vite. Il se rendit aussitôt en ses quartiers pour s'armer, se harnachant avec les armes du Codex et choisissant ce coup-ci la dague à ressort originelle plutôt que la lame empoisonnée. Sur les conseils du médecin de Monteriggioni, il avait remplacé le concentré de ciguë de Leonardo par de la jusquiame noire dont le réservoir intégré à la garde était rempli. Il avait décidé d'user avec parcimonie de cette arme empoisonnée car il y avait toujours le risque de s'autoadministrer une dose fatale. Pour cette raison et parce que ses doigts étaient couverts d'une multitude de petites cicatrices, il enfilait désormais des gants de cuir souples mais résistants chaque fois qu'il utilisait l'une ou l'autre lame.

L'abbaye était située à Monticiano dont l'antique château dominait, lugubre, la petite cité nichée sur sa colline. Elle était située dans un vallon ensoleillé sur une pente douce garnie de nombreux cyprès. C'était un édifice récent, vieux d'un siècle peut-être, édifié en grès jaune importé à grands frais, autour d'une vaste cour centrale avec une église en son milieu. Les portes en étaient grandes ouvertes et l'on pouvait voir les moines de l'ordre de l'abbaye, dans leurs habits couleur ocre, travailler dans les champs et les vergers qui avaient été défrichés autour du bâtiment ou dans les vignobles situés au-dessus ; le vin du monastère attaché à l'abbaye était réputé, on l'exportait même à Paris. Une partie de la préparation d'Ezio avait consisté à se procurer un habit de moine taillé à sa mesure, et, après avoir confié son cheval à un garçon d'écurie à l'auberge où il avait pris une chambre en se faisant passer pour un messager ducal, il enfila son déguisement avant d'arriver à l'abbaye.

À peine y était-il entré qu'il avisa Stefano, en grande conversation avec l'*hospitarius* des lieux, un moine corpulent qui donnait l'impression d'avoir pris la forme d'une des barriques qu'à coup sûr il devait vider fréquemment. Ezio réussit à s'approcher d'eux assez près pour entendre sans être vu.

— Prions, frère, disait le moine.

— Prier ? s'étonna Stefano dont la tenue noire détonnait avec toutes ces couleurs riantes autour de lui. (On aurait dit une araignée posée sur une crêpe. Et d'ajouter, sardonique :) Prier pour quoi ?

Le moine parut surpris.

— Pour la protection de notre Seigneur !

— Si tu crois que le Seigneur s'intéresse à nos affaires, frère Girolamo, tu peux y réfléchir à deux fois ! Mais je t'en prie, surtout, continue à te bercer d'illusions, si cela t'aide à passer le temps.

Le frère Girolamo était scandalisé.

— Ce que tu dis relève du blasphème !

— Non. Je dis la vérité.

— Mais, nier de la sorte Sa Très Sainte Présence... !

— ... est la seule réponse rationnelle en face de la déclaration qu'il existerait quelque dément invisible là-haut dans le ciel. Et crois-moi, s'il faut en croire la Bible, Il a complètement perdu la tête.

— Comment peux-tu dire choses pareilles ? Tu es toi-même un prêtre !

— Je suis un administrateur. J'emploie ces habits cléricaux pour approcher plus aisément ces maudits Medici, et ainsi être en mesure de les abattre pour la plus grande gloire de mon vrai maître. Mais d'abord, il reste encore à régler le sort de cet Assassin, Ezio. Il y a trop longtemps qu'il est une épine dans notre flanc et il convient de l'en extirper.

— Là enfin, tu dis vrai. Ce démon impie !

— Eh bien, convint Stefano avec un sourire en coin. Au moins sommes-nous d'accord sur quelque chose.

Girolamo baissa le ton.

— On dit que le diable lui a donné une force et une rapidité surnaturelles.

Stefano le dévisagea.

— Le diable ? Non, mon ami. Ce sont là des dons qu'il s'est procurés tout seul, par un entraînement rigoureux durant des années. (Il marqua un temps, son corps décharné incliné dans une pose songeuse.) Tu sais, Girolamo, je trouve assez inquiétant que tu rechignes à ce point à créditer les gens de leur libre arbitre. Je crois que si tu le pouvais, tu peuplerais le monde entier de victimes.

— Je te pardonne ton manque de foi et ta langue fourchue, répondit pieusement Girolamo. Tu restes toujours un enfant de Dieu.

— Je t'ai déjà dit… commença Stefano, mordant, avant d'écarter les mains et de se résigner. Oh, et puis à quoi bon ? Il suffit ! Autant parler aux moulins.

— Je prierai pour toi.

— À ta guise. Mais fais-le en silence. Je dois ouvrir l'œil. Tant que cet Assassin ne sera pas mort et enterré, aucun templier ne pourra relâcher sa garde un seul instant.

Le moine se retira avec une révérence et Stefano se retrouva seul dans la cour. La cloche avait sonné la première et la seconde liturgie des heures et toute la communauté était réunie dans l'église de l'abbaye. Ezio émergea de l'ombre, telle une apparition. Le soleil brillait avec la touffeur silencieuse de midi. Stefano, pareil à un corbeau, arpentait de long en large le mur nord de la cour, nerveux, impatient, possédé.

Quand il vit Ezio, il ne manifesta aucune surprise.

— Je suis sans armes, dit-il. Je combattrai avec mon esprit.

— Pour ce faire, tu dois rester en vie. Peux-tu te défendre ?

— Est-ce que tu me tuerais de sang-froid ?

— Je vais te tuer parce que ta mort est nécessaire.

— Une bonne réponse ! Mais ne penses-tu pas que je pourrais détenir des secrets qui pourraient t'être utiles ?

— Je vois bien que tu ne céderais pas sous la torture.

— Je vais prendre cela comme un compliment, concéda Stefano, même si je n'en suis pas aussi assuré que toi. Toutefois, tout cela ne reste que théorique. (Il marqua un temps avant de poursuivre, de sa voix grêle.) Tu as raté ton occasion, Ezio. Le sort en est jeté. La cause des Assassins est perdue. Je sais que tu vas me tuer, quoi que je dise ou fasse et que je serai mort avant que la messe de midi soit dite. Mais ma mort ne te servira en rien. Les Templiers t'ont déjà mis sur leurs tablettes et, d'ici peu, elles seront ton tombeau.

— Tu ne peux rien en savoir.

— Je suis sur le point de retrouver mon Créateur – si tant est qu'Il existe. Ça fera du bien d'être enfin fixé. D'ici là, pourquoi mentirais-je ?

Ezio libéra sa dague.

— Comme c'est astucieux, commenta Stefano. Quelle idée vas-tu encore nous sortir ?

— Repens-toi, dit Ezio. Dis-moi ce que tu sais.

— Ce que tu aimerais que je sache ? Où se trouve Jacopo mon maître ? (Stefano sourit.) C'est facile. Il va bientôt retrouver nos complices, de nuit, à l'ombre des dieux romains. (Un temps.) J'espère que cela te satisfait, car rien de ce que tu pourras faire ne me forcera à t'en dire plus. Et c'est dans tous les cas de peu d'intérêt, car je sais dans mon for intérieur que tu t'y es pris bien trop tard. Mon seul regret est de ne pas être là pour assister à ta défaite ; mais qui sait ? Peut-être y a-t-il une vie éternelle, auquel cas je serai en mesure de contempler ta mort de là-haut. Mais pour l'heure terminons-en avec cette tâche déplaisante.

La cloche de l'abbaye retentit de nouveau. Ezio avait peu de temps.

— Je pense que tu peux m'en apprendre un peu plus.

Stefano le regarda tristement.

— Pas ici-bas. (Il ouvrit le col de sa soutane.) Mais rends-moi le service de m'expédier promptement dans les ténèbres.

Ezio le piqua une seule fois, profondément, et avec une efficacité mortelle.

— Il y a les ruines d'un temple dédié à Mithra, au sud-ouest de San Gimignano, observa Mario, songeur, après le retour d'Ezio. Ce sont les seules ruines romaines notables à plusieurs kilomètres à la ronde et tu dis qu'il a évoqué l'ombre des dieux *romains* ?

— C'étaient ses mots.

— Et les Templiers doivent s'y réunir… bientôt ?

— Oui.

— Alors nous ne devons pas perdre une seconde. Il faut aller y monter la garde dès ce soir.

Ezio était réticent.

— Da Bagnone m'a dit qu'il était déjà trop tard pour les arrêter.

Mario sourit.

— Eh bien dans ce cas, à nous de le démentir.

C'était leur troisième nuit de veille. Mario était retourné à sa base poursuivre l'élaboration de ses plans contre les templiers de San Gimignano, et il avait laissé Ezio et cinq de ses fidèles compagnons – dont Gambalto – monter la garde, dissimulés dans les bois épais qui bordaient les ruines solitaires et désolées du temple de Mithra. C'était un vaste ensemble de constructions édifiées là sur plusieurs siècles et dont le dernier occupant avait en effet été Mithra, le dieu que l'armée romaine avait adopté sur le tard, mais le site abritait des lieux de cultes bien plus antiques, jadis consacrés à Minerve, Vénus et Mercure. Il y avait également un théâtre dont la scène était encore intacte, même si les bancs de pierre en terrasse qui lui faisaient face étaient en ruine et n'accueillaient plus que scorpions et souris. Son hémicycle était adossé à un mur délabré et flanqué de colonnes au sommet desquelles nichaient des hiboux. Du lierre grimpait partout et des buddleias s'immisçaient dans les fissures du marbre usé et maculé de taches. La lune jetait une lueur sépulcrale sur l'ensemble et ses hommes avaient beau se colleter sans férir avec des ennemis mortels, certains étaient manifestement nerveux.

Ezio s'était dit qu'ils monteraient la garde une semaine mais il savait que les hommes auraient du mal à garder leur sang-froid aussi longtemps, car les spectres de ce passé lointain avaient une présence envahissante. Mais, vers minuit, alors que tous les Assassins avaient les membres courbaturés à force d'immobilité, ils entendirent l'imperceptible cliquetis de harnais. Ezio et ses hommes se tendirent. Peu après apparurent sur le site une dizaine de cavaliers portant des torches et guidés par trois hommes. Ils se dirigeaient vers le théâtre. Ezio et ses *condottieri* les y suivirent.

Les hommes mirent pied à terre et formèrent un cercle protecteur autour de leurs chefs. Ezio discerna, triomphant, le visage de celui qu'il traquait depuis si longtemps – Jacopo de' Pazzi, aujourd'hui un sexagénaire à barbe grise et à l'air contrarié. L'accompagnait un homme qui lui était inconnu et un autre qu'en revanche, il connaissait bien : cette silhouette caractéristique, au nez busqué, encapuchonnée d'écarlate, c'était celle de Rodrigo Borgia ! Résolu, Ezio regarda la lame empoisonnée au mécanisme de son poignet droit.

— Vous savez pourquoi nous avons convoqué cette réunion, commença Rodrigo. Je t'ai accordé un temps plus que suffisant, Jacopo. Mais il te reste encore à te repentir.

— Je suis désolé, *commendatore*. J'ai fait tout ce qui était en mon pouvoir. Les Assassins m'ont débordé.

— Tu n'as pas repris Florence.

Jacopo baissa la tête.

— Tu n'as même pas été capable de décapiter Ezio Auditore, un vulgaire gamin ! Et à chacune de ses victoires contre nous, il prend des forces, devient encore plus dangereux !

— C'était la faute de mon neveu Francesco, bredouilla Jacopo. Son impatience l'a rendu téméraire. J'ai bien essayé de lui faire entendre la voix de la raison…

— Plutôt celle de la couardise, intervint rudement le troisième homme.

Jacopo se tourna vers lui, témoignant d'évidence un respect bien moindre à son endroit qu'à celui de Rodrigo.

— Ah, *messer* Emilio. Peut-être aurions-nous été mieux servis si vous nous aviez envoyé un armement de qualité au lieu de la pacotille que vous autres Vénitiens osez qualifier d'armes ! Mais vous autres Barbarigi avez toujours été des gagne-petit.

— Il suffit ! coupa Rodrigo. (Il se retourna vers Jacopo.) Nous avions placé notre confiance en toi et en ta famille, et comment avons-nous été récompensés ? Par l'inaction et l'incompétence. Tu reprends San Gimignano ! Bravo ! Et voilà que tu te reposes sur tes lauriers. Tu leur laisses même l'occasion de venir t'y attaquer. Le frère Maffei était un serviteur de valeur de notre Cause. Et tu n'as même pas été capable de sauver ton propre secrétaire, un homme dont la cervelle valait dix fois la tienne !

— *Altezza* ! Donnez-moi juste une chance de me racheter et vous verrez… (Jacopo considéra les visages sévères autour de lui.) Je vous montrerai…

Rodrigo se permit de se radoucir. Il esquissa même un sourire.

— Jacopo. Nous savons quelle est la meilleure voie désormais. Tu dois nous laisser en décider. Viens près de moi. Que je t'embrasse.

Hésitant, Jacopo obéit. Rodrigo passa le bras gauche autour de ses épaules et, du droit, il sortit de sous sa robe un stylet qu'il introduisit d'un geste prompt entre les côtes de Jacopo. Ce dernier s'écarta, tandis que Rodrigo le contemplait comme un père contemplerait son fils prodigue. Jacopo porta la main à sa blessure. Rodrigo n'avait touché aucun organe vital. Peut-être…

Mais Emilio Barbarigo s'était déjà porté à sa hauteur. D'instinct, Jacopo leva ses mains ensanglantées pour se protéger car Emilio venait de dégainer une baselarde à l'aspect menaçant dont l'un des tranchants était crénelé et bordé d'un profond sillon.

— Non, gémit Jacopo. J'ai fait de mon mieux. J'ai toujours servi loyalement la Cause. Toute ma vie. Je vous en prie... je vous en conjure, ne...

Emilio partit d'un rire brutal.

— Je vous conjure de ne pas quoi, misérable petit pleurnichard ?

Et il déchira le doublet de Jacopo avant de plonger la lame crénelée de sa lourde dague dans sa poitrine, ouvrant celle-ci de part en part.

Jacopo hurla et tomba à genoux, puis sur le côté, et se tordit de douleur sur le sol, baignant dans son sang. Il leva les yeux et vit Rodrigo Borgia le toiser, une épée courte dans la main.

— Maître – ayez pitié de moi ! parvint à articuler Jacopo. Il n'est pas trop tard ! Laissez-moi une dernière chance de rectifier le tir...

Puis il suffoqua, étouffé par son propre sang.

— Oh, Jacopo, dit Rodrigo d'une voix douce. Comme tu m'as déçu.

Il leva sa lame et la propulsa à travers le cou de Jacopo avec une telle violence que la pointe émergea de la nuque, ayant semble-t-il tranché la moelle épinière. Il la fit pivoter dans la blessure avant de l'en extraire avec lenteur. Jacopo se redressa, la bouche emplie de sang, mais il était déjà mort et retomba, eut un ultime sursaut et s'immobilisa enfin.

Rodrigo essuya son épée sur les habits du cadavre et, relevant sa cape, rengaina l'arme.

— Quel gâchis, murmura-t-il. (Puis il se retourna, regarda droit dans la direction d'Ezio, sourit et cria :)Tu peux sortir, maintenant, Assassin ! Avec mes excuses pour t'avoir privé de ta récompense !

Avant d'avoir pu réagir, Ezio se retrouva maîtrisé par deux gardes dont les tuniques portaient une croix de gueules sur un champ d'or – les armes de son ennemi juré. Il appela Gambalto mais il ne reçut aucune réponse de ses hommes. On le traîna sur la scène du théâtre antique.

— Salutations, Ezio ! dit Rodrigo. Je suis désolé pour tes hommes, mais as-tu vraiment pensé que je ne m'attendais pas à te trouver ici ? Que je n'avais pas prévu ta venue ? Crois-tu que Stefano da Bagnone t'aurait révélé l'heure et l'endroit précis de cette réunion à mon insu et sans mon aval ? Bien entendu, il nous a fallu simuler la difficulté, ou sinon tu aurais pu flairer le piège. (Il rit.) Pauvre Ezio ! Vois-tu, nous pratiquons ce jeu depuis bien plus longtemps que toi. Sur mon ordre, mes gardes étaient cachés dans les bois bien avant que tu arrives ici. Et j'ai bien peur que tes hommes aient été surpris tout autant que toi – mais je tenais à te revoir en vie avant que tu nous quittes. Appelle ça un caprice. Et me voilà désormais satisfait. (Rodrigo sourit et s'adressa aux gardes qui tenaient les bras d'Ezio.) Merci. Vous pouvez le tuer, à présent.

Il enfourcha sa monture, tout comme Emilio Barbarigo, et tous les deux repartirent, suivis des gardes qui les avaient accompagnés jusqu'ici. Ezio les regarda s'éloigner. Il réfléchissait à toute vitesse. Il y avait ces deux costauds qui le maintenaient – et combien d'autres, encore tapis dans les bois ? Combien d'hommes Borgia avait-il postés pour tendre une embuscade à sa propre troupe ?

— Fais tes prières, mon garçon, dit l'un des costauds.

— Écoutez, dit Ezio. Je sais que vous ne faites qu'obéir aux ordres. Alors, si vous me relâchez, je vous laisserai la vie sauve. Qu'est-ce que vous en dites ?

Le garde qui avait parlé parut amusé.

— Eh bien ! Écoutez-moi ça ! Je ne crois pas être jamais tombé sur un type capable de garder son sens de l'humour en un moment par…

Mais il n'eut pas le temps d'achever sa phrase. Ezio fit jaillir sa lame secrète, et, profitant de l'effet de surprise, s'en prit à l'homme situé sur sa droite. Le poison fit son effet et l'adversaire d'Ezio recula en titubant avant de s'effondrer à quelques pas de là. Avant que le second garde ait pu réagir, Ezio avait enfoncé la lame sous son aisselle, le seul emplacement non protégé par l'armure. Désormais libre, il bondit dans l'ombre au bord de la scène et attendit. Il n'eut pas longtemps à attendre. Dix autres hommes émergèrent du bois où Rodrigo les avait cachés, certains se mettant à scruter les lisières de l'amphithéâtre, les autres se penchant au-dessus de leurs malheureux camarades. Bondissant avec la rapidité meurtrière d'un lynx, Ezio se jeta sur eux, tailladant et tranchant comme à coups de serpe, en se concentrant sur toutes les parties de corps exposées. Déjà passablement terrifiées et maintenant prises au dépourvu, les troupes de Rodrigo Borgia se débandèrent devant lui et Ezio en avait déjà occis cinq avant que les autres tournent les talons pour disparaître, avec force cris de panique, au fond des bois. Ezio les regarda détaler. Ils n'allaient sûrement pas se présenter au rapport devant Rodrigo, à moins qu'ils désirent se faire pendre pour incompétence, et il faudrait un certain temps avant que l'on remarque leur disparition et que Rodrigo s'aperçoive que son plan diabolique avait fait long feu.

Ezio s'agenouilla au-dessus du corps de Jacopo de' Pazzi. Mutilé, privé de toute dignité, ce n'était plus que la coquille vide d'un vieillard pathétique et désespéré.

— Pauvre vieux débris, dit Ezio. J'étais furieux en voyant Rodrigo me priver de ma proie légitime mais à présent…

Il retomba dans le silence et se pencha pour clore les paupières de Jacopo. Puis il se rendit compte que les yeux le regardaient. Par quelque miracle, Jacopo était encore – à peine – vivant. Il ouvrit la bouche pour parler mais aucun son n'en sortit. Il était manifeste qu'il était aux tout derniers instants de son agonie. La première idée d'Ezio fut de l'abandonner à son triste sort mais les yeux de Jacopo plaidèrent pour lui. *Montre-toi miséricordieux*, se rappela Ezio, *quand bien même on ne l'a pas été envers toi*. Cela aussi, cela faisait partie du Credo.

— Que Dieu te donne la paix, dit-il, embrassant le front de Jacopo, dans le même temps qu'il enfonçait sa dague dans le cœur de son vieil adversaire.

Chapitre 11

Quand Ezio revint à Florence et annonça la nouvelle de la mort du dernier des Pazzi au duc Lorenzo, celui-ci fut ravi de l'apprendre, mais il s'affligea que la sécurité de Florence et des Médicis ait coûté un tel prix. Lorenzo préférait trouver des solutions diplomatiques à ses différends, mais cela faisait de lui une exception parmi ses pairs, les dirigeants des autres cités-États d'Italie.

Il récompensa Ezio en lui remettant une cape d'apparat, lui conférant ainsi la Liberté de la ville de Florence.

— C'est très généreux de votre part, *Altezza*, le remercia Ezio. Mais je crains de ne guère avoir le loisir d'en profiter.

Lorenzo fut surpris.

— Quoi ? Tu as encore l'intention de partir ? J'espérais que tu serais resté, que tu aurais réintégré ton *palazzo* familial et que tu aurais accepté d'occuper une fonction dans l'administration de la cité et de travailler avec moi.

Ezio le salua, mais il lui répondit :

— Je suis navré de vous l'apprendre mais je suis persuadé que nous ne sommes pas au bout de nos peines, malgré la chute des Pazzi. Il ne s'agissait que de l'un des nombreux tentacules d'une monstrueuse créature. Il faut maintenant que je me rende à Venise.

— À Venise ?

— Oui. L'homme qui accompagnait Rodrigo Borgia quand il a rencontré Francesco est un membre de la famille Barbarigo.

— L'une des familles les puissantes de la Sérénissime. Serais-tu en train de me dire que cet homme représente un danger ?

— C'est un allié de Rodrigo.

Lorenzo réfléchit un moment, puis il écarta les bras.

— C'est à regret que je te laisse partir, Ezio. Mais je suis conscient d'être à jamais ton débiteur, ce qui signifie aussi que je n'ai pas le pouvoir de t'ordonner quoi que ce soit. De plus, j'ai le sentiment que le travail que tu as entrepris bénéficiera à long terme à notre cité, même si je ne suis plus là pour le voir.

— Ne dites pas ça, *Altezza*.

Lorenzo esquissa un sourire.

— J'espère me tromper, mais, de nos jours, vivre dans ce pays, c'est comme vivre au pied du Vésuve : c'est dangereux et plutôt instable !

Avant de partir, Ezio apporta des nouvelles et des cadeaux à Annetta, même s'il lui fut douloureux de se rendre dans son ancienne maison de famille, et qu'il resta devant la porte. Il évita également soigneusement la demeure des Calfucci, mais il rendit visite à Paola. Il la trouva très élégante, mais distraite, comme si elle avait l'esprit ailleurs. Il fit une dernière escale à l'atelier de son ami Leonardo. Mais, une fois sur place, il n'y trouva qu'Agniolo et Innocento… Les lieux semblaient fermés. Il n'y avait aucun signe de Leonardo.

À son arrivée, Agniolo l'accueillit avec le sourire.

— *Ciao*, Ezio ! Ça faisait un bout de temps !

— Trop longtemps !

Ezio regarda autour de lui d'un air interrogateur.

— Tu te demandes où est Leonardo ?

— Il est parti ?

— Oui, mais pas pour toujours. Il a emporté une partie de son matériel avec lui, mais il n'a pas pu tout prendre. Innocento et moi, on le surveille pendant son absence.

— Et où est-il parti ?

— C'est drôle. Le Maestro était en négociations avec les Sforza, à Milan, mais le *conte* da Pexaro l'a invité à passer un peu de temps à Venise – il doit terminer une série de cinq portraits de famille. (Agniolo lui sourit d'un air entendu.) Comme s'il allait les finir ! Mais il semblerait que le Grand Conseil de Venise éprouve un certain intérêt pour ses travaux d'ingénierie, et ils vont lui fournir un atelier, du personnel, et tout ce qu'il faut. Donc, mon cher Ezio, si tu as besoin de lui, c'est là-bas qu'il faut que tu ailles.

— Mais c'est exactement là que j'avais l'intention d'aller ! s'écria Ezio. Quelle merveilleuse nouvelle ! Quand est-il parti ?

— Il y a deux jours. Mais tu n'auras aucun mal à le rattraper. Il a un énorme chariot plein à ras bord, et deux bœufs seulement pour tracter tout son matériel !

— Ses gens l'accompagnent ?

— Simplement les charretiers, ainsi qu'une escorte de deux cavaliers, en cas de problème. Ils ont pris la route de Ravenne.

Ezio emporta uniquement ce qui pouvait tenir dans ses fontes, et, ayant décidé de voyager seul, après une journée et demie de cheval, au détour d'un virage, il tomba sur un lourd chariot tiré par des bœufs et recouvert d'une bâche sous laquelle on avait soigneusement arrimé un nombre incalculable de mécanismes et de modèles.

Les charretiers se tenaient sur le bord de la route, se grattant la tête, l'air perplexe, tandis que les cavaliers, deux garçons maigrichons armés d'une arbalète et d'une lance, surveillaient la scène du haut d'une petite butte, non loin de là. Leonardo se tenait à proximité, installant visiblement une sorte de système de leviers, lorsqu'il leva la tête et aperçut Ezio.

— Salut Ezio ! Quelle chance !

— Leonardo ! Qu'est-ce qui se passe ?

— J'ai l'impression qu'on a de sérieux ennuis ! L'une des roues du chariot. (Il désigna l'arrière du véhicule, où l'une des roues s'était démise de son essieu.) Le problème, c'est qu'il faut soulever le chariot pour pouvoir remettre la roue, mais nous ne sommes pas assez nombreux. Et ce levier que j'ai bricolé, il ne va pas suffire. Tu crois que…

— Bien sûr !

Ezio fit signe aux deux charretiers, des hommes bien bâtis qui lui seraient bien plus utiles que les cavaliers maigrelets, et, à eux trois, ils furent capables de soulever le chariot suffisamment haut et de le maintenir assez longtemps dans cette position pour que Leonardo puisse glisser la roue sur son essieu et la fixer solidement. Pendant qu'il s'efforçait, avec les autres, de maintenir le véhicule à la bonne hauteur, Ezio jeta un coup d'œil à son contenu. Il reconnut sans difficulté la structure en forme de chauve-souris qu'il avait déjà vue. Elle semblait toutefois avoir subi de nombreuses modifications.

Une fois le chariot remis en état, Leonardo regagna sa place sur le banc, à l'avant, à côté de l'un des charretiers, tandis que l'autre dirigeait les bœufs en marchant auprès d'eux. Les cavaliers effectuaient sans relâche des patrouilles vers l'avant et l'arrière du chariot. Ezio avait ordonné à sa monture d'avancer au pas, à côté de Leonardo, pour qu'ils puissent discuter. Il s'était écoulé beaucoup de temps depuis leur dernière rencontre, et ils avaient énormément de choses à se raconter. Ezio apprit ainsi à Leonardo les dernières nouvelles, et celui-ci lui parla de ses récentes commandes et de son impatience de voir Venise.

— Je suis tellement ravi de t'avoir comme compagnon de voyage ! Remarque, tu serais arrivé beaucoup plus vite si tu avais voyagé à ton propre rythme.

— Tout le plaisir est pour moi. Et je veux m'assurer que tu arrives là-bas sain et sauf.

— J'ai mes cavaliers...

— Leonardo, ne me fais pas dire ce que je n'ai pas dit, mais même des bandits de grand chemin débutants pourraient se débarrasser de ces deux-là aussi facilement que de moustiques.

Leonardo sembla surpris, puis offusqué, et enfin amusé.

— Alors je suis doublement heureux de me trouver en ta compagnie. (Il prit un air entendu.) Et quelque chose me dit que ce n'est pas uniquement pour des raisons sentimentales que tu souhaites me voir arriver là-bas en un seul morceau.

Ezio lui adressa un sourire, mais il s'abstint de lui répondre. Il préféra déclarer :

— J'ai cru remarquer que tu travaillais encore sur cette chose en forme de chauve-souris...

— Comment ?

— Tu sais très bien de quoi je parle.

— Oh, ça ? Ce n'est rien. Juste une chose que j'ai bricolée vite fait. Mais je n'ai pas été capable de l'abandonner.

— Qu'est-ce que c'est ?

Leonardo fit preuve d'une certaine réticence.

— Je n'aime pas vraiment parler d'une machine avant qu'elle soit achevée.

— Leonardo ! Tu peux me faire confiance ! (Ezio baissa d'un ton.) Après tout, je t'ai confié certains secrets...

Leonardo hésita longuement, puis il se détendit.

— Bon, d'accord. Mais tu ne dois en parler à personne.

— *Promesso.*

— De toute façon, on te prendrait pour un fou, si tu le racontais, poursuivit Leonardo d'un ton enthousiaste. Écoute. Je crois que j'ai trouvé le moyen de faire voler un homme !

Ezio le regarda et éclata de rire, totalement incrédule.

— Un jour, tu seras obligé d'effacer ce sourire de ton visage, dit Leonardo d'un air débonnaire.

Il changea de sujet et se mit à parler de Venise, la Sérénissime, à l'écart du reste de l'Italie, qui avait plus tendance à se tourner vers l'Orient que l'Occident pour y faire du commerce, mais avec une vive appréhension, car les Turcs ottomans étendaient désormais leur influence jusqu'à la moitié nord de la côte adriatique. Il parla de la beauté et de la perfidie de Venise, du soin avec lequel la cité s'efforçait de gagner de l'argent, de ses richesses, de ses étranges constructions – une cité parcourue de canaux sortie des marécages et bâtie sur des fondations de centaines de milliers d'énormes pieux de bois –, de sa féroce volonté d'indépendance et de son pouvoir politique. Moins de trois cents ans auparavant, le doge de Venise avait dérouté toute une croisade qui se rendait en Terre sainte pour qu'elle puisse servir ses propres intérêts, qu'elle anéantisse toute concurrence commerciale et militaire, toute opposition à sa cité-État, et pour qu'elle mette l'Empire byzantin à genoux. Il parla des impasses fluviales, discrètes et noires comme de l'encre, des imposants *palazzi* éclairés à la bougie, du curieux dialecte italien dans lequel on s'y exprimait, du silence qui y régnait, de la splendeur criarde des vêtements, des formidables peintres, dont le prince était Giovanni Bellini – et que Leonardo avait hâte de rencontrer –, de la musique, des masques, de l'exubérante capacité des habitants à faire de l'esbroufe, de leur maîtrise de l'art du poison.

— Et tout ça, conclut-il, je l'ai appris dans les livres. Imagine un peu à quoi ça doit ressembler dans la réalité !

Ce sera sale et humain, songea froidement Ezio. *Comme partout ailleurs.* Mais il adressa à son ami un sourire poli. Leonardo était un rêveur. Et il fallait le laisser rêver.

Ils s'étaient engagés dans un défilé, et leurs voix se répercutaient sur les parois rocheuses. Ezio, qui scrutait la crête presque invisible des falaises qui les cernaient de chaque côté, se raidit brusquement. Les cavaliers étaient partis devant, mais, dans un lieu aussi confiné, il aurait dû être capable de percevoir le bruit des sabots de leurs montures. Mais il n'entendait rien. Une légère brume s'était levée, en même temps qu'une soudaine fraîcheur, et rien de tout cela ne le rassura. Leonardo ne semblait pas en avoir conscience, mais Ezio remarqua que les charretiers étaient également sur leurs gardes.

Soudain, une fine pluie de cailloux crépita contre la paroi du défilé, ce qui fit faire un écart à la monture d'Ezio. Ce dernier leva la tête et plissa les yeux à cause du soleil qui brillait au-dessus d'eux, et contre lequel se découpait la silhouette d'un aigle qui planait.

Bientôt, même Leonardo s'inquiéta.

— Qu'est-ce qui se passe ? demanda-t-il.

— On n'est pas seuls, répondit Ezio. Il y a peut-être des archers ennemis au sommet des falaises.

Puis il entendit le fracas de sabots, de plusieurs chevaux, qui approchaient d'eux par-derrière.

Ezio fit volter sa monture, et il vit qu'une demi-douzaine de cavaliers venaient à leur rencontre. Leur bannière représentait une croix rouge sur un bouclier jaune.

— Borgia ! marmonna-t-il en dégainant son épée, tandis qu'un carreau d'arbalète venait se ficher dans le flanc du chariot.

Les charretiers s'enfuirent le long de la route, et les bœufs eux-mêmes durent se sentir concernés, car ils se mirent de leur propre gré à avancer d'un pas lourd.

— Prends les rênes et continue à avancer, s'écria Ezio à l'attention de Leonardo. C'est moi qu'ils veulent, pas toi. Avance, quoi qu'il puisse se passer !

Leonardo se hâta d'obtempérer tandis qu'Ezio chevauchait en direction des cavaliers. Son épée, l'une de celles de Mario, avait le pommeau bien équilibré, et sa monture était plus légère et maniable que celles de ses adversaires. Mais ils étaient bien protégés, et il n'aurait pas l'occasion d'utiliser les lames du Codex. Ezio planta ses éperons dans les flancs de sa monture et se précipita au beau milieu de ses ennemis. En se couchant sur sa selle, il percuta le groupe de plein fouet, sa puissante charge incitant deux de leurs chevaux à se cabrer violemment. Puis les coups d'épée se mirent à pleuvoir. Le bracelet de protection qu'il portait à l'avant-bras gauche lui permit toutefois de dévier un certain nombre d'attaques, et il profita de la surprise de l'un de ses ennemis, lorsque ce dernier se rendit compte que son coup n'avait pas fait mouche, pour lui porter, à son tour, un assaut significatif.

Il ne lui fallut pas longtemps pour désarçonner quatre de ses adversaires, permettant aux deux survivants de faire demi-tour et de s'enfuir au galop par le même chemin d'où ils étaient venus. Cette fois, en revanche, il savait qu'il ne pouvait pas se permettre de laisser à quiconque la possibilité de revenir auprès de Rodrigo. Il les poursuivit donc, abattant le premier, puis le second, dès qu'il l'eut rattrapé.

Il fouilla rapidement leurs dépouilles, mais aucun des deux ne possédait quoi que ce soit qui soit d'un intérêt notable. Il les traîna ensuite sur le bas-côté de la route et recouvrit leurs corps de rochers et de pierres. Il se remit en selle et rebroussa chemin, ne s'arrêtant que pour débarrasser la route des autres cadavres et leur offrir un enterrement rudimentaire, du moins suffisant pour les dissimuler, à l'aide des pierres et des broussailles qu'il avait sous la main. Il ne put rien faire pour leurs montures, qui, de toute façon, s'étaient enfuies.

Ezio avait une fois encore échappé à la vengeance de Rodrigo, mais il savait que le cardinal Borgia ne renoncerait pas tant qu'il ne serait pas assuré de sa mort. Il piqua des deux et rejoignit Leonardo au plus vite. Lorsqu'il l'eut rattrapé, ils se mirent tous les deux à la recherche des charretiers en criant leurs noms. En vain.

— Je leur ai laissé une énorme caution pour ce chariot et ces bœufs, grommela Leonardo. J'imagine que je ne la reverrai plus jamais.

— Une fois à Venise, tu n'auras qu'à les revendre.

— Ils ne se servent pas uniquement de gondoles, là-bas ?

— Il y a beaucoup de fermes, sur le continent.

Leonardo le regarda.

— Bon Dieu, Ezio, ce que j'apprécie ton côté pragmatique !

Ils poursuivirent leur long périple à travers le pays. Ils passèrent devant l'ancien bourg de Forlì, désormais une cité-État de plein droit, et gagnèrent Ravenne et son port, à quelques kilomètres de là. Ils embarquèrent ensuite sur un navire, une galère côtière en provenance d'Ancône qui faisait étape avant de rejoindre Venise, et, après s'être assuré que personne à bord ne représentait la moindre menace, Ezio s'efforça de se reposer un peu. Mais il était conscient que, même sur un navire aussi petit que celui-là, il ne serait pas difficile d'égorger quelqu'un pendant la nuit et de jeter son corps par-dessus bord, dans les eaux bleu-noir. Il surveilla donc les allées et venues d'un œil vigilant chaque fois qu'ils accostaient dans un petit port.

Ils atteignirent toutefois sans incident les chantiers navals de Venise, quelques jours plus tard. Ce ne fut qu'une fois arrivé à destination qu'Ezio essuya un nouveau revers, et ce dernier eut une origine pour le moins inattendue.

Ils avaient débarqué, et ils attendaient à présent le bac qui les mènerait à la cité insulaire. Il arriva à l'heure prévue, et des marins aidèrent Leonardo à embarquer son chariot sur le bateau, qui se mit à osciller dangereusement à cause de son poids. Le capitaine du bac prévint Leonardo que quelques membres du personnel du *conte* da Pexaro l'attendraient sur le quai pour le conduire à ses nouveaux appartements. Puis, après lui avoir adressé un salut et un sourire, il l'aida à monter à bord.

— Vous avez votre laissez-passer, naturellement, *signore*...

— Bien sûr, répondit Leonardo en lui tendant un morceau de papier.

— Et vous, monsieur ? s'enquit poliment le capitaine en se tournant vers Ezio.

Ezio fut pris au dépourvu. Il était venu sans invitation, ignorant cette règle locale.

— Mais... je n'ai pas de laissez-passer, avoua-t-il.

— C'est inutile, intervint Leonardo, en s'adressant au capitaine. Il est avec moi. Je me porte garant de lui. Je suis sûr que le *conte*...

Mais le capitaine leva la main.

— Je regrette, *signore*. Les règles du Grand Conseil sont claires. Personne ne peut entrer dans la cité de Venise sans un laissez-passer.

Leonardo était sur le point de protester, mais Ezio l'interrompit.

— Ne t'inquiète pas, Leonardo. Je trouverai le moyen de m'arranger.

— Je regrette de ne pas pouvoir vous aider, monsieur, dit le capitaine, mais j'ai des ordres. (D'une voix plus forte, il annonça à l'attention de l'ensemble des passagers :) Votre attention, s'il vous plaît ! Le bac partira sur les coups de 22 heures !

Ezio savait que cela ne lui laisserait que peu de temps.

Un couple très bien habillé attira son attention. Il avait déjà remarqué ces deux personnes lorsqu'elles avaient embarqué sur la galère en même temps qu'eux et qu'elles s'étaient installées dans la meilleure cabine. Elles s'étaient montrées très discrètes tout au long du voyage. Elles étaient à présent seules au pied de l'un des embarcadères, où plusieurs gondoles privées étaient amarrées, et elles se trouvaient manifestement au beau milieu d'une âpre dispute.

— Ma bien-aimée, je t'en prie, disait l'homme.

Il était d'un genre délicat et semblait avoir vingt ans de plus que sa compagne, une sémillante rousse au regard impétueux.

— Girolamo, tu n'es qu'un imbécile ! Dieu seul sait pourquoi je t'ai épousé, et il sait aussi à quel point j'en ai souffert ! Tu ne cesses de me trouver des défauts. Je suis cloîtrée comme une poule dans un poulailler dans ton épouvantable petite bourgade de province, et maintenant, ça ! Tu n'es même pas capable de réserver une gondole pour nous emmener à Venise ! Et quand je pense que ton oncle, c'est ce fichu pape, rien que ça ! On aurait pu croire que tu aurais été capable d'user de ton influence, mais regarde-toi ! Tu es aussi courageux qu'une limace !

— Caterina…

— Tais-toi, espèce de crapaud ! Contente-toi d'appeler quelqu'un pour qu'il s'occupe de nos bagages, et, pour l'amour de Dieu, fais-moi rentrer à Venise. Il me faut un bain et du vin !

Girolamo se cabra.

— Ce n'est pas l'envie qui me manque de te laisser là et de continuer tout seul jusqu'à Pordenone !

— De toute façon, j'ai toujours dit qu'on aurait dû voyager par la route.

— C'est trop dangereux…

— Oui, pour un pleutre comme toi !

Girolamo garda le silence, tandis qu'Ezio continuait à les observer. Puis Girolamo déclara, d'un air roublard :

— Pourquoi est-ce que tu n'embarquerais pas dans cette gondole, là ? (Il en désigna une.) Je vais immédiatement tâcher de trouver deux gondoliers.

— Hmmm… Enfin un peu de bon sens !

Elle grommela et l'autorisa à lui prendre la main pour l'aider à monter à bord du bateau. Mais, dès qu'elle fut installée, Girolamo détacha rapidement l'amarre et imprima une forte poussée sur la proue, forçant la gondole à se diriger vers le lagon.

— *Buon viaggio* ! s'écria-t-il d'un ton désagréable.

— *Bastardo* ! lui lança-t-elle en guise de réponse. (Puis, se rendant compte de la situation délicate dans laquelle elle se trouvait, elle se mit à crier :) *Aiuto* ! *Aiuto* !

Mais Girolamo avait déjà fait demi-tour, et il se dirigeait vers un groupe de serviteurs qui tournaient fébrilement autour d'un empilement de bagages. Il leur donna des ordres. Il se rendit bientôt en leur compagnie et avec les bagages vers une autre partie du quai, où il tenta d'organiser un passage en bac privé.

Pendant ce temps, Ezio n'avait pas quitté des yeux la femme en détresse, Caterina, à demi amusé, sans l'ombre d'un doute, mais également un peu inquiet. Elle le regarda droit dans les yeux.

— Eh, vous ! Ne restez pas là à rien faire ! J'ai besoin d'aide !

Ezio déboucla son ceinturon, ôta ses chaussures et son pourpoint, et il plongea.

De retour sur le quai, Caterina, tout sourires, tendit la main vers Ezio, qui était trempé.

— Mon héros, soupira-t-elle.

— Ce n'est rien.

— J'aurais pu me noyer ! Et ce *porco* s'en moque ! (Elle adressa à Ezio un regard débordant de gratitude.) Mais vous ! Mon Dieu, vous devez être drôlement fort. J'ai du mal à croire que vous ayez réussi à regagner le rivage à la nage tout en tirant la gondole par la corde, et avec moi dedans !

— C'était aussi léger qu'une plume, répondit Ezio.

— Flatteur !

— Je veux dire, ces bateaux sont tellement bien équilibrés...

Caterina fronça les sourcils.

— C'était un honneur de pouvoir vous servir, *signora*, poursuivit mollement Ezio.

— À charge de revanche, dit-elle, le regard lourd de sens. Comment vous appelez-vous ?

— Ezio Auditore.

— Je m'appelle Caterina. (Elle marqua un temps d'arrêt.) Où allez-vous ?

— J'allais à Venise, mais je n'ai pas de laissez-passer, donc le bac...

— *Basta* ! l'interrompit-elle. Ainsi, ce petit fonctionnaire ne veut pas vous laisser monter à bord, c'est bien ça ?

— Oui.

— C'est ce qu'on va voir !

Elle s'éloigna d'un bon pas sur la jetée, sans attendre qu'Ezio ait eu le temps de remettre ses chaussures et son pourpoint. Lorsqu'il la rejoignit, elle était déjà arrivée à hauteur du bac et, d'après ce qu'il comprit, elle était en train de sermonner l'homme, qui tremblait comme une feuille. Tout ce qu'il entendit, en arrivant, fut le capitaine qui marmonnait d'un air plus que soumis :

— Oui, *Altezza* ; naturellement, *Altezza* ; tout ce que vous voudrez, *Altezza*…

— J'espère bien que vous m'obéirez ! À moins que vous vouliez voir votre tête au bout d'une pique ! Le voilà ! Allez chercher son cheval et ses affaires ! Allez ! Et qu'il soit bien traité ! Si ce n'est pas le cas, je finirai bien par l'apprendre ! (Le capitaine obtempéra avec empressement. Caterina se tourna alors vers Ezio.) Voilà. Vous voyez ? Tout est réglé !

— Je vous remercie, *madonna*.

— À votre service. (Elle le regarda.) Mais j'espère que nos chemins se croiseront de nouveau. (Elle tendit la main.) Je suis de Forlì. Venez me voir, un jour. Je serai ravie de vous accueillir.

Elle lui tendit la main et s'apprêta à partir.

— Vous ne voulez plus aller à Venise ? demanda-t-il.

Elle le regarda encore, puis le bac.

— Sur ce tas de ferraille ? Vous plaisantez !

Et elle s'éloigna, longeant le quai en direction de son époux, qui surveillait le chargement de leurs dernières valises.

Le capitaine accourut, menant la monture d'Ezio par la bride.

— Et voici, monsieur. Je vous présente mes plus humbles excuses, monsieur. Si seulement j'avais su…

— Je voudrais que mon cheval soit conduit à une écurie, à notre arrivée.

— Avec plaisir, monsieur.

Tandis que le bac s'éloignait et s'apprêtait à traverser l'eau couleur de plomb du lagon, Leonardo, qui avait observé la scène du début à la fin, déclara d'un ton sarcastique :

— Tu sais de qui il s'agit, n'est-ce pas ?

— Certainement ma prochaine conquête, sourit Ezio.

— Alors fais attention où tu mets les pieds ! Il s'agit de Caterina Sforza, la fille du duc de Milan. Et son mari, c'est le duc de Forlì et le neveu du pape.

— Comment s'appelle-t-il ?

— Girolamo Riario.

Ezio garda le silence. Ce nom de famille lui disait quelque chose. Puis il déclara :

— Eh bien, il a épousé une vraie beauté !

— Comme je viens de te le dire, répéta Leonardo, fais attention où tu mets les pieds !

Chapitre 12

En 1481, sous la ferme domination du doge Giovanni Mocenigo, Venise était, dans l'ensemble, un lieu où il faisait plutôt bon vivre. On était en paix avec les Turcs, la cité était prospère, les routes commerciales, qu'elles soient maritimes ou terrestres, étaient sûres, les taux d'intérêt étaient, il fallait en convenir, relativement élevés, mais les investisseurs étaient haussiers, et les épargnants ravis. L'Église était égalcment opulente, et les artistes prospéraient sous le double patronage de leurs mécènes spirituels et temporels. La cité, riche du pillage généralisé de Constantinople après la quatrième croisade, qui avait été détournée par le doge Dandolo de son véritable objectif, avait mis Constantinople à genoux et faisait ouvertement étalage de son butin : les quatre chevaux de bronze alignés le long de la façade supérieure de la basilique Saint-Marc en étant les plus évidents représentants.

Mais Leonardo et Ezio, qui approchaient du *molo*, en ce début de matinée estivale, ignoraient tout du passé vil, perfide et sulfureux de la cité. Ils ne virent que la splendeur du marbre rose et du briquetage du palais ducal, la vaste place qui s'étirait devant eux puis sur la gauche, le campanile de brique d'une hauteur renversante, et les frêles Vénitiens eux-mêmes, revêtus de leurs habits sombres, qui se déplaçaient d'un pas léger, comme des ombres, le long de la terre ferme, ou naviguaient au milieu de leurs canaux labyrinthiques et malodorants sur toutes sortes d'embarcations, de l'élégante gondole à la barge malhabile chargée d'une grande variété de produits allant des fruits aux briques.

Les serviteurs du *conte* da Pexaro se chargèrent des effets de Leonardo et, sur sa suggestion, s'occupèrent également de la monture d'Ezio, tout en promettant qu'ils allaient préparer des appartements adéquats pour le jeune fils du banquier de Florence. Puis ils se dispersèrent, abandonnant un gros jeune homme au teint cireux et aux yeux globuleux, dont la chemise était humectée de sueur et le sourire si mielleux qu'il aurait rendu jaloux un essaim d'abeilles.

— *Altezze*, minauda-t-il en s'approchant d'eux. Permettez-moi de me présenter. Je m'appelle Nero, et je suis le *funzionario da accoglienza* personnel du *conte*. Il est de mon devoir – et ce sera pour moi un plaisir – de vous proposer en guise d'introduction une courte visite guidée de notre fière cité avant que le *conte* puisse vous recevoir… (Nero observa avec nervosité Leonardo et Ezio chacun leur tour, tentant de deviner lequel des deux était l'artiste accrédité, et, par chance, il décida qu'il devait s'agir de Leonardo, celui qui ressemblait le moins à un homme d'action.)… *messer* Leonardo, devant un verre de vin de Vénétie avant de dîner, repas que *messer* aura l'obligeance de prendre à l'office du haut. (Il les salua le plus bas qu'il put, pour la bonne mesure.) Notre gondole vous attend…

Pendant la demi-heure qui s'ensuivit, Ezio et Leonardo – même s'ils y étaient obligés – purent apprécier les merveilles de la Sérénissime depuis le meilleur endroit possible à leurs yeux : une gondole, pilotée de main de maître par ses deux gondoliers, l'un à l'avant, l'autre à l'arrière. Mais leur plaisir fut gâché par les boniments obséquieux de Nero. Ezio, malgré son intérêt pour l'architecture et la beauté unique des lieux, fatigué et encore trempé de son sauvetage de la *madonna* Caterina, tenta de trouver refuge dans le sommeil et de faire abstraction du monologue monotone de Nero, mais il se réveilla soudain en sursaut. Quelque chose avait attiré son attention.

Sur la berge du canal, non loin du palais du *marchese* de Ferrara, Ezio entendit des éclats de voix. Deux gardes armés molestaient un commerçant.

— On vous avait dit de rester chez vous, monsieur, dit l'un des hommes en uniforme.

— Mais j'ai payé le loyer. J'ai tout à fait le droit de vendre mes articles ici !

— Désolé, monsieur, mais c'est en infraction avec les nouvelles règles de *messer* Emilio. Je crains que vous vous trouviez dans une situation délicate, monsieur.

— Je ferai appel auprès du Conseil des Dix !

— On n'a pas le temps pour ça, monsieur, répondit le deuxième homme en uniforme, en donnant un coup de pied dans l'auvent de l'échoppe du commerçant.

Celui-ci vendait des articles en cuir, et les gardes, après s'être mis dans les poches ceux qui leur avaient semblé les plus intéressants, jetèrent la plus grande partie des marchandises dans le canal.

— Maintenant, et si on mettait un terme à ces absurdités, monsieur ? dit l'un des hommes en uniforme tandis qu'ils se pavanaient tranquillement.

— Que se passe-t-il ? demanda Ezio à Nero.

— Rien du tout, *Altezza*. Un petit problème local. Je vous prie de ne pas y prêter attention. Et, à présent, nous sommes sur le point de passer sous le célèbre pont de bois du Rialto, le seul à enjamber le Grand Canal, dont la renommée historique...

Ezio fut ravi de laisser le pauvre bonhomme poursuivre ses boniments, mais ce qu'il avait vu l'avait fortement troublé.

Et il avait entendu le nom d'« Emilio ». Un prénom chrétien assez répandu – mais s'agissait-il d'Emilio Barbarigo ?

Peu de temps après, Leonardo insista pour qu'ils s'arrêtent afin qu'il puisse jeter un coup d'œil à un marché dont des éventaires présentaient des jouets. Il se dirigea vers celui qui avait aussitôt attiré son attention.

— Regarde, Ezio ! s'écria-t-il.

— Qu'est-ce que tu as trouvé ?

— C'est un mannequin. Un petit mannequin articulé que nous, les artistes, utilisons comme modèle. J'aimerais bien en acheter deux. Aurais-tu la gentillesse… Il semblerait que j'aie rangé ma bourse avec mes sacs et que le tout soit déjà parti vers mon nouvel atelier.

Mais, tandis qu'Ezio tendait la main vers sa propre bourse, un groupe de jeunes gens passèrent devant eux en les bousculant, et l'un d'eux tenta de la lui arracher de son ceinturon.

— Eh ! s'écria Ezio. *Coglione* ! Arrête-toi !

Et il partit à sa poursuite. Celui qu'il avait repéré comme étant son agresseur se retourna un instant, écartant une mèche de cheveux cuivrés de son visage. Un visage de femme ! Mais elle disparut aussitôt, se fondant dans la foule avec ses compagnons.

Ils reprirent leur visite en silence, Leonardo serrant cependant avec contentement ses deux petits mannequins. Ezio avait hâte de se débarrasser du bouffon qui leur servait de guide, et même de Leonardo. Il avait envie de rester seul, de prendre le temps de réfléchir.

— Et nous approchons à présent du célèbre Palazzo Seta, poursuivit Nero d'un ton monocorde. La demeure de *Su Altezza* Emilio Barbarigo. *Messer* Barbarigo est aujourd'hui réputé pour avoir à de nombreuses reprises essayé d'unifier les négociants de la cité sous son contrôle éclairé. Une entreprise estimable qui a, hélas, dû faire face à une certaine résistance de la part des éléments les plus radicaux de la ville.

Une sinistre bâtisse fortifiée se dressait derrière le canal, disposant devant elle d'un espace dallé, au quai duquel trois gondoles étaient amarrées. Lorsque leur propre embarcation passa devant, Ezio remarqua que le même commerçant que celui qu'il avait vu se faire molester un peu plus tôt tentait désespérément d'entrer dans la demeure. Il en était empêché par deux autres gardes, et Ezio remarqua sur leurs épaules un blason jaune barré d'un chevron rouge sous lequel était représenté un cheval noir et au-dessus duquel figuraient un dauphin, une étoile et une grenade. Des hommes de Barbarigo, naturellement !

— On a détruit mon échoppe et saccagé mes biens. Je demande réparation ! disait le commerçant en colère.

— Navré, monsieur, mais c'est fermé, répondit l'un des hommes en uniforme en repoussant le pauvre homme de la pointe de sa hallebarde.

— Je n'en ai pas terminé ! Je me plaindrai de vous auprès du Grand Conseil !

— Si ça te fait plaisir..., l'interrompit sèchement le second homme en uniforme, plus âgé que son collègue.

Un officier et trois hommes supplémentaires firent leur apparition.

— Alors, on cherche la bagarre ? demanda l'officier.

— Non, je...

— Qu'on arrête cet homme ! aboya l'officier.

— Qu'est-ce que vous faites ? demanda le commerçant, effrayé.

Ezio observa la scène, impuissant, de plus en plus remonté, mais il avait retenu l'emplacement des lieux. Ils traînèrent le commerçant en direction de la bâtisse, où s'ouvrit une petite porte bardée de fer, qui se referma aussitôt derrière lui.

— Tu n'as pas choisi la meilleure ville, Leonardo, même si elle est très jolie, dit Ezio à son compagnon.

— Je commence à regretter de ne pas m'être décidé pour Milan, finalement, répondit Leonardo. Mais un emploi est un emploi !

Chapitre 13

Après qu'Ezio eut pris congé de Leonardo et se fut installé dans ses propres appartements, il revint sans perdre de temps au Palazzo Seta, ce qui se révéla une tâche relativement complexe dans une ville composée de ruelles, de canaux sinueux, de basses arches, de petites places et de culs-de-sac. Mais tout le monde connaissait le *palazzo*, et, lorsqu'il se perdait, les gens du cru lui indiquaient volontiers la direction à prendre… même s'ils semblaient tous perplexes quant aux raisons qui pouvaient le pousser à vouloir s'y rendre de son plein gré. Un ou deux lui suggérèrent qu'il lui serait plus facile de s'y rendre en gondole, mais Ezio souhaitait aussi bien se familiariser avec la cité qu'atteindre son objectif sans se faire remarquer.

Ce ne fut qu'en fin d'après-midi qu'il atteignit le *palazzo*, même s'il s'agissait moins d'un palais que d'une forteresse, ou d'une prison, car le grand bâtiment principal avait été érigé à l'intérieur de remparts. De chaque côté, il était cerné par d'autres bâtiments, séparés de lui par d'étroites ruelles, mais à l'arrière se trouvait ce qui ressemblait à un assez vaste jardin entouré d'un autre mur élevé, et, devant, face au canal, il y avait la large place qu'Ezio avait aperçue un peu plus tôt. Toutefois, une bataille rangée semblait désormais se disputer entre un groupe de gardes de Barbarigo et une bande hétéroclite de jeunes gens qui les raillaient en esquivant leurs hallebardes et leurs piques en faisant de légers bonds en arrière, et qui jetaient des briques, des pierres, des œufs pourris et des fruits sur les soldats furieux. Ils faisaient peut-être simplement diversion, car Ezio, en regardant derrière eux, aperçut une silhouette qui escaladait le mur du *palazzo*, à l'écart de la rixe. Ezio fut impressionné : le mur était si raide que lui-même aurait hésité à s'y attaquer. Mais la silhouette atteignit les remparts sans se faire repérer et, manifestement, sans difficulté majeure. Puis, aussi incroyable que cela ait pu sembler, elle bondit jusqu'au toit de l'une des tours de guet. Ezio comprit que la personne prévoyait d'effectuer un nouveau bond jusqu'au toit du palais avant de tenter d'accéder à l'intérieur de la bâtisse. Il prit note mentalement de la tactique employée, au cas où il devrait lui-même l'employer… s'il en était capable. Mais les gardes de la tour de guet avaient entendu la personne se réceptionner, et ils avertirent leurs collègues du palais. Un archer apparut à une fenêtre, sous l'avant-toit du palais, et il décocha une flèche. La silhouette effectua un bond gracieux, et le projectile manqua sa cible, avant de ricocher sur les tuiles, mais, la seconde fois, l'archer visa avec plus de précision, et, en poussant un léger cri, la silhouette chancela en se tenant la cuisse.

L'archer décocha une nouvelle flèche, mais manqua son tir, car la silhouette avait rebroussé chemin et bondi du toit de la tour aux remparts, le long desquels d'autres gardes étaient déjà en train d'accourir. Puis elle sauta par-dessus le mur et glissa à terre autant qu'elle chuta.

De l'autre côté de la place, devant le *palazzo*, les gardes de Barbarigo parvenaient à repousser leurs assaillants dans la ruelle qui se trouvait derrière ceux-ci, et le long de laquelle ils commençaient à les poursuivre. Ezio saisit cette occasion pour rattraper la silhouette, qui s'apprêtait à effectuer un dernier bond pour se mettre en lieu sûr, dans la direction opposée.

Lorsqu'il arriva à sa hauteur, il fut surpris par la carrure fine – celle d'un adolescent – mais athlétique de cette personne. Alors qu'il était sur le point de lui proposer son aide, elle se retourna vers lui, et il reconnut le visage de la fille qui avait tenté de lui arracher sa bourse, plus tôt dans la journée, au marché.

Il fut surpris, troublé et – curieusement – conquis.

— Donne-moi ton bras, lui dit la fille, sur le ton de l'urgence.

— Tu ne te souviens pas de moi ?

— Je devrais ?

— Je suis celui dont tu as tenté de voler la bourse, au marché, aujourd'hui.

— Je suis navrée, mais ce n'est pas vraiment le moment de se rappeler des souvenirs agréables ! Si on ne part pas de là tout de suite, on est morts.

Comme pour illustrer son propos, une flèche siffla en passant entre eux. Ezio prit le bras de la fille et le fit glisser sur ses propres épaules, tandis qu'il lui passait le sien autour de la taille, la soutenant, comme il avait jadis soutenu Lorenzo.

— On va où ?

— Au canal.

— Bien sûr, répondit-il d'un ton sarcastique. Il n'y en a qu'un à Venise, n'est-ce pas ?

— Tu me sembles bien effronté pour un nouveau venu. Par ici – je vais te montrer – mais vite ! Regarde : ils sont déjà derrière nous !

Et il était vrai qu'un petit détachement de soldats traversait la place pavée et se dirigeait vers eux.

Une main sur sa cuisse blessée, et crispée par la douleur, elle guida Ezio le long d'une allée, qui déboucha sur une autre, puis sur une autre et encore une autre, jusqu'à ce qu'Ezio ait perdu tout sens de l'orientation. Derrière eux, les voix de leurs poursuivants s'estompèrent progressivement, avant de disparaître complètement.

— Ce sont des mercenaires qu'ils ont fait venir du continent, expliqua la fille d'un ton très méprisant. Ils n'ont aucune chance, dans cette ville, contre nous qui sommes du coin. On se perd trop facilement. Allez, *viens* !

Ils parvinrent à une jetée sur le Canale della Misericordia. Un bateau quelconque y était amarré, occupé par deux hommes. En voyant Ezio et la fille, l'un d'eux commença à dénouer l'amarre, tandis que l'autre les aidait à monter à bord.

— Qui c'est, lui ? demanda le second à la fille.

— Aucune idée, mais il s'est trouvé au bon endroit au bon moment, et il n'est apparemment pas avec Emilio.

Elle semblait sur le point de s'évanouir.

— Elle est blessée à la cuisse, expliqua Ezio.

— Je ne peux pas retirer ça tout de suite, dit l'homme en regardant le projectile là où il s'était fiché. Je n'ai pas de baume, ni de bandages, ici. Il faut vite la ramener, avant que les rats d'égout d'Emilio nous rattrapent. (Il se tourna vers Ezio.) Qui es-tu, au fait ?

— Je m'appelle Ezio Auditore. Je suis de Florence.

— Hmmm. Moi, c'est Ugo. Elle, c'est Rosa, et le gars, là-haut, avec la pagaie, c'est Paganino. On n'aime pas trop les étrangers.

— Qui êtes-vous ? demanda Ezio, sans tenir compte de la dernière remarque de l'homme.

— Des libérateurs professionnels des biens d'autrui, répondit Ugo.

— Des voleurs, expliqua Paganino en éclatant de rire.

— Il faut toujours que tu retires toute la poésie, dit Ugo d'un air triste. (Puis il se mit soudain sur le qui-vive.) Attention ! s'écria-t-il lorsqu'une flèche, puis une autre, vinrent se ficher avec un bruit sourd dans la coque du bateau.

Ils levèrent la tête et aperçurent deux archers de Barbarigo au sommet d'un toit, non loin. Ils garnissaient leurs arcs longs de nouvelles flèches. Ugo chercha à tâtons au fond du bateau et tira une grosse arbalète de professionnel qu'il chargea aussitôt avant de viser et de tirer dans la foulée. Au même moment, Ezio lança successivement deux couteaux sur le second archer. Les deux hommes tombèrent dans le canal en hurlant.

—Ce salaud a des hommes de main partout, dit Ugo à Paganino sur le ton de la conversation.

C'étaient tous les deux de petits hommes aux larges épaules et à l'air endurci qui devaient avoir la vingtaine. Ils maniaient habilement le bateau et connaissaient manifestement le réseau de canaux comme leur poche, car, plus d'une fois, Ezio fut convaincu qu'ils tournaient dans l'équivalent aquatique d'une impasse, pour finalement se rendre compte que ce n'était pas un mur de brique, au bout de la voie, mais une arche basse en dessous de laquelle il y avait juste assez de place pour laisser passer l'embarcation, s'ils baissaient tous la tête.

—Pourquoi est-ce que vous attaquiez le Palazzo Seta ? demanda Ezio.

—Mêle-toi de tes affaires, répondit Ugo.

—Emilio Barbarigo ne fait pas partie de mes amis. On peut peut-être s'entraider…

—Qu'est-ce qui te fait croire qu'on a besoin de toi ? rétorqua Ugo.

—Allons, Ugo, intervint Rosa. Regarde ce qu'il vient de faire. Et tu oublies aussi un peu vite qu'il m'a sauvé la vie. Je suis la plus agile d'entre nous. Sans moi, on n'arrivera jamais à s'introduire au sein du nid de vipères. (Elle se tourna face à Ezio.) Emilio est en train d'essayer de s'attribuer le monopole du commerce dans la ville. C'est un homme puissant, et il a plusieurs conseillers dans la poche. On en est arrivés à un point où dès qu'un commerçant ose le défier en tentant de conserver son indépendance, il est simplement réduit au silence.

—Mais vous n'êtes pas des marchands... Vous êtes des voleurs...

—Des voleurs professionnels, rectifia-t-elle. Les affaires individuelles, les magasins privés, les individus seuls : ils représentent tous des cibles plus faciles que n'importe quel monopole collectif. De toute façon, ils sont assurés, et les compagnies remboursent leurs clients après leur avoir soutiré des primes astronomiques. Donc, tout le monde est content. Emilio risque de transformer Venise en désert, pour les gens comme nous !

—Sans oublier que c'est une grosse merde qui veut non seulement mettre la main sur le commerce local, mais aussi sur la cité elle-même, ajouta Ugo. Mais Antonio va tout t'expliquer.

—Antonio ? Qui est-ce ?

—Tu le sauras bientôt, monsieur le Florentin.

Ils finirent par accoster une jetée, où ils s'amarrèrent rapidement, car la blessure de Rosa avait besoin d'être nettoyée et traitée si on voulait éviter que la jeune femme y reste. Abandonnant Paganino au bateau, Ugo et Ezio, portant entre eux Rosa, qui était désormais sur le point de perdre connaissance à cause de tout le sang qu'elle avait perdu, autant qu'ils la traînaient, couvrirent la courte distance qui les séparait d'une nouvelle ruelle sinueuse aux murs de brique rouge sombre et de bois, et débouchèrent sur une petite place, au centre de laquelle se trouvaient un puits et un arbre et qui était cernée de bâtiments sales dont le stuc s'était écaillé depuis longtemps.

Ils se dirigèrent vers la porte – dont le pourpre avait quelque peu noirci – de l'un des bâtiments, et Ugo y frappa une série de coups selon un rythme complexe. Un œilleton fut ouvert et refermé, puis la porte s'ouvrit aussi brusquement qu'elle se referma derrière eux. Même si tout le reste était dans un état de délabrement avancé, comme le remarqua Ezio, les gonds, les serrures et les verrous étaient bien huilés et dépourvus de la moindre trace de rouille.

Il se retrouva dans une cour miteuse entourée de hauts murs gris recouverts de traces et au milieu desquels on avait percé quelques fenêtres. Deux escaliers de bois s'élevaient de chaque côté pour rejoindre des galeries qui faisaient tout le tour des murs, au premier et au deuxième étage, et sur lesquelles donnaient un certain nombre de portes.

Quelques personnes, dont certaines avaient participé à la rixe devant le Palazzo Seta un peu plus tôt, étaient rassemblées. Ugo donnait déjà des ordres.

— Où est Antonio ? Allez le chercher ! Et faites un peu de place pour Rosa. Trouvez-moi une couverture, un peu de baume, de l'eau chaude, un couteau aiguisé, des bandages...

Un homme se précipita vers l'un des escaliers et disparut derrière l'une des portes du premier étage. Deux femmes déroulèrent une petite natte presque propre, sur laquelle elles étendirent délicatement Rosa. Une troisième disparut et réapparut avec la trousse de secours qu'Ugo avait réclamée. Rosa reprit connaissance, vit Ezio et tendit la main vers lui. Il la lui prit et s'agenouilla auprès d'elle.

— Où sommes-nous ?

— Je crois qu'il doit s'agir de ton quartier général. Quoi qu'il en soit, tu es en sécurité.

Elle lui serra la main.

— Je suis désolée d'avoir essayé de te détrousser.

— N'y pense plus.

— Merci de m'avoir sauvé la vie.

Ezio avait l'air inquiet. Elle était très pâle. Ils allaient devoir faire vite s'ils voulaient vraiment la sauver.

— Ne t'inquiète pas, Antonio saura quoi faire, lui dit Ugo en se relevant.

Se hâtant dans l'un des escaliers, un homme bien habillé qui n'avait pas encore quarante ans surgit, un gros anneau doré dans le lobe de son oreille gauche, et un foulard sur la tête. Il se dirigea droit sur Rosa et s'agenouilla auprès d'elle, claquant des doigts pour qu'on lui remette la trousse de secours.

— Antonio ! s'exclama-t-elle.

— Que t'est-il arrivé, ma petite chérie ? demanda-t-il avec l'accent rugueux des Vénitiens de naissance.

— Sors-moi simplement ce truc de là ! grommela Rosa.

— Laisse-moi regarder, d'abord, répondit Antonio d'une voix soudain plus sérieuse. (Il examina attentivement la plaie.) Les points d'entrée et de sortie sont nets, la flèche n'a pas touché l'os. Tu as de la chance que ce ne soit pas un carreau d'arbalète !

Rosa grinça des dents.

— Sors-la. Simplement. De là...

— Qu'on lui donne quelque chose à mordre, ordonna Antonio.

Il brisa l'empennage de la flèche, enveloppa la pointe d'un linge, appliqua du baume aux points d'entrée et de sortie, et tira d'un coup sec.

Rosa recracha la bourre qu'on lui avait placée entre les dents, et elle poussa un hurlement.

— Je suis désolé, *piccola*, dit Antonio, qui continuait à appliquer les mains sur les deux points de la blessure.

— Va te faire foutre avec tes excuses, Antonio ! glapit Rosa, tandis que les femmes la maintenaient allongée.

Antonio leva la tête vers l'un des siens.

— Michiel ! Va me chercher Bianca ! (Il adressa un regard noir à l'attention d'Ezio.) Et toi, aide-moi avec ça ! Prends ces compresses et applique-les sur les plaies dès que j'aurai retiré les mains. Après, on pourra la bander proprement.

Ezio s'empressa d'obtempérer. Il sentit la chaleur de la cuisse de Rosa sous ses mains, la réaction du corps de la jeune femme à leur contact, et il fit en sorte de ne pas croiser son regard. Pendant ce temps, Antonio travailla rapidement, finissant par repousser Ezio du coude avant de faire jouer les articulations de la jambe de Rosa, serrée dans un bandage immaculé.

— Bien, dit-il. Il faudra attendre un moment avant de pouvoir de nouveau escalader des remparts, mais je crois que tu vas complètement te rétablir. Tu vas devoir faire preuve de patience, je te connais !

— Est-ce qu'il fallait vraiment que tu me fasses aussi mal, espèce d'*idiota* maladroit ? s'emporta-t-elle. J'espère que tu choperas la peste, espèce de salaud ! Toi et ta putain de mère !

— Conduisez-la à l'intérieur, ordonna Antonio en souriant. Ugo, va avec elle. Assure-toi qu'elle se repose un peu.

Quatre femmes s'emparèrent chacune d'un coin de la natte et transportèrent Rosa, qui continuait à se plaindre, jusqu'à l'une des portes du rez-de-chaussée. Antonio les suivit du regard, puis il se retourna vers Ezio.

— Je te remercie, dit-il. Je tiens énormément à cette petite garce. Si je l'avais perdue…

Ezio haussa les épaules.

— J'ai toujours eu un faible pour les demoiselles en détresse !

— Je suis ravi que Rosa ne t'ait pas entendu dire ça, Ezio Auditore. Mais ta réputation t'a précédé.

— Je ne savais pas qu'Ugo t'avait dit comment je m'appelais, fit remarquer Ezio, sur ses gardes.

— Ce n'est pas le cas. Mais on sait tout de ton travail à Florence et à San Gimignano. Du bon boulot, même s'il n'était pas très raffiné.

— Qui êtes-vous, vous tous ?

Antonio écarta les mains.

— Bienvenue au quartier général de la guilde des voleurs professionnels et des souteneurs de Venise, déclara-t-il. Je suis Antonio de Magianis – l'*amministratore*. (Il effectua un salut empreint d'ironie.) Mais, naturellement, nous ne volons qu'aux riches pour donner aux pauvres, et, bien sûr, nos putains préfèrent qu'on les appelle des « courtisanes ».

— Et tu connais la raison de ma présence ici ?

Antonio se fendit d'un sourire.

— J'ai bien une petite idée, mais je n'en ai parlé à aucun de mes… employés. Viens. On sera mieux dans mon bureau pour discuter un peu.

La pièce rappela tellement à Ezio l'étude de son oncle Mario qu'il en fut tout d'abord interloqué. Il ne savait pas exactement à quoi il aurait dû s'attendre, mais il se trouvait dans un bureau dont les murs étaient couverts de livres, des ouvrages coûteux à la reliure de belle facture, de tapis ottomans, de meubles en noyer et en buis, et d'appliques et de chandeliers en argent plaqué.

Au centre de la pièce se trouvait une table, sur laquelle trônait une maquette à grande échelle du Palazzo Seta et de ses environs immédiats. On avait disposé d'innombrables minuscules figurines de bois tout autour du bâtiment, et à l'intérieur. Antonio fit signe à Ezio de s'asseoir en lui désignant une chaise, et il se pencha, pour sa part, dans un recoin de la pièce, au-dessus d'un fourneau d'aspect agréable duquel s'élevait un fumet étrangement alléchant mais qui était pourtant inconnu à Ezio.

— Je peux t'offrir quelque chose ? demanda Antonio. (Il rappelait tellement à Ezio son oncle Mario que c'en était troublant.) Des *biscotti* ? Un *caffè* ?

— Excuse-moi… un quoi ?

— Un café… (Antonio se redressa.) Il s'agit d'un intéressant breuvage qu'un marchant turc m'a fait connaître. Tiens, essaie.

Et il tendit à Ezio une minuscule tasse de porcelaine remplie d'un liquide noir bouillant duquel provenait l'arôme âcre.

Ezio y goûta. Il se brûla les lèvres, mais ce n'était pas mauvais, et il en fit part à son hôte, avant d'ajouter de façon peu judicieuse :

— Ce serait peut-être encore meilleur avec de la crème et du sucre.

— La meilleure façon de le gâcher ! répondit sèchement Antonio, d'un air offensé.

Ils savourèrent cependant leur café, et Ezio ressentit bientôt un afflux d'énergie nerveuse qui lui était jusque-là totalement inconnu. Il faudrait qu'il parle de cette boisson à Leonardo, la prochaine fois qu'il le verrait. Pour le moment, Antonio désigna du doigt le modèle réduit du Palazzo Seta.

— Voici quelles étaient les positions que nous avions prévues si Rosa était parvenue à entrer et à nous ouvrir l'une des poternes. Mais, comme tu le sais, elle s'est fait repérer, on lui a tiré dessus, et on a dû se replier. Maintenant, il va falloir se ressaisir, et, pendant ce temps, Emilio aura eu tout le loisir de renforcer ses défenses. Pire, cette opération s'est révélée très coûteuse. Il ne me reste presque plus un seul *soldo*.

— Emilio doit avoir beaucoup d'argent, dit Ezio. Pourquoi ne pas retenter une attaque et le soulager de son argent ?

— Tu ne m'as pas écouté ? Nos finances sont au plus bas, et il est sur le qui-vive. On ne pourra jamais le battre sans l'élément de surprise. De plus, il est soutenu par deux puissants cousins, les frères Marco et Agostino, même si je crois qu'Agostino, au moins, est quelqu'un de bien. Quant à Mocenigo, eh bien, le doge est un homme bon, mais il est naïf, et il laisse les autres s'occuper des problèmes commerciaux – d'autres qui mangent déjà dans la main d'Emilio. (Il observa attentivement Ezio.) Il va nous falloir un peu d'aide pour remplir nos coffres. Je crois bien que tu serais capable de nous fournir cette aide. Si tu acceptais, ce serait la preuve pour moi que tu es un allié qui vaut la peine d'être aidé. Voudrais-tu te lancer dans une telle mission, monsieur Crème-et-sucre ?

Ezio lui adressa un sourire.

— Prends-moi à l'essai, lui répondit-il.

Chapitre 14

Cela prit du temps, et l'entrevue avec le sceptique trésorier en chef de la guilde des voleurs fut relativement pénible, mais Ezio se servit des talents que Paola lui avait enseignés et fit de son mieux pour dérober des bourses avec les meilleurs d'entre eux et déposséder les riches bourgeois de Venise alliés avec Emilio de tout ce qu'il pouvait. Quelques mois plus tard, avec d'autres voleurs – car il était désormais un membre honoraire de la guilde –, il avait réussi à réunir les deux mille *ducati* dont Antonio avait besoin pour relancer une opération contre Emilio. Mais tout cela avait coûté cher : tous les membres de la guilde n'étaient pas parvenus à s'échapper des griffes des gardes de Barbarigo. Ainsi, maintenant que les voleurs disposaient de fonds suffisants, leurs rangs étaient dégarnis.

Mais Emilio Barbarigo se montra trop arrogant et commit une erreur. Pour en faire des exemples, il avait placé les captifs à la vue de tous dans des cages de fer, dans l'ensemble du quartier sur lequel il avait la mainmise. S'il les avait gardés dans les cachots de son *palazzo*, Dieu lui-même n'aurait pas été en mesure de les en faire sortir, mais Emilio avait préféré les exhiber, privés de nourriture et d'eau, ses gardes leur donnant des coups d'épieu dès que les prisonniers commençaient à s'assoupir, et il avait l'intention de les laisser mourir de faim en public.

— Ils ne tiendront pas six jours sans eau, sans même parler de nourriture, dit Ugo à Ezio.

— Qu'en dit Antonio ?

— Que c'est à toi de voir si tu peux échafauder un plan de sauvetage.

De combien de preuves de loyauté cet homme a-t-il besoin ? se demanda Ezio avant de comprendre qu'il bénéficiait déjà de la confiance d'Antonio, puisque le Prince des voleurs lui confiait cette mission des plus cruciales. Il ne disposait que de très peu de temps.

Avec la plus grande discrétion, Ugo et lui se mirent à observer soigneusement les allées et venues des gardes. Il semblait qu'un seul groupe de soldats passait d'une cage à une autre de façon ininterrompue. Même si chaque cage était constamment entourée d'une foule de curieux, parmi lesquels pouvaient parfaitement se trouver des espions de Barbarigo, Ezio et Ugo décidèrent de courir ce risque. Pendant la nuit, tandis que les badauds se faisaient moins nombreux, ils se dirigèrent vers la première cage alors que la patrouille s'apprêtait tout juste à la quitter pour la seconde. Une fois hors de vue et de portée de voix, ils entreprirent de crocheter les serrures, encouragés par les acclamations peu soutenues de la poignée de spectateurs présents, qui se moquaient éperdument de savoir qui aurait le dessus pourvu qu'on les distraie, et dont certains les suivirent jusqu'à la seconde cage, et même jusqu'à la troisième. Les hommes et les femmes qu'Ezio et Ugo libéraient, au nombre de vingt-sept, se trouvaient déjà, après deux jours et demi, dans un piteux état, mais, au moins, on ne les avait pas enchaînés individuellement, et Ezio les guida jusqu'aux puits que l'on trouvait au milieu de presque toutes les places, afin qu'ils puissent assouvir leur plus grand besoin : la soif.

À la fin de la mission, qui dura de la tombée de la nuit au chant du coq, Ugo et ses associés désormais libres regardèrent Ezio avec un profond respect.

— Secourir mes frères et mes sœurs, c'était beaucoup plus qu'un simple acte de charité, Ezio, déclara Ugo. Ces collègues vont jouer un rôle déterminant dans les semaines qui vont venir. Et… (il prit un ton solennel) notre guilde te sera à tout jamais redevable.

Le groupe avait regagné le quartier général de la guilde. Antonio enlaça Ezio, mais il affichait un air grave.

— Comment va Rosa ? demanda Ezio.

— Mieux, mais sa blessure est plus sérieuse qu'on l'avait cru. Et elle essaie de courir avant même de pouvoir marcher !

— C'est tout elle, ça…

— Ça lui ressemble bien. (Antonio marqua une pause.) Elle veut te voir.

— Je suis flatté.

— Pourquoi ? C'est toi, le héros du jour !

Quelques jours plus tard, Ezio fut convoqué dans le bureau d'Antonio, et il le trouva en train d'étudier sérieusement sa maquette du Palazzo Seta. Antonio avait redéployé les petites figurines de bois tout autour, et, sur la table, à côté de lui, s'empilaient des papiers couverts de calculs et d'annotations.

— Ah ! Ezio !

— *Signore.*

— Je reviens tout juste d'une petite incursion en territoire ennemi. On a réussi à s'emparer de trois cargaisons d'armures destinées au petit *palazzo* de ce cher Emilio. On a donc pensé qu'on pourrait organiser une petite soirée costumée, tous revêtus de l'uniforme des archers de Barbarigo.

— Excellent ! Avec ça, on devrait pouvoir entrer dans sa forteresse sans problème. C'est prévu pour quand ?

Antonio leva la main.

— Pas si vite, mon cher. Il y a un problème, et j'aimerais bien avoir ton avis.

— C'est un honneur…

— Non, j'ai simplement confiance en ton jugement. Le fait est que je sais de source sûre que certains des miens se sont laissé amadouer par Emilio et travaillent à présent pour lui. (Il marqua un temps.) Il nous est impossible de passer à l'attaque tant qu'on ne se sera pas chargés des traîtres. Écoute, je sais maintenant que je peux compter sur toi, et ton visage n'est pas très connu au sein de la guilde. Si je parvenais à te fournir certaines indications sur ces traîtres, tu crois que tu pourrais t'occuper d'eux ? Tu peux prendre Ugo avec toi, comme soutien, et faire appel à tous les hommes dont tu auras besoin.

— *Messer* Antonio, la défaite d'Emilio est aussi importante pour moi que pour toi. Joignons nos forces pour obtenir de meilleurs résultats.

Antonio lui sourit.

— Exactement la réponse que j'attendais de ta part ! (Il fit signe à Ezio de le rejoindre devant une table à cartes installée près de la fenêtre.) Voici un plan de la ville. Ceux qui sont passés à l'ennemi se rencontrent, comme me l'ont assuré mes fidèles espions, dans une taverne, ici. Elle s'appelle *Il Vecchio Specchio*. C'est là qu'ils rencontrent des agents d'Emilio, qu'ils échangent leurs informations et qu'ils prennent des ordres.

— Ils sont combien ?

— Cinq.

— Qu'est-ce que tu veux que je fasse d'eux ?

Antonio le regarda.

— Eh bien, tu n'as qu'à les tuer, mon ami !

Ezio fit appeler le groupe d'hommes qu'il avait soigneusement sélectionnés pour la mission, qui devait se dérouler le lendemain, au coucher du soleil. Il avait établi son plan. Il leur fit revêtir les uniformes de Barbarigo qui provenaient des bateaux qu'Antonio avait arraisonnés. Emilio, c'était Antonio qui le lui avait dit, croyait que l'équipement dérobé avait été perdu en mer. Ses hommes n'auraient donc aucun soupçon. Avec Ugo et quatre autres voleurs, il se rendit au *Il Vecchio Specchio* dès la tombée de la nuit. Il s'agissait d'un des lieux de prédilection de Barbarigo, mais, à cette heure avancée, ne s'y trouvait qu'une poignée de clients, en plus des renégats et des agents de Barbarigo. Ils levèrent à peine la tête lorsqu'ils aperçurent un groupe de gardes de Barbarigo qui entrait dans l'établissement. Ce n'est qu'une fois encerclés qu'ils portèrent leur attention sur les nouveaux arrivants. Ugo ôta son capuchon, révélant son visage dans la semi-obscurité de la taverne. Les conspirateurs tentèrent de se lever. On pouvait lire de la stupéfaction et de la peur sur leurs visages. Ezio posa fermement la main sur l'épaule du traître le plus proche, puis, sans effort et d'un air détaché, il planta la lame du Codex entre les yeux de l'homme. Ugo et les autres l'imitèrent aussitôt et massacrèrent leurs anciens frères.

Dans le même temps, Rosa continuait progressivement, et avec impatience, à se remettre. Elle se levait, mais elle était forcée de s'appuyer sur une canne pour se déplacer, et sa jambe blessée était toujours bandée. Ezio, malgré lui, et s'excusant sans cesse mentalement auprès de Cristina, passait le plus clair de son temps en sa compagnie.

— *Salute,* Rosa, dit-il, un matin comme les autres. Comment ça va ? Je vois que ta jambe est en train de guérir.

Rosa haussa les épaules.

— C'est long, mais ça vient. Et toi ? Comment trouves-tu notre petite ville ?

— C'est une grande cité. Mais comment fais-tu pour supporter l'odeur des canaux ?

— On est habitués. On n'apprécierait peut-être pas la poussière et les détritus de Florence. (Elle marqua une pause.) Alors, qu'est-ce qui t'amène, cette fois ?

Ezio lui adressa un sourire.

— Ce que tu crois, et aussi ce à quoi tu ne penses *pas*. (Il hésita.) J'espérais que tu pourrais m'enseigner à faire de l'escalade aussi bien que toi.

Elle frappa sur sa jambe.

— C'était avant, répondit-elle. Mais si t'es pressé, mon ami Franco est presque aussi doué que moi. (Elle haussa la voix.) Franco !

Un jeune homme svelte à la chevelure noire surgit presque instantanément dans l'embrasure de la porte, et Ezio, à sa grande honte, sentit une pointe de jalousie, suffisamment apparente pour que Rosa la remarque. Elle lui sourit.

— Ne t'inquiète pas, *tesoro*, il est aussi gay que saint Sébastien. Mais il est également aussi coriace qu'une vieille paire de bottes. Franco ! Je voudrais que tu montres à Ezio quelques-uns de nos tours. (Elle regarda par la fenêtre. En face, la façade d'un bâtiment inoccupé était recouverte d'un échafaudage de bambous liés entre eux par des lacets de cuir. Elle tendit la main.) Emmène-le là-haut, pour commencer.

Ezio passa le reste de la matinée – trois heures – à poursuivre Franco, sous les instructions stridentes de Rosa. À la fin de l'entraînement, il était capable d'escalader une hauteur vertigineuse avec une célérité et une adresse comparables à celles de son mentor, et il avait appris à bondir vers le haut, d'une prise à la suivante, même s'il doutait être un jour en mesure d'égaler le niveau de Rosa.

— Mange léger ce midi, lui conseilla Rosa, s'abstenant de tout compliment. On n'en a pas terminé.

Dans l'après-midi, à l'heure de la sieste, elle le conduisit sur la place qui se trouvait devant l'imposante église en briques rouges des Frari. Ils levèrent tous les deux la tête pour en apprécier la silhouette monumentale.

— Escalade ça, lui dit Rosa. Jusqu'au sommet. Et je veux que tu sois redescendu ici avant que j'aie eu le temps de compter jusqu'à trois cents.

Ezio transpira et fournit un maximum d'efforts, la tête trempée de sueur.

— Quatre cent trente-neuf, annonça Rosa lorsqu'il l'eut rejointe. Recommence.

Après sa cinquième tentative, Ezio était épuisé et en nage. On aurait dit qu'il n'avait plus qu'une idée en tête, lui assener un coup de poing en pleine figure. Mais cette envie se dissipa lorsqu'elle lui annonça en souriant :

— Deux cent quatre-vingt-treize. C'était juste…

Le petit attroupement qui s'était formé l'applaudit.

Chapitre 15

Les mois suivants, la guilde des voleurs s'attaqua à sa réorganisation ainsi qu'à sa remise en état. Puis, un matin, Ugo se présenta aux appartements d'Ezio pour l'inviter à une réunion. Ezio empaqueta les armes du Codex dans une sacoche et suivit Ugo jusqu'au quartier général, où ils retrouvèrent Antonio, d'une humeur exubérante, qui déplaçait une fois de plus ses petites figurines de bois tout autour de la maquette du Palazzo Seta. Ezio se demanda si l'homme n'était pas légèrement obsédé. Rosa, Franco et deux ou trois autres membres principaux de la guilde étaient également présents.

—Ah, Ezio ! dit Antonio en souriant. Grâce à tes récents exploits, nous sommes à présent en mesure de contre-attaquer. Notre cible est l'entrepôt d'Emilio, près de son *palazzo*. Voici mon plan. Écoute ! (Il tapota sur le modèle réduit et désigna des petits soldats de bois bleus répartis autour du périmètre de l'entrepôt.) Là, ce sont les archers d'Emilio. Ce sont eux qui représentent le plus grand danger. J'envisage de t'envoyer de nuit, ainsi que deux ou trois autres, sur le toit des bâtiments contigus à l'entrepôt – et je sais que tu es à la hauteur de cette mission, grâce à l'entraînement que Rosa t'a fourni –, pour que tu te charges des archers et que tu t'en débarrasses. Sans bruit. Pendant que tu t'occupes de ça, nos hommes, revêtus des uniformes de Barbarigo que nous avons récupérés, entrent en jeu depuis les ruelles alentour et prennent leur place.

Ezio désigna du doigt les figurines rouges qui se trouvaient à l'intérieur des murs de l'entrepôt.

— Et qu'est-ce qu'on va faire des gardes qui sont à l'intérieur ?

— Dès que tu te seras débarrassé des archers, on se rassemblera là… (Antonio indiqua une petite place non loin, qu'Ezio reconnut pour être celle où Leonardo possédait son nouvel atelier – il se demanda brièvement si son ami faisait des progrès, avec ses commandes) et on discutera des étapes suivantes.

— Quand passe-t-on à l'action ? demanda Ezio.

— Ce soir !

— Parfait ! Permets-moi de choisir deux bons gars. Ugo, Franco, ça vous dit ? (Les deux hommes acquiescèrent en souriant.) On s'occupe des archers, et on se retrouve là où tu l'as proposé.

— Avec nos hommes à la place de leurs archers, ils ne vont se douter de rien.

— Et ensuite ?

— Une fois l'entrepôt sécurisé, on lancera une attaque sur le *palazzo* lui-même. Mais rappelez-vous ! Pas un bruit ! Ils ne doivent se douter de rien ! (Antonio esquissa un sourire et cracha par terre.) Bonne chance, mes amis – *in bocca al lupo* !

Il donna une tape sur l'épaule d'Ezio.

— *Crepi il lupo* ! répondit Ezio en crachant à son tour.

Cette nuit-là, l'opération se déroula sans anicroche. Les archers de Barbarigo ne comprirent pas ce qui leur arriva, et ils furent si subtilement remplacés par les hommes d'Antonio que les gardes qui se trouvaient à l'intérieur de l'entrepôt tombèrent calmement et en n'offrant guère de résistance aux voleurs, ignorant que leurs camarades, à l'extérieur, avaient été neutralisés.

L'assaut sur le *palazzo* venait en seconde position dans le plan d'Antonio, mais Ezio insista pour s'y rendre seul afin de tâter le terrain. Rosa, dont les dernières étapes de guérison s'étaient remarquablement déroulées grâce aux efforts combinés d'Antonio et de Bianca, et qui pouvait de nouveau escalader et bondir presque aussi bien que si elle avait recouvré l'intégralité de ses aptitudes physiques, voulut l'accompagner, mais Antonio, au grand dam de Rosa, y opposa son veto. L'idée selon laquelle Antonio, au final, estimait qu'il était préférable de le sacrifier, lui plutôt qu'elle, lui traversa l'esprit, mais Ezio l'écarta aussitôt et se prépara à accomplir sa mission de reconnaissance, fixant sur son bras gauche le bracelet de protection du Codex et sa dague à double lame, et, sur son bras droit, sa lame à ressort d'origine. Il lui faudrait escalader des parois difficiles, et il ne souhaitait pas courir le risque de prendre sa lame empoisonnée, car il s'agissait d'une arme mortelle en toutes circonstances, et il était désireux d'éviter le moindre accident qui aurait eu pour lui de fâcheuses conséquences.

Après s'être recouvert la tête de son capuchon et avoir utilisé les nouvelles techniques de saut que Rosa et Franco lui avaient enseignées, il bondit sur les murs extérieurs du *palazzo*, aussi silencieux qu'une ombre, sans attirer la moindre attention, jusqu'à ce qu'il atteigne le toit et qu'il soit en mesure d'en observer le jardin. Il y aperçut deux hommes, en pleine discussion. Ils se dirigeaient vers une porte annexe qui donnait sur un étroit canal privé faisant le tour du *palazzo*. Suivant leur progression du toit, Ezio remarqua qu'une gondole était amarrée à une petite jetée, toutes lanternes éteintes, ses deux gondoliers revêtus de noir. D'une démarche aussi assurée que celle d'un gecko, il s'empressa de redescendre et de s'abriter dans les branches d'un arbre, duquel il percevait leur conversation.

Les deux hommes étaient Emilio Barbarigo et – Ezio le comprit avec stupéfaction – Carlo Grimaldi en personne, l'un des membres de la cour du doge Mocenigo. Ils étaient accompagnés du secrétaire d'Emilio, un homme filiforme vêtu de gris dont les lourdes lunettes de vue ne cessaient de glisser le long de son nez.

— Ton petit château de cartes est en train de s'écrouler, Emilio, disait Grimaldi.

— Il s'agit d'un léger contretemps, rien de plus. Les commerçants qui osent me défier et cette ordure d'Antonio de Magianis seront bientôt tous morts ou enchaînés. Ou ils ne tarderont pas à pousser les avirons d'une galère turque !

— Je parle de l'*Assassin*. Il est là, tu sais ? C'est ce qui pousse Antonio à faire preuve de tant d'audace. Écoute, il nous est à tous arrivé de nous faire dévaliser ou cambrioler, et nos gardes sont toujours tombés sur plus futés qu'eux. C'est comme si j'étais capable d'empêcher le doge de fourrer son nez dans nos affaires !

— L'Assassin ? Ici ?

— Tu es un abruti, Emilio ! Si le maître savait à quel point tu es stupide, tu serais cuit ! Tu es pourtant conscient du tort qu'il nous a déjà causé à Florence et à San Gimignano…

Emilio serra son poing droit.

— Je l'écraserai comme la punaise qu'il est ! grommela-t-il.

— Eh bien, il doit certainement être en train de te sucer le sang… Qui sait s'il n'est pas là, au moment où l'on parle, et s'il n'est pas en train d'écouter notre conversation ?

— Carlo, tu ne vas pas tarder à me dire que tu crois aux fantômes !

Grimaldi le regarda droit dans les yeux.

— L'arrogance t'a rendu stupide, Emilio. Tu es incapable de prendre du recul. Tu n'es qu'un gros poisson dans un petit aquarium.

Emilio le saisit par la tunique et l'attira rageusement vers lui.

— Venise m'appartiendra bientôt, Grimaldi ! J'ai fourni l'ensemble de l'armement de Florence. Ce n'est pas ma faute si cet idiot de Jacopo n'a pas su s'en servir ! Et ne t'avise pas de dire du mal de moi au maître. Si je le voulais, je pourrais lui sortir quelques anecdotes à ton sujet, qui…

— Garde ta salive ! Il faut que j'y aille, à présent. Rappelle-toi ! La réunion est fixée dans dix jours à San Stefano, devant chez Fiorella.

— Je m'en souviendrai, répondit Emilio d'un ton aigre. Le maître entendra alors comment…

— C'est le maître qui s'exprimera, et tu l'écouteras, rétorqua Grimaldi. À bientôt !

Il monta à bord de la gondole plongée dans l'obscurité alors qu'Ezio continuait à l'observer, et l'embarcation se fondit dans la nuit.

— *Cazzo* ! marmonna Emilio à l'attention de son secrétaire, le regard rivé sur la gondole qui disparaissait en direction du Grand Canal. Et s'il avait raison ? Et si ce satané Ezio Auditore était *vraiment* dans les parages ? (Il rumina un moment.) Écoute, demande aux bateliers de se tenir prêts. Réveille-moi ces salauds s'il le faut. Je veux qu'on charge ces caisses sur-le-champ, et je veux que le bateau soit prêt dans une demi-heure à notre clepsydre. Si Grimaldi dit vrai, il faut que je trouve un endroit où me cacher, au moins jusqu'à la réunion. Le maître trouvera bien un moyen de se charger de l'Assassin…

— Il doit certainement travailler avec Antonio de Magianis, suggéra le secrétaire.

— Je le sais bien, espèce d'idiot ! siffla Emilio. Maintenant, viens, et aide-moi à emballer les documents dont on parlait avant l'arrivée de notre ami Grimaldi.

Ils rebroussèrent chemin vers le *palazzo*, et Ezio les suivit, ne révélant rien de sa présence. Il se fondait dans l'obscurité, et sa démarche était aussi silencieuse que celle d'un chat. Il savait qu'Antonio attendrait son signal avant de lancer son assaut sur le *palazzo*. Mais il voulait d'abord faire toute la lumière sur ce qu'Emilio était en train de tramer – quels étaient ces documents auxquels il avait fait allusion ?

— Pourquoi est-ce que plus personne n'a de bon sens ? demanda Emilio à son secrétaire tandis qu'Ezio continuait à les filer. Toute cette liberté ; elle ne fait que nous conduire à plus de crimes ! Il faut que l'on s'assure que l'État ait la maîtrise de tous les aspects de la vie quotidienne des gens, et que, dans le même temps, il donne carte blanche aux banquiers et aux financiers privés. C'est uniquement de cette façon que la société pourra prospérer. Et s'il faut réduire au silence tous ceux qui y voient des objections, eh bien, c'est le prix à payer pour que le progrès puisse exister. Les Assassins appartiennent à une époque révolue. Ils ne comprennent pas que c'est l'État qui est important, pas les individus. (Il secoua la tête.) Exactement comme Giovanni Auditore, et pourtant c'était lui-même un banquier ! On aurait pu croire qu'il aurait fait preuve d'un peu plus d'intégrité.

Ezio sursauta lorsqu'il entendit prononcer le nom de son père, mais il continua à poursuivre sa proie tandis qu'Emilio et son secrétaire se dirigeaient vers le bureau, triaient des documents, les empaquetaient et retournaient sur la petite jetée qui se trouvait près de la porte du jardin, où une autre gondole, plus grande, attendait à présent son maître.

Emilio, arrachant sa sacoche de papiers des mains de son secrétaire, aboya un dernier ordre.

— Fais en sorte de m'envoyer des vêtements pour la nuit. Tu connais l'adresse.

Le secrétaire le salua, puis il s'éloigna. Il n'y avait personne d'autre dans les environs. Les gondoliers s'apprêtaient à appareiller, l'un à l'avant, l'autre à l'arrière de l'embarcation.

Ezio bondit de son poste d'observation et atterrit sur la gondole, qui se mit à osciller dangereusement. Grâce à deux rapides mouvements du coude, il assomma les gondoliers, qui tombèrent à l'eau, puis il saisit Emilio à la gorge.

— À la garde ! À la garde ! gargouilla Emilio, cherchant à tâtons la dague qui pendait à son ceinturon.

Ezio lui saisit le poignet alors qu'Emilio était sur le point de lui enfoncer sa lame dans le ventre.

— Pas si vite, dit Ezio.

— Assassin ! Toi ! grogna Emilio.

— Oui.

— J'ai tué ton ennemi !

— Ça ne fait pas de toi mon ami pour autant.

— Si tu me tues, ça ne résoudra aucun de tes problèmes, Ezio.

— Je crois que Venise serait débarrassée d'une gênante punaise, dit Ezio en libérant sa lame à ressort. *Requiescat in pace.*

Après avoir marqué une très légère pause, Ezio enfonça l'acier mortel entre les omoplates d'Emilio – celui-ci succomba rapidement et en silence. Il n'y avait que la résolution froide et métallique avec laquelle Ezio accomplissait son devoir qui était à la hauteur des compétences meurtrières d'Ezio.

Après avoir jeté le corps d'Emilio par-dessus bord, Ezio entreprit de fouiller parmi les documents de la sacoche. Antonio y trouverait certainement beaucoup de choses intéressantes, songea-t-il en les parcourant rapidement, car il n'avait plus le temps de les examiner en détail. Mais un parchemin en particulier attira son attention – une page de vélin roulée et scellée. Certainement une nouvelle page du Codex !

Alors qu'il s'apprêtait à en rompre le sceau – « whouf ! » – une flèche ricocha et cliqucta sur le plancher de la gondole, entre ses jambes. Aussitôt sur ses gardes, Ezio s'accroupit et scruta l'obscurité en direction de l'origine du tir. Loin au-dessus de lui, sur les remparts du *palazzo*, un grand nombre d'archers de Barbarigo étaient alignés.

Puis l'un d'eux fit un signe de la main avant de dévaler d'une façon plutôt acrobatique les hautes murailles. Une seconde plus tard, elle était dans ses bras.

— Je suis désolée, Ezio – c'était une blague idiote ! Mais on n'a pas pu s'en empêcher.

— Rosa !

Elle se blottit contre lui.

— De retour dans la mêlée, et prête à en découdre ! (Elle le regarda de ses yeux brillants.) Et le Palazzo Seta est entre nos mains ! On a libéré les commerçants qui s'opposaient à Emilio, et on a désormais la mainmise sur le quartier. Maintenant, viens ! Antonio est en train de fêter ça, et le vin des caves d'Emilio est très réputé !

Le temps s'écoulait, et Venise semblait vivre en paix. Personne ne pleura la disparition d'Emilio ; en fait, nombreux étaient ceux qui croyaient qu'il était encore en vie, et certains supposaient qu'il était simplement parti en voyage à l'étranger, pour gérer ses affaires au royaume de Naples. Antonio veillait à ce que tout fonctionne parfaitement au Palazzo Seta, et, tant que l'intérêt mercantile de Venise ne faiblirait pas, personne ne se soucierait véritablement du sort d'un homme d'affaires, si ambitieux et prospère soit-il.

Ezio et Rosa étaient de plus en plus proches, mais une féroce rivalité les séparait encore. Depuis qu'elle avait récupéré, elle n'avait de cesse de faire ses preuves. Un matin, elle se présenta à ses appartements et lui déclara :

— Écoute, Ezio. Je crois que tu as besoin d'un décrassage. Je voudrais savoir si tu es encore aussi bon que tu l'étais devenu quand Franco et moi t'avons entraîné. Donc… que dirais-tu d'une course ?

— Une course ?

— Oui !

— Où ça ?

— D'ici à la Punta della Dogana. À partir de maintenant !

Et elle bondit par la fenêtre avant qu'Ezio ait eu le temps de réagir. Il l'observa trottiner sur les toits rouges ; elle semblait presque danser au-dessus des canaux qui séparaient les immeubles. Il ôta sa tunique et partit à sa poursuite.

Ils atteignirent finalement, au coude à coude, le toit de la construction de bois qui se situait au bout de la langue de terre du Dorsoduro et qui surplombait le canal Saint-Marc et le lagon. En face se trouvaient les bâtiments peu élevés du monastère de San Giorgio Maggiore, et, à l'opposé, l'édifice chatoyant de pierre rose qu'était le Palazzo Ducale.

— On dirait que j'ai gagné, dit Ezio.

Elle fit la moue.

— Foutaises ! De toute façon, rien que de le prétendre, tu prouves que tu n'es pas un gentilhomme, et certainement pas un Vénitien. Que pourrait-on attendre d'un Florentin ? (Elle marqua un temps d'arrêt.) De toute façon, tu n'es qu'un menteur. C'est *moi* qui ai gagné !

Ezio haussa les épaules et lui sourit.

— Si tu veux, *carissima*.

— Alors au gagnant la récompense ! s'exclama-t-elle en approchant la tête d'Ezio de la sienne et en l'embrassant passionnément sur les lèvres.

Elle se fit douce et chaleureuse, abandonnant toute résistance.

Chapitre 16

Emilio ne fut naturellement pas en mesure de se présenter à la réunion, sur le Campo San Stefano, mais Ezio n'avait pas l'intention de la manquer. Il se posta dès l'aube sur la place déjà animée, en cette éclatante matinée de fin 1485. La lutte contre les Templiers était longue et implacable. Ezio commençait à croire que, comme cela avait été le cas avec son père et son oncle, il se trouverait qu'il s'agirait *également* de l'œuvre de sa vie.

Le capuchon rabattu sur le visage, il se fondit dans la foule, mais il demeura à proximité lorsqu'il aperçut la silhouette de Carlo Grimaldi qui approchait, accompagnés d'un autre homme ressemblant à un ascète, dont l'épaisse chevelure cuivrée et la barbe n'étaient pas du tout assorties à sa peau bleuâtre et blafarde, et qui était revêtu de la robe rouge des inquisiteurs d'État. Il s'agissait, Ezio en était persuadé, de Silvio Barbarigo, le cousin d'Emilio, dont le sobriquet était « *Il Rosso* ». Il ne semblait pas particulièrement de bonne humeur.

— Où est Emilio ? demanda-t-il d'un ton impatient.

Grimaldi haussa les épaules.

— Je lui ai pourtant dit de venir…

— Tu lui as dit toi-même ? En personne ?

— Oui, répondit sèchement Grimaldi. Moi-même ! En personne ! Je suis peiné que tu ne me fasses pas confiance.

—Autant que moi, marmonna Silvio. (Grimaldi grinça des dents, mais Silvio le regarda à peine, l'air absent.) Bon, sans doute arrivera-t-il avec les autres. Marchons un peu…

Ils se mirent à déambuler autour du grand *campo* rectangulaire, passèrent devant l'église San Vidal et les palais qui se trouvaient au bord du Grand Canal, et rejoignirent San Stefano, de l'autre côté, marquant une pause de temps à autre afin de jeter un coup d'œil aux articles que les marchands installaient sur leurs stands en ce début de journée. Ezio les prit en filature, mais la tâche était loin d'être aisée. Grimaldi était sur ses gardes, et il ne cessait de se retourner d'un air soupçonneux. Mais, pour le moment, c'était tout ce qu'Ezio était en mesure de faire pour conserver sa proie à portée de voix.

—Pendant qu'on attend, raconte-moi ce qui se passe au palais des doges, dit Silvio.

Grimaldi écarta les mains.

—Eh bien, pour être honnête, ce n'est pas simple. Mocenigo ne s'adresse qu'à un cercle restreint de personnes. J'ai essayé de préparer le terrain, comme tu me l'avais demandé, en émettant quelques suggestions dans l'intérêt de notre cause, mais, naturellement, je ne suis pas le seul à rivaliser pour tenter d'attirer son attention, et, si âgé soit-il, c'est un malin.

Sur un stand, Silvio s'empara d'une figurine complexe en forme de sablier, l'examina, et la reposa.

—Il va falloir faire des efforts et insister, Grimaldi. Il faut que tu arrives à faire partie de son cercle d'intimes.

—Je suis déjà l'un de ses associés les plus proches et les plus fidèles. Il m'a fallu des années pour ainsi m'établir. Des années de patientes planifications, d'attente et d'humiliations.

—Oui, oui, rétorqua Silvio d'un air impatient. Mais pour quel résultat ?

—C'est plus difficile que prévu.

— Et pour quelle raison ?

Grimaldi fit un geste de dépit.

— Je l'ignore. Je fais de mon mieux pour l'État, je travaille si dur… Mais le fait est que Mocenigo ne m'apprécie guère.

— Je me demande bien pourquoi ! déclara Silvio d'un ton glacial.

Grimaldi était trop absorbé dans ses pensées pour relever l'affront.

— Ce n'est pas ma faute ! Je ne cesse d'essayer de satisfaire ce salopard ! Je cherche continuellement à savoir ce qu'il désire le plus, et je le lui obtiens : les meilleurs jambons de Sardaigne, les derniers vêtements à la mode de Milan…

— Peut-être que le doge n'aime pas les flagorneurs.

— Tu crois vraiment que c'est ce que je suis ?

— Oui. Un paillasson, un flatteur, un lèche-bottes… Dois-je poursuivre ?

Grimaldi le regarda.

— Ne t'avise pas de m'insulter, *inquisitore*. Tu n'as aucune idée de ce dont ça l'air. Tu ne comprends pas toute la pression que…

— Oh, *moi*, je ne comprends pas la *pression* ?

— Non ! Tu n'en as pas la moindre idée. Tu es peut-être un fonctionnaire d'État, mais, moi, je me trouve, presque à chaque moment de la journée, à deux pas du doge. Tu aimerais bien être à ma place, parce que tu es persuadé que tu pourrais mieux faire que moi, mais…

— Tu as terminé ?

— Non ! Écoute-moi. Je suis proche de lui. J'ai consacré ma vie à tenter d'arriver dans cette position. Et je suis persuadé que je peux convaincre Mocenigo de rejoindre notre cause. (Grimaldi marqua une pause.) J'ai simplement besoin d'un peu plus de temps.

— Il me semble que tu as déjà bénéficié de plus de temps qu'il en fallait…

Silvio s'interrompit, et Ezio l'observait tandis qu'il levait la main pour attirer l'attention d'un homme âgé richement vêtu, doté d'une abondante barbe blanche, et accompagné d'un garde du corps, la personne la plus imposante qu'Ezio ait jamais vue.

— Bonjour, mon cousin, déclara le nouveau venu à Silvio. Grimaldi…

— Bonjour, cousin Marco, répondit Silvio. (Il regarda autour de lui.) Où est Emilio ? Il n'est pas venu avec toi ?

Marco Barbarigo le regarda d'un air surpris, puis il se fit plus grave.

— Ah… Tu n'as donc pas appris la nouvelle…

— Quelle nouvelle ?

— Emilio est mort.

— Pardon ? (Comme toujours, Silvio était agacé que son cousin, plus âgé et plus puissant que lui, soit mieux informé que lui.) Comment est-ce arrivé ?

— C'est facile à deviner, répondit Grimaldi d'un ton amer. L'*Assassino*.

Marco l'observa attentivement.

— C'est en effet le cas. Ils ont sorti son corps de l'un des canaux, tard dans la nuit. Il a dû y rester au moins… enfin, suffisamment longtemps. On m'a dit qu'il avait gonflé et qu'il était deux fois plus gros que la normale. C'est la raison pour laquelle il flottait à la surface.

— Mais où l'Assassin peut-il bien se cacher ? demanda Grimaldi. Il faut qu'on le trouve et qu'on le supprime avant qu'il fasse plus de dégâts.

— Il pourrait être n'importe où, répondit Marco. C'est la raison pour laquelle Dante me suit partout où je vais. Je ne me sentirais pas en sécurité, sans lui. (Il s'interrompit.) Çà, il pourrait même être là, maintenant, qu'on n'en saurait rien.

— Il faut qu'on agisse vite, dit Silvio.

— Tu as raison, dit Marco.

— Mais, Marco, je suis si près de réussir... Je le sens. Accorde-moi simplement quelques jours de plus, l'implora Grimaldi.

— Non, Carlo. Tu as eu suffisamment de temps comme ça. On n'a plus le temps d'agir avec subtilité. Si Mocenigo ne se joint pas à nous, il faudra le faire disparaître et le remplacer par l'un des nôtres. Et il faut qu'on le fasse cette semaine !

Le garde du corps géant, Dante, dont le regard n'avait pas cessé de balayer la foule depuis que Marco Barbarigo et lui étaient arrivés, prit la parole.

— Nous ne devrions pas rester immobiles, *signori*.

— Effectivement, approuva Marco. Et le maître va nous attendre. Venez !

Ezio se déplaçait comme une ombre au milieu de la foule et des stands, s'efforçant de rester à portée de voix des hommes tandis qu'ils traversaient la place et descendaient la rue qui menait vers la place Saint-Marc.

— Est-ce que le maître est d'accord avec notre nouvelle stratégie ? demanda Silvio.

— Il serait bien bête de s'y opposer.

— Tu as raison, nous n'avons pas le choix, reconnut Silvio avant de se retourner vers Grimaldi. Ce qui fait que nous n'avons plus besoin de tes services, ajouta-t-il d'un ton désagréable.

— Ce sera au maître d'en décider, rétorqua Grimaldi. Comme ce sera lui qui décidera de celui qui prendra la place de Mocenigo – que ce soit toi, ou ton cousin Marco, ici présent. Et la personne la mieux placée pour le conseiller à ce sujet, c'est moi !

— Je ne savais qu'il y avait une décision à prendre, dit Marco. Le choix semble évident pour tout le monde.

— Je suis d'accord, dit Silvio d'une voix tendue. Cela doit revenir à celui qui a organisé toute cette opération, à celui qui a eu l'idée de la meilleure façon de sauver cette ville !

Marco lui répondit aussitôt :

— Je serais le dernier à sous-estimer l'importance de l'intelligence tactique, mon bon Silvio. Mais, au final, c'est de sagesse dont on a besoin pour diriger. Ne me dis pas le contraire.

— Messieurs, je vous en supplie, les pria Grimaldi. Le maître sera sans doute en mesure de donner son avis au Conseil des Quarante et un lorsqu'il se réunira pour élire le prochain doge, mais il ne pourra pas lui forcer la main. Et, pour ce que nous en savons, le maître pourrait très bien choisir quelqu'un d'autre que l'un de vous deux…

— Tu veux parler de toi ? demanda Silvio d'un air incrédule, tandis que Marco, méprisant, se contentait d'éclater de rire.

— Et pourquoi pas ? C'est moi qui ai fait tout le boulot !

— *Signori*, s'il vous plaît, avancez, intervint Dante. Ce sera plus sûr pour tout le monde quand nous serons à l'intérieur.

— Bien sûr, admit Marco en pressant le pas.

Les autres l'imitèrent.

— C'est un type bien, ton Dante, dit Silvio. Tu le paies combien ?

— Moins que ce qu'il vaut en réalité, répondit Marco. Il est loyal et digne de confiance. Il m'a déjà sauvé la vie à deux reprises. Je ne dirais pas qu'il est très loquace, mais bon…

— Qui peut bien avoir besoin de faire la conversation à un garde du corps ?

— On y est, dit Grimaldi lorsqu'ils atteignirent une porte discrète située sur le côté d'un bâtiment, près du Campo Santa Maria Zobenigo. Ezio, tout en conservant une bonne marge de sécurité entre eux et lui, conscient de l'extrême vigilance dont Dante faisait preuve, tourna sur la place juste à temps pour les voir franchir la porte. Après avoir regardé autour de lui pour s'assurer que la voie était libre, il entreprit d'escalader le bâtiment par le côté, et de se positionner sur le balcon qui surplombait la porte. La fenêtre était ouverte, et, à l'intérieur de la pièce, installé dans un énorme fauteuil de chêne, derrière une table de réfectoire recouverte de documents, et revêtu de velours violet, se trouvait l'Espagnol. Ezio se fondit dans l'obscurité et attendit, à l'affût de tout ce qui se dirait.

Rodrigo Borgia était d'une humeur massacrante. L'Assassin l'avait déjà empêché de mener à bien bon nombre d'entreprises majeures et avait échappé à toutes ses tentatives de meurtre. Il se trouvait désormais à Venise et avait éliminé l'un des principaux alliés du cardinal sur place. Et, comme si ce n'était pas suffisant, Rodrigo avait dû passer le premier quart d'heure de cette réunion à écouter les querelles des quelques imbéciles qui étaient encore à son service, et qui se chamaillaient pour savoir qui devait être le prochain doge. Le fait que son choix puisse être déjà fait et qu'il ait déjà graissé la patte de tous les membres clés du Conseil des Quarante et un semblait avoir échappé à ces idiots. Et il avait arrêté son choix sur le plus âgé, le plus vaniteux et le plus malléable des trois.

— Fermez-la, tous autant que vous êtes, finit-il par postillonner. Ce que j'attends de vous, c'est de la discipline et un infaillible dévouement à notre cause, pas cette pusillanime quête de promotion. Ce choix m'appartient et il en sera comme *je* l'ai décidé. C'est Marco Barbarigo qui sera le prochain doge, et il sera élu la semaine prochaine, après la mort de

Giovanni Mocenigo, laquelle, étant donné que l'homme a déjà soixante-seize ans, ne surprendra personne, mais qui devra néanmoins sembler naturelle. Croyez-vous être en mesure de nous arranger ça, Grimaldi ?

Ce dernier jeta un coup d'œil aux cousins Barbarigo. Marco s'enorgueillissait, et Silvio tentait de rester digne malgré sa déception. *Quels imbéciles ils font*, songea-t-il. Doge ou non, ils resteraient les marionnettes du maître, alors que celui-ci lui conférait à présent de véritables responsabilités. Grimaldi se laissa aller à rêver à des jours meilleurs en lui répondant :

— Naturellement, maître.

— Quand êtes-vous le plus près de lui ?

Grimaldi réfléchit.

— C'est moi qui suis en charge du Palazzo Ducale. Mocenigo ne m'apprécie peut-être pas beaucoup, mais je dispose de toute sa confiance, et je suis à sa disposition à tout moment.

— Bien. Empoisonnez-le. À la première occasion.

— Il a des goûteurs.

— Bon Dieu, vous croyez que je ne le sais pas ? Vous, les Vénitiens, vous êtes censés être doués pour les empoisonnements. Mettez donc quelque chose dans sa viande *après* qu'on l'aura goûtée ! Ou collez-lui quelque chose dans son jambon de Sardaigne dont on ne cesse de me dire qu'il est friand ! Mais trouvez quelque chose, ou ce sera pire pour vous.

— Permettez-moi de m'en charger, *Su Altezza*, intervint Marco.

Rodrigo porta son regard bilieux sur lui.

— Dois-je en déduire que vous avez la possibilité de mettre la main sur un produit qui nous permettrait d'atteindre notre objectif ?

Marco esquissa un sourire railleur.

— Cela tient plutôt du domaine de mon cousin.

— Je devrais avoir la possibilité de mettre la main sur une quantité suffisante de *cantarella* pour ce que nous avons à faire, déclara Silvio.

— Qu'est-ce que c'est ?

— C'est une forme très efficace d'arsenic, et très difficile à repérer.

— Parfait ! Vous n'avez qu'à vous en occuper !

— Je dois dire, maestro, dit Marco, que nous sommes béats d'admiration que vous ayez choisi de vous associer personnellement, et de si près, à cette entreprise. N'est-ce pas trop dangereux pour vous ?

— L'Assassin n'osera jamais s'en prendre à moi. Il est intelligent, mais il ne sera jamais aussi malin que moi. De toute façon, j'ai l'intention de m'impliquer de façon encore plus directe. Les Pazzi nous déçoivent énormément, à Florence. J'espère sincèrement que ce sera différent avec les Barbarigo…

Il leur lança un regard noir. Silvio se mit à ricaner.

— Les Pazzi étaient une bande d'amateurs…

— Les Pazzi, l'interrompit Rodrigo, étaient une puissante et vénérable famille, et il a suffi d'un jeune Assassin pour en venir à bout. Veillez à ne pas sous-estimer cet encombrant adversaire, ou il finira aussi par mettre les Barbarigo à genoux. (Il marqua une pause, le temps qu'ils ingurgitent l'information.) Maintenant, allez-y, et mettez-vous au travail. On ne peut pas se permettre un nouvel échec !

— Quels sont vos projets, maître ?

— Je retourne à Rome. Le temps nous est compté !

Rodrigo se leva brusquement et quitta la pièce. De son poste d'observation, caché sur le balcon, Ezio le suivit du regard tandis qu'il traversait la place, seul, forçant une volée de pigeons à se disperser avant de prendre la direction du *molo*. Les autres hommes ne tardèrent pas à l'imiter, après s'être séparés et avoir quitté la place chacun par un chemin différent. Lorsque le silence se fit de nouveau, Ezio bondit sur les dalles de la chaussée et s'empressa de rejoindre le quartier général d'Antonio.

Une fois sur place, il tomba sur Rosa, qui l'accueillit en lui offrant un interminable baiser.

— Remets ta dague dans son fourreau, sourit-elle en pressant son corps contre le sien.

— C'est à cause de toi si je l'ai dégainée. Et c'est toi, ajouta-t-il d'un air entendu, qui as son fourreau…

Elle le prit par la main.

— Viens, alors.

— Non, Rosa. *Mi dispiace veramente*, mais c'est impossible.

— Quoi, tu t'es déjà lassé de moi ?

— Tu sais bien que ça n'a aucun rapport ! Il faut que je voie Antonio. C'est urgent.

Rosa l'observa, et elle remarqua sur son visage et dans son regard bleu-gris qu'il était des plus sérieux.

— D'accord. Pour cette fois, je te pardonne. Il est dans son bureau. Je crois que son modèle réduit du Palazzo Seta lui manque, maintenant qu'il a le vrai ! Suis-moi !

— Ezio ! s'exclama Antonio dès qu'il le vit. Je n'aime pas trop la tête que tu fais. Tout va bien ?

— J'aimerais bien. Je viens de découvrir que Carlo Grimaldi et les deux cousins Barbarigo, Silvio et Marco, sont en cheville avec… un homme que je ne connais que trop bien. Les siens l'appellent « l'Espagnol ». Ils projettent d'assassiner le doge Mocenigo et de le remplacer par l'un des leurs.

— C'est une terrible nouvelle. Si l'un des leurs devient doge, ils auront l'intégralité de la flotte vénitienne et de l'empire commercial entre les mains. (Il marqua un temps d'arrêt.) Et dire que c'est *moi* qu'on traite de criminel !

— Donc… tu vas m'aider à les en empêcher ?

Antonio tendit la main.

— Tu as ma parole, petit frère. Et le soutien de tous mes hommes.

— … Et femmes, intervint Rosa.

Ezio esquissa un sourire.

— *Grazie, amici.*

Antonio prit un air songeur.

— Mais, Ezio, il va falloir faire de sérieux préparatifs. Le Palazzo Ducale est si bien protégé que, à côté, le Palazzo Seta ressemble à un parc de plein air. Et je ne vais pas avoir le temps de construire une maquette pour faire nos plans…

Ezio leva la main et déclara d'un ton assuré :

— Il n'y a rien d'impénétrable.

Ils le regardèrent tous les deux, puis Antonio éclata de rire, et Rosa se fendit d'un sourire malicieux.

— « Il n'y a rien d'impénétrable » ! Ne te demande pas pourquoi on t'aime bien, Ezio !

Plus tard dans la journée, alors qu'il commençait à y avoir moins de monde dans les rues, Antonio et Ezio se mirent en route pour le Palais des doges.

— Une telle perfidie ne me surprend plus, dit Antonio, sur le chemin. Le doge Mocenigo est un type bien, et je suis surpris qu'il soit resté si longtemps en place. Quand j'étais gosse, on nous disait que les nobles étaient des gens justes et gentils. J'y croyais. Et bien que mon père ait été savetier et ma mère fille de cuisine, j'escomptais bien m'en sortir un peu mieux qu'eux. J'ai étudié dur, j'ai persévéré, mais je n'ai jamais pu me faire accepter de la classe dirigeante. Si tu n'en fais pas partie à la naissance, ça ne se produira jamais. Donc, je te le demande, Ezio : qui sont les véritables nobles de Venise ? Des gars comme Grimaldi, Marco et Silvio Barbarigo ? Non !

C'est nous ! Les voleurs, les mercenaires et les putains. C'est nous qui faisons fonctionner la ville, et chacun de nous a plus d'honneur dans le petit doigt que l'ensemble de nos soi-disant dirigeants ! Nous, on aime Venise. Les autres ne voient en cette cité qu'un moyen de s'enrichir.

Ezio était d'accord avec lui, car il n'imaginait pas qu'Antonio, si bon soit-il, puisse un jour porter le *corno ducale*. Ils atteignirent bientôt la place Saint-Marc, et ils se frayèrent un chemin jusqu'au palais rose. Il était évident qu'il était bien gardé, et bien qu'ils soient tous les deux parvenus à escalader, sans se faire remarquer, un échafaudage qui avait été dressé sur le côté de la cathédrale qui jouxtait le palais, lorsqu'ils jetèrent un coup d'œil de leur poste d'observation, ils comprirent que, même s'ils étaient capables de bondir sur le toit du palais, l'accès à la cour, même de là, leur serait barré par une haute grille dont les pointes, à son sommet, étaient incurvées vers l'extérieur et le bas. En contrebas, dans la cour, ils aperçurent le doge en personne, Giovanni Mocenigo, un vieil homme digne qui ressemblait néanmoins à une coquille de noix ratatinée revêtue de la somptueuse parure et du *corno* réservés au chef de la cité et de l'État, qui était plongé dans une conversation avec son meurtrier attitré, Carlo Grimaldi.

Ezio tendit l'oreille.

— Ne comprenez-vous pas ce que je vous propose, *Altezza* ? demandait Carlo. Écoutez-moi, je vous en prie, car c'est votre dernière chance !

— Comment osez-vous me parler sur ce ton ? Comment osez-vous me menacer ? rétorqua le doge.

Carlo prit aussitôt un ton d'excuse…

— Pardonnez-moi, monsieur. Ce n'est pas ce que je voulais dire. Mais je vous prie de croire que votre sécurité m'importe énormément…

Sur ces paroles, les deux hommes pénétrèrent dans le bâtiment et furent hors de portée.

— On n'a pas beaucoup de temps, dit Antonio en lisant dans les pensées d'Ezio. Et il n'y a aucun moyen de franchir cette grille. Même s'il en existait un, regarde le nombre de gardes qu'il y a autour. *Diavolo* ! (Il abattit son bras de frustration, ce qui effraya une volée de pigeons, qui prit son envol.) Regarde-les ! Les oiseaux ! Comme ce serait facile, pour nous, si seulement nous savions voler !

Soudain, Ezio sourit pour lui-même. Il était grand temps qu'il prenne des nouvelles de son ami Leonardo da Vinci.

Chapitre 17

— Ezio ! Ça fait combien de temps ?

Leonardo l'accueillit comme un frère qu'il aurait perdu de vue de nombreuses années auparavant. Son atelier de Venise ressemblait désormais à celui qu'il avait occupé à Florence, sauf qu'il était encombré par une version à taille réelle de sa machine en forme de chauve-souris, qu'il faudrait, Ezio le savait à présent, prendre au sérieux. Mais chaque chose en son temps.

— Écoute, Ezio, tu m'as fait parvenir, grâce à un charmant garçon, Ugo, une nouvelle page du Codex, mais tu ne m'as pas donné de tes nouvelles, depuis. Tu as été si occupé que ça ?

— J'avais pas mal de pain sur la planche, répondit Ezio, se souvenant de la page qu'il avait dérobée dans les effets d'Emilio Barbarigo.

— Eh bien, la voici. (Leonardo se mit à fouiller dans l'apparent chaos de son atelier, mais il revint rapidement avec la page délicatement roulée du Codex, dont le sceau avait été restauré.) Il n'y a aucune description d'arme sur celle-ci, mais, en regardant les symboles de plus près, et les inscriptions manuscrites, dont j'ai l'impression qu'il s'agit d'araméen, voire de babylonien, j'en ai déduit qu'elle est certainement une pièce importante du puzzle que tu es en train d'assembler. Je crois qu'il s'agit d'une sorte de carte. (Il leva la main.) Mais ne me dis rien ! Tout ce qui m'intéresse, sur ces pages que tu m'as apportées, ce sont les *inventions* qu'elles laissent entrevoir.

Je ne veux rien savoir d'autre. Un homme comme moi peut se prémunir du danger uniquement grâce à son utilité. Mais si l'on découvre qu'il en sait trop… (Et Leonardo fit semblant de se trancher la gorge à l'aide de son doigt.) Je commence à te connaître, maintenant, Ezio, et je sais que tes visites ne sont que rarement uniquement amicales. Tiens, prends un verre de cet abominable vin de Vénétie – j'aimerais bien un peu de chianti, un jour –, et il doit y avoir des croquettes de poisson quelque part, si tu as faim.

—Tu as terminé ta commande ?

—Le *conte* est un homme patient. *Salute* !

Leonardo leva son verre.

—Leo… Est-ce que ta machine fonctionne *vraiment* ? demanda Ezio.

—Tu veux dire : est-ce qu'elle vole ?

—Oui.

Leonardo se frotta le menton.

—Eh bien, elle est encore en plein développement. Je veux dire qu'elle est loin d'être prête… mais, en toute modestie, je crois que… oui ! Bien sûr qu'elle vole ! Dieu seul sait le temps que j'ai passé dessus. C'est une idée dont je n'arrive pas à me débarrasser !

—Leo… je peux l'essayer ?

Leonardo sembla choqué.

—Bien sûr que non ! Tu es fou ? C'est bien trop dangereux ! Pour commencer, il faudrait l'amener au sommet d'une tour pour que tu puisses sauter…

Le jour suivant, avant l'aube, mais alors que les premières lueurs rose grisâtre commençaient à teinter l'horizon, à l'est, Leonardo et ses assistants, qui avaient démonté la machine volante pour la transporter, l'avaient remontée sur les hauteurs du toit plat de la Ca' Pexaro, la demeure familiale de l'employeur crédule de Leonardo. Ezio les accompagnait. En contrebas, la cité était endormie. Il n'y avait même aucun garde sur les toits du Palazzo Ducale, car on était entre chien et loup, l'heure à laquelle les vampires et les spectres sont les plus dangereux. Personne, à part les malades mentaux et les savants fous, ne s'aventurait dehors à une telle heure de la journée.

— C'est prêt, annonça Leonardo. Et, grâce à Dieu, la côte est dégagée. Si quelqu'un voyait ça, il n'en croirait pas ses yeux… et s'il apprenait que j'en étais à l'origine, je n'aurais plus qu'à faire mes adieux à la ville.

— Je ferai vite, promit Ezio.

— Essaie de ne pas la casser, dit Leonardo.

— C'est un vol d'essai, répondit Ezio. J'irai doucement. Répète-moi simplement comment fonctionne cette *bambina*.

— Il t'est déjà arrivé d'observer un oiseau voler ? demanda Leonardo. Il ne s'agit pas de se faire plus léger que l'air, c'est uniquement une question de grâce et d'équilibre ! Il faut que tu te serves du poids de ton corps pour déterminer ton altitude et ta direction, et les ailes feront le reste. (Le visage de Leonardo était des plus sérieux. Il serra le bras d'Ezio.) *Buona fortuna*, mon ami. Tu es sur le point – du moins, je l'espère – d'entrer dans l'histoire.

Les assistants de Leonardo sanglèrent soigneusement Ezio en position allongée sous la machine. Les ailes de chauve-souris étaient déployées au-dessus de lui. Il était ficelé la tête en avant dans une sorte d'étroit berceau de cuir, les bras et les jambes libres de leurs mouvements. Devant lui se trouvait une barre de bois horizontale fixée au cadre principal de la machine, qui maintenait les ailes en l'air.

— Rappelle-toi ce que je t'ai dit ! Le gouvernail s'actionne en se penchant d'un côté et de l'autre. L'angle des ailes se détermine en se penchant en avant et en arrière, lui expliqua Leonardo d'un ton sérieux.

— Je te remercie, dit Ezio en respirant avec peine.

Il savait que si ça ne fonctionnait pas, il effectuerait dans un moment le dernier saut de sa vie.

— Que Dieu t'accompagne, dit Leonardo.

— À tout à l'heure, répondit Ezio en exprimant plus de confiance qu'il en ressentait réellement.

Il équilibra l'engin au-dessus de lui, s'y installa le plus confortablement possible, et il prit son élan le long de la bordure du toit.

Son estomac se souleva, puis il fut envahi par un sentiment d'euphorie. Venise défila en dessous de lui tandis qu'il perdait de l'altitude et faisait des tonneaux, mais la machine finit par se mettre à vibrer et à tomber en chute libre. Ce ne fut qu'en gardant la tête froide et en se souvenant des instructions de Leonardo à propos du maniement de l'appareil qu'Ezio fut capable de redresser l'engin et de le ramener – de justesse – sur le toit du palais Pexaro. Il posa l'étrange machine en courant – faisant appel à toute sa force et à toute son adresse pour la maintenir stable.

— Dieu tout-puissant ! Elle a *fonctionné* ! s'écria Leonardo, un moment insouciant des mesures de sécurité, et détachant Ezio de son harnais et le serrant frénétiquement dans ses bras. Tu es merveilleux ! Tu as *volé* !

— Oui, mon Dieu, j'ai volé ! dit Ezio, le souffle court. Mais pas aussi loin qu'il le faudrait

Et il se mit à chercher du regard le Palais des doges ainsi que la cour qu'il s'était fixés pour objectifs. Il songeait également au peu de temps dont il disposait, s'il voulait empêcher le meurtre de Mocenigo.

Plus tard, dans l'atelier de Leonardo, Ezio et l'artiste-inventeur passèrent la machine soigneusement en revue. Leonardo avait déployé ses plans sur une gigantesque table à tréteaux.

— Laisse-moi regarder mes plans, là… Je peux peut-être trouver quelque chose… un moyen d'allonger la durée du vol…

Ils furent interrompus par l'arrivée impromptue d'Antonio.

— Ezio ! Navré de te déranger, mais c'est important ! Mes espions m'ont fait savoir que Silvio avait réussi à se procurer le poison dont ils avaient besoin, et qu'il était sur le point de le remettre à Grimaldi.

Mais c'est alors que Leonardo s'écria d'un ton désespéré :

— Ce n'est pas bon ! Je n'ai pas arrêté de travailler dessus, et ça ne va pas fonctionner ! Je ne vois pas comment je pourrais allonger la durée du vol. Oh ! quelle poisse !

Il jeta rageusement les papiers qui se trouvaient sur la table. Certains volèrent jusqu'au grand âtre non loin, et, en brûlant, ils s'élevèrent dans la cheminée. Leonardo observa la scène, et son visage s'illumina. Il finit par afficher un large sourire, dissipant toute trace de colère de ses traits.

— Mon Dieu ! s'écria-t-il. *Eureka* ! Bien sûr ! C'est génial !

Il sortit du feu les papiers qui n'avaient pas encore entièrement brûlé, et il en éteignit les flammes.

— Ne cédez jamais à vos humeurs, leur conseilla-t-il. Ça se révèle souvent horriblement contre-productif.

— Qu'est-ce que tu as découvert ? demanda Antonio.

— Regardez ! s'exclama Leonardo. Vous n'avez pas remarqué que les cendres s'élevaient ? C'est la chaleur qui les soulève ! Combien de fois j'ai vu des aigles, dans le ciel ? Ils ne battaient pas du tout des ailes, et pourtant ils ne tombaient pas ! Le principe est simple. Tout ce qu'il nous reste à faire, c'est de l'appliquer.

Il tendit la main vers un plan de Venise et le déploya sur la table. Il se pencha dessus, et, à l'aide d'un crayon, il inscrivit la distance qui séparait le Palazzo Pexaro du Palazzo Ducale, et fit des croix aux points clés entre les deux édifices.

— Antonio ! s'écria-t-il. Tu peux demander à tes hommes de dresser des bûchers partout où je l'ai indiqué et de les allumer les uns après les autres ?

Antonio étudia le plan.

— Je crois qu'on devrait pouvoir arranger ça Mais pourquoi ?

— Tu ne comprends pas ? C'est le trajet que va suivre Ezio en volant ! Les brasiers vont aider à soulever ma machine volante jusqu'à sa cible ! La chaleur permet de soulever toutes sortes de choses !

— Et les gardes ? demanda Ezio.

Antonio le regarda.

— Toi, tu piloteras cet engin. Pour une fois, laisse-nous nous occuper des gardes. De toute façon, ajouta-t-il, certains d'entre eux, au moins, seront occupés ailleurs. Mes espions m'ont expliqué qu'il y avait une curieuse cargaison de poudre colorée contenue dans de petits tubes, qui vient juste d'arriver d'un lointain pays, à l'est, qui s'appelle la Chine. Dieu sait ce dont il s'agit, mais ça doit avoir de la valeur, ils en prennent tellement soin…

— Des feux d'artifice, répondit Leonardo pour lui-même.

— Pardon ?

— Rien !

À la tombée de la nuit, les hommes d'Antonio avaient terminé de dresser les bûchers que Leonardo avait commandés, et ils se tenaient prêts à les allumer. Ils s'étaient également débarrassés des spectateurs et des badauds qui auraient pu être tentés de prévenir les autorités de ce qui se tramait. Pendant ce temps, les assistants de Leonardo avaient de nouveau transporté la machine volante jusqu'au toit de Pexaro, et Ezio, armé de sa lame à ressort et de son poignet de protection, avait pris position dans le harnais. Antonio se tenait non loin.

— Je n'aimerais pas être à ta place, déclara-t-il.

— C'est la seule façon d'entrer dans le palais. Tu l'as toi-même dit.

— Mais je n'aurais jamais cru ça possible. J'ai encore du mal à le croire. Si Dieu avait voulu qu'on vole…

— Tu es prêt à donner le signal à tes hommes, Antonio ? demanda Leonardo.

— Tout à fait.

— Alors vas-y, et on va faire décoller Ezio.

Antonio se rendit au bord du toit et regarda en contrebas. Puis il sortit un grand mouchoir rouge et l'agita. En bas, ils virent s'enflammer un, puis deux, trois, quatre et cinq énormes brasiers.

— Parfait, Antonio. Toutes mes félicitations. (Leonardo se tourna vers Ezio.) Maintenant, souviens-toi bien de ce que je t'ai dit. Tu dois voler de bûcher en bûcher. La chaleur dégagée par chacun d'eux, quand tu voleras au-dessus, devrait te maintenir en altitude jusqu'au palais ducal.

— Et sois prudent, dit Antonio. Il y a des archers postés sur les toits, et ils vont certainement te tirer dessus dès qu'ils te verront. Ils vont croire que tu es une sorte de démon tout droit sorti des enfers.

— J'aurais bien aimé avoir la possibilité de me servir de mon épée pendant que je pilote cet engin.

— Tu auras les pieds libres, répondit Leonardo d'un air songeur. Si tu arrives à te diriger suffisamment près des archers et à éviter leurs flèches, tu devrais être capable de les faire tomber du toit en leur donnant des coups de pied.

— Je vais essayer d'y penser.

— Et maintenant, il faut que tu y ailles. Bonne chance !

Ezio s'élança du toit dans le ciel nocturne, mettant le cap sur le premier brasier. Il commençait à perdre de l'altitude, mais, en s'en approchant, il sentit que la machine reprenait de la hauteur. La théorie de Leonardo fonctionnait ! Au cours de son vol, il aperçut les voleurs qui s'occupaient des bûchers et qui l'acclamaient en levant la tête. Mais ils n'étaient pas les seuls à avoir remarqué sa présence. Ezio repéra les archers de Barbarigo positionnés sur le toit de la cathédrale et d'autres bâtiments, près du Palais des doges. Il parvint à manœuvrer la machine volante hors de portée de la plupart des projectiles, mais un ou deux réussirent à se ficher dans le cadre de bois. Il réussit également à descendre suffisamment bas pour faire tomber une poignée d'archers de leurs perchoirs. Mais lorsqu'il atteignit le palais lui-même, les propres gardes du doge ouvrirent le feu, et ils utilisaient des flèches enflammées. L'une d'elles se ficha dans l'aile droite, qui s'embrasa aussitôt. Ezio fit ce qu'il put pour conserver l'équilibre, mais il perdait rapidement de la hauteur. Il aperçut une jolie jeune noble qui regardait en l'air en criant quelque chose à propos du diable qui était venu la chercher, mais il poursuivit sa route. Il lâcha les commandes et tritura à tâtons les boucles du harnais qui le soutenait. Au dernier moment, il parvint à se libérer en tirant violemment sur une sangle, et il bondit vers l'avant. Il se réceptionna en parfaite position accroupie sur un toit de la cour intérieure, de l'autre côté de la grille qui protégeait le palais de tout sauf des oiseaux. Il leva la tête et vit la machine volante qui s'écrasait dans le campanile de Saint-Marc, avant de tomber sur la place en contrebas, provoquant un mouvement de panique parmi les passants qui se trouvaient là. Cela attira même l'attention des archers ducaux. Ezio en profita aussitôt pour redescendre et se réfugier à l'abri des regards. En se cachant, il vit le doge Mocenigo, qui se présenta à une fenêtre du premier étage.

— *Ma che cazzo* ? demanda le doge. Qu'est-ce que c'était que ça ?

Carlo Grimaldi apparut à ses côtés.

— Probablement des jeunes qui s'amusent avec des pétards. Venez, terminez votre vin.

En entendant cela, Ezio se précipita sur les toits et les murs, et, prenant soin de rester hors de vue des archers, se dirigea vers un point situé juste à l'extérieur de la fenêtre ouverte. En jetant un coup d'œil à l'intérieur, il vit que le doge était en train de vider une coupe. Il se jeta par-dessus le rebord de la fenêtre, et, une fois dans la pièce, il s'exclama :

— Arrêtez, *Altezza* ! Ne buvez pas !

Le doge le regarda d'un air stupéfait, et Ezio se rendit compte qu'il était arrivé un instant trop tard. Grimaldi esquissa un léger sourire.

— Tu as perdu ta maudite ponctualité, jeune Assassin ! *Messer* Mocenigo va bientôt nous quitter. Il a absorbé suffisamment de poison pour abattre un cheval.

Mocenigo se retourna brusquement.

— Quoi ? Qu'avez-vous fait ?

Grimaldi fit un geste de regret.

— Vous auriez dû m'écouter.

Le doge chancela et serait sans doute tombé si Ezio ne s'était pas précipité vers lui pour le soutenir et le conduire à un fauteuil, dans lequel Mocenigo se laissa lourdement tomber.

— Me sens fatigué..., dit le doge. Fait sombre...

— Je suis navré, *Altezza*, dit Ezio, impuissant.

— Il était temps que tu goûtes à l'échec, grommela Grimaldi à l'attention d'Ezio, avant d'ouvrir brusquement la porte de la pièce et de beugler : À la garde ! À la garde ! Le doge a été empoisonné ! Le tueur est encore là !

Ezio bondit à travers la pièce, saisit Grimaldi par le col et l'entraîna vers l'intérieur de la pièce, avant de refermer la porte et de la verrouiller. Quelques secondes plus tard, il entendit les gardes qui couraient dans le couloir et qui martelaient la porte. Il se tourna vers Grimaldi.

— L'échec, hein ? Alors je ferais bien d'essayer de me rattraper.

Il déclencha sa lame à ressort.

Grimaldi lui sourit.

— Tu peux me tuer, dit-il, mais tu ne réussiras jamais à vaincre les Templiers.

Ezio enfonça la dague dans le cœur de Grimaldi.

— Que la paix soit avec toi, dit-il froidement.

— Bien, dit une voix faible, derrière lui.

En se retournant, Ezio remarqua que le doge, même s'il était terriblement pâle, était encore en vie.

— Je vais aller chercher de l'aide… un docteur, dit-il.

— Non… c'est trop tard. Mais je partirai plus heureux en sachant que mon Assassin a rejoint les ténèbres avant moi. Je t'en remercie. (Mocenigo respirait à grand-peine.) Je le soupçonnais depuis longtemps d'être un templier, mais je me suis montré trop faible, j'aurais dû me méfier… Mais regarde dans son porte-documents. Prends ses papiers. Je suis certain que tu y trouveras de quoi aider ta cause, et venger ma mort.

Mocenigo s'exprimait en souriant. Ezio l'observait lorsque son sourire se figea sur ses lèvres, son regard se troubla et sa tête tomba sur le côté. Ezio porta la main au cou du doge pour s'assurer qu'il était bien mort, qu'il n'y avait plus de pouls. Il passa ensuite la main sur le visage du défunt pour lui fermer les paupières. Il marmonna quelques bénédictions puis il s'empara hâtivement du porte-documents de Grimaldi et l'ouvrit. Là, au milieu d'une liasse de documents, se trouvait une nouvelle page du Codex.

Les gardes continuaient à tambouriner contre la porte, qui commençait à présent à céder. Ezio se précipita vers la fenêtre et regarda en contrebas. La cour grouillait de gardes. Il fallait qu'il tente sa chance par les toits. Il se glissa par la fenêtre et s'apprêta à escalader le mur au-dessus de lui lorsque des flèches se mirent à siffler à ses oreilles et à ricocher contre les pierres, tout autour de lui. Lorsqu'il atteignit le toit, il dut affronter d'autres archers, mais il les prit au dépourvu, et profita de l'effet de surprise pour s'en débarrasser. Mais il fut confronté à un autre problème. La grille qui l'avait empêché d'entrer lui interdisait désormais de sortir ! Il courut jusqu'à elle et se rendit compte qu'elle était uniquement conçue pour empêcher les gens d'entrer : ses pointes étaient incurvées vers *l'extérieur* et vers le bas. S'il parvenait à l'escalader jusqu'en haut, il pourrait en redescendre sans problème. Il entendait déjà les bruits de pas des nombreux gardes qui résonnaient dans l'escalier qui menait au toit. Faisant appel à toute la force que le désespoir pouvait lui offrir, il prit de l'élan, bondit, et enjamba le faîte de la grille. L'instant suivant, il se retrouvait en sécurité, de l'autre côté, et ce fut au tour des gardes de se retrouver pris au piège. Ils étaient trop lourdement équipés pour être en mesure d'escalader la grille, et Ezio savait que, de toute façon, ils étaient bien moins agiles que lui. Après avoir rejoint le bord du toit en courant, il regarda en contrebas, bondit vers l'échafaudage dressé le long du mur de la cathédrale et en descendit le plus vite possible. Il se précipita ensuite vers la place Saint-Marc et se perdit dans la foule.

Chapitre 18

La mort du doge la même nuit que celle où l'on avait aperçu un étrange oiseau démoniaque dans le ciel provoqua une grande agitation dans la cité de Venise, et ce pendant plusieurs semaines. La machine volante de Leonardo, qui s'était écrasée place Saint-Marc, avait provoqué un incendie et avait été réduite en cendres, car personne n'avait osé s'en approcher. Dans le même temps, le nouveau doge, Marco Barbarigo, fut dûment élu et prit aussitôt ses fonctions. Il prêta solennellement serment en public et jura de traquer le jeune Assassin qui était parvenu à s'échapper d'un cheveu après avoir massacré ce noble serviteur de l'État, Carlo Grimaldi, ainsi que, sans doute, le vieux doge. Il posterait des gardes à chaque coin de rue, et il organiserait jour et nuit des patrouilles sur les canaux.

Ezio, sur les conseils d'Antonio, fit profil bas et resta au quartier général, mais il bouillait de frustration, et le fait que Leonardo eut temporairement quitté la ville en compagnie de la cour de son bienfaiteur, le *conte* da Pexaro, ne fit rien pour arranger la situation. Même Rosa se retrouva à court d'idées pour le divertir.

Mais, un jour, peu après le nouvel an, Antonio l'appela dans son bureau et l'accueillit avec un large sourire.

— Ezio ! J'ai deux bonnes nouvelles pour toi. Premièrement, ton ami Leonardo est de retour. Deuxièmement, c'est le *Carnevale* ! Presque tout le monde portera un masque, et toi aussi. (Mais Ezio était déjà à moitié sorti de la pièce.) Eh ! Où est-ce que tu vas ?

— Je vais rendre visite à Leonardo.

— Eh bien, reviens vite... Je voudrais te faire rencontrer quelqu'un.

— Qui ça ?

— Sœur Teodora.

— Une religieuse ?

— Tu verras !

Ezio parcourut les rues avec son capuchon sur la tête, tâchant de se faufiler discrètement entre les groupes d'individus vêtus de façon extravagante et les personnes masquées qui envahissaient les rues et les canaux. Il était tout à fait conscient de la présence des patrouilles de gardes. Marco Barbarigo ne se souciait guère plus de la mort de Grimaldi que de celle de son prédécesseur, dont il avait participé à la préparation. Et maintenant qu'il avait pieusement et publiquement annoncé qu'il en rechercherait activement le coupable, il pouvait laisser retomber l'affaire sans que son image ait à en pâtir, et revoir à la baisse le coût de l'opération. Mais Ezio savait également que si le doge avait la possibilité de le prendre discrètement au piège et de le tuer, il ne s'en priverait pas. Aussi longtemps qu'il serait en vie et qu'il représenterait une menace potentielle pour les Templiers, ils continueraient à le considérer comme l'un de leurs ennemis jurés. Il faudrait qu'il se tienne constamment sur le qui-vive.

Il gagna cependant sans encombre l'atelier de Leonardo, et il y pénétra sans être vu.

— Ça fait plaisir de te revoir ! l'accueillit Leonardo. Cette fois, j'étais persuadé que tu étais mort. Je n'entendais plus du tout parler de toi, et puis il y a eu toutes ces histoires à propos de Mocenigo et de Grimaldi, mon mécène s'est mis en tête de partir en voyage et de m'emmener avec lui – jusqu'à Milan, d'ailleurs –, et je n'ai jamais eu le loisir de reconstruire ma machine volante, car la marine vénitienne m'a finalement demandé de concevoir des choses pour elle – tout cela est très ennuyeux ! (Puis il esquissa un sourire.) Mais le principal, c'est que tu sois vivant et en bonne santé !

— Et l'homme le plus recherché de Venise !

— Oui, un Assassin, accusé du meurtre de deux des plus éminents citoyens de l'État.

— Tu sais bien qu'il ne faut pas croire tout ce qu'on raconte.

— Tu ne serais pas là si je l'ignorais. Tu sais que tu peux avoir confiance en moi, Ezio, ainsi qu'en tous ceux qui vivent ici. Après tout, c'est nous qui t'avons permis de voler jusqu'au Palazzo Ducale ! (Leonardo frappa des mains, et un assistant surgit avec du vin.) Luca, tu aurais moyen de mettre la main sur un masque de carnaval, pour notre ami ici présent ? Quelque chose me dit que ça pourrait se révéler très utile…

— *Grazie, amico mio.* Et j'ai quelque chose pour toi.

Ezio lui tendit la nouvelle page du Codex.

— Parfait, dit Leonardo, en comprenant aussitôt de quoi il s'agissait.

Il fit un peu de place sur la table, près de lui, déroula le parchemin et commença à l'examiner.

— Hmmm… (Leonardo fronça les sourcils pour mieux se concentrer.) Celle-ci contient les plans d'une nouvelle arme, et elle me semble plutôt complexe. On dirait qu'elle se fixe elle aussi au poignet, mais il ne s'agit pas d'une dague. (Il se pencha un peu plus au-dessus du manuscrit.) Je sais ce que c'est ! C'est une arme à feu, mais à échelle réduite… aussi petite qu'un oiseau-mouche, en fait.

— C'est impossible…, dit Ezio.

— Il n'y a qu'une seule façon de le savoir, c'est d'essayer de la reproduire, dit Leonardo. Heureusement, mes assistants vénitiens sont des ingénieurs compétents. On va s'y mettre tout de suite.

— Et tes autres travaux ?

— Oh ! ça attendra ! répondit Leonardo d'un ton léger. Ils me prennent tous pour un génie, et ça ne fait de mal à personne de le leur laisser croire En fait, comme ça, ils me fichent la paix !

En quelques jours, le pistolet était prêt, et Ezio pouvait l'essayer. Pour une arme de cette taille, sa portée et sa puissance se révélèrent plutôt exceptionnelles. Comme les lames, il avait été conçu pour être relié au mécanisme à ressort fixé au bras d'Ezio. Il était possible de le rétracter pour le dissimuler, et de le faire jaillir en une fraction de seconde lorsqu'on avait besoin de s'en servir.

— Comment se fait-il que je n'aie jamais pensé à concevoir une chose pareille ? demanda Leonardo.

— La véritable question, lui répondit Ezio d'un ton songeur, c'est comment un homme vivant il y a des centaines d'années a pu avoir une telle idée ?

— Eh bien, quelle que soit la réponse à cette question, il s'agit là d'une magnifique pièce de mécanique, et j'espère qu'elle te servira bien.

— Je crois que ce nouveau jouet arrive à point nommé, répondit Ezio d'un ton sérieux.

— Je vois, dit Leonardo. Eh bien, moins j'en saurai, mieux ce sera, même s'il est aisé de deviner que c'est en rapport avec le nouveau doge. Je ne ferais pas un bon politicien, mais, parfois, même moi, je suis capable de dire quand ça sent la magouille.

Ezio hocha la tête en lui lançant un regard qui en disait long.

— Eh bien, il vaudrait mieux que tu voies ça avec Antonio. Et tu ferais bien de garder ce masque – tant que ce sera le *Carnevale*, tu seras en sécurité dans les rues. Mais rappelle-toi : ne sors jamais tes armes ! Garde-les dans tes manches.

— Je vais aller voir Antonio, maintenant, lui dit Ezio. Il veut que je fasse la connaissance de quelqu'un – une religieuse, sœur Teodora, dans le Dorsoduro.

— Ah ! Sœur Teodora ! sourit Leonardo.

— Tu la connais ?

— C'est une amie qu'Antonio et moi avons en commun. Tu vas l'apprécier.

— De qui s'agit-il, exactement ?

— Tu verras bien, sourit Leonardo.

Ezio se rendit à l'adresse qu'Antonio lui avait fournie. Le bâtiment ne ressemblait pas du tout à un couvent. Une fois qu'il eut frappé à la porte et qu'on lui eut permis d'entrer, il fut persuadé qu'il s'était trompé d'endroit, car la pièce dans laquelle il se retrouva lui rappelait plus que tout le salon de Paola, à Florence. Et les élégantes jeunes femmes qui allaient et venaient n'étaient certainement pas des religieuses. Il était sur le point de remettre son masque et de s'en aller lorsqu'il entendit la voix d'Antonio. Quelques instants plus tard, l'homme apparut, une charmante et magnifique femme aux lèvres charnues et au regard sensuel – habillée en religieuse – pendue à son bras.

— Ezio ! Te voilà ! s'exclama Antonio. (Il était légèrement ivre.) Permets-moi de te présenter sœur Teodora. Teodora, voici… – comment pourrais-je dire ? – l'homme le plus doué de tout Venise !

— Ma sœur, dit Ezio en la saluant. (Puis il se tourna vers Antonio.) J'ai manqué quelque chose ? J'ignorais que tu étais du genre porté sur la religion…

Antonio éclata de rire, mais sœur Teodora, lorsqu'elle prit la parole, s'exprima sur un ton étonnamment sérieux.

— Tout dépend de ta vision de la religion, Ezio. Il n'y a pas que l'âme qui a besoin de réconfort !

— Prends un verre, Ezio ! dit Antonio. Il faut qu'on parle, mais, d'abord, il faut qu'on se détende ! Tu es en sécurité, ici. Tu as déjà fait connaissance avec les filles ? Il y en a une qui te fait envie ? Ne t'inquiète pas, je ne dirai rien à Rosa. Et tu dois me dire…

Antonio fut interrompu par un cri, dans l'une des pièces qui se trouvaient tout autour du salon. La porte s'ouvrit brusquement sur un homme à l'air hagard, armé d'un couteau. Derrière lui, sur le lit imbibé de sang, une fille se tordait de douleur.

— Arrêtez-le ! hurla-t-elle. Il m'a poignardée, et il m'a pris mon argent !

En poussant un violent rugissement, l'énergumène saisit une autre fille avant qu'elle ait eu le temps de réagir, et il l'attira contre lui, le couteau sur la gorge.

— Laissez-moi sortir d'ici ou je charcute aussi celle-ci ! brailla-t-il en pressant la pointe de son arme contre le cou de la jeune fille, de sorte qu'une goutte de sang apparaisse. Je vais vraiment le faire !

Antonio, redevenu instantanément sobre, regarda tour à tour Ezio et Teodora. Celle-ci regardait elle-même fixement Ezio.

— Eh bien, Ezio, dit-elle avec un calme qui le décontenança. Voici l'occasion de m'impressionner.

Le dément traversait le salon pour gagner la porte, où se trouvait un petit groupe de filles. Lorsqu'il se trouva suffisamment près d'elles, il leur grogna :

— Ouvrez ! (Mais elles semblaient pétrifiées par la peur.) Ouvrez-moi cette putain de porte, ou c'est elle qui va le payer !

Il enfonça un peu plus son couteau dans la gorge de la fille. Du sang se mit à couler le long de son cou.

— Laisse-la partir, lui ordonna Ezio.

L'homme se retourna face à lui, une expression horrible sur le visage.

— Pour qui tu te prends ? Pour une sorte de *benefattore del cazzo* ? Ne m'oblige pas à l'achever !

Ezio porta son attention sur la porte. La fille dans les bras de l'agresseur s'était évanouie, elle était devenue un poids mort. Ezio comprit que l'homme hésitait, mais, à un moment ou à un autre, il faudrait bien qu'il la libère. Ezio se prépara. Ce serait difficile, les autres femmes n'étaient pas loin. Il faudrait qu'il choisisse avec soin le moment où il agirait, et qu'il fasse vite. Et il savait qu'il n'avait pas beaucoup d'expérience avec sa nouvelle arme.

— Ouvre la porte ! ordonna-t-il d'un ton ferme à l'une des prostituées terrifiées.

Lorsqu'elle se retourna pour obtempérer, le dément laissa tomber à terre la jeune fille ensanglantée. Alors qu'il s'apprêtait à se ruer dans la rue, il détourna une seconde son attention d'Ezio, et celui-ci en profita pour faire jaillir son pistolet et faire feu.

Un claquement retentit, accompagné d'une gerbe de flammes, puis une bouffée de fumée sembla surgir d'entre les doigts de la main droite d'Ezio. Le dément, encore surpris, tomba à genoux, un petit trou aux contours réguliers au milieu du front, une partie de son cerveau ayant moucheté le montant de la porte, derrière lui. Les filles se mirent à hurler et s'éloignèrent de lui en courant, tandis qu'il basculait lentement en avant. Teodora aboya quelques ordres, et des employés se hâtèrent d'aller secourir les deux jeunes femmes blessées. Mais il était trop tard pour celle qui se trouvait dans la chambre, elle avait perdu tout son sang.

— Nous te sommes reconnaissantes, Ezio, déclara Teodora quand l'ordre fut revenu.

— J'ai trop tardé pour pouvoir la sauver.

— Tu as sauvé les autres. Il aurait pu en massacrer plus si tu n'avais pas été là pour l'en empêcher.

— De quelle sorcellerie t'es-tu servi pour l'abattre ? demanda Antonio, d'un air impressionné.

— D'aucune sorcellerie. Uniquement d'un secret. Un cousin du couteau de lancer, en un peu plus évolué.

— Eh bien, en tout cas, ça m'a l'air bien pratique. Notre nouveau doge est terrorisé. Il s'est entouré de gardes, et il ne quitte jamais le *palazzo*. (Antonio marqua une pause.) J'imagine que Marco Barbarigo est le suivant sur ta liste ?

— C'est un ennemi aussi important que l'était son cousin Emilio.

— On vous aidera, déclara Teodora en les rejoignant. Et on en aura prochainement l'occasion. Le doge va organiser une énorme fête pour le *Carnevale*, et il va bien falloir qu'il sorte du *palazzo*. Il n'a pas lésiné sur les dépenses, car il veut s'acheter les faveurs de la population, puisqu'il est incapable de les gagner. D'après mes espions, il a même commandé des feux d'artifice de Chine !

— C'est la raison pour laquelle je t'ai fait venir ici, expliqua Antonio à Ezio. Sœur Teodora est l'une des nôtres, et elle est au courant de tout ce qui se trame à Venise.

— Comment vais-je réussir à me faire inviter à cette fête ? lui demanda Ezio.

— Ce ne sera pas facile, répondit-elle. Il te faudra un masque d'or pour pouvoir entrer.

— Eh bien, il ne doit pas être très compliqué de mettre la main sur un tel masque...

— Pas si vite ! Chaque masque correspond à une invitation et est numéroté. (Mais Teodora lui adressa un large sourire.) Ne t'inquiète pas. J'ai une idée. Je crois qu'on va réussir à te trouver un masque. Viens, marchons un peu.

Elle le conduisit à l'écart, dans une petite cour tranquille, à l'arrière de l'établissement, où une fontaine s'écoulait au milieu d'un bassin d'agrément.

— Demain, il y aura des jeux consacrés au carnaval, et ils seront ouverts à tous. Il y aura quatre épreuves, et l'on remettra au gagnant un masque d'or. Ça fera de lui un invité honoraire de la réception. Il faut que tu l'emportes, Ezio, car, en accédant à cette fête, tu accéderas aussi à Marco Barbarigo. (Elle l'observa.) Le moment venu, je te conseille de prendre avec toi ce petit cracheur de feu, car tu n'auras jamais l'occasion de l'approcher suffisamment près pour le poignarder.

— Je peux te poser une question ?

— Tu peux toujours essayer ! Je ne te garantis pas d'y répondre.

— Je suis curieux. Tu es habillée comme une religieuse, et, pourtant, tu n'en es manifestement pas une.

— Qu'est-ce que tu en sais ? Je t'assure, mon fils, que j'ai épousé le Seigneur.

— Mais, je ne comprends pas... Tu es aussi une courtisane. En fait, tu es même à la tête d'un bordel !

Teodora lui sourit.

— Je ne vois pas où est le problème. La façon dont je pratique ma foi, ce que je choisis de faire avec mon corps, ce sont des choix qui me regardent, et je suis libre de les faire. (Elle se perdit un moment dans ses pensées.) Écoute, poursuivit-elle. Comme tant de jeunes filles, j'ai été attirée par l'Église, mais, peu à peu, j'ai perdu mes illusions sur les soi-disant croyants de cette ville. Pour eux, Dieu n'est qu'une idée dans un coin de leur tête, et non au fond de leur cœur et de leur être. Tu vois où je veux en venir, Ezio ? Il faut que les hommes sachent aimer afin de pouvoir accéder à leur salut. Mes filles et moi l'enseignons à notre congrégation. Naturellement, aucune faction de l'Église ne serait d'accord avec moi, j'ai donc été obligée de créer la mienne. Ce n'est peut-être pas très conventionnel, mais ça fonctionne, et le cœur des hommes se durcit sous ma responsabilité.

— Entre autres choses, j'imagine…

— Tu es d'un cynisme, Ezio ! (Elle tendit la main vers lui.) Reviens demain, et on verra à propos de ces jeux. Prends soin de toi, entre-temps, et n'oublie pas ton masque. Je sais que tu es capable de te prendre en charge, mais nos ennemis sont toujours à ta recherche.

Ezio souhaitait faire quelques ajustements sur son nouveau pistolet. Il passa donc par l'atelier de Leonardo avant de regagner le quartier général de la guilde des voleurs.

— Je suis ravi de te revoir, Ezio.

— Tu avais raison à propos de sœur Teodora, Leonardo. C'est vraiment une adepte de la libre pensée !

— Elle pourrait avoir de gros ennuis avec l'Église, si elle n'était pas si bien protégée, mais elle a de puissants admirateurs.

— J'imagine… (Mais Ezio remarqua que Leonardo avait l'air légèrement absent, et qu'il le regardait d'une façon étrange.) Que se passe-t-il, Leo ?

— Il serait sans doute préférable que je le garde pour moi, mais, si tu le découvrais par hasard, ce serait encore pire. Écoute, Ezio. Cristina Calfucci est à Venise avec son mari, pour le *Carnevale*. Naturellement, elle s'appelle Cristina d'Arzenta, maintenant.

— Où loge-t-elle ?

— Manfredo et elle sont les invités de mon mécène. C'est comme ça que je l'ai appris.

— Il faut que je la voie !

— Ezio, tu es sûr que c'est une si bonne idée que ça ?

— Je viendrai récupérer le pistolet demain matin. J'en aurai besoin, j'ai bien peur – j'ai des affaires urgentes à régler.

— Ezio, si j'étais toi, je ne sortirais pas sans arme…

— Il me reste mes deux lames du Codex.

Le cœur battant, Ezio se rendit au Palazzo Pexaro, après être passé par le bureau d'un écrivain public, qu'il paya pour rédiger une courte lettre :

« Ma Cristina chérie,

Il faut que je te voie seule, loin de nos hôtes, ce soir, à 19 heures. Je t'attendrai au *Cadran Solaire*, Rio Terra degli Ognisanti. »

Et il signa : « Manfredo ». Puis il la remit à un serviteur du *palazzo* du *conte*, et il attendit.

C'était tiré par les cheveux, mais cela fonctionna à merveille. Elle ne tarda pas à sortir, accompagnée d'une simple servante, et elle se hâta en direction du Dorsoduro. Il la suivit. Lorsqu'elle atteignit le lieu de rendez-vous et que son chaperon se fut retiré à une distance respectable, il s'approcha d'elle. Ils portaient tous les deux leur masque de carnaval, mais il la trouva aussi belle que d'habitude. Il ne put s'en empêcher. Il la prit dans ses bras et l'embrassa longuement et tendrement.

Elle finit par rompre l'étreinte, et, après avoir ôté son masque, elle l'observa d'un air perplexe. Puis, avant qu'il ait pu l'en empêcher, elle tendit la main et lui retira également son masque.

— Ezio !

— Pardonne-moi, Cristina. Je…

Il remarqua qu'elle ne portait plus son pendentif. Bien sûr que non !

— Bon sang, mais qu'est-ce que tu fais là ? Et comment oses-tu m'embrasser comme ça ?

— Cristina, tout va bien…

— Tout va *bien* ? Ça fait huit ans que je ne t'ai pas vu et que je n'ai aucune nouvelle de toi !

— Je craignais simplement que tu ne viennes pas si je n'usais pas de ce petit subterfuge.

— Tu as tout à fait raison ! Naturellement que je ne serais pas venue ! Il me semble me rappeler que la dernière fois qu'on s'est vus, tu m'as embrassée dans la rue, puis, imperturbable, tu as sauvé la vie de mon fiancé et tu m'as laissé l'épouser.

— C'était la meilleure chose à faire. Il t'aimait, et moi, je…

— Qui se fout de savoir ce qu'il voulait ? C'était *toi* que j'aimais, moi !

Ezio ne sut que répondre. Il eut l'impression que le monde s'écroulait autour de lui.

— Ne cherche plus à me revoir, Ezio, poursuivit Cristina, les larmes aux yeux. Je ne pourrai pas le supporter, et tu as manifestement une nouvelle vie, à présent.

— Cristina…

— Il fut un temps où il t'aurait suffi de me faire signe de venir, et je… (Elle s'interrompit.) Au revoir, Ezio.

Il la suivit du regard, impuissant, tandis qu'elle s'éloignait en direction de son chaperon, et elle disparut au coin d'une rue. À aucun moment elle n'avait regardé derrière elle.

Se maudissant, lui et son sort, Ezio rebroussa chemin et regagna le quartier général des voleurs.

Le jour suivant, il fut d'une détermination à toute épreuve. Il se rendit à l'atelier de Leonardo afin d'y récupérer son pistolet. Il le remercia, reprit la page du Codex, espérant qu'il pourrait un jour la remettre, ainsi que celle qu'il avait prise à Emilio, à son oncle Mario. Puis il prit la direction de l'établissement de Teodora. Elle le mena ensuite au Campo San Polo, où les jeux étaient censés se dérouler. Au centre de la place, on avait érigé une estrade, sur laquelle deux ou trois officiels étaient installés derrière un bureau et inscrivaient le nom des concurrents. Parmi ceux qui se trouvaient là, Ezio remarqua la silhouette maladive et décharnée de Silvio Barbarigo. À ses côtés, il fut surpris de voir l'énorme garde du corps, Dante.

— Tu vas devoir l'affronter, lui dit Teodora. Tu crois que tu peux en venir à bout ?

— S'il le faut…

Finalement, lorsque tous les concurrents furent inscrits (Ezio avait donné un faux nom), un homme assez grand, revêtu d'une cape rouge vif, prit place sur l'estrade. Il s'agissait du maître de cérémonie.

Il y avait quatre manches en tout. Les concurrents devaient s'affronter les uns les autres au cours de chacune d'entre elles, et, à la fin, le jury désignerait le grand gagnant. Heureusement pour Ezio, nombre de concurrents, dans l'esprit du *Carnevale*, avaient choisi de garder leur masque.

La première épreuve fut une course à pied, qu'Ezio remporta haut la main, au plus grand désespoir de Silvio et de Dante. La seconde, plus compliquée, consista en une partie de bras de fer tactique au cours de laquelle les concurrents devaient s'affronter pour tenter de capturer les drapeaux emblématiques que l'on avait préalablement remis à chacun d'eux.

Ezio fut également déclaré vainqueur de cette épreuve, mais une pointe de nervosité monta en lui lorsqu'il vit les visages dépités de Dante et Silvio.

— Et voici la troisième manche, annonça le maître de cérémonie. Elle associe des éléments des deux premières et fait appel à d'autres qualités encore. Cette fois, vous devrez non seulement faire preuve de rapidité et d'adresse, mais également de charisme et de charme ! (Il écarta les bras pour indiquer, sur la place, quelques femmes habillées à la dernière mode, qui se mirent aussitôt à glousser.) Un certain nombre de nos dames se sont portées volontaires pour nous aider dans cette épreuve, poursuivit le maître de cérémonie. Certaines se trouvent ici, sur la place. D'autres déambulent dans les rues adjacentes. Vous pourrez même en trouver sur des gondoles. Vous reconnaîtrez ces femmes grâce au ruban qu'elles portent dans les cheveux. À présent, chers concurrents, votre but est de recueillir autant de rubans que possible dans les délais fixés par mon sablier. Nous ferons sonner la cloche de l'église lorsque le temps sera écoulé, mais je crois que je puis affirmer sans me tromper que, quelle que soit l'issue de cette manche pour vous, il s'agira sans conteste de la plus plaisante de la journée ! Celui qui reviendra avec le plus de rubans sera déclaré vainqueur, et se rapprochera un peu plus du masque d'or. Mais rappelez-vous : si aucun gagnant ne se détache véritablement à la suite de ces épreuves, ce sont les membres du jury qui choisiront le chanceux qui pourra assister à la réception du doge ! Et maintenant… c'est parti !

Le temps s'écoula, comme le maître de cérémonie l'avait promis, rapidement et de façon agréable. Quand les derniers grains de sable passèrent du réceptacle supérieur du sablier à celui du bas, il fit un signe de la main, et la cloche de San Polo se mit à sonner. Les concurrents regagnèrent la place et remirent leurs rubans aux juges, certains le sourire aux lèvres, les autres écarlates. Seul Dante restait de marbre, même s'il ne put s'empêcher de devenir rouge de colère à l'écoute des résultats et lorsque – une fois encore – le maître de cérémonie brandit bien haut le bras d'Ezio.

— Eh bien, mystérieux jeune homme, tu es en veine, aujourd'hui ! s'exclama le maître de cérémonie. Espérons que ta bonne étoile ne te fasse pas faux bond avant la dernière haie. (Il se retourna pour s'adresser à la foule en général, tandis que l'on débarrassait l'estrade et que l'on y installait des cordes sur le pourtour afin de la transformer en ring de boxe.) Mesdames et messieurs, la dernière épreuve est très différente des autres. Elle ne va faire appel qu'à la force brute des concurrents. Ceux-ci vont s'affronter jusqu'à ce qu'il n'en reste que deux. Ces finalistes se battront jusqu'à ce que l'un d'eux soit mis KO. Et viendra le moment que vous attendez tous ! En effet, nous connaîtrons alors le grand vainqueur du masque d'or. Mais soyez prudents dans vos paris – il peut encore se produire de nombreux retournements de situation et quelques surprises !

C'est au cours de cette dernière manche que Dante se surpassa. Mais Ezio, qui mettait différentes techniques en application et qui possédait un excellent jeu de jambes, parvint en finale, face au monstrueux garde du corps. Ce dernier porta à Ezio des coups de poing qui ressemblaient plus à des coups de boutoir. Mais Ezio se montra suffisamment agile pour éviter les plus redoutables, et il encaissa sans broncher quelques uppercuts du gauche et des crochets du droit.

Il n'y eut aucune pause entre chaque round, au cours de cette dernière épreuve, et, après un certain temps, Ezio remarqua que Dante commençait à traîner les pieds. Mais, du coin de l'œil, il vit également que Silvio Barbarigo s'entretenait d'un ton insistant avec le maître de cérémonie et les membres du jury, qui s'étaient rassemblés autour d'une table, sous un dais, non loin du ring. Il crut voir changer de mains une grosse bourse de cuir, que le maître de cérémonie rangea aussitôt dans sa poche, mais il n'en était pas certain, car il dut rapidement reporter son attention sur son adversaire, qui, furieux, se jetait sur lui en battant des bras. Ezio se baissa et lui porta deux directs, l'un au menton, l'autre au torse. Le géant finit par aller au tapis. Ezio se redressa au-dessus de lui, et Dante lui lança un regard noir.

— Ce n'est pas encore terminé, grogna-t-il, même s'il avait du mal à se relever.

Ezio se tourna vers le maître de cérémonie, levant le bras en signe de victoire, mais l'homme resta de marbre.

Les deux concurrents sont éliminés ? demanda le maître de cérémonie. *Tous* les deux ? Nous ne pouvons pas annoncer de gagnant si nous n'en sommes pas *certains*…

Un murmure parcourut la foule lorsque deux hommes au visage sévère s'en détachèrent et se mirent à escalader le ring. Ezio observa les juges, mais ils détournèrent le regard. Les hommes s'approchèrent de lui, et il se rendit compte qu'ils possédaient chacun un petit couteau, presque invisible, dissimulé dans leur main.

— Alors, il fallait vraiment que c'en arrive là, hein ? leur demanda-t-il.

— Tous les coups sont permis, alors.

Il fit un pas de côté lorsque Dante, toujours à terre, tenta de le déséquilibrer en le saisissant par les chevilles, puis il bondit en l'air pour assener à l'un de ses nouveaux adversaires un coup de pied en plein visage. L'homme cracha quelques dents et fut projeté au loin. Ezio se réceptionna et écrasa son pied sur celui du deuxième homme, lui broyant le cou-de-pied. Puis il le frappa violemment dans le ventre et, en redoublant son coup, il amena son genou au contact du menton de l'homme, qui était en train de se plier en deux. Hurlant de douleur, l'homme s'effondra. Il s'était mordu la langue, et du sang jaillissait entre ses lèvres.

Sans prendre la peine de regarder derrière lui, Ezio bondit hors du ring et fit face au maître de cérémonie et aux juges, penauds. Derrière lui, la foule l'acclama.

— Je crois que nous avons un vainqueur, dit Ezio au maître de cérémonie.

L'homme consulta du regard les membres du jury ainsi que Silvio Barbarigo, qui se tenait non loin. Le maître de cérémonie remonta sur le ring, évitant autant que possible de marcher dans la flaque de sang, et il s'adressa à la foule.

— Mesdames et messieurs ! annonça-t-il après s'être nerveusement éclairci la voix. Je crois que vous serez tous d'accord pour dire que nous avons vécu un combat équitable et âprement disputé, aujourd'hui.

La foule applaudit.

— Et, en de telles occasions, il est toujours difficile de déterminer un réel vainqueur…

La foule sembla perplexe. Ezio consulta du regard Teodora, qui se tenait légèrement à l'écart.

— La tâche s'est révélée très difficile pour les juges et moi-même, poursuivit le maître de cérémonie, qui transpirait légèrement et se tamponnait occasionnellement le front. Mais il devait y avoir un vainqueur, et, à l'unanimité, nous en avons désigné un. (Il se baissa et aida péniblement Dante à s'asseoir.) Mesdames et messieurs, celui qui remporte le masque d'or est *signore* Dante Moro !

La foule siffla et hua, hurlant sa désapprobation, et le maître de cérémonie, ainsi que les juges, durent battre précipitamment en retraite tandis que les spectateurs commençaient à les bombarder avec tous les détritus qui leur tombaient sous la main. Ezio se précipita vers Teodora, et ils se tournèrent tous les deux vers Silvio, dont le visage livide était barré par un rictus, qui aidait Dante à quitter l'estrade et qui l'emmenait à l'écart, dans une contre-allée.

Chapitre 19

De retour au « couvent » de Teodora, Ezio eut beaucoup de mal à garder son calme, tandis que Teodora et Antonio l'observaient avec inquiétude.

— J'ai vu Silvio soudoyer le maître de cérémonie, dit Teodora. Et je ne doute pas qu'il ait également rempli les poches des juges. Je n'ai rien pu faire.

Antonio éclata d'un rire de dérision, et Ezio lui lança un regard noir.

— Il est facile de comprendre les raisons qui ont poussé Silvio à faire gagner le masque d'or à l'un de ses hommes, poursuivit Teodora. Ils se tiennent encore sur le qui-vive, et ils ne veulent pas courir le moindre risque avec le doge Marco. (Elle se tourna face à Ezio.) Tant que tu seras en vie, ils garderont l'œil ouvert.

— Ils vont passer de nombreuses nuits blanches, alors…

— Il faut que l'on réfléchisse. La réception a lieu demain.

— Je trouverai le moyen de suivre Dante à la fête, déclara Ezio d'un ton décidé. D'une façon ou d'une autre, j'arriverai à lui prendre son masque, et…

— Comment ? voulut savoir Antonio. En tuant ce pauvre *stronzo* ?

Ezio se tourna vers lui, l'air furieux.

— Tu as une meilleure idée ? Tu sais très bien ce qui est en jeu !

Antonio leva les mains d'un air désapprobateur.

— Écoute, Ezio. Si tu le tues, ils annuleront la réception, et Marco se repliera dans le *palazzo*. On aura perdu notre temps – une fois de plus ! Non, la meilleure solution, c'est de lui dérober le masque discrètement.

— Mes filles peuvent vous y aider, proposa Teodora. Elles sont nombreuses à se rendre à cette réception – en tant qu'artistes ! Elles pourraient très bien distraire Dante pendant que tu te charges de récupérer le masque. Et, une fois là-bas, ne crains rien. J'y serai aussi.

Ezio hocha la tête à contrecœur. Il n'appréciait guère qu'on lui dise ce qu'il avait à faire, mais, dans ce cas précis, il savait pertinemment qu'Antonio et Teodora avaient raison.

— *Va bene*, répondit-il.

Le jour suivant, lorsque le soleil disparut derrière l'horizon, Ezio se posta sur le trajet que Dante emprunterait pour se rendre à la réception. Plusieurs filles de Teodora flânaient non loin. Le gaillard finit par arriver. Il s'était donné beaucoup de mal pour s'habiller ; il était revêtu de tissus coûteux, mais tape-à-l'œil. Le masque d'or pendait à sa ceinture. Dès qu'elles le virent, les filles se mirent à roucouler et à lui faire signe, le rejoignant de chaque côté. Deux d'entre elles lui prirent le bras, s'assurant que le masque pendillait derrière lui, et le conduisirent vers la vaste zone bouclée, près du *molo*, où la réception avait lieu, et battait, en fait, déjà son plein. Après avoir soigneusement préparé son plan, Ezio décida de passer à l'action à la dernière minute, et il sectionna le cordon avec lequel le masque était fixé à la ceinture de Dante. Il le lui arracha et se faufila devant le colosse, enfilant le masque juste avant de passer devant les gardes postés à l'entrée de la réception. En le voyant, ils le laissèrent entrer, mais quand, quelques instants plus tard, Dante se présenta à l'entrée et tendit la main derrière lui pour se saisir du masque, il comprit que celui-ci avait disparu. Les filles qui l'avaient accompagné s'étaient fondues dans la foule et avaient mis leur propre masque, il lui serait donc impossible de les retrouver.

Dante était encore en train de discuter avec les gardes de l'entrée, qui avaient reçu des consignes très strictes, lorsque Ezio se glissa entre les noceurs afin de rejoindre Teodora. Elle l'accueillit chaleureusement.

— Tu as réussi ! Félicitations ! Maintenant, écoute-moi. Marco fait encore preuve d'une grande prudence. Il reste sur son bateau, le *Bucentaure ducal*, qui mouille à proximité du *molo*. Tu vas avoir du mal à t'approcher de lui, c'est pourquoi tu devrais essayer de trouver le meilleur poste d'observation possible pour ton attaque. (Elle se retourna pour appeler trois ou quatre de ses courtisanes.) Ces filles vont faire diversion pendant que tu examines les lieux.

Ezio s'éloigna, mais lorsque les filles, radieuses dans leurs chatoyantes tenues de satin et de soie rouge et argent, se fondirent au cœur de la foule des invités, son attention fut attirée par un homme grand, distingué, la soixantaine, au regard vif et clair et à l'abondante barbe blanche, qui s'entretenait avec un aristocrate vénitien d'un âge comparable. Ils portaient tous les deux de petits masques qui leur recouvraient à peine le visage, et Ezio reconnut le premier d'entre eux, Agostino Barbarigo, le frère cadet de Marco. La destinée d'Agostino pourrait croiser celle de Venise si quoi que ce soit de fâcheux devait arriver à son frère, et Ezio jugea opportun de trouver un endroit approprié duquel il pourrait entendre ce qu'Agostino disait.

Tandis qu'Ezio s'approchait discrètement, Agostino se mit à rire doucement.

— Franchement, je trouve que mon frère se ridiculise en donnant ce genre de réception.

— Tu n'as pas le droit de parler de lui de cette façon, rétorqua l'aristocrate. Il s'agit du doge !

— Oui, oui, c'est le doge, répondit Agostino en se caressant la barbe.

— Et c'est sa réception, son *Carnevale*, et il a le droit de dépenser son argent comme il l'entend.

— Il n'a de doge que le nom, déclara Agostino d'un ton plus sec. Et c'est l'argent des Vénitiens qu'il dépense, pas le sien. (Il baissa la voix.) Les enjeux sont très importants, tu le sais aussi bien que moi.

— C'est Marco qui a été choisi pour diriger l'État. Il est vrai que ton père pensait qu'il ne ferait pas grand-chose de sa vie, et c'est pour ça qu'il t'avait transmis ses ambitions politiques, mais tout ça n'a plus guère d'importance, aujourd'hui, étant donné la façon dont les événements se sont déroulés...

— Je n'ai jamais eu l'intention de devenir doge...

— Alors, je te félicite d'avoir réussi à atteindre ton objectif! répondit froidement l'aristocrate.

— Écoute, dit Agostino en conservant son calme, le pouvoir, ce n'est pas que la fortune. Et est-ce que mon frère croit vraiment qu'il a été choisi pour une autre raison que sa richesse?

— Il a été choisi pour sa sagesse et ses talents de meneur d'hommes!

Ils furent interrompus par le début du feu d'artifice. Agostino contempla un moment le spectacle, puis il dit:

— Et il n'a rien trouvé de mieux à faire, en dépit de son immense sagesse? Offrir un son et lumière? Il reste tapi au sein du palais ducal pendant que la cité s'effondre, et, ensuite, il croit que quelques explosions fort coûteuses vont permettre à la population d'oublier ses problèmes?

L'aristocrate fit un geste de dédain.

— Le peuple adore les spectacles. C'est dans la nature humaine. Tu verras...

Mais, à ce moment précis, Ezio repéra la robuste silhouette de Dante, accompagné d'un détachement de gardes, bousculant brutalement les convives, sans aucun doute à sa recherche. Il poursuivit sa quête d'un lieu discret, duquel il pourrait avoir accès au doge, si jamais ce dernier venait à quitter le *Bucentaure*, qui mouillait à quelques mètres du quai.

Il y eut une fanfare, et le feu d'artifice cessa. Tout le monde se tut, puis applaudit à tout rompre lorsque Marco fit son apparition à la porte de son bateau pour s'adresser à la foule, et un page le présenta.

— *Signore e signori* ! Je vous présente notre bien-aimé doge de Venise !

Marco entama son discours :

— *Benvenuti* ! Bienvenue, mes amis, à la manifestation populaire la plus importante de l'année ! Que ce soit par temps de guerre ou de paix, en période de prospérité ou de pénurie, Venise aura toujours son *Carnevale* !

Tandis que le doge poursuivait son allocution, Teodora rejoignit Ezio.

— Il est trop loin, lui dit Ezio. Et on dirait qu'il n'a pas l'intention de quitter son bateau. Il va falloir que je nage jusqu'à là-bas. *Merda* !

— Je ne suis pas sûre que ce soit une bonne idée, chuchota Teodora. On va tout de suite te remarquer.

— Alors, il va falloir que je me batte pour…

— Attends !

Le doge poursuivait son discours :

— Ce soir, nous célébrons ce qui fait de nous un grand peuple. Montrons à quel point nos lumières illuminent le monde !

Il écarta les bras, et un nouveau feu d'artifice éclata. La foule se mit à applaudir et à faire bruyamment part de son approbation.

— C'est ça ! s'exclama Teodora. Sers-toi de ta *pistola* ! Celui avec lequel tu as arrêté le meurtrier, dans mon bordel. Sers-toi du bruit des feux d'artifice pour couvrir celui du coup de feu. Attends le bon moment. Et tu pourras repartir d'ici sans te faire repérer.

Ezio la regarda.

— J'aime ta façon de penser, ma sœur !

— Il faudra simplement que tu fasses attention quand tu vas viser. Tu n'auras qu'une seule occasion.

Elle lui serra le bras.

— *Buona fortuna*, mon fils. Je t'attendrai au bordel.

Elle disparut au milieu des fêtards, parmi lesquels Ezio aperçut également Dante et ses sbires, qui étaient encore à sa recherche. Aussi silencieux qu'un spectre, il se dirigea vers le quai, aussi près que possible de l'endroit où se trouvait Marco. Heureusement, sa robe resplendissante, baignée par les lumières de la fête, faisait de lui une cible parfaite.

Le doge poursuivit son discours, et Ezio profita de ce moment pour se préparer, attendant patiemment la reprise des feux d'artifice. Il faudrait que son minutage soit précis s'il ne voulait pas se faire repérer.

— Nous savons tous que nous venons de traverser une période difficile, disait Marco. Mais nous avons réussi à nous en sortir ensemble, et *Venezia* n'en est devenue que plus forte. Les changements au plus haut niveau du pouvoir sont difficiles pour tout le monde, mais nous avons réussi à surmonter cette épreuve avec grâce et sérénité. Il n'est jamais facile de perdre un doge en pleine fleur de l'âge – et il est très frustrant de constater que l'assassin de notre cher frère Mocenigo court toujours, libre et impuni. Toutefois, réconfortons-nous, car la politique menée par mon prédécesseur commençait à déplaire à un grand nombre d'entre nous, qui ne se sentaient plus en sécurité, et qui s'étaient mis à douter de la voie sur laquelle il voulait nous emmener. (Dans la foule, plusieurs voix s'élevèrent pour marquer leur approbation, et Marco, le sourire aux lèvres, leva les mains pour demander le silence.) Eh bien, mes amis, je peux vous affirmer que j'ai retrouvé la bonne route à suivre ! Je la vois distinctement, et je sais où elle mène ! Il s'agit d'un endroit merveilleux, et nous allons nous y rendre *ensemble* ! L'avenir que je vois pour *Venezia* est fait de puissance et de richesses. Nous allons nous doter d'une flotte si impressionnante que nos ennemis nous craindront comme jamais auparavant ! Nous étendrons nos routes commerciales à travers les mers, et nous rapporterons chez nous des épices et des trésors dont nous n'avons osé rêver depuis l'époque de Marco Polo ! (Le regard de Marco se mit à briller, et il prit un ton menaçant.) Et voici ce que je dis à tous ceux qui oseront se dresser contre nous : faites bien attention au camp que vous choisirez de soutenir, parce que soit vous serez avec nous, soit vous serez dans le mauvais camp ! Et nous n'accepterons aucun ennemi dans cette cité ! Nous vous traquerons, nous vous délogerons, nous vous anéantirons ! (Il leva une nouvelle fois les bras et déclara :) Et *Venezia* se dressera à jamais... le plus beau joyau de toute la civilisation !

Lorsqu'il laissa retomber ses bras d'un air triomphant, une débauche de feux d'artifice se mit à éclater – un bouquet final qui transforma la nuit en jour. Le bruit des déflagrations était assourdissant. Le petit coup de feu mortel d'Ezio se perdit au milieu des autres détonations. Et Ezio eut le temps de traverser une bonne partie de la foule avant que les invités commencent à réagir en voyant Marco Barbarigo – l'un des doges au règne le plus court de l'histoire de Venise – commencer à chanceler, les mains agrippées à son cœur, et qui chuter lourdement sur le pont de la barge ducale.

— *Requiescat in pace*, marmonna Ezio pour lui-même en s'éloignant.

Mais lorsque la nouvelle se répandit, elle le fit avec une vitesse incroyable et atteignit le bordel avant Ezio. Teodora et ses courtisanes l'accueillirent avec des larmes d'admiration.

— Tu dois être épuisé, dit Teodora en lui prenant le bras et en le conduisant à l'écart, en direction de l'intimité d'une chambre. Viens te détendre !

Mais, d'abord, Antonio le félicita.

— Le sauveur de Venise ! s'exclama-t-il. Qu'est-ce que je peux dire ? J'ai peut-être eu tort de douter si facilement. Enfin, maintenant, on va avoir l'occasion de voir comment les pièces vont s'emboîter.

— Ça suffit pour l'instant, dit Teodora. Viens, Ezio. Tu as travaillé dur, mon fils. Je sens que ton corps fatigué a besoin de réconfort et d'attention.

Ezio comprit aussitôt ce qu'elle voulait dire, et il joua le jeu.

— C'est vrai, ma sœur. J'ai tellement mal partout que j'aurais bien besoin d'un peu de réconfort et d'attention. J'espère que tu sauras te montrer à la hauteur !

— Oh ! sourit Teodora. Je n'ai pas l'intention d'apaiser tes douleurs toute seule ! Les filles !

Un essaim de courtisanes se faufila devant Ezio en lui souriant et pénétra dans la pièce, au centre de laquelle il aperçut un lit aux dimensions impressionnantes, au côté duquel se trouvait un engin singulier ressemblant à une couchette, mais avec des poulies, des sangles et des chaînes. Cela lui fit penser à un mécanisme digne de figurer dans l'atelier de Leonardo, mais il n'osait imaginer quel usage l'inventeur aurait pu lui donner.

Il échangea un long regard avec Teodora, et il la suivit dans la chambre, refermant solidement la porte derrière lui.

Deux jours plus tard, Ezio se tenait sur le pont du Rialto, frais et dispo, observant la foule qui déambulait. Il s'apprêtait à partir pour aller boire un ou deux verres de vin de Vénétie avant l'*ora di pranzo* lorsqu'il aperçut un homme qui se dirigeait vers lui en toute hâte – il s'agissait d'un des messagers d'Antonio.

— Ezio, Ezio ! s'écria l'homme en arrivant près de lui. *Ser* Antonio désire te voir – c'est très important.

— Alors, allons-y sans tarder, répondit Ezio en suivant l'homme sur le pont.

Ils retrouvèrent Antonio dans son bureau, en compagnie – à la grande surprise d'Ezio – d'Agostino Barbarigo. Antonio fit les présentations.

— Je suis honoré de faire votre connaissance, messire. Je suis navré que vous ayez perdu votre frère.

Agostino agita la main.

— J'apprécie votre compassion, mais, pour parler franchement, mon frère était un idiot, et il était complètement manipulé par la faction des Borgia de Rome – le pire qui puisse arriver à Venise. Heureusement, quelqu'un a fait preuve de civisme et a écarté ce danger en l'assassinant. D'une façon plutôt originale... Il y aura des enquêtes, naturellement, mais je serais personnellement bien en peine de dire à quel résultat elles vont aboutir...

— *Messer* Agostino est sur le point de se faire élire doge, intervint Antonio. C'est une bonne nouvelle pour Venise.

— Le Conseil des Quarante et un a fait vite, cette fois, dit sèchement Ezio.

—Je crois qu'il a tiré les leçons de ses erreurs, répondit Agostino avec un sourire narquois. Mais, contrairement à mon frère, je ne souhaite nullement n'avoir de doge que le nom. Ce qui nous amène à la raison de ma visite. Notre horrible cousin Silvio occupe l'Arsenal – le quartier militaire de la ville – et il a avec lui une garnison de deux cents mercenaires !

—Mais, en tant que doge, vous ne pouvez pas leur donner l'ordre de se retirer ? demanda Ezio.

—J'aimerais bien, répondit Agostino, mais les extravagances de mon frère ont contribué à sérieusement grever le budget de la cité, et nous aurons du mal à contraindre à se replier une force fermement décidée qui a la mainmise sur l'Arsenal. Et sans l'Arsenal, je n'ai pas véritablement la maîtrise de Venise, doge ou pas doge !

—Alors, dit Ezio, il faut lever une force de notre côté.

—Bien dit ! s'exclama Antonio. Et je crois que j'ai l'homme qu'il nous faut. Vous avez entendu parler de Bartolomeo d'Alviano ?

—Naturellement. C'est le *condottiero* qui travaillait au service des États pontificaux ! Il s'est retourné contre eux, il me semble.

—Et il vient de s'installer ici. Il n'apprécie guère Silvio, qui, comme vous le savez, est également un homme de main du cardinal Borgia, dit Agostino. D'Alviano s'est établi sur San Pietro, à l'est de l'Arsenal.

—Je vais aller lui rendre visite.

—Avant, Ezio, dit Antonio, *messer* Agostino a quelque chose pour toi.

Agostino tira de sa robe un ancien parchemin de vélin roulé, qui avait jadis été fermé par un gros sceau noir, brisé, qui pendait à un ruban rouge déchiré.

— Il se trouvait au milieu des documents de mon frère. Antonio pense que ça pourrait vous intéresser. Considérez-le comme un paiement pour… service rendu.

Ezio s'en empara. Il sut immédiatement de quoi il s'agissait.

— Merci, *signore*. Je suis certain que ça me sera très utile au cours de la bataille qui s'annonce.

Marquant une unique pause pour s'armer, Ezio ne perdit pas de temps et se rendit directement à l'atelier de Leonardo, où il fut surpris de trouver son ami en train de faire ses paquets.

— Tu vas où, cette fois ? demanda Ezio.

— Je retourne à Milan. Naturellement, j'allais t'envoyer un message, avant de partir. Et te faire parvenir un sachet de balles pour ton petit pistolet.

— Eh bien, je suis ravi de t'avoir vu avant ton départ. Regarde, j'ai une nouvelle page du Codex !

— Excellent. J'ai hâte de voir ça. Viens. Mon serviteur Luca et les autres vont s'occuper de ça. Ils ont l'habitude, maintenant. C'est dommage que je ne puisse pas tous les emmener avec moi.

— Qu'est-ce que tu vas faire, à Milan ?

— Lodovico Sforza m'a fait une proposition que je n'ai pas pu refuser.

— Mais… et les projets que tu avais ici ?

— La marine a été forcée de tout annuler. Elle n'avait plus de budget pour de nouveaux projets. Manifestement, le précédent doge a tout dépensé. J'aurais pu les lui faire, ses feux d'artifice, c'était inutile de dépenser autant d'argent pour aller les chercher en Chine ! Mais ne t'en fais pas, Venise est encore en paix avec les Turcs, et ils m'ont dit que j'étais le bienvenu et que je pouvais revenir quand je voulais – en fait, je crois qu'ils aimeraient bien que je revienne ! En attendant, je laisse Luca ici – il ne se sentirait pas dans son élément, ailleurs qu'à Venise –, avec quelques créations simples, pour commencer. Quant au *conte*, il est content des portraits de famille – même si, personnellement, je crois qu'ils pourraient être encore mieux avec un peu plus de travail. (Leonardo commença à dérouler la feuille de vélin.) Maintenant, regardons un peu ça.

— Promets-moi que tu me le feras savoir quand tu reviendras ici.

— Je te le promets, mon ami. Et toi, tiens-moi au courant de tes allées et venues, si tu en as la possibilité.

— D'accord.

— Et maintenant… (Leonardo étala la page du Codex et l'examina.) Il y a quelque chose, là, qui ressemble au plan du couteau à double lame qui va avec ton bracelet de protection en métal, mais il est incomplet. Il doit s'agir d'une version antérieure du projet. Le reste n'a de sens qu'en l'associant avec les autres pages. Regarde, il y a d'autres indications, et une sorte d'image qui me fait penser à ces motifs imbriqués très complexes que j'avais l'habitude de gribouiller quand j'avais encore du temps à m'accorder ! (Leonardo enroula la page et se tourna vers Ezio.) Je vais mettre ça en sécurité avec les deux autres pages que tu m'as montrées ici, à Venise. Elles sont manifestement très importantes.

— En fait, Leo, puisque tu vas à Milan, je me demandais si tu pouvais m'accorder une faveur…

— Dis-moi.

— Quand tu seras à Padoue, tu pourras, s'il te plaît, demander à un messager digne de confiance d'apporter ces trois pages à mon oncle Mario, à Monteriggioni ? Il est antiquaire. Et je suis sûr que ça l'intéressera. Mais il me faut quelqu'un sur qui je puisse compter.

Leonardo esquissa un sourire. Si Ezio n'avait pas été si préoccupé, il aurait presque pu croire que Leonardo se doutait de quelque chose.

— J'envoie mes affaires directement à Milan, mais, pour ma part, je vais d'abord faire un passage éclair – si je puis dire – à Florence, pour rendre visite à Agniolo et à Innocento. Si tu veux, je te servirai de messager jusque là-bas, et je demanderai à Agniolo de les apporter à Monteriggioni. Tu n'as rien à craindre.

— Je n'aurais pas pu espérer mieux. (Ezio lui prit la main.) Tu es un ami formidable, Leo.

— Je l'espère bien, Ezio ! De temps à autre, je crois que tu as vraiment besoin que quelqu'un veille sur toi. (Leonardo marqua une pause.) Et je te souhaite beaucoup de réussite dans ton travail. J'espère qu'un jour tu seras en mesure de le mener à son terme et de trouver le repos.

Le regard gris acier d'Ezio se perdit dans le lointain, et, pour seule réponse, il déclara :

— Tu m'y fais penser… j'ai une autre commission à faire. Je t'enverrai l'un des hommes de mon hôte avec les deux autres pages du Codex. Mais, pour le moment, *addio* !

Chapitre 20

De l'atelier de Leonardo, le moyen le plus rapide pour rejoindre San Pietro consistait à prendre le bac ou à louer un bateau sur Fondamenta Nuova, et à naviguer vers l'est à partir de la côte nord de la cité. À sa grande surprise, Ezio eut du mal à trouver quelqu'un qui accepterait de l'y conduire. Les bacs réguliers avaient été suspendus, et ce ne fut qu'en mettant grassement la main à la bourse qu'il parvint à convaincre deux jeunes gondoliers de l'y mener.

— Que se passe-t-il ? leur demanda-t-il.

— On dit qu'il y a eu de la bagarre, là-bas, répondit le rameur de poupe, qui luttait contre une mer agitée. On dirait que ça s'est calmé, depuis. C'était certainement une simple querelle. Mais les bacs n'ont pas pris le risque de reprendre leurs trajets. On va vous laisser sur la rive nord de l'île. Et faites bien attention à vous.

Ils avaient raison. Ezio se retrouva bientôt seul, gravissant d'un pas lent la rive boueuse jusqu'à un mur de soutènement en brique, d'où il pourrait voir le clocher de l'église San Pietro di Castello, qui se trouvait à proximité. Il remarqua également plusieurs panaches de fumée qui s'élevaient d'un groupe de bâtiments de brique peu élevés, à quelque distance de là, au sud-est de l'église. Il s'agissait des casernes de Bartolomeo. Son cœur se mit à battre la chamade. Il s'empressa d'en prendre la direction.

Le silence fut la première chose qui le frappa. Puis, au fur et à mesure qu'il s'approchait, Ezio commença à voir des cadavres, éparpillés un peu partout. Certains d'entre eux portaient le blason de Silvio Barbarigo, d'autre des armoiries qu'il ne connaissait pas. Il tomba finalement sur un sergent, grièvement blessé mais toujours en vie, qui était parvenu à prendre appui contre un muret.

— Je t'en prie… aide-moi, dit le sergent en voyant Ezio.

Ezio jeta un bref coup d'œil autour de lui et repéra le puits, dans lequel il puisa de l'eau, priant pour que les assaillants ne l'aient pas empoisonné, même si elle semblait assez propre et claire. Il en versa un peu dans un godet qu'il avait trouvé, et qu'il porta délicatement aux lèvres de l'homme. Il humidifia ensuite un linge et essuya le sang que le blessé avait sur le visage.

— Je te remercie, mon ami, dit le sergent.

Ezio remarqua qu'il portait l'insigne inconnu, et il supposa qu'il devait s'agir de celui de Bartolomeo. Manifestement, ses troupes s'étaient fait décimer par celles de Silvio.

— Ils nous ont attaqués par surprise, confirma le sergent. C'est une putain de Bartolomeo qui nous a trahis.

— Par où sont-ils partis ?

— Les hommes de l'inquisiteur ? Ils sont retournés à l'Arsenal. Ils y ont établi leur base, juste avant que le nouveau doge puisse mettre la main dessus. Silvio déteste son cousin Agostino, parce qu'il ne fait pas partie du complot dans lequel l'inquisiteur semble être impliqué. (L'homme fut pris d'une quinte de toux et cracha du sang, mais il s'efforça de poursuivre.) Notre capitaine a fait prisonnier Silvio. L'a emmené avec lui et ses hommes. C'est drôle, vraiment, parce qu'on était sur le point de les attaquer. Bartolomeo n'attendait plus qu'un… messager de la cité.

— Où sont tes hommes, maintenant ?

Le sergent tenta de regarder autour de lui.

— Ceux qui ne se sont pas fait tuer ou qui n'ont pas été faits prisonniers se sont dispersés. Ils ont essayé de sauver leur peau. Ils doivent être dans les profondeurs de Venise ou sur les îles du lagon. Mais il leur faut un chef derrière lequel s'unir. Ils vont attendre de recevoir des nouvelles du capitaine.

— Et il est retenu prisonnier par Silvio ?

— Oui. Il…

Mais le malheureux sergent se mit à respirer avec beaucoup de peine. Sa lutte s'acheva lorsqu'il ouvrit la bouche et qu'un flot de sang s'en écoula, inondant l'herbe sur près de trois mètres autour de lui. Quand le sang cessa de s'écouler, l'homme avait les yeux figés en direction du lagon.

Ezio les lui ferma et lui croisa les bras sur la poitrine.

— *Requiescat in pace*, dit-il d'un ton grave.

Puis il réajusta son ceinturon. Il avait également sanglé son bracelet de protection à son avant-bras gauche, mais il n'y avait pas attaché sa dague à double lame. Il avait fixé sa lame empoisonnée à son avant-bras droit, elle lui était toujours si utile en cas d'imprévu. Il laissa son pistolet, qui révélait toute son efficacité face à un ennemi seul, car il devait être rechargé après chaque coup de feu, dans l'une des poches de son ceinturon, avec de la poudre et des munitions, ainsi que sa lame à ressort d'origine, au cas où. Il releva son capuchon et se dirigea vers le pont de bois qui reliait San Pietro au Castello. Il descendit ensuite discrètement – mais rapidement – la rue principale en direction de l'Arsenal. Il remarqua que les gens autour de lui avaient un air effacé, même s'ils vaquaient, comme d'habitude, à leurs occupations quotidiennes. Il faudrait plus qu'une simple guerre locale pour mettre entièrement fin au commerce de Venise, même si, naturellement, seule une infime partie de la population ordinaire du Castello était capable d'imaginer à quel point l'issue de ce conflit était importante pour leur cité.

Ezio ignorait alors qu'il allait en fait durer de nombreux mois, jusqu'à l'année suivante. Il pensa à Cristina, à sa mère Maria et à sa sœur Claudia. Et il se sentit seul, et de plus en plus vieux. Mais il avait des principes à servir et à faire respecter, et c'était plus important que tout le reste. Personne, sans doute, ne saurait jamais que le monde avait été sauvé du joug des Templiers grâce à l'ordre des Assassins, qui avait fait le serment de s'opposer à leur diabolique hégémonie.

Sa première mission consistait évidemment à localiser et, si possible, à libérer Bartolomeo d'Alviano, mais il ne lui serait guère aisé de pénétrer dans l'Arsenal. Ceint d'une muraille fortifiée élevée et composé d'un labyrinthe de bâtiments et de chantiers navals, l'Arsenal se trouvait à la limite orientale de la cité, et il était puissamment protégé par l'armée privée de Silvio, qui semblait compter plus de deux cents mercenaires, d'après Agostino Barbarigo. Ezio, après être passé devant la porte principale récemment conçue par l'architecte Gamballo, erra le long du périmètre extérieur des bâtiments, aussi loin qu'il était possible d'aller par la terre, jusqu'à ce qu'il parvienne à un imposant portail percé d'un portillon. L'observant de loin, il se rendit compte que cet accès discret était utilisé par les gardes lors des relèves. Il dut attendre quatre heures dans sa cachette, mais, à la relève suivante, il était prêt. Il faisait très chaud, en cette fin d'après-midi. Le temps était humide, et tout le monde à part Ezio se trouvait dans un état apathique. Il observa les soldats de la relève qui se dirigeaient vers le portail, uniquement gardé par un seul homme, puis il suivit les mercenaires qui quittaient leur service, fermant la marche et tentant, du mieux qu'il le put, de se mêler à eux. Dès que le dernier soldat eut franchi le portillon, il égorgea le garde posté au portail et s'y faufila à son tour avant que quelqu'un ait eu le temps de remarquer ce qui se passait. Comme cela s'était déjà produit plusieurs années auparavant à San Gimignano, la force armée de Silvio, si importante soit-elle, était insuffisante pour couvrir l'ensemble de la zone qu'elle occupait. Il s'agissait, après tout, du foyer principal des armées de la cité. Inutile de se demander pourquoi Agostino ne détiendrait pas vraiment le pouvoir tant qu'il n'en aurait pas la complète maîtrise.

Une fois à l'intérieur, il lui fut relativement aisé de se déplacer en terrain découvert, entre les énormes bâtiments – la *corderia*, l'*artiglieria*, les tours de guet, et, par-dessus tout, les chantiers navals. Tant qu'Ezio restait dans l'ombre de cette fin d'après-midi et prenait soin d'éviter les patrouilles qui sillonnaient ce vaste complexe, il savait que tout irait bien, même s'il fit naturellement preuve d'une extrême vigilance.

Finalement, guidé par les cris de joie et les rires moqueurs, il se dirigea vers l'un des principaux bassins de radoub, dans lequel on faisait pénétrer une immense galère. Du côté de l'un des gigantesques murs ceignant le bassin, on avait suspendu une cage de fer, dans laquelle se trouvait Bartolomeo. Il s'agissait d'un homme vigoureux qui venait de franchir la trentaine et qui était donc plus âgé qu'Ezio de quatre ou cinq ans. Autour de lui se pressait la foule des mercenaires de Silvio, et Ezio songea à quel point ils seraient mieux employés à patrouiller à l'extérieur qu'à triompher d'un ennemi qu'ils avaient déjà rendu impuissant, mais cela reflétait à quel point Silvio Barbarigo, si Grand Inquisiteur soit-il, manquait d'expérience en matière de commandement.

Ezio ignorait depuis combien de temps Bartolomeo était enchaîné dans sa cage ; certainement depuis plusieurs heures. Mais cette épreuve ne semblait nullement avoir entamé ses forces et sa rage. Étant donné qu'on ne lui avait certainement donné ni à boire ni à manger, c'était plutôt remarquable.

— *Luridi codardi* ! Bande de sales froussards ! criait-il à ses persécuteurs, dont l'un d'eux, remarqua Ezio, avait plongé une éponge dans du vinaigre et était en train de la pousser vers les lèvres de Bartolomeo après l'avoir fixée au bout d'une pique, dans l'espoir de lui faire croire qu'il s'agissait d'eau.

Bartolomeo la repoussa vivement.

— Je vous prends tous ! En même temps ! Avec *un seul* bras – non, avec les *deux* attachés dans le dos ! Putain, je vais vous bouffer *tout crus* ! (Il éclata de rire.) Vous devez vous demander comment c'est possible, mais laissez-moi sortir de là, et je vous en ferai la démonstration ! *Miserabili pezzi di merda* !

Les gardes de l'inquisiteur se mirent à lui brailler des moqueries et à enfoncer des bâtons dans sa cage, ne manquant pas de la faire osciller. Elle ne possédait pas de fond plein, et Bartolomeo devait s'agripper de toutes ses forces aux barreaux à l'aide de ses pieds afin de garder l'équilibre.

— Vous n'avez aucun honneur ! Aucun courage ! Aucune vertu ! (Il accumula suffisamment de salive dans sa bouche pour leur cracher dessus.) Et il y en a qui se demandent pourquoi l'éclat de Venise commence à se ternir… (Puis il poursuivit en prenant un ton presque implorant.) Je ferai preuve de clémence envers celui qui aura le courage de me libérer. Tous les autres, vous allez mourir ! De ma propre main ! J'en fais le serment !

— Épargne ta putain de salive ! s'exclama l'un des gardes. Personne ne va mourir aujourd'hui à part toi, putain de sac à merde !

Pendant tout ce temps, Ezio resta dans l'ombre d'une colonnade de brique qui faisait le tour d'un bassin où quelques petites galères de combat étaient amarrées. Il cherchait un moyen de sauver la peau du *condottiero*. Il y avait dix soldats autour de la cage, et tous lui tournaient le dos. Il n'y avait personne d'autre en vue. De plus, ils n'étaient pas de garde et ne portaient pas d'armure. Ezio vérifia sa dague empoisonnée. Il ne devrait avoir aucun mal à se débarrasser d'eux. Il avait noté la fréquence de passage des patrouilles, et elles apparaissaient chaque fois que l'ombre du mur du bassin s'allongeait de huit centimètres. Mais il serait tout de même très problématique de libérer Bartolomeo, de l'obliger à se taire pendant qu'il était à l'œuvre, et d'agir vite. Il réfléchit consciencieusement. Il savait qu'il n'avait pas beaucoup de temps devant lui.

— Quel genre d'homme est capable de monnayer son honneur et sa dignité contre quelques pièces d'argent ? mugissait Bartolomeo.

Mais sa gorge s'asséchait et il commençait à s'essouffler, malgré sa volonté de fer.

— Parce que ce n'est pas ce que tu fais, toi, espèce de peigne-cul ? Tu n'es pas un mercenaire, peut-être ?

— Je n'ai jamais travaillé au service d'un traître et d'un lâche, contrairement à vous ! (Le regard de Bartolomeo se mit à briller. Ceux qui se trouvaient en dessous de lui furent momentanément intimidés.) Vous croyez que je ne sais pas pourquoi vous m'avez enchaîné ? Vous croyez que je ne sais pas de qui Silvio est la marionnette ? Je me battais déjà contre la fouine qui le manipule que vous, les gars, vous étiez encore des nourrissons en train de téter le sein de votre mère !

Ezio l'écoutait à présent avec intérêt. L'un des soldats ramassa un morceau de brique et le jeta rageusement vers la cage. Elle ricocha contre les barreaux sans causer le moindre dégât.

— C'est ça, bande de connards ! hurla Bartolomeo d'une voix enrouée. Viens te battre, toi ! Je te jure, dès que je sortirai de cette cage, je ferai en sorte de vous arracher votre putain de tête, à vous tous, les uns après les autres ! Et je vous l'enfoncerai dans votre putain de cul de gamine ! Et je tâcherai de mélanger les têtes, parce que, de toute façon, bande de morveux, vous ne faites visiblement pas la différence entre votre tête et votre cul !

Ceux qui se trouvaient en dessous commençaient à être sérieusement agacés, à présent. Il était évident qu'ils avaient reçu des ordres, parce que ce n'était visiblement pas l'envie de lui donner des coups de lance ou de lui décocher une volée de flèches qui leur manquait, alors qu'il se balançait dans sa cage, sans défense, au-dessus de leurs têtes.

Mais Ezio avait eu le temps de remarquer que le cadenas qui fermait la porte de la cage était relativement petit. Les geôliers de Bartolomeo comptaient surtout sur le fait que la cage se trouve en hauteur. Ils espéraient sans aucun doute que la chaleur accablante de la journée, les nuits glaciales, la déshydratation et la faim aient raison de Bartolomeo, à moins qu'il craque et accepte de parler. Mais, à le regarder, Bartolomeo ne semblait pas en avoir la moindre intention.

Ezio savait qu'il devrait agir vite. Une patrouille ne tarderait pas à faire son apparition. Après avoir déclenché le mécanisme de sa lame empoisonnée, il s'élança avec la rapidité et la grâce d'un loup, et il couvrit la distance en quelques secondes seulement. Il fondit sur les soldats en lâchant ses coups de dague, et il eut le temps d'en découper cinq en rondelles avant que les autres aient eu le loisir de se rendre compte de ce qui se passait. Il dégaina son épée et tua sauvagement les gardes restants, leurs coups vains ricochant contre la protection de métal, sur son bras gauche, pendant que Bartolomeo observait la scène, bouche bée. Ezio finit par se retourner et par lever la tête.

— Tu peux sauter de là-haut ? demanda-t-il.

— Si t'arrives à me faire sortir de là, je sauterai aussi loin qu'une putain de puce !

Ezio s'empara d'une des piques des soldats morts. Sa pointe était en fer, non en acier, et moulée, non forgée. Mais elle ferait l'affaire. Il la fit passer dans sa main gauche, se concentra, s'accroupit et bondit dans les airs avant de s'agripper aux barreaux de la cage.

Bartolomeo le regarda, les yeux écarquillés.

— Putain, mais comment t'as fait ça ? demanda-t-il.

— Je m'entraîne, répondit Ezio en esquissant un léger sourire. (Il enfonça la pointe de l'épieu dans le fermoir du cadenas et tourna. Celui-ci résista un moment, avant de finir par céder. Ezio ouvrit la porte en se laissant tomber à terre, et il se réceptionna avec la grâce d'un chat.) À toi, maintenant. Fais vite !

— T'es qui ?

— Allez !

Nerveux, Bartolomeo s'arc-bouta contre la porte ouverte, puis il s'élança. Il atterrit lourdement, le souffle coupé, mais lorsque Ezio voulut l'aider à se relever, il refusa fièrement.

— Ça va, souffla-t-il. C'est juste que je n'ai pas l'habitude de faire ces putains de cabrioles de cirque !

— Rien de cassé, alors ?

— Je t'emmerde ! Qui que tu sois ! s'emporta Bartolomeo. Mais je te remercie. (Et, à la surprise d'Ezio, il le serra très fort dans ses bras.) T'es qui, de toute façon ? Ce putain d'archange Gabriel ou quoi ?

— Je m'appelle Ezio Auditore.

— Bartolomeo d'Alviano. Enchanté.

— On n'a pas de temps à perdre avec ça, l'interrompit Ezio. Tu t'en doutes.

— Ne t'avise pas d'essayer de m'apprendre mon boulot, l'acrobate ! répondit Bartolomeo, d'un ton toujours aussi avenant. Quoi qu'il en soit, je te revaudrai ça.

Mais ils avaient déjà perdu trop de temps. Sur les remparts, quelqu'un avait dû remarquer ce qui s'était passé, car des cloches se mirent à sonner l'alarme, et des patrouilles surgirent des bâtiments les plus proches pour les encercler.

— Approchez, bande de bâtards ! mugit Bartolomeo en agitant les poings, faisant passer ceux de Dante Moro pour de petits marteaux de tapissier.

Ce fut au tour d'Ezio de le regarder d'un air admiratif lorsque Bartolomeo se rua sur les soldats. Ensemble, ils se frayèrent un chemin à coups de poing jusqu'au portillon, où ils finirent par semer les gardes.

— Partons d'ici ! s'exclama Ezio.

— On ne ferait pas mieux de casser quelques gueules, avant ?

— Il est préférable d'éviter le conflit, pour le moment.

— T'as les jetons ?

— J'essaie simplement de garder les pieds sur terre. Je sais que tu as envie d'en découdre, mais ils sont cent fois plus nombreux que nous.

Bartolomeo réfléchit.

— Tu as raison. Et, après tout, je suis un officier. Je devrais me comporter comme tel, et pas laisser un freluquet comme toi me faire la leçon. (Puis il baissa d'un ton et déclara d'un air inquiet :) J'espère simplement que ma petite Bianca est saine et sauve…

Ezio n'avait pas le temps d'interroger Bartolomeo sur sa vie privée, ni même de s'y intéresser. Il fallait qu'ils s'en aillent, ce qu'ils firent, parcourant la ville en direction du quartier général de Bartolomeo, sur San Pietro. Mais pas avant que Bartolomeo ait réalisé deux importants détours, l'un jusqu'à la Riva San Basio, et l'autre à Corte Nuova, pour prévenir ses hommes qu'il était bel et bien vivant et libre, et pour battre le rappel de ses troupes éparses – celles qui n'avaient pas été faites prisonnières.

De retour à San Pietro, à la tombée de la nuit, ils apprirent qu'une poignée de *condottieri* avaient survécu à l'assaut et étaient ressortis de leurs cachettes. Ils vaquaient à présent au milieu des morts et tentaient de les enterrer et de remettre les choses en ordre. Ils jubilaient de voir que leur capitaine était encore en vie, mais ce dernier avait l'esprit ailleurs, courant deçà delà dans le campement et appelant sans relâche :

— Bianca ! Bianca ! Où es-tu ?

— Il cherche qui ? demanda Ezio à un sergent d'armes. Il doit s'agir de quelqu'un de très important pour lui…

— C'est le cas, *signore*, lui sourit un sergent. Et bien plus fiable que la plupart de celles de son sexe.

Ezio courut pour rattraper son nouvel allié.

— Est-ce que tout va bien ?

— Qu'est-ce que tu crois ? Regarde dans quel état est cet endroit ! Et cette pauvre Bianca ! S'il lui est arrivé malheur…

L'homme donna un coup d'épaule dans une porte, déjà à moitié sortie de ses gonds, qui s'écroula par terre. Il pénétra dans le refuge qui, visiblement, avait dû servir de salle des cartes avant l'assaut. Les précieuses cartes avaient été déchirées ou volées, mais Bartolomeo fouilla dans les décombres jusqu'à ce que, poussant un cri triomphal…

— Bianca ! Oh ! ma chérie ! Dieu merci, tu vas bien !

Il tira une énorme épée des gravats et la brandit en rugissant :

— Ha ha ! Tu es là ! Je n'en ai jamais douté ! Bianca ! Je te présente… C'est quoi, ton nom, déjà ?

— Ezio Auditore.

Bartolomeo sembla songeur.

— Bien sûr ! Ta réputation t'a précédé, Ezio.

— J'en suis ravi.

— Qu'est-ce qui t'amène ici ?

— Moi aussi, j'ai un compte à régler avec Silvio Barbarigo. Je crois qu'il est à Venise depuis suffisamment de temps.

— Silvio ? Cet étron ? Il a besoin qu'on le fasse disparaître dans des putains de latrines !

— Je pensais pouvoir te demander ton aide…

— Après ce sauvetage ? Je te dois la vie, alors mon aide

— De combien d'hommes disposes-tu ?

— Il y a combien de survivants, sergent d'armes ?

Le sergent d'armes avec lequel Ezio avait échangé quelques paroles un peu plus tôt arriva en courant, et effectua un salut.

— Douze, *capitano*. Y compris vous et moi. Et ce gentilhomme, là.

— Treize ! s'écria Bartolomeo en brandissant Bianca.

— Contre deux bonnes centaines , dit Ezio. (Il se tourna vers le sergent d'armes.) Et combien ont-ils fait de prisonniers ?

— La plupart, répondit l'homme. L'attaque nous a complètement pris au dépourvu. Certains se sont enfuis, mais les hommes de Silvio en ont capturé et emmené un bien plus grand nombre.

— Écoute, Ezio, dit Bartolomeo. Je vais me charger de rassembler tous ceux qui errent encore dans la nature. Je vais faire nettoyer les lieux et enterrer les morts, et nous nous rassemblerons ici. Tu crois que, pendant ce temps-là, tu peux essayer de voir si on peut libérer ceux que Silvio retient prisonniers ? Parce qu'on dirait que tu sais y faire…

— *Inteso*.

— Rejoins-nous ici avec eux dès que possible. Bonne chance !

Ezio, paré de ses armes du Codex, prit une nouvelle fois le chemin de l'Arsenal, à l'ouest, mais il se demanda si Silvio détenait sur place tous les hommes de Bartolomeo.

Il n'en avait vu aucun lorsqu'il était allé porter secours à leur capitaine. Une fois à l'Arsenal, il ne se déplaça plus que dans les zones d'ombre provoquées par la nuit tombante, et il tenta de surprendre les conversations des gardes stationnés le long des murs du périmètre.

— Tu as déjà vu des cages aussi grosses ? demanda l'un.

— Non. Et ces pauvres bougres sont entassés là-dedans comme des sardines ! Je ne crois pas que le capitaine Barto *nous* aurait traités de cette façon, si c'était *lui* qui avait remporté la bataille, répondit son camarade.

— Bien sûr que si ! Et garde tes nobles pensées pour toi, si tu veux garder la tête sur tes épaules. Moi, je dis qu'il faut les achever. Pourquoi est-ce qu'on ne descend pas tout simplement les cages dans les bassins pour tous les noyer d'un coup ?

En entendant cela, Ezio se crispa. Il y avait trois énormes bassins dans l'Arsenal, chacun étant prévu pour contenir trente galères. Ils se trouvaient du côté nord du complexe, étaient entourés d'épais murs de brique et étaient abrités par de solides toits en bois. Assurément, les cages – des versions plus grandes que celle dans laquelle Bartolomeo avait été retenu prisonnier – étaient suspendues par des chaînes au-dessus de l'eau de l'un ou de plusieurs *bacini*.

— Cent cinquante hommes expérimentés ? Ce serait du gâchis. Je suis prêt à parier que Silvio espère les rallier à notre cause, dit le second soldat.

— Eh bien, ce sont des mercenaires comme nous. Donc pourquoi pas ?

— C'est vrai ! Il faut simplement les attendrir un petit peu, avant de leur montrer qui c'est le chef !

— *Spero di sì.*

— Dieu merci, ils ignorent que leur chef a réussi à s'échapper.

Le premier garde cracha par terre.

— Il fera long feu.

Ezio s'éloigna d'eux et se dirigea vers le portillon qu'il avait découvert un peu plus tôt dans la journée. Il n'avait pas le temps d'attendre la relève de la garde, mais il pouvait déterminer l'heure qu'il était d'après la hauteur de la lune par rapport à l'horizon, et il savait qu'il avait environ deux heures devant lui. Il fit jaillir sa lame à ressort – sa première arme du Codex, et encore sa préférée – et égorgea le gros garde que Silvio avait jugé bon d'affecter seul à ce poste, le repoussant avant que le sang de l'homme ait pu lui tacher les vêtements. Il essuya rapidement sa lame sur l'herbe, et il la remplaça par sa lame empoisonnée. Il se signa au-dessus du corps.

À l'intérieur, de l'autre côté du mur d'enceinte, l'Arsenal semblait différent à la lueur d'un fin croissant de lune et de quelques étoiles, mais Ezio savait où se trouvaient les bassins. Il prit la direction du premier en longeant les murs, continuellement sur ses gardes. Il regarda attentivement par les grandes arches et scruta la noirceur des eaux, derrière, mais il ne vit rien d'autre que des galères qui se balançaient doucement à la faible lueur des étoiles. L'examen du second bassin produisit le même résultat, mais, lorsqu'il approcha du troisième, il entendit des voix.

— Il n'est pas trop tard pour que vous preniez l'engagement de servir notre cause. Vous n'avez qu'une parole à prononcer, et vous serez épargnés, déclarait d'un ton moqueur l'un des sergents de l'inquisiteur.

Ezio, se plaquant contre le mur, aperçut une dizaine de soldats, les armes à terre, des bouteilles à la main, la tête levée vers l'obscurité du plafond, où trois énormes cages de fer étaient suspendues. Il comprit qu'un mécanisme – qu'il ne voyait pas – permettait aux cages de descendre lentement vers la surface de l'eau. Et il n'y avait aucune galère dans ce bassin. Uniquement une eau noire et huileuse dans laquelle grouillait quelque chose d'invisible et d'abominable.

Parmi les gardes de l'inquisiteur se trouvait un homme qui ne buvait pas, un homme qui semblait constamment aux aguets, un homme immense et affreux. Ezio reconnut aussitôt Dante Moro. Donc, après la disparition de son maître, l'homme-montagne avait transféré sa loyauté au cousin de Marco, Silvio, l'inquisiteur, qui avait déjà fait part de son admiration pour ce colossal garde du corps.

Ezio longea prudemment les murs, jusqu'à une grosse caisse ouverte contenant toutes sortes de rouages, de poulies et de cordes, sans doute conçus par Leonardo. Il s'agissait du mécanisme, actionné par une clepsydre, qui permettait d'abaisser les cages. Ezio sortit sa dague ordinaire de son fourreau, du côté gauche de son ceinturon, et la coinça entre deux rouages. Le mécanisme se figea, juste à temps, car les cages se trouvaient à présent à quelques centimètres seulement de la surface de l'eau. Mais les gardes remarquèrent aussitôt que les cages avaient interrompu leur descente, et certains d'entre eux se précipitèrent vers le mécanisme qui pilotait le tout. Ezio fit jaillir sa lame empoisonnée et se jeta sur eux. Deux d'entre eux tombèrent à l'eau et se mirent à pousser des cris, brièvement, s'enfonçant rapidement dans l'eau noire huileuse. Pendant ce temps, Ezio se précipita le long du bassin, en direction des autres, qui prirent tous la fuite, sauf Dante, qui ne bougea pas et se dressa devant Ezio.

— T'es le chien de garde de Silvio, maintenant, hein ? demanda Ezio.

— Mieux vaut être un chien vivant qu'un lion mort, répondit Dante en tendant les mains pour saisir les poignets d'Ezio et le jeter à l'eau.

— Bas les pattes ! dit Ezio en esquivant. Je n'ai pas envie de me disputer avec toi !

— Oh ! la ferme ! s'exclama Dante en saisissant Ezio par la peau du cou et en le projetant contre le mur. Moi non plus, je n'ai pas envie de me disputer avec toi. (Il remarqua l'étonnement d'Ezio.) Reste là. Il faut que j'aille avertir mon maître, mais je reviendrai et je te donnerai en pâture aux poissons si tu me causes encore des ennuis !

Et il s'éloigna. Ezio secoua la tête pour s'éclaircir les idées, puis il se releva, encore étourdi. Dans les cages, les hommes criaient, et Ezio vit que l'un des gardes de Silvio était discrètement revenu et était sur le point de déloger la dague qu'Ezio avait bloquée dans le mécanisme de descente de la cage. Il remercia Dieu de ne pas avoir oublié la technique de lancer de couteau qu'il avait apprise à Monteriggioni. Il tira une lame de son ceinturon et la lança avec une incroyable précision. Le garde bascula en arrière, poussa un grognement, tentant vainement d'arracher le projectile qui s'était fiché entre ses deux yeux.

Ezio s'empara d'une gaffe sur un portant appuyé contre le mur, derrière lui, et, se penchant dangereusement au-dessus de l'eau, attira facilement vers lui la cage la plus proche. Sa porte était fermée par un simple loquet, qu'il manœuvra, libérant les prisonniers, qui dégringolèrent sur le quai. Grâce à leur aide, il fut capable d'amener à lui les autres cages et d'en libérer les captifs.

Épuisés par cette épreuve, ils se mirent tout de même à l'acclamer.

— Suivez-moi ! s'écria-t-il. Il faut que je vous ramène auprès de votre capitaine !

Dès qu'ils eurent submergé les hommes qui gardaient les bassins, ils regagnèrent San Pietro sans anicroche, où ils furent accueillis avec beaucoup d'émotion par Bartolomeo et ses hommes. En l'absence d'Ezio, tous les mercenaires qui avaient réussi à fuir l'attaque initiale de Silvio étaient revenus, et le campement était de nouveau *in perfetto ordine*.

— Salut, Ezio ! s'exclama Bartolomeo. Content de te revoir ! Et bien joué, bon Dieu ! Je savais que je pouvais compter sur toi ! (Il serra les mains d'Ezio dans les siennes.) En fait, tu es le plus puissant des alliés que j'aie jamais eus ! On pourrait même croire… (Mais il s'interrompit et déclara plutôt :) Grâce à toi, mon armée a recouvré toute sa splendeur. Maintenant, notre ami Silvio va comprendre à quel point il a commis une grave erreur !

— Alors, qu'est-ce qu'on doit faire ? Attaquer directement l'Arsenal ?

— Non. Si on lançait un assaut frontal, on se ferait massacrer avant d'avoir atteint les portes. Je crois qu'on devrait poster mes hommes dans tout le quartier et leur demander de créer suffisamment de problèmes localement pour que ça puisse occuper la plus grande partie des hommes de Silvio.

— Et puis, quand l'Arsenal sera presque désert…

— … on pourra s'en emparer avec une équipe triée sur le volet.

— Espérons qu'il morde à l'hameçon…

— C'est un inquisiteur. Il sait comment s'y prendre pour intimider des gens qui sont déjà à sa merci. Ce n'est pas un soldat. Putain, il n'est même pas suffisamment intelligent pour être un joueur d'échecs à peu près convenable !

Il fallut quelques jours pour déployer les *condottieri* de Bartolomeo dans les quartiers du Castello et de l'Arsenal. Lorsque tout fut prêt, Bartolomeo et Ezio rassemblèrent le petit groupe de mercenaires triés sur le volet qu'ils avaient sélectionnés pour l'assaut sur le bastion de Silvio. Ezio avait lui-même choisi les hommes pour leur agilité et leur adresse au combat.

Ils avaient soigneusement préparé cette attaque. Le vendredi soir suivant, tout était prêt. On envoya un mercenaire au sommet de la tour de San Martino, et, lorsque la lune fut à son zénith, il alluma une énorme chandelle romaine, conçue et fournie par les ateliers de Leonardo. C'était le signal de l'attaque. Vêtus de cuir noir, les *condottieri* de la force d'intervention escaladèrent les murs de l'Arsenal des quatre côtés. Une fois sur les remparts, les hommes se déplacèrent aussi silencieusement que des fantômes à travers la paisible forteresse en sous-effectif et maîtrisèrent rapidement le petit nombre de gardes en faction. Peu après, Ezio et Bartolomeo se retrouvèrent face à leurs ennemis les plus dangereux : Silvio et Dante.

Ce dernier, armé de coups-de-poing à chaque main, faisait tournoyer une énorme masse, protégeant son maître. Il fut difficile à la fois pour Ezio et pour Bartolomeo de s'approcher, car leurs propres hommes s'étaient rués sur l'ennemi.

— C'est un merveilleux spécimen, n'est-ce pas ? exulta Silvio des remparts, à l'abri du danger. Vous devriez être honorés que ce soit lui qui vous tue !

— Suce-moi la bite, enculé ! lui répondit Bartolomeo en hurlant. (Il était parvenu à accrocher la masse de Dante à l'aide de son bâton de combat et à la lui arracher des mains, l'obligeant à battre en retraite.) Viens, Ezio, il faut qu'on attrape ce *grassone bastardo* !

Dante se retourna, ayant atteint son objectif, une massue de fer hérissée de clous tordus, et leur fit de nouveau face.

Il la fit tournoyer devant Bartolomeo, et l'un des clous érafla l'épaule du capitaine.

— Je vais te le faire payer, espèce de sac à merde ! beugla Bartolomeo.

Pendant ce temps, Ezio avait eu le temps de charger son pistolet et de faire feu sur Silvio, mais il manqua son coup.

Son tir ricocha contre le mur de brique en provoquant une pluie d'étincelles et d'éclats.

— Tu crois que j'ignore la véritable raison de ta présence, Auditore ? aboya Silvio, même s'il sembla manifestement effrayé par le coup de feu. Mais tu arrives trop tard ! Tu ne peux plus rien faire pour nous arrêter, maintenant !

Ezio avait rechargé son arme, et il refit feu. Mais il était furieux, et les paroles de Silvio l'avaient quelque peu décontenancé. Une fois de plus, le tir manqua sa cible.

— Ha ! cracha Silvio, depuis les remparts, tandis que Dante et Bartolomeo se frappaient de toutes leurs forces. Tu feins l'ignorance ! Mais dès que Dante en aura fini avec ton ami musclé et toi, ça n'aura plus guère d'importance. Tu te contenteras de suivre les traces de ton idiot de père ! Tu sais quel est mon plus grand regret ? De ne pas avoir pu être moi-même le bourreau de Giovanni. Comme j'aurais adoré tirer ce levier et regarder ton misérable père battre des pieds, suffoquer et se balancer ! Et puis, naturellement, j'aurais pris tout mon temps avec ton sac à vin d'oncle, le *ciccione* Mario, ta mère – pas si vieille que ça –, Maria aux seins qui tombent, et cette délicieuse petite fraise des bois, Claudia, ta chère sœur. Ça fait un moment que je n'ai pas baisé une gamine de moins de vingt-cinq ans ! Vois-tu, je garderai les deux dernières pour le voyage – on se sent parfois un peu seul, en mer !

Malgré sa fureur, Ezio s'efforça de se concentrer sur les informations que cette pipelette d'inquisiteur était en train de lui fournir tout en continuant à l'insulter.

À présent, les gardes de Silvio, supérieurs en nombre, commençaient à se rassembler face aux commandos de Bartolomeo. Dante esquiva un nouvel assaut de la part de Bartolomeo et lui assena un violent coup dans la cage thoracique à l'aide d'un de ses coups-de-poing, ce qui fit chanceler le capitaine. Ezio tira une troisième balle sur Silvio, et, cette fois, elle s'enfonça dans la robe de l'inquisiteur, près de son cou, mais, bien que l'homme se soit mis à tituber, et qu'Ezio ait aperçu un mince filet de sang, il resta debout. Il cria un ordre à Dante, qui se replia, se précipitant vers les remparts pour rejoindre son maître, et disparaissant avec lui de l'autre côté du mur. Ezio savait qu'il y aurait une échelle qui les mènerait sur la jetée, et, criant à Bartolomeo de le suivre, il quitta le champ de bataille au pas de course pour aller rejoindre ses ennemis.

Il les vit embarquer sur un gros bateau, mais la colère et le désespoir se lisaient sur leurs visages. En suivant leurs regards, il aperçut une gigantesque galère noire qui s'enfonçait dans le lagon, vers le sud.

— On a été trahis ! Ezio entendit-il Silvio dire à Dante. Le navire est parti sans nous ! Que Dieu les maudisse ! Je me suis toujours montré loyal, et voilà comment ils me remercient !

— Tâchons de les rattraper avec ce bateau, suggéra Dante.

— C'est trop tard… Et on n'arrivera jamais jusqu'à l'île dans une si petite embarcation. Au moins, profitons-en pour échapper à cette catastrophe !

— Alors larguons les amarres, *Altezza*.

— Allons-y.

Dante se retourna vers les membres d'équipage tremblants.

— Larguez les amarres ! Hissez les voiles ! Et plus vite que ça !

C'est alors qu'Ezio surgit de l'ombre et bondit à travers le quai jusque sur le bateau. Effrayés, les marins déguerpirent et se jetèrent dans l'eau trouble du lagon.

Éloigne-toi de moi, criminel ! hurla Silvio.

— Tu viens de proférer ta dernière insulte, déclara Ezio en le poignardant, puis en lui tournant lentement les lames de sa dague à double lame dans le ventre. Et pour ce que tu as dit sur ma sœur et ma mère, je t'aurais coupé les couilles, si j'avais jugé que c'en valait la peine.

Dante resta figé. Ezio le regarda droit dans les yeux. Le gaillard semblait fatigué.

— C'est fini, lui dit Ezio. Tu as misé sur le mauvais cheval.

— Sans doute, répondit Dante. Je vais te tuer, de toute façon. Espèce de sale Assassin ! Tu me fatigues !

Ezio fit jaillir son *pistola* et tira. Le pruneau atteignit Dante en pleine figure. Le colosse s'écroula.

Ezio s'agenouilla auprès de Silvio pour lui donner l'absolution. Ezio était quelqu'un de très consciencieux, et il se rappelait toujours qu'il ne fallait tuer qu'en dernier ressort ; et que le mourant, qui n'aurait bientôt plus aucun droit du tout, méritait au moins qu'on lui accorde les derniers sacrements.

— Tu allais où, Silvio ? Qu'est-ce que c'est que cette galère ? Je croyais que tu cherchais à prendre la place du doge...

Silvio esquissa un léger sourire.

— C'était juste une diversion... On envisageait d'aller...

— Où ça ?

— Trop tard, sourit Silvio.

Et il mourut.

Ezio se tourna vers Dante et souleva délicatement la grosse tête de lion dans le creux de son bras.

— Ils allaient à Chypre, Auditore, coassa Dante. Je peux peut-être sauver mon âme *in extremis* en te racontant la vérité. Ils veulent... ils veulent...

Mais, s'étouffant avec son propre sang, le gaillard s'éteignit.

Ezio fouilla dans les affaires des deux hommes, mais il ne trouva rien, à part une lettre adressée à Dante, de la part de sa femme. Honteux, il la lut.

« *Amore mio*,

Je me demande si le jour viendra où ces quelques mots auront de nouveau un sens pour toi. Je suis désolée d'avoir agi de la sorte – d'avoir permis à Marco de m'enlever à toi, d'avoir demandé le divorce, et de l'avoir épousé. Mais, maintenant qu'il est mort, je trouverai peut-être le moyen pour que nous soyons de nouveau tous les deux réunis. Mais je me demande si tu voudras encore te souvenir de moi ou si les blessures qui t'ont été infligées au cours de la bataille sont trop profondes. Si mes paroles t'émeuvent, contrairement à tes souvenirs, peut-être sauras-tu écouter ton cœur ? Mais ce qu'ils disent n'a aucune importance, parce que je sais que tu seras toujours dans mon cœur, quelque part. Je trouverai le moyen, mon amour. De te le rappeler, de te guérir…

À toi, pour toujours,

Gloria »

Il n'y avait aucune adresse. Ezio replia délicatement la lettre et la rangea dans son portefeuille. Il demanderait à Teodora si elle avait eu vent de cette étrange histoire, et si elle avait moyen de retourner la lettre à son expéditrice et de lui annoncer la mort de son traître d'époux.

Il jeta un coup d'œil aux cadavres et se signa.

— *Requiescant in pace*, dit-il d'un ton attristé.

Ezio se tenait encore auprès des deux morts quand surgit Bartolomeo, haletant.

— Je vois que tu n'avais pas besoin de moi, comme d'habitude…

— Tu as repris l'Arsenal ?

— Tu crois que je serais là si ce n'était pas le cas ?

— Félicitations !

— *Evviva* !

Mais Ezio contemplait la mer.

— On a récupéré Venise, mon ami, dit-il. Et Agostino peut y exercer son pouvoir sans avoir à redouter les Templiers. Quant à moi, je crois que je ne vais pas pouvoir me reposer de sitôt ! Tu vois cette galère, à l'horizon ?

— Oui.

— Dante m'a dit en poussant son dernier soupir qu'elle se dirigeait vers Chypre.

— Dans quelle intention ?

— Ça, *amico*, je vais devoir le découvrir tout seul.

Chapitre 21

Ezio eut du mal à croire qu'il s'agissait déjà de la Saint-Jean de l'an de grâce 1487. Son vingt-huitième anniversaire. Il était seul sur le pont des Bagarreurs, appuyé contre la balustrade, regardant d'un air sombre les eaux froides du canal. Soudain, un rat s'approcha en nageant, poussant vers un trou entre les briques noires de la rive du canal un chargement de feuilles de chou qu'il avait chapardées non loin, sur la barge d'un marchand de fruits et légumes.

— Te voilà, Ezio ! s'exclama une voix enjouée. (Il put sentir le parfum musqué de Rosa avant même de se retourner pour la saluer.) Ça fait trop longtemps ! C'est à croire que tu m'évites !

— J'ai été… occupé.

— Bien sûr. Que ferait Venise sans toi !

Ezio secoua la tête d'un air triste lorsque Rosa s'appuya confortablement sur la balustrade, à côté de lui.

— Comment se fait-il que tu sois si sérieux, *bello* ? demanda-t-elle.

Impassible, Ezio lui jeta un coup d'œil et haussa les épaules.

— Joyeux anniversaire à moi…

— C'est ton anniversaire ? T'es sérieux ? Ouah ! *Rallegramenti* ! C'est merveilleux !

— N'exagérons rien, soupira Ezio. Ça fait plus de dix ans que mon père et mon frère sont morts sous mes yeux. Et j'ai passé dix ans à en traquer les responsables, ceux qui figuraient sur la liste de mon père et ceux qui y ont été ajoutés depuis sa mort. Je sais que je me rapproche du but, maintenant – mais je ne comprends toujours pas à quoi tout ça peut bien rimer.

— Ezio, tu as dédié ta vie à une bonne cause. Ça t'a rendu solitaire, mais, dans un sens, c'était ta vocation. Et même si l'instrument que tu as utilisé pour servir ta cause est la mort, tu n'as jamais fait preuve d'injustice. Venise est bien plus sûre aujourd'hui qu'elle l'a jamais été, et c'est grâce à toi. Alors souris un peu ! En tout cas, comme c'est ton anniversaire, voici un présent. Ça tombe plutôt bien, hein ?

Elle lui tendit un registre d'apparence officielle.

— Je te remercie, Rosa. Je n'avais pas vraiment imaginé que tu m'offrirais ça pour mon anniversaire, qu'est-ce que c'est ?

— Oh, juste une chose sur laquelle je suis tombée par hasard. C'est le registre maritime de l'Arsenal. La date à laquelle ta galère noire est partie pour Chypre, l'an dernier, y figure…

— Sérieusement ? (Ezio tendit la main vers le carnet, mais Rosa le tint à distance, d'un air taquin.) Donne-le-moi, Rosa. Ce n'est pas drôle.

— Tout a un prix…, chuchota-t-elle.

— Si tu le dis…

Il la prit dans ses bras durant un long moment. Elle se blottit contre lui, et il en profita pour lui arracher le carnet des mains.

— Eh ! Ce n'est pas juste ! (Elle éclata de rire.) Enfin, pour ne pas faire durer le suspens, il est prévu que ta galère revienne à Venise demain !

— Je me demande ce qu'elle peut transporter…

— Je ne serais pas surprise que quelqu'un qui se trouve en ce moment sur ce pont ne tarde pas à le découvrir !

Le visage d'Ezio s'illumina.

— Allons faire la fête, d'abord ! dit-il.

Mais, à cet instant précis, une silhouette familière apparut.

— Leonardo ! s'exclama Ezio, vraiment surpris. Je te croyais à Milan !

— J'en reviens tout juste, répondit Leonardo. On m'a dit où te trouver. Salut, Rosa. Désolé, Ezio, mais il faut vraiment qu'on parle.

— Maintenant ? Ça ne peut pas attendre ?

— Je suis navré.

Rosa éclata de rire.

— Allez-y, les garçons. Amusez-vous bien. J'attendrai !

Leonardo poussa un Ezio peu enthousiaste à l'écart.

— Ç'a intérêt à être important, marmonna Ezio.

— Oh, ça l'est, ça l'est, répondit Leonardo en tentant de l'apaiser.

Il conduisit Ezio le long de plusieurs ruelles étroites, jusqu'à ce qu'ils atteignent l'arrière de son atelier. Leonardo s'affaira, sortant du vin chaud et des gâteaux rassis, ainsi qu'une pile de documents qu'il jeta sur la grande table à tréteaux qui se trouvait au milieu de son étude.

— J'ai fait envoyer tes pages du Codex à Monteriggioni, comme promis, mais je n'ai pas résisté à l'envie de les examiner moi-même, et j'ai rassemblé mes découvertes. J'ignore pourquoi je n'avais pas fait le rapprochement jusque-là, mais, quand je les ai mises bout à bout, je me suis rendu compte que je pouvais déchiffrer les inscriptions, les symboles et les notes en alphabet ancien, et j'ai l'impression d'avoir mis le doigt sur quelque chose – car toutes ces pages se suivent ! (Il s'interrompit.) Ce vin est trop chaud ! Vois-tu, je me suis habitué au San Colombano ; ce truc de Vénétie, c'est de la pisse de moucheron, à côté !

— Continue, dit patiemment Ezio.

— Écoute ça. (Leonardo sortit une paire de lunettes et l'ajusta sur son nez. Il parcourut ses documents et lut :) « Le Prophète se manifestera quand on apportera le Second Fragment à la Cité Flottante. »

À ces paroles, Ezio inspira brusquement.

— Le « Prophète » ? répéta-t-il. « Seul le Prophète est en mesure de l'ouvrir » ; « les deux Fragments de l'Éden ».

— Ezio ? demanda Leonardo d'un air inquisiteur en ôtant ses lunettes. Qu'est-ce que c'est ? Ça te dit quelque chose ?

Ezio le regarda. Il semblait être parvenu à une sorte de décision.

— Ça fait un moment qu'on se connaît, Leonardo. Si je ne peux pas me fier à toi, je ne peux me fier à personne... Écoute ! Mon oncle Mario m'en a parlé, il y a bien longtemps. Il avait déjà déchiffré d'autres pages de ce Codex, comme mon père, Giovanni. Le codex renferme une prophétie, à propos d'un secret, d'une ancienne chambre forte, qui contient quelque chose... Quelque chose de très puissant !

— Vraiment ? C'est extraordinaire ! (Mais une idée lui vint à l'esprit.) Écoute, Ezio. Puisqu'on a trouvé tout ça dans le Codex, qu'est-ce que les Barbarigo et ceux auxquels tu t'es attaqué peuvent savoir ? Ils connaissent peut-être aussi l'existence de cette chambre forte à laquelle tu fais allusion... Et si c'est le cas, ce n'est pas bon pour nous !

— Attends ! dit Ezio en réfléchissant. Et si c'était pour cette raison qu'ils avaient envoyé cette galère à Chypre ? Pour trouver ce « fragment de l'Éden » et le rapporter à Venise !

— « Quand on apportera le Second Fragment à la Cité Flottante »... Bien sûr !

— Ça me revient ! « Le Prophète se manifestera » ; « Seul le Prophète est en mesure d'ouvrir la chambre forte ! » Mon Dieu, Leo ! Quand mon oncle m'a parlé du Codex, j'étais trop jeune, trop bravache, pour imaginer qu'il puisse s'agir d'autre chose que d'un fantasme de vieillard. Mais là, tout s'éclaircit ! L'assassinat de Giovanni Mocenigo, le massacre de ma famille, la tentative de meurtre sur le duc Lorenzo, et la mort horrible de son frère. Tout ça fait partie de son plan pour trouver la chambre forte. Le premier nom sur ma liste ! Le seul qu'il me reste encore à rayer ! L'Espagnol !

Leonardo prit une profonde inspiration. Il savait à qui Ezio faisait allusion.

— Rodrigo Borgia…, soupira-t-il.

— En personne ! (Ezio marqua une pause.) La galère revient demain de Chypre. J'ai l'intention d'être là à son arrivée.

Leonardo le serra dans ses bras.

— Bonne chance, mon cher ami, dit-il.

Le matin suivant, Ezio, muni des armes du Codex et d'une bandoulière de couteaux de lancer, tapi dans l'ombre d'une colonnade près des quais, observa attentivement un groupe d'hommes, revêtus d'uniformes pour éviter d'attirer l'attention, mais affichant discrètement les armoiries du cardinal Rodrigo Borgia, qui étaient en train de décharger une petite caisse visiblement anodine de la galère noire en provenance de Chypre. Ils transportèrent la caisse avec des gants en chevreau, et l'un d'eux, sous bonne escorte, la hissa sur son épaule et s'apprêta à s'éloigner. Mais Ezio remarqua que plusieurs autres gardes transportaient des caisses identiques sur l'épaule, cinq en tout. Est-ce que chacune d'elles contenait quelque précieux artefact, le Second Fragment, ou s'agissait-il, à part l'une d'elles, de leurres ? Et les gardes se ressemblaient tous, certainement à cause de la distance à laquelle Ezio était obligé de les observer.

Au moment même où Ezio s'apprêtait à les suivre, il remarqua un autre homme, qui surveillait la scène d'un poste d'observation semblable au sien. Il réprima un hoquet en reconnaissant son oncle, Mario Auditore ; mais il n'avait le temps ni de le saluer, ni de le mettre au défi, car l'homme de Borgia qui transportait la caisse s'était déjà éloigné avec son garde. Ezio les suivit à bonne distance. Toutefois, une question se mit à le tarauder : est-ce que l'autre homme était réellement son oncle ? Et, si c'était effectivement le cas, comment était-il arrivé jusqu'à Venise, et pourquoi à cet instant précis ?

Mais il dut remettre ces questions à plus tard, car il entama la filature des gardes de Borgia et dut y consacrer toute son attention pour ne pas perdre de vue celui qui possédait la caisse originale – s'il s'agissait effectivement de celle qui contenait... ce qu'elle contenait. L'un des Fragments de l'Éden ?

Les gardes atteignirent une place de laquelle partaient cinq autres rues. Chaque porteur de caisse, accompagné de son escorte, prit une direction différente. Ezio escalada le côté d'un bâtiment voisin afin de pouvoir suivre le trajet de chaque garde depuis les toits. En les observant attentivement, il remarqua que l'un d'eux abandonnait son escorte et tournait dans la cour d'un imposant bâtiment de brique. Il déposa sa caisse à terre et l'ouvrit. Un sergent de Borgia le rejoignit aussitôt. Ezio bondit de toit en toit pour entendre ce qu'ils se disaient.

— Le maître attend, déclara le sergent. Remballe ça en faisant attention. Allez !

Ezio observa le garde, qui transféra un objet soigneusement empaqueté dans de la paille de la caisse à une boîte en teck qu'un servant lui avait apportée du bâtiment. Ezio réfléchit aussi vite qu'il le put. « Le maître » ! Par le passé, quand des sous-fifres des Templiers faisaient mention de ce titre, il ne pouvait s'agir que d'une seule personne : Rodrigo Borgia ! Ils reconditionnaient manifestement le véritable artefact afin de s'accorder un second niveau de sécurité. Mais, à présent, Ezio savait exactement quel garde il devait suivre.

Il redescendit dans la rue et suivit celui qui portait la boîte en teck. Le sergent s'était éloigné pour rejoindre l'escorte du cardinal, qui attendait devant la cour. Ezio avait une minute pour tenter d'égorger le soldat, de tirer le corps hors de vue, et de revêtir son uniforme, sa cape et son casque.

Il était sur le point de hisser la boîte sur son épaule quand, séduit par la tentation de jeter un rapide coup d'œil à l'intérieur, il souleva le couvercle. Mais, à cet instant, le sergent reparut dans l'entrée de la cour.

— Avance !

— Oui, chef ! répondit Ezio.

— Et mets-y un peu plus de putain d'entrain ! C'est probablement la chose la plus importante que tu feras de toute ta vie ! Tu me saisis ?

— Oui chef !

Ezio prit sa place au centre de l'escorte, et le détachement se mit en marche.

Ils traversèrent la ville du *molo*, au nord, au Campo Santi Giovanni e Paolo, où l'impressionnante et récente statue équestre de *messer* Verrocchio représentant le *condottiero* Colleone dominait la place. Après avoir longé Fondamenta dei Mendicanti vers le nord, ils parvinrent à une maison sans intérêt particulier, située sur une terrasse donnant sur le canal. Le sergent frappa à la porte à l'aide du pommeau de son épée, et elle s'ouvrit aussitôt. Le groupe de gardes poussa Ezio en avant et lui emboîta le pas. On referma la porte derrière eux, et on la verrouilla à l'aide d'épais loquets.

Ils se retrouvèrent dans une loggia envahie par les plantes grimpantes dans laquelle était assis un homme au nez crochu, la cinquantaine bien avancée, revêtu d'une robe de velours violette poussiéreuse. Les hommes le saluèrent. Ezio en fit autant, tentant d'éviter de croiser le regard glacial bleu cobalt qu'il ne connaissait que trop bien. L'Espagnol !

Rodrigo Borgia s'adressa au sergent.

— Il est vraiment là ? Vous n'avez pas été suivis ?

— Non, *Altezza*. Tout s'est déroulé comme prévu...

— Continue !

Le sergent s'éclaircit la voix.

— Nous avons suivi vos ordres à la lettre. Notre expédition à Chypre s'est révélée plus difficile que prévu. Il y a eu... des complications, au début. On a dû... abandonner certains adhérents à la cause, dans l'intérêt de la mission. Mais nous sommes revenus avec l'artefact. Et nous l'avons transporté avec énormément de soin, comme *Su Altezza* l'avait exigé. Et, comme le stipule notre accord, *Altezza*, nous avons hâte d'être généreusement récompensés.

Ezio savait qu'il ne pouvait pas se permettre que la boîte de teck tombe entre les mains du cardinal. Ce fut le moment qu'il choisit pour saisir sa chance, tandis que l'on abordait le sujet désagréable mais nécessaire du paiement pour service rendu, et que, comme d'habitude, le fournisseur devait insister auprès du client pour recevoir son dû. Comme tant de riches individus, le cardinal pouvait se montrer très avare dès qu'il s'agissait de mettre la main à la bourse. Faisant jaillir sa lame empoisonnée le long de son avant-bras droit, et sa dague à double lame sur le gauche, Ezio abattit le sergent. Un simple coup à hauteur du cou dénudé de l'homme fut suffisant pour lui libérer le poison mortel dans le sang. Ezio se rua ensuite brusquement sur les cinq gardes de l'escorte avec sa dague à double lame dans une main et la lame empoisonnée sous son poignet droit, tournoyant comme un derviche, réalisant des mouvements brefs et efficaces afin que chacun de ses coups soit mortel. Quelques instants plus tard, l'ensemble des gardes étaient étendus, raides morts, à ses pieds.

Rodrigo Borgia baissa les yeux dans sa direction, poussant un profond soupir.

— Ezio Auditore… Bien, bien… Ça faisait longtemps.

Le cardinal semblait imperturbable.

— *Cardinale*.

Ezio se fendit d'un salut ironique.

— Donne-moi ça, dit Rodrigo en indiquant la boîte.

— Dis-moi d'abord où il est.

— Où est qui ?

— Ton Prophète ! (Ezio jeta un coup d'œil autour de lui.) On dirait que personne ne s'est présenté. (Il marqua un temps d'arrêt avant de poursuivre, plus sérieusement.) Combien de personnes ont-elles trouvé la mort pour ça ? Pour ce qui se trouve dans cette boîte ? Et regarde ! Il n'y a *personne* !

Rodrigo se mit à ricaner. Comme un bruit d'os qui s'entrechoquent.

— Tu ne prétends pas être un croyant, dit-il. Et pourtant, tu es là. Tu ne vois pas le Prophète ? Il est pourtant bien là, puisque c'est *moi*, le Prophète !

Ezio écarquilla ses yeux gris. Cet homme était possédé ! Mais de quelle curieuse folie s'agissait-il ? Elle semblait transcender le cours rationnel et naturel de la vie. Hélas, perdu dans sa réflexion, Ezio baissa momentanément sa garde. L'Espagnol tira une *schiavona* – une épée légère mais redoutable, dotée d'un pommeau en forme de tête de chat – de sous sa robe et bondit de la loggia en visant la gorge d'Ezio.

— Donne-moi la Pomme ! rugit-il.

— Voilà donc ce que contient cette boîte ? Une pomme ? Il doit s'agir d'un spécimen très particulier, dit Ezio tandis que, dans son esprit, la voix de son oncle résonnait : « *un Fragment de l'Éden.* » Viens donc la chercher !

Rodrigo abattit son épée en direction d'Ezio, lui déchirant sa tunique et lui entamant la peau du premier coup.

— Tu es tout seul, Ezio ? Où sont tes amis Assassins, maintenant ?

— Je n'ai pas besoin d'eux pour m'occuper de toi !

Ezio se servit de ses dagues pour porter toutes sortes d'attaques, et de son bracelet de protection à l'avant-bras gauche pour parer les coups de Rodrigo. Même s'il fut incapable de le toucher avec sa lame empoisonnée, il parvint à enfoncer sa dague à double lame dans la robe de velours du cardinal, et il la vit s'imbiber du sang de l'homme.

— Espèce de petite merde ! beugla Rodrigo en se tordant de douleur. Je n'ai pas le choix, il va me falloir de l'aide pour venir à bout de toi ! Gardes ! Gardes !

Soudain, une dizaine d'hommes en armes portant les armoiries de Borgia sur leur tunique s'engouffrèrent dans la cour où Ezio et le cardinal s'affrontaient. Ezio savait qu'il lui restait un peu de son précieux poison dans le manche de la dague de sa main droite. Il bondit en arrière afin de se défendre contre les renforts de Rodrigo, et c'est alors que l'un des nouveaux gardes se baissa pour ramasser la boîte en teck et la tendre à son maître.

— Je te remercie, *uomo coraggioso* !

Ezio, pendant ce temps, était sérieusement débordé, mais il se battait avec une froideur méthodique, désirant absolument récupérer la boîte et son contenu. Après avoir rengainé ses lames du Codex, il tendit la main vers sa bandoulière de couteaux de lancer et les décocha avec une précision mortelle, abattant tout d'abord l'*uomo coraggioso*, puis, avec un second projectile, arrachant la boîte des mains noueuses de Rodrigo.

L'Espagnol se pencha pour la récupérer et battit ensuite en retraite, quand – « whouf ! »– un autre couteau fendit l'air et alla s'écraser avec fracas contre une colonne de pierre, à quelques centimètres du visage du cardinal. Mais ce n'était pas Ezio qui avait lancé ce couteau.

Celui-ci se retourna brusquement et aperçut un visage familier, jovial et barbu, derrière lui. Sans doute plus vieux, plus gris et plus joufflu, mais pas moins adroit.

— Oncle Mario, s'exclama-t-il. Je savais bien que c'était toi que j'avais vu, tout à l'heure.

— Je n'allais pas te laisser t'amuser tout seul ! dit Mario. Et ne t'inquiète pas, *nipote*, tu n'es pas seul !

Mais un garde de Borgia se jeta sur Ezio, brandissant sa hallebarde. Juste avant qu'il puisse porter le coup dévastateur qui aurait plongé Ezio dans une nuit sans fin, un carreau d'arbalète apparut comme par magie en plein milieu du front de l'homme. Il lâcha son arme et s'écroula en avant, une expression d'incrédulité à tout jamais gravée sur son visage. Ezio se retourna une nouvelle fois et vit la Volpe !

— Qu'est-ce que tu fais là, le Renard ?

— On a entendu dire que tu aurais peut-être besoin d'un coup de main, répondit le Renard en rechargeant rapidement son arme, alors que de nouveaux gardes sortaient du bâtiment.

C'est au même moment que d'autres renforts, Antonio et Bartolomeo, firent leur apparition du côté d'Ezio.

— Ne laissez pas Borgia s'échapper avec cette boîte ! s'écria Antonio.

Bartolomeo se servait de son épée à deux mains, Bianca, comme d'une faux, décimant les rangs des gardes alors qu'ils tentaient de le noyer sous la seule force de leur nombre. Et, progressivement, le cours de la bataille pencha de plus en plus en faveur des Assassins et de leurs alliés.

— On les tient, maintenant, *nipote*, s'écria Mario. Occupe-toi de l'Espagnol !

Ezio se retourna et aperçut Rodrigo, qui se dirigeait vers une porte, à l'arrière de la loggia, et il s'empressa d'aller lui couper la route. Mais le cardinal, l'épée à la main, était prêt à l'accueillir.

— Cette bataille est perdue pour toi, mon garçon, grogna-t-il. Tu ne peux pas empêcher d'arriver ce qui est écrit ! Tu mourras de mes propres mains, comme ton père et tes frères – car la mort est le sort qui est réservé à tous ceux qui tentent de défier les Templiers !

La voix de Rodrigo manquait néanmoins de conviction, et, en regardant autour de lui, Ezio se rendit compte que le dernier de ses gardes était tombé. Il s'interposa entre Rodrigo et la porte, lui empêchant toute retraite, brandissant sa propre épée et s'apprêtant à frapper en déclarant :

— Ça, c'est pour mon père !

Mais le cardinal se baissa pour esquiver l'attaque, ce qui déséquilibra Ezio, mais il dut lâcher la précieuse boîte dans sa fuite vers la porte afin de sauver sa peau.

— Ne te méprends pas, dit-il d'un ton menaçant en s'éloignant. Nous nous reverrons ! Et je m'assurerai alors que ta mort soit aussi douloureuse que lente.

Et il disparut.

Ezio, hors d'haleine, tentait de reprendre son souffle et s'efforçait avec peine de se relever lorsqu'une femme lui tendit la main pour lui venir en aide. Il leva la tête et comprit que la propriétaire de la main n'était autre que Paola !

— Il est parti, dit-elle en souriant. Mais ça n'a aucune importance. On a ce qu'on était venus chercher.

— Non ! tu as entendu ce qu'il a dit ? Il faut que je le retrouve et qu'on en termine !

— Calme-toi, dit une autre femme en s'approchant.

Il s'agissait de Teodora. En observant le groupe qui était réuni là, Ezio se rendit compte que tous ses alliés étaient présents : Mario, le Renard, Antonio, Bartolomeo, Paola et Teodora. Et il y avait quelqu'un d'autre. Un jeune homme pâle aux cheveux bruns et au visage délicat et plein d'humour.

— Qu'est-ce que vous faites tous là ? demanda Ezio, sentant une certaine tension parmi eux.

— Peut-être la même chose que toi, Ezio, répondit le jeune inconnu. On attend de voir le Prophète.

Ezio était troublé et agacé.

— Non, je suis venu là pour tuer l'Espagnol ! Je me moque éperdument de votre Prophète – en admettant qu'il existe vraiment ! Ce qui n'est certainement pas le cas.

— Vraiment ? (Le jeune homme marqua une pause, regardant Ezio droit dans les yeux.) C'est *toi*.

— Pardon ?

— Il a été prédit la venue d'un prophète. Et ça fait si longtemps que tu nous côtoies sans que qui que ce soit ait découvert la vérité. Depuis le début, tu es celui qu'on cherche.

— Je n'y comprends rien. Qui es-tu, d'abord ?

Le jeune homme esquissa un salut.

— Je m'appelle Niccolò di Bernardo dei Machiavelli. Je suis membre de l'ordre des Assassins, et j'ai suivi son entraînement traditionnel afin de préserver l'avenir de l'humanité. Tout comme toi et tous ceux qui se trouvent ici.

Stupéfait, Ezio porta son attention d'un visage à l'autre.

— C'est vrai, oncle Mario ? finit-il par demander.

— Oui, mon garçon, répondit Mario en faisant un pas en avant. Voilà des années qu'on te guide, qu'on t'enseigne tout ce dont tu as besoin pour être en mesure de rejoindre nos rangs.

De nombreuses questions vinrent à l'esprit d'Ezio. Il ignorait par où commencer.

— Il faut que je te demande des nouvelles de ma famille, dit-il à Mario. Ma mère, ma sœur…

Mario esquissa un sourire.

— C'est ton droit. Elles sont saines et sauves. Elles ne se trouvent plus au couvent, mais chez moi, à Monteriggioni. Maria sera à tout jamais endeuillée, mais elle à trouvé de quoi se consoler, maintenant, puisqu'elle se consacre à la charité avec l'abbesse. Quant à Claudia, l'abbesse a compris bien avant elle que la vie de religieuse n'était pas idéale pour quelqu'un de son tempérament, et qu'il existait d'autres façons de servir Notre Seigneur. Elle a été libérée de ses vœux. Elle a épousé mon capitaine, et, bientôt, Ezio, elle t'offrira un neveu ou une nièce.

— C'est une excellente nouvelle, mon oncle. Je n'ai jamais vraiment apprécié l'idée que Claudia puisse passer toute sa vie au couvent. Mais j'ai tellement de questions à te poser…

— Tu auras bientôt le temps de poser toutes celles que tu voudras, déclara Machiavelli.

— Il nous reste du pain sur la planche avant de pouvoir espérer revoir nos proches et faire la fête, dit Mario. Et il se peut même qu'on n'en ait jamais l'occasion. On a réussi à prendre la boîte à Rodrigo, mais il n'abandonnera pas tant qu'il ne l'aura pas récupérée. Il va donc falloir la protéger au péril de notre vie.

Ezio regarda tour à tour les Assassins et remarqua pour la première fois qu'ils avaient tous une marque à la base de l'annulaire gauche. Mais ce n'était manifestement pas le moment de poser de nouvelles questions. Mario se tourna vers ses associés :

— Je crois qu'il est temps…

D'un air grave, ils lui donnèrent tous leur assentiment, et Antonio sortit une carte et la déplia, indiquant à Ezio un point précis.

— Rejoins-nous là au coucher du soleil, lui ordonna-t-il d'un ton grave.

— Venez, dit Mario à l'attention des autres.

Machiavelli assuma la charge de la boîte et de son précieux et mystérieux contenu, et les Assassins regagnèrent la rue les uns après les autres avant de s'éloigner, laissant Ezio tout seul.

Venise était étonnamment déserte, ce soir-là, et la grande place devant la basilique était silencieuse et vide, à part les quelques pigeons qui y avaient élu domicile de façon permanente. Le clocher se dressait à une hauteur vertigineuse au-dessus d'Ezio, mais il n'hésita à aucun moment à l'escalader. Il obtiendrait certainement des réponses à certaines de ses questions au cours de la réunion à laquelle il avait été convié. Et même s'il savait au plus profond de son être que certaines d'entre elles lui feraient peur, il comprenait également qu'il ne pouvait pas leur tourner le dos.

En approchant du sommet, il entendit des voix étouffées. Il finit par atteindre la rambarde de pierre située à la cime de la tour, et il se glissa dans le clocher. Un espace circulaire avait été dégagé, et les sept Assassins, tous coiffés de capuchons, étaient alignés le long de son périmètre, tandis qu'un feu brûlait dans un petit brasier, au milieu du cercle.

Paola le prit par la main et le conduisit au centre, tandis que Mario entonnait une incantation :

— *Laa shay'a waqi'un moutlaq bale koulon moumkine...* Telles sont les paroles prononcées par nos ancêtres, qui composent les principes de notre Credo.

Machiavelli fit un pas en avant et lança un regard sévère en direction d'Ezio.

— Là où d'autres suivent aveuglément la vérité, rappelle-toi... (Et Ezio acheva la phrase comme s'il l'avait entendue toute sa vie :)

— … que rien n'est vrai.

— Là où d'autres sont limités par la morale et la loi, poursuivit Machiavelli, rappelle-toi…

— … que tout est permis.

— Nous œuvrons dans les ténèbres pour servir la Lumière. Nous sommes des Assassins.

Et les autres se joignirent à lui, entonnant à l'unisson :

— Rien n'est vrai, tout est permis. Rien n'est vrai, tout est permis. Rien n'est vrai, tout est permis…

Quand ils eurent terminé, Mario saisit la main gauche d'Ezio.

— Il est temps, lui dit-il. En cette époque moderne, nous ne prenons plus tout au pied de la lettre, contrairement à nos ancêtres. Nous n'exigeons plus le sacrifice d'un doigt. Mais la marque que nous nous appliquons est définitive. (Il retint son souffle.) Es-tu prêt à te joindre à nous ?

Comme dans un rêve, Ezio, sachant, d'une façon ou d'une autre, ce qu'il devait faire et ce qui allait se produire ensuite, tendit la main sans la moindre hésitation.

— Je le suis, répondit-il.

Antonio se rendit jusqu'au brasier et en tira un fer chauffé au rouge se terminant par deux petits demi-cercles qu'il était possible de réunir au moyen d'un levier dans la poignée. Puis il s'empara de la main d'Ezio et lui sépara l'annulaire des autres doigts.

— Ça ne fait pas mal très longtemps, mon frère, dit-il. Comme beaucoup d'autres choses.

Il présenta le fer à marquer autour du doigt et appliqua les demi-cercles de métal chauffés au rouge à sa base. Cela lui brûla la peau, et une odeur de roussi se dégagea, mais Ezio ne broncha pas. Antonio retira rapidement le fer et le mit à l'écart par mesure de sécurité. Puis les Assassins ôtèrent leurs capuchons et se rassemblèrent autour d'Ezio. Son oncle Mario lui assena fièrement une tape dans le dos. Teodora sortit une petite fiole de verre contenant un liquide épais et transparent, dont elle enduisit délicatement la brûlure en forme d'anneau, à jamais présente sur le doigt d'Ezio.

— Ça va apaiser la douleur, dit-elle. Nous sommes fiers de toi.

Puis Machiavelli se tourna face à lui et lui adressa un hochement de tête entendu.

— *Benvenuti*, Ezio. Tu es l'un des nôtres, à présent. Il ne nous reste plus qu'à conclure ta cérémonie d'initiation, et ensuite, mon ami, il va falloir se mettre au travail !

Sur ce, il jeta un coup d'œil à l'extérieur du clocher. Loin en bas, on avait empilé un certain nombre de bottes de foin à divers endroits autour du campanile – du fourrage destiné au palais ducal. Il sembla impossible à Ezio que, à une telle hauteur, quiconque soit en mesure de maîtriser suffisamment sa chute pour atterrir sur l'une de ces minuscules cibles, mais c'est pourtant ce que réalisa Machiavelli, qui bondit dans le vide, la cape claquant au vent. Ses compagnons l'imitèrent, et Ezio les observa avec un mélange d'horreur et d'admiration. Ils se réceptionnèrent tous parfaitement et se rassemblèrent, levant la tête dans sa direction, affichant sur leurs visages ce qu'il espérait être des expressions d'encouragement.

Si expérimenté ait-il été pour bondir de toit en toit, il n'avait jamais été obligé de se jeter d'une telle hauteur. Les bottes de foin lui semblaient avoir la taille d'une part de polenta, mais il savait qu'il n'avait pas d'autre choix pour redescendre, et que, plus il hésitait, plus ce serait difficile. Il prit deux ou trois profondes inspirations, puis il s'élança dans l'obscurité, les bras écartés, dans un parfait saut de l'ange.

La chute lui sembla durer des heures, et le vent lui sifflait aux oreilles, l'ébouriffant et s'engouffrant dans ses vêtements. Puis les bottes de foin parurent se précipiter à sa rencontre.

Au dernier moment, il ferma les yeux et s'écrasa dans le foin ! Il en eut le souffle coupé, mais, lorsqu'il tenta de se relever en tremblant, il se rendit compte qu'il n'avait rien de cassé et qu'il ressentait, en fait, une certaine euphorie.

Mario le rejoignit, accompagné de Teodora.

— Je crois qu'il fera l'affaire, pas toi ? demanda Mario à Teodora.

Au milieu de la soirée, Mario, Machiavelli et Ezio se retrouvèrent autour de la grande table à tréteaux de l'atelier de Leonardo. L'étrange artefact auquel Rodrigo Borgia avait accordé tant d'importance était posé devant eux, et ils l'observaient tous avec curiosité et respect.

— C'est fascinant, dit Leonardo. Vraiment fascinant…

— De quoi parles-tu, Leonardo ? demanda Ezio. Qu'est-ce qu'il a de si particulier ?

— Eh bien, répondit Leonardo, pour le moment, j'avoue que je sèche. Il renferme de sombres secrets, et il est d'une conception qui ne ressemble, d'après moi, à rien de ce qui existe sur Terre – je n'en ai jamais vu d'aussi complexe… Et je ne me l'explique pas plus que la raison pour laquelle la Terre tourne autour du Soleil.

— Tu veux sans doute dire « … pour laquelle le Soleil tourne autour de la Terre », intervint Mario en lançant à Leonardo un étrange regard.

Mais Leonardo continua à examiner la machine, la tournant précautionneusement dans ses mains, et, ce faisant, elle se mit à luire, comme pour lui répondre, et à émettre une lueur fantomatique qu'elle avait elle-même générée.

— C'est fait en matériaux qui, selon toute logique, ne devraient normalement pas exister, poursuivit Leonardo d'un air songeur. Et pourtant, il s'agit manifestement d'un dispositif très ancien.

— Il y est certainement fait référence dans les pages du Codex que nous avons en notre possession, suggéra Mario. Je reconnais sa description, là. Dans le Codex, il est écrit que c'est un « Fragment de l'Éden ».

— Et Rodrigo l'a appelé « la Pomme », ajouta Ezio.

Leonardo le regarda sévèrement.

— Comme celle de l'arbre de la connaissance ? La pomme qu'Ève a donnée à Adam ?

Ils se retournèrent tous pour examiner l'objet de plus près. Il s'était mis à briller d'un vif éclat, et avec un effet hypnotique. Ezio se sentit de plus en plus poussé, pour des raisons qui lui échappaient, à tendre la main et à le toucher. Il sentit que l'objet n'émettait aucune chaleur, et, pourtant, en même temps qu'une certaine fascination, il éprouva une grande impression de danger, comme si, en le touchant, l'objet le transpercerait d'éclairs. Il n'était plus conscient de la présence des autres. Il lui semblait que le monde qui l'entourait s'était obscurci et refroidi, et que plus rien n'existait à part lui et cette… chose.

Il tendit la main comme si elle ne lui appartenait plus vraiment, comme s'il ne la maîtrisait plus, et il finit par la poser résolument sur la surface lisse de l'artefact.

Sa première réaction fut comme un choc. La Pomme semblait métallique, mais son contact se révéla chaud et doux, comme la peau d'une femme, comme si elle était *vivante* ! Mais il n'eut pas le temps de méditer sur la question, car il dut aussitôt retirer la main, et, l'instant d'après, la lueur émise à l'intérieur de l'appareil, qui se faisait de plus en plus vive, éclata soudain en un aveuglant kaléidoscope de lumières et de couleurs. Au milieu du chaos tourbillonnant, Ezio devina des formes. Il détourna un moment le regard de la Pomme et observa ses compagnons. Mario et Machiavelli s'étaient retournés, aveuglés, après avoir porté leurs mains à la tête, soit de peur, soit de douleur. Leonardo semblait fasciné, les yeux écarquillés, la bouche grande ouverte. Lorsqu'il se retourna vers l'artefact, Ezio vit que les formes commençaient à s'unir. Un somptueux jardin apparut, peuplé de créatures monstrueuses. Il y avait une ville sombre en flammes, d'énormes nuages en forme de champignons, plus grands que des cathédrales ou des palaces ; une armée en marche, différente de toutes celles qu'Ezio avait déjà vues ou imaginées ; des personnes affamées revêtues d'uniformes à rayures que des hommes armés de fouets et de chiens conduisaient à des bâtiments de brique ; de hautes cheminées qui crachaient de la fumée ; des étoiles et des planètes qui tournoyaient dans les cieux ; des hommes dans d'étranges armures qui déchiraient la noirceur de l'espace – et, là aussi, il y avait un autre Ezio, d'autres Leonardo, Mario et Machiavelli, en un nombre incalculable d'exemplaires, des mystifications du temps lui-même, tournoyant dans les airs sans qu'ils puissent intervenir, comme les innombrables jouets d'un vent violent, qui semblait à présent mugir dans la pièce dans laquelle ils se trouvaient.

—Arrêtez-moi ça ! beugla quelqu'un.

Ezio grinça des dents, et, sans précisément en connaître la raison, agrippant son poignet droit de sa main gauche, se força à de nouveau entrer en contact avec la chose.

Les effets cessèrent instantanément. La pièce reprit son aspect et ses dimensions habituelles. Ils se regardèrent les uns les autres. Tout était à sa place. Leonardo avait encore ses lunettes sur le nez. La Pomme se trouvait sur la table, immobile, un simple petit objet sur lequel personne ne se serait attardé.

Leonardo fut le premier à prendre la parole.

— Il ne faudra *jamais* que ça tombe entre de mauvaises mains, dit-il. Ça pourrait en faire devenir fou plus d'un…

— Je suis d'accord, approuva Machiavelli. Moi-même, je pourrais à peine le supporter, et encore moins croire que ça puisse renfermer une telle puissance.

Prudemment, après avoir enfilé des gants, il ramassa la Pomme, la rangea dans sa boîte et en referma soigneusement le couvercle.

— Vous croyez que l'Espagnol sait vraiment ce dont cette chose est capable ? Vous croyez qu'il est capable de la dominer ?

— On n'aurait *jamais* dû l'avoir entre les mains, dit Machiavelli d'un ton aussi dur que le granit. (Il tendit la boîte à Ezio.) Il faut que tu t'en charges et que tu la protèges en te servant de tout ce qu'on t'a appris.

Ezio prit précautionneusement la boîte et hocha la tête.

— Apporte-la à Forlì, dit Mario. Là-bas, la citadelle est fortifiée, protégée par des canons, et elle est entre les mains d'un de nos principaux alliés.

— De qui s'agit-il ? demanda Ezio.

— De Caterina Sforza.

Ezio se fendit d'un sourire.

— Ah oui… une vieille connaissance, avec laquelle je serai d'ailleurs ravi de renouer des liens.

— Alors prépare-toi à partir.

— Je vais t'accompagner, dit Machiavelli.

— Je t'en serais reconnaissant, lui répondit Ezio en souriant. (Il se tourna vers Leonardo.) Et toi, *amico mio* ?

— Moi ? Quand j'aurai fini mon travail ici, je retournerai à Milan. Le duc est bon envers moi.

— Il faudra aussi que tu passes par Monteriggioni, quand tu seras à Florence et que tu auras un peu de temps, dit Mario.

Ezio se tourna vers son meilleur ami.

—Au revoir, Leonardo. J'espère que nos chemins se recroiseront un jour.

—J'en suis persuadé, répondit Leonardo. Et si tu as besoin de moi, Agniolo, à Florence, saura toujours où me trouver.

Ezio le serra dans ses bras.

—Adieu.

—Tiens, un cadeau de départ, dit Leonardo en lui tendant un sac. Des balles et de la poudre pour ta petite *pistola*, et une belle fiole de poison pour cette dague si pratique. J'espère que tu n'en auras pas besoin, mais il est important pour moi de savoir que tu es aussi bien protégé que possible.

Ezio le regarda avec beaucoup d'émotion.

—Je te remercie… Merci pour tout, mon cher ami.

Chapitre 22

Après un long voyage sans histoire en galère depuis Venise, Ezio et Machiavelli atteignirent le port qui se trouvait près de Ravenne, où Caterina les accueillit en personne, accompagnée d'une partie de sa cour.

— Ils m'ont fait savoir par messager que vous étiez en chemin, je me suis donc dit que j'allais venir vous chercher et vous conduire moi-même à Forlì, dit-elle. Vous avez bien fait, je crois, de voyager dans l'une des galères du doge Agostino, car les routes ne sont pas toujours sûres, et on a régulièrement des ennuis avec les brigands. Même si je crois, ajouta-t-elle en lançant à Ezio un regard admiratif, qu'ils ne vous auraient guère posé de soucis.

— Je suis honoré que vous vous souveniez de moi, *signora*.

— Eh bien, ça fait un moment, mais vous m'aviez naturellement fait bonne impression. (Elle se tourna vers Machiavelli.) Ça me fait plaisir de te voir aussi, Niccolò.

— Vous vous connaissez, tous les deux ? demanda Ezio.

— Niccolò m'a été de très bon conseil à propos de certaines de mes affaires. (Elle changea de sujet.) Et j'ai entendu dire que vous étiez désormais un Assassin à part entière ? Félicitations !

Ils arrivèrent près du carrosse de Caterina, mais elle informa ses serviteurs que, par un temps si exquis, et comme la distance à parcourir n'était pas énorme, elle préférait s'y rendre à cheval. Ils sellèrent aussitôt des montures, et, après qu'ils eurent aidé Caterina à se mettre en selle, Ezio chevaucha à ses côtés.

— Vous allez adorer Forlì. Et vous y serez en sécurité. Voilà plus d'un siècle que nos canons protègent la ville, et la citadelle est presque imprenable.

— Je vous prie de m'excuser, *signora*, mais quelque chose m'intrigue…

— Dites-moi de quoi il s'agit.

— C'est la première fois que j'entends parler d'une femme à la tête d'une cité-État. Je suis impressionné.

Caterina esquissa un sourire.

— Eh bien, elle se trouvait auparavant entre les mains de mon mari, naturellement. Vous vous souvenez de lui, non ? Girolamo… (Elle marqua une pause.) Eh bien, il est mort.

— Je suis vraiment navré…

— C'est inutile, répondit-elle simplement. Je l'ai fait assassiner.

Ezio tenta de dissimuler son étonnement.

— En fait, intervint Machiavelli, on a découvert que Girolamo Riario travaillait au service des Templiers. Il était sur le point d'achever une carte sur laquelle figurait l'emplacement de toutes les pages restantes du Codex…

— Je n'ai jamais apprécié ce foutu fils de pute, de toute façon, déclara Caterina d'un ton catégorique. C'était un père minable, il était ennuyeux au lit, et, d'une façon générale, c'était un véritable casse-couilles. (Elle s'interrompit, l'air songeur.) Voyez-vous, j'ai eu deux ou trois autres époux, depuis – plutôt surfaits, si vous voulez savoir.

Ils furent interrompus par l'apparition d'un cheval sans cavalier, qui se dirigeait vers eux au galop. Caterina ordonna à l'un de ses hommes d'aller à sa rencontre, et le reste du groupe poursuivit sa route en direction de Forlì, mais les serviteurs de Sforza avaient dégainé leurs épées. Ils arrivèrent bientôt à hauteur d'un chariot retourné, ses roues tournant encore dans le vide, au milieu de cadavres.

Caterina fronça les sourcils, et elle éperonna sa monture, suivie de près par Ezio et Machiavelli.

Un peu plus loin sur la route, ils croisèrent un groupe de paysans de la région, dont certains étaient blessés.

— Que se passe-t-il ? demanda Caterina en abordant une femme, à la tête du groupe.

— *Altezza*, répondit la femme en larmes. Ils sont arrivés presque juste après votre départ. Ils s'apprêtent à assiéger la ville !

— De qui s'agit-il ?

— Les frères Orsi, *madonna* !

— *Sangue di Giuda* !

— Qui sont ces Orsi ? demanda Ezio.

— Les mêmes ordures que celles dont j'ai loué les services pour tuer Girolamo, cracha Caterina.

— Les Orsi travaillent pour tous ceux qui veulent bien les payer, fit observer Machiavelli. Ils ne sont pas très fins, mais, malheureusement, ils ont la réputation de toujours aller jusqu'au bout de ce qu'ils entreprennent. (Il marqua une pause et prit un air pensif.) Je suis sûr que c'est l'Espagnol qui est derrière tout ça.

— Mais comment pouvait-il savoir où nous avions l'intention d'apporter la Pomme ?

— Ce n'est pas la Pomme qu'ils veulent, Ezio, c'est la carte de Riario. Elle est encore à Forlì. Rodrigo a besoin de savoir où sont cachées les autres pages du Codex, et on ne peut pas se permettre de le laisser mettre la main sur cette carte !

— Je me fous de cette carte, s'écria Caterina. Il y a mes enfants, en ville. Ah ! *porco demonio* !

Ils poussèrent leurs montures au galop jusqu'à ce qu'ils arrivent en vue de la cité. De la fumée s'élevait à l'intérieur de l'enceinte, mais ils virent que les portes étaient closes. Des hommes se tenaient le long des remparts extérieurs, sous la bannière à l'effigie de l'ours et du buisson de la famille Orsi. Mais, dans la ville, sur la colline, c'était toujours le pavillon des Sforza qui flottait sur la citadelle.

— On dirait qu'ils dominent au moins une partie de Forlì, mais pas la citadelle, constata Machiavelli.

— Les salopards de traîtres ! cracha Caterina.

— Il y aurait moyen d'entrer dans la cité sans se faire voir ? demanda Ezio en rassemblant ses armes du Codex et en se préparant à les utiliser, conservant le pistolet et la lame à ressort dans sa musette.

— Il y a une possibilité, *caro*, répondit Caterina. Mais ça ne va pas être simple. Il existe un vieux tunnel qui passe sous le mur du canal ouest.

— Alors, je vais essayer, dit Ezio. Tenez-vous prêts. Si j'arrive à faire ouvrir les portes de l'intérieur, soyez prêts à foncer. Si l'on parvient à gagner la citadelle, et si vos gens, là-bas, apercevant vos armoiries, vous laissent entrer, on y sera suffisamment en sécurité pour échafauder un plan.

— Qui consistera à pendre ces crétins et à les regarder se balancer dans le vent, grogna Caterina. Mais allez-y, Ezio, et bonne chance ! J'essaierai de trouver le moyen d'attirer l'attention des troupes des Orsi.

Ezio mit pied à terre et courut en direction des murs ouest, gardant profil bas et s'abritant derrière des monticules et des buissons. Pendant ce temps, Caterina se dressa sur ses étriers et se mit à brailler à l'attention de l'ennemi à l'intérieur des murs de la cité.

— Hé, *vous* ! C'est à *vous* que je parle, bande de *lâches*. Vous occupez *ma* ville ? Chez *moi* ? Et vous croyez vraiment que je vais rester là sans réagir ? Eh bien, j'arrive pour vous arracher les *coglioni* – si vous en avez, naturellement !

Des groupes de soldats surgirent sur les remparts, regardant en direction de Caterina, à demi amusés, à demi intimidés, tandis qu'elle poursuivait :

— Quel genre d'hommes êtes-vous ? Vous obéissez à votre maître pour seulement quelques pièces ! Je me demande si vous penserez encore que c'en valait la peine, une fois que je serai montée là-haut, que je vous aurai coupé la tête, que j'aurai pissé dessus et que je me la serai enfoncée dans la *figa* ! Je vais vous planter une fourchette dans les couilles, et je vais les faire frire au-dessus du feu ! Qu'est-ce que vous en pensez ?

Plus personne ne montait la garde sur les remparts ouest. Ezio constata que le canal n'était plus surveillé, et il s'y jeta. En nageant, il repéra l'entrée du tunnel, envahie par la végétation. Se glissant hors de l'eau, il s'enfonça dans les profondeurs de la galerie, plongées dans les ténèbres.

À l'intérieur, le passage était plutôt en bon état, et sec, et tout ce qu'il eut à faire fut de le suivre jusqu'à ce qu'il aperçoive de la lumière, à l'autre extrémité. Il s'en approcha prudemment, et la voix de Caterina lui parvint de nouveau, de plus en plus distincte. Le tunnel se terminait par une petite volée de marches de pierre qui menait dans une pièce sombre du rez-de-chaussée d'une des tours ouest de Forlì. Elle était déserte, Caterina ayant réussi à attirer l'attention d'un grand nombre de soldats. Par une fenêtre, il aperçut le dos de la plupart des hommes des Orsi, qui observaient, et applaudissaient même, à l'occasion, la représentation de Caterina.

— Si j'étais un homme, vous auriez déjà arrêté de sourire depuis longtemps ! Mais ne croyez pas que je vais rester là les bras croisés. Ce n'est pas parce que j'ai des seins… (Il lui vint soudain une idée). Je parie que vous aimeriez bien les voir, je me trompe ? Je parie que vous rêveriez de les toucher, de les lécher, de les serrer entre vos doigts ! Eh, pourquoi est-ce que vous ne descendriez pas de là pour essayer ? Je vous donnerais un si violent coup de pied dans les couilles qu'elles vous remonteraient jusqu'aux narines ! *Luridi branco di cani bastardi* ! Vous feriez mieux de faire vos bagages et de rentrer chez vous tant que vous le pouvez si vous ne voulez pas vous retrouver empalés au sommet des remparts de ma citadelle ! Ah ! Mais je me trompe, si ça se trouve ! Peut-être que ça vous plairait bien, en fait, qu'on vous enfonce un gros bout de bois dans le cul ! Vous me dégoûtez ! Je commence même à me demander si vous en valez la peine. Je n'avais jamais vu une telle chiée d'incapables. *Che vista penosa* ! Je ne vois même pas quelle différence ça ferait si je vous castrais, vu que vous n'êtes pas des hommes !

Ezio se faufila dans la rue. Il repéra la porte la plus proche de l'endroit où se trouvaient Caterina et Machiavelli. Au-dessus, un archer se tenait près de l'imposant levier qui servait à la manœuvrer. Se déplaçant aussi silencieusement et rapidement que possible, Ezio grimpa jusqu'au sommet de la porte et frappa le soldat à la gorge, le tuant sur le coup. Puis il se jeta de tout son poids sur le levier, et, en dessous, les portes s'ouvrirent en produisant un puissant grincement.

Pendant tout ce temps, Machiavelli avait attentivement observé l'accès à la cité, et, dès qu'il vit que les portes commençaient à s'ouvrir, il se pencha et chuchota quelques paroles à l'oreille de Caterina, qui piqua aussitôt des deux, poussant son cheval à un galop effréné, suivie de près par Machiavelli et le reste de ses hommes. Dès qu'ils comprirent ce qui se passait, les soldats des Orsi qui se trouvaient sur les remparts poussèrent un cri de colère et s'apprêtèrent à descendre pour les intercepter, mais le groupe aux couleurs des Sforza se révéla trop rapide pour eux. Ezio s'empara de l'arc et des flèches du garde mort et s'en servit pour abattre trois soldats des Orsi avant d'aussitôt escalader un mur qui se trouvait à proximité et de se mettre à courir sur les toits de la ville, à la même allure que Caterina et son groupe, qui chevauchaient à travers les rues étroites en direction de la citadelle.

Plus ils s'enfonçaient dans le cœur de la ville, plus la confusion régnait. Il était évident que la bataille pour la domination de Forlì était loin d'être achevée, car des groupes de soldats réunis sous la bannière à deux serpents bleus et à deux aigles noirs des Sforza combattaient âprement les mercenaires des Orsi, tandis que des citoyens ordinaires se précipitaient chez eux pour se mettre à l'abri ou couraient simplement çà et là, au hasard, dans la plus grande confusion. Les étals du marché avaient été retournés, des poulets couraient en gloussant entre les jambes des soldats, un enfant en bas âge était assis dans la boue et braillait en réclamant sa mère, qui surgit en courant, le récupéra et l'emmena en sécurité. Et, tout autour, la bataille faisait rage. Ezio, bondissant de toit en toit, apercevait la rue, par endroits, et il se servit de ses flèches avec une précision mortelle afin de protéger Caterina et Machiavelli chaque fois que des hommes des Orsi parvenaient à s'approcher un peu trop près d'eux.

Ils parvinrent finalement sur une large piazza, face à la citadelle. Elle était déserte, et les rues qui y menaient semblaient également vides. Ezio redescendit sur la chaussée et rejoignit les membres de son groupe. Il n'y avait personne sur les remparts de la citadelle, et son impressionnante porte était solidement fermée. Comme Caterina l'avait signalé, elle semblait effectivement imprenable.

Elle leva la tête et s'écria :

— Ouvrez, foutue bande d'imbéciles ! C'est moi ! *La duchessa* ! Bougez-vous le cul !

Quelques-uns de ses hommes surgirent au-dessus de leurs têtes, parmi lesquels se trouvait un capitaine, qui s'écria :

— *Subito, Altezza* !

Il donna l'ordre à trois hommes, qui disparurent aussitôt, d'ouvrir la porte. Mais, à cet instant, hurlant à la mort, des dizaines de soldats des Orsi jaillirent des rues avoisinantes et s'engouffrèrent sur la place, leur coupant toute possibilité de retraite, et acculant le groupe de Caterina contre l'impitoyable mur de la citadelle.

— Une foutue embuscade ! s'écria Machiavelli, lorsque Ezio rallia la poignée d'hommes et se plaça entre Caterina et leurs ennemis.

— *Aprite la porta* ! *Aprite* ! s'égosilla Caterina.

Et, enfin, les imposantes portes s'ouvrirent. Les gardes des Sforza se précipitèrent dehors pour leur prêter main-forte, et, se battant vaillamment dans un brutal corps à corps contre les hommes des Orsi, ils organisèrent une retraite vers la porte, qui se referma aussitôt derrière eux. Ezio et Machiavelli (qui avait rapidement mis pied à terre) s'appuyèrent tous les deux contre le mur, côte à côte, tentant de reprendre leur souffle. Ils parvenaient à peine à croire qu'ils avaient réussi. Caterina mit également pied à terre, mais elle ne prit pas le temps de se reposer. Elle se rua au contraire vers une porte, de l'autre côté de la cour, devant laquelle deux jeunes garçons et une nourrice tenant un nourrisson dans les bras l'attendaient peureusement.

Les enfants se précipitèrent vers elle, et elle les serra contre elle, les appelant par leur prénom :

— Cesare, Giovanni… *no preoccuparvi*. (Elle caressa la tête du bébé en roucoulant.) *Salute,* Galeazzo.

Puis elle regarda autour d'elle et se tourna vers la nourrice.

— Nezetta ! Où sont Bianca et Ottaviano ?

— Je vous prie de m'excuser, madame. Ils jouaient dehors quand la bataille a éclaté, et ils restent introuvables, depuis.

Caterina, l'air effrayé, était sur le point de lui répondre quand, soudain, un énorme rugissement résonna au sein des troupes des Orsi, à l'extérieur de la citadelle. Le capitaine des Sforza survint à hauteur d'Ezio et de Machiavelli.

— Ils amènent des renforts de la montagne, leur signala-t-il. J'ignore combien de temps on va pouvoir tenir. (Il se tourna vers un lieutenant.) Aux remparts ! Armez les canons !

Le lieutenant s'éloigna en courant pour aller organiser les artilleurs, et ces derniers se précipitèrent à leurs postes lorsqu'une grêle de flèches s'abattit sur la cour intérieure et les remparts autour. Caterina poussa ses plus jeunes enfants en lieu sûr, tout en criant à Ezio :

— Prenez soin des canons ! C'est notre unique espoir ! Ne permettez pas à ces bâtards de percer une brèche dans la citadelle !

— Viens ! s'écria Machiavelli.

Ezio le suivit jusqu'à l'endroit où les canons étaient alignés.

Plusieurs artilleurs avaient péri, ainsi que le capitaine et le lieutenant. D'autres étaient blessés. Les survivants s'efforçaient de manier et d'orienter les énormes canons pour les pointer sur les hommes des Orsi, sur la place, en contrebas. Un nombre considérable de renforts les avait rejoints, et Ezio comprit qu'ils étaient en train de manœuvrer des engins de siège et des catapultes dans les rues. Pendant ce temps, juste en dessous, un contingent de soldats mettait en place un bélier. Si Machiavelli et lui ne trouvaient pas rapidement une réaction appropriée, la citadelle était perdue. Mais, pour résister à ce nouvel assaut, il leur faudrait faire tirer les canons sur des cibles qui se trouvaient à l'intérieur même de la cité de Forlì, et ainsi mettre en péril, voire tuer d'innocents citadins.

Laissant le soin à Machiavelli d'organiser les artilleurs, Ezio se précipita dans la cour et se mit à la recherche de Caterina.

— Ils sont en train d'envahir la ville. Pour les tenir à distance, il faut tirer sur des cibles qui se trouvent à l'intérieur des murs...

Elle le regarda d'un air calme et glacial.

— Faites ce qu'il faut...

Il leva la tête vers les remparts, où se tenait Machiavelli, qui attendait le signal. Ezio leva le bras et l'abaissa d'un air résolu.

Les canons rugirent, et, pendant ce temps, Ezio se précipita de nouveau vers les remparts. Ordonnant aux artilleurs de faire feu à volonté, il observa le premier engin de siège, puis un second, voler en éclats, ainsi que des catapultes. Les troupes des Orsi ne disposaient que de peu de place pour manœuvrer, dans les rues étroites, et, après que les canons eurent dévasté la place, les archers et les arbalétriers des Sforza se mirent à viser les survivants parmi les envahisseurs qui se trouvaient dans l'enceinte de la cité. Les dernières troupes des Orsi furent finalement complètement chassées de Forlì, et les hommes des Sforza qui avaient réussi à survivre à l'extérieur de la citadelle furent en mesure de sécuriser les murailles extérieures. Mais la victoire avait été obtenue à un prix élevé. Plusieurs maisons à l'intérieur de la ville n'étaient plus que des ruines fumantes, et, pour reprendre la cité, les artilleurs de Caterina n'avaient pas pu éviter de tuer certains des leurs. Et il y avait un autre point à prendre en considération, comme Machiavelli le fit rapidement remarquer. Ils avaient mis l'ennemi en déroute, mais ils n'avaient pas mis un terme au siège en lui-même. Forlì était encore encerclée par des bataillons des frères Orsi, coupée de toute source d'approvisionnement en eau fraîche et en nourriture. Et les deux aînés de Caterina étaient toujours dans la nature, et risquaient leur vie.

Peu après, Caterina, Machiavelli et Ezio montèrent sur les remparts extérieurs et observèrent les campements, tout autour de la ville. Derrière eux, les citoyens de Forlì faisaient de leur mieux pour remettre la cité en ordre, mais les réserves de nourriture et d'eau ne dureraient pas éternellement, et tout le monde en était conscient. Caterina était exténuée et se rongeait les sangs à cause de la disparition de ses deux enfants – Bianca, l'aînée, avait neuf ans, et Ottavio un de moins.

Ils n'avaient pas encore aperçu les frères Orsi en personne, mais, ce jour-là, un héraut apparut au milieu de l'armée ennemie et sonna du clairon. Les troupes s'ouvrirent comme la mer pour permettre à deux hommes juchés sur des alezans et revêtus de hauberts en mailles d'acier de passer entre eux. Ils étaient accompagnés de pages qui brandissaient les armoiries à l'ours et au buisson. Ils s'immobilisèrent hors de portée de flèche.

L'un des cavaliers se dressa sur ses étriers et s'écria :

— Caterina ! Caterina Sforza ! On sait que tu t'es cloîtrée dans ta chère petite cité, Caterina ! Alors réponds-moi !

Caterina se pencha par-dessus les remparts, furieuse.

— Qu'est-ce que tu veux ?

L'homme se fendit d'un large sourire.

— Oh, trois fois rien. Je me demandais simplement s'il ne te manquait pas... quelques enfants ! (Ezio prit place aux côtés de Caterina. Leur interlocuteur le regarda d'un air surpris.) Bien, bien, dit-il. Ezio Auditore, si je ne m'abuse... Quelle joie de vous rencontrer. On entend dire beaucoup de choses à votre sujet...

— Et j'en déduis que vous, vous êtes les *fratelli* Orsi, répondit Ezio.

Celui qui n'avait pas encore pris la parole leva la main.

— C'est ça. Lodovico...

— … et Checco, poursuivit l'autre. Pour vous servir ! (Il poussa un éclat de rire sec.)

— *Basta* ! s'écria Caterina. Assez ! Où sont mes enfants ? Laissez-les partir !

Lodovico la salua d'un air ironique, sur sa selle.

— *Ma certo, signora.* Nous serons ravis de vous les remettre. En échange de quelque chose qui vous appartient. Ou, plutôt, en échange de quelque chose qui appartenait à feu votre époux. Une chose sur laquelle il travaillait pour le compte de… certains de nos amis. (Il prit un ton plus dur.) Je veux bien sûr parler d'une certaine carte !

— Et d'une certaine Pomme, aussi, ajouta Checco. Oh oui, nous savons tout sur cette histoire. Nous prendriez-vous pour des imbéciles ? Croyez-vous que notre employeur n'a pas d'espions ?

— Oui, dit Lodovico. Contre la Pomme, aussi. Sinon, je tranche la gorge de vos petits, d'une oreille à l'autre, et je les envoie rejoindre leur papa !

Caterina les écouta. Elle était à présent d'un calme olympien. Lorsque ce fut son tour de s'exprimer, elle s'écria :

— *Bastardi* ! Vous croyez pouvoir m'intimider avec vos vulgaires menaces ? Espèce de sacs à merde ! Je ne vous donnerai rien ! Vous voulez mes enfants ? Gardez-les ! J'ai les moyens d'en faire d'autres !

Elle souleva sa jupe et leur montra son sexe.

— Ta comédie ne m'intéresse guère, Caterina, dit Checco, en faisant faire demi-tour à sa monture. Et ta *figa* ne m'intéresse pas plus. Tu changeras d'avis, mais on ne te laisse qu'une heure. Jusque-là, tes mômes seront en sécurité dans ce petit village sordide, un peu plus bas sur la route. Et n'oublie pas : nous les tuerons, et, ensuite, nous reviendrons, nous saccagerons ta ville et nous prendrons ce que nous voulons par la force. Alors profite de notre générosité, et on s'évitera tous un bon nombre d'ennuis.

Et les frères s'éloignèrent. Caterina s'écroula contre le mur rugueux du rempart, respirant avec peine par la bouche, choquée par ce qu'elle venait de dire et de faire.

Ezio se tenait auprès d'elle.

— Il n'est pas question que vous sacrifiiez vos enfants, Caterina. Aucune cause ne pourra jamais justifier un tel acte.

— Même pour sauver le monde ?

Elle leva la tête vers lui, la bouche ouverte, ses yeux bleu clair grands ouverts sous sa crinière de cheveux roux.

— Il ne faut pas qu'on devienne des gens comme eux, répondit simplement Ezio. Il y a des compromis auxquels il ne faut même pas songer.

— Oh ! Ezio ! C'est ce que j'attendais que tu me dises ! (Elle lança ses bras autour de son cou.) Bien sûr que nous ne pouvons pas les sacrifier, mon chou ! (Elle recula.) Mais je ne peux pas te demander de courir le risque d'aller les chercher pour moi.

— Pourquoi pas ? demanda Ezio. (Il se tourna vers Machiavelli.) Je ne serai pas long – du moins, je l'espère. Mais quoi qu'il puisse m'arriver, je sais que tu protégeras la Pomme au péril de ta vie. Et, Caterina…

— Oui ?

— Tu sais où Girolamo planquait la carte ?

— Je la trouverai.

— Très bien. Et protège-la.

— Et qu'est-ce que tu comptes faire des Orsi ? demanda Machiavelli.

— Je les ai déjà ajoutés à ma liste, répondit Ezio. Ils font partie de ceux qui ont tué mes parents et anéanti ma famille. Mais je comprends, à présent, qu'il y a une cause plus importante à servir que la vengeance.

Les deux hommes se serrèrent la main, et leurs regards se croisèrent.

— *Buona fortuna, amico mio,* dit Machiavelli d'un ton grave.

— *Buona fortuna anche.*

Il ne lui fut pas difficile d'accéder au village dont Checco avait si négligemment donné l'identité, même si sa qualification de « sordide » était quelque peu désobligeante. Il était petit et pauvre, comme la plupart des villages de serfs de Romagne, et il montrait des signes de récente inondation, sans doute à cause d'une crue de la rivière voisine. Mais, dans l'ensemble, il était propre et ordonné, les maisons ayant été blanchies à la chaux et le chaume de leurs toits étant relativement récent. Même si la route détrempée qui menait à la dizaine de maisons était encore recouverte de boue, tout le reste suggérait l'ordre, à défaut de la satisfaction, et l'application, à défaut de la joie. Le seul élément qui distinguait Santa Salvaza d'un village paisible, c'était qu'il était truffé d'hommes d'armes des Orsi. *Inutile de se demander,* songea Ezio, *pourquoi Checco a jugé bon de signaler où il détenait Bianca et Ottaviano.* La véritable question était de savoir où, précisément, dans le village, les enfants de Caterina étaient retenus prisonniers.

Ezio, qui s'était cette fois armé de sa dague à double lame sur l'avant-bras gauche, avec son bracelet de protection en métal, de sa *pistola* sur le droit, ainsi que d'une légère épée qui pendait à son ceinturon, s'était habillé de façon simple, avec une longue cape en laine de paysan qui lui arrivait en dessous du genou. Il tira son capuchon pour éviter qu'on le reconnaisse, et, après avoir mis pied à terre à quelque distance du village, tout en gardant un œil aux aguets, au cas où des éclaireurs auraient fait une apparition, il jeta sur son épaule un fagot de bois de chauffage qu'il avait emprunté dans une cabane. Le dos voûté, il prit la direction de Santa Salvaza.

Les habitants du village tentaient de vaquer à leurs occupations comme si de rien n'était, malgré la présence militaire qui leur était imposée. Naturellement, aucun d'eux n'était particulièrement épris des mercenaires des frères Orsi, et, si Ezio était passé inaperçu aux yeux de ces derniers, les autochtones avaient immédiatement reconnu en lui un étranger, et il parvint à obtenir leur soutien dans sa mission. Il se dirigea vers une maison, à l'autre bout du village, plus grande que les autres, et située légèrement en retrait. C'était là, une vieille femme rapportant de l'eau de la rivière lui avait-elle appris, que l'un des enfants était détenu. Ezio fut ravi que les soldats des Orsi soient si mal déployés. La majeure partie de la force armée était occupée à préparer le siège de Forlì. Mais il savait qu'il ne disposait que de très peu de temps pour voler au secours des enfants.

La porte et les fenêtres de la maison étaient solidement fermées, mais, lorsqu'il fit le tour par-derrière, où les deux ailes de la bâtisse formaient une cour, Ezio entendit une voix ferme mais relativement jeune réprimander sévèrement quelqu'un. Il grimpa sur le toit et jeta un coup d'œil dans la cour, où Bianca Sforza, le modèle réduit de sa mère, passait un savon à deux gardes revêches.

— Voilà tout ce qu'ils ont pu dénicher pour me garder ? Deux spécimens à la triste mine ? demanda-t-elle royalement, sur la pointe des pieds, semblant n'avoir peur de rien, comme sa mère l'aurait fait. *Stolti* ! Ce ne sera pas suffisant ! Ma maman est féroce, et elle ne vous autorisera jamais à me faire du mal. Nous, les femmes Sforza, nous ne sommes pas des personnes timorées, vous savez ! On est peut-être agréables à regarder, mais il faut se méfier des apparences. Comme mon papa l'a découvert à ses dépens ! (Elle reprit son souffle, et les gardes se consultèrent du regard, perplexes.) J'espère que vous ne vous imaginez pas que je puisse avoir peur de l'un ou de l'autre, parce que si c'était le cas, vous vous mettriez le doigt dans l'œil. Et si vous touchez ne serait-ce qu'à un cheveu de mon petit frère, ma maman vous pourchassera et vous dévorera au petit déjeuner ! *Capito* ?

— Boucle-la, espèce de petite idiote, grogna le plus âgé des gardes, si tu ne veux pas que je te taille les oreilles en pointe !

— Ne vous avisez pas de me parler sur ce ton ! De toute façon, c'est ridicule. Vous ne vous en tirerez pas comme ça, et je serai rentrée chez moi dans moins d'une heure. En fait, je commence même déjà à m'ennuyer. Je suis surprise que vous n'ayez rien de mieux à faire, en attendant de mourir !

— Allez, ça suffit, dit le vieux garde en tendant la main pour la saisir. Mais ce fut le moment qu'Ezio choisit pour faire feu, du toit, à l'aide de sa *pistola*, touchant le soldat en pleine poitrine. L'homme fut soulevé de terre, un liquide écarlate se répandant sur sa tunique avant même qu'il retouche le sol. Ezio comprit aussitôt que le mélange de poudre de Leonardo était bien plus puissant que le précédent. Dans l'agitation et la confusion qui suivirent la mort soudaine du garde, Ezio bondit du toit, se réceptionnant avec la grâce et la puissance d'une panthère, et, armé de sa double lame, il se jeta violemment sur le plus jeune garde, qui tentait désespérément de dégainer une dague très laide. Ezio entailla avec précision l'avant-bras de l'homme, lui cisaillant les tendons comme s'il s'était agi de rubans. L'homme lâcha sa dague, qui s'enfonça la pointe la première dans la boue et, avant qu'il ait eu le temps de préparer une nouvelle défense, Ezio lui avait plaqué sa double lame sous le menton et lui avait transpercé la chair tendre que constituaient sa bouche et sa langue, dans la cavité inférieure du crâne. Ezio libéra calmement les lames, laissant le cadavre s'écrouler par terre.

— Ils ne sont que deux ? demanda-t-il à la petite fille imperturbable, tandis qu'il rechargeait promptement son pistolet.

— Oui ! Et je vous remercie, qui que vous soyez. Ma mère veillera à ce que vous soyez amplement récompensé. Mais ils détiennent aussi mon frère, Ottaviano...

— Tu sais où il est ? demanda Ezio, en terminant de recharger son arme.

— Ils l'ont conduit à la tour de guet, en passant par le pont en ruine ! Il faut qu'on se dépêche !

— Montre-moi où c'est, et reste près de moi !

Il la suivit hors de la maison et le long de la route jusqu'à ce qu'ils atteignent la tour. Ils arrivèrent juste à temps, car Lodovico lui-même était en train de traîner un Ottaviano geignard par la peau du dos. Ezio remarqua que le petit garçon boitait – il s'était certainement tordu la cheville.

— Toi ! s'exclama Lodovico lorsqu'il vit Ezio. Tu ferais bien de me laisser la gamine et de retourner auprès de ta maîtresse pour lui dire qu'on va les achever tous les deux si elle ne nous donne pas ce qu'on veut !

— Je veux ma maman ! brailla Ottaviano. Laissez-moi, vous, gros plein de soupe !

— La ferme, *marmocchio* ! grommela Lodovico. Ezio ! Va me chercher la Pomme et la carte, sinon les gosses vont y passer.

— J'ai envie de faire pipi ! gémit Ottaviano.

— Oh ! pour l'amour de Dieu, *chiudi il becco* !

— Laisse-le partir, lui intima fermement Ezio.

— J'aimerais bien voir ça ! Tu n'arriveras jamais à t'approcher suffisamment près de moi, espèce d'imbécile ! À la seconde même où tu feras le moindre geste, je lui trancherai la gorge en un clin d'œil !

À l'aide de ses deux mains, Lodovico avait traîné le petit garçon devant lui, mais il devait à présent en libérer une s'il voulait être en mesure de dégainer son épée. C'est alors qu'Ottaviano tenta de se libérer, mais Lodovico le saisit fermement par le poignet. Néanmoins, Ottaviano ne se trouvait plus entre Lodovico et Ezio. Saisissant sa chance, Ezio fit jaillir son pistolet et fit feu.

Lodovico quitta son air furieux pour une expression d'incrédulité. La balle l'avait touché au cou – lui sectionnant la jugulaire. Ses yeux sortirent de leurs orbites. Il laissa Ottaviano s'enfuir et tomba à genoux, se tenant la gorge à deux mains – du sang s'écoulant entre ses doigts. Le garçon courut droit dans les bras de sa sœur.

— Ottaviano ! *Stai bene* ! lui dit-elle en le serrant contre elle.

Ezio s'approcha de Lodovico, mais pas trop près. L'homme n'était pas encore tombé, et il avait toujours son épée à la main. Son pourpoint était maculé de rouge-brun, le filet de sang s'étant transformé en torrent.

— J'ignore quel instrument du diable t'a permis de prendre le dessus, Ezio. (Il haleta.) Mais je suis navré de te dire que tu vas perdre la partie, quoi tu fasses. Nous, les Orsi, nous ne sommes pas les imbéciles pour lesquels tu sembles nous prendre. S'il y a un crétin ici, c'est bien toi – toi et Caterina !

— C'est toi l'imbécile, dit Ezio d'un ton froid et méprisant. Mourir pour quelques pièces d'argent... Tu crois vraiment que c'en valait la peine ?

Lodovico fit la grimace.

— Plus que tu le crois, mon ami. Ce n'est pas toi le plus futé, dans l'histoire. Et quoi que tu fasses, le maître récupérera son trésor ! (Son visage se tordit de douleur. La tache de sang s'était étendue.) Tu ferais bien de m'achever, Ezio, si tu avais ne serait-ce qu'un peu de pitié.

— Alors meurs avec ta fierté, Orsi. Elle ne signifie rien pour moi. (Ezio fit un pas en avant et ouvrit plus grand la plaie au cou de Lodovico. Un instant plus tard, ce dernier n'était plus de ce monde. Ezio se pencha au-dessus de lui et lui ferma les yeux.) *Requiescat in pace*, dit-il.

Mais il n'avait pas de temps à perdre. Il retourna auprès des enfants, qui avaient observé la scène les yeux écarquillés.

— Tu peux marcher ? demanda-t-il à Ottaviano.

— Je vais essayer, mais ça me fait terriblement mal.

Ezio s'agenouilla et lui examina la cheville. Elle n'était pas foulée, mais il s'était fait une entorse. Il souleva Ottaviano et le hissa sur ses épaules.

— Courage, petit *duce*, dit-il. Je vais te ramener chez toi.

— Je peux aller faire pipi, avant ? J'ai vraiment envie.

— Fais vite.

Ezio savait qu'il ne serait guère aisé de faire traverser le village aux enfants. Il était impossible de les déguiser, car ils étaient somptueusement bien habillés, et, de toute façon, on ne tarderait certainement plus, maintenant, à découvrir la fuite de Bianca. Il remplaça le pistolet, sur son poignet, par la lame empoisonnée, rangeant le mécanisme de poignet dans son sac. Prenant Bianca par la main droite, il se dirigea vers les bois qui bordaient la lisière est du village. Après avoir gravi une petite colline, il jeta un coup d'œil sur Santa Salvaza, en contrebas, et il aperçut les troupes des Orsi qui se précipitaient vers la tour de guet, mais personne ne sembla être déployé dans les bois. Reconnaissant pour ce moment de répit, et après ce qui lui parut être une éternité, il rejoignit avec les enfants l'emplacement où il avait attaché sa monture. Il les aida à grimper sur le dos du cheval, et il se hissa derrière eux.

Puis il chevaucha vers le nord, en direction de Forlì. La cité semblait paisible. Trop, peut-être. Et où étaient les troupes des Orsi ? Avaient-elles décidé de lever le siège ? Cela paraissait impossible. Il piqua des deux.

— Prenez le pont du sud, *messere*, dit Bianca, cramponnée au pommeau de la selle. C'est le chemin le plus direct pour rentrer.

Ottaviano se blottit contre lui.

Lorsqu'ils approchèrent des murs de la ville, il constata que les portes sud étaient ouvertes. Un petit détachement de soldats des Sforza quitta la cité, escortant Caterina et Machiavelli, qui marchait juste derrière elle. Ezio remarqua du premier coup d'œil que son confrère Assassin était blessé. Il pressa sa monture, et, quand il les eut rejoints, il mit aussitôt pied à terre et transmit les enfants à Caterina, qui les accueillit les bras ouverts.

— Mais que se passe-t-il, au nom de la Vierge Marie ? demanda-t-il en regardant tour à tour Caterina et Machiavelli. Qu'est-ce que vous faites à l'extérieur de la cité ?

— Oh ! Ezio ! dit Caterina. Je suis désolée, si désolée !

— Que s'est-il passé ?

— Toute cette affaire, c'était un piège. Pour que nous baissions notre garde ! expliqua Caterina d'un ton désespéré. L'enlèvement des enfants n'était qu'une diversion !

Ezio se tourna vers Machiavelli.

— Mais la cité est sauve ? demanda-t-il.

Machiavelli poussa un soupir.

— Oui, la cité est sauve. Les Orsi ne s'y intéressent plus.

— Que veux-tu dire ?

— Après les avoir repoussés, nous nous sommes relâchés – momentanément, le temps de nous ressaisir et de nous occuper des blessés. C'est le moment que Checco a choisi pour porter sa contre-attaque. Ils avaient certainement dû tout planifier ! Il a envahi la ville. Je l'ai affronté en combat singulier, mais ses soldats se sont jetés sur moi par-derrière et m'ont submergé. Ezio, maintenant, il va falloir que je te demande de faire preuve de courage : Checco a récupéré la Pomme !

Ezio demeura abasourdi un long moment. Puis il dit lentement :

— Quoi ? Non, c'est impossible ! (Il regarda frénétiquement autour de lui.) Par où est-il parti ?

— Dès qu'il a trouvé ce qu'il cherchait, il a battu en retraite avec ses hommes, et l'armée s'est dispersée. On n'a pas pu voir quel groupe est parti avec la Pomme, et on était trop épuisés par la bataille pour leur donner la chasse, de toute façon. Mais Checco a conduit en personne une compagnie dans les montagnes, à l'ouest…

— Alors tout est perdu ? s'écria Ezio, en estimant que Lodovico avait eu raison : il avait sous-estimé les Orsi.

— On a toujours la carte, grâce à Dieu, dit Caterina. Il n'a pas osé perdre trop de temps à la chercher.

— Mais si, maintenant qu'il a la Pomme, il n'avait plus besoin de la carte ?

— Il faut empêcher les Templiers de remporter cette victoire, déclara Machiavelli d'un air grave. Ils ne doivent pas gagner ! Il faut qu'on y aille !

Mais Ezio remarqua que son ami avait le teint terne, à cause de ses blessures.

— Non, tu restes là. Caterina ! Occupe-toi de lui. Je pars immédiatement. Il est peut-être encore temps.

Chapitre 23

Il fallut longtemps à Ezio, qui chevauchait toute la journée et se reposait le peu dont il en avait la possibilité lorsqu'il changeait de monture, pour atteindre les Apennins, et, lorsqu'il y parvint, il comprit que la traque de Checco Orsi lui demanderait encore plus de temps. Mais il savait également que si Checco avait décidé de faire un détour pour rendre visite à sa famille, à Nubilaria, il devrait être capable de lui couper la route au cours du long trajet sinueux qui les mènerait vers le sud, en direction de Rome. Checco aurait très bien pu se rendre directement au Saint-Siège, mais Ezio pensa qu'avec un chargement tel que la Pomme, son adversaire chercherait en premier lieu à se réfugier là où il était connu, puis, de là, à envoyer des messagers pour savoir si l'Espagnol était effectivement retourné au Vatican, avant de l'y rencontrer.

Ce fut la raison pour laquelle Ezio décida de prendre la route de Nubilaria, de se rendre en ville en toute discrétion et de tâcher de recueillir un maximum d'informations sur l'endroit où Checco se trouvait. Mais les propres espions de Checco étaient partout, et il ne fallut guère longtemps à Ezio pour apprendre que Checco savait qu'il se rapprochait de lui, et que ce dernier prévoyait de prendre la route avec deux carrosses, en emportant la Pomme, afin d'échapper à Ezio et de contrecarrer ses plans.

Le matin du départ de Checco, Ezio se tenait prêt, surveillant étroitement les portes sud de Nubilaria, et, bientôt, les deux carrosses les franchirent. Ezio se mit en selle pour les suivre, mais, au dernier moment, un troisième véhicule, plus léger, conduit par un acolyte d'Orsi, surgit à pleine vitesse d'une rue annexe et lui bloqua délibérément le passage. Son cheval se cabra et le projeta à terre. N'ayant pas de temps à perdre, Ezio fut contraint d'abandonner son étalon, et il bondit sur le carrosse d'Orsi, abattant son conducteur d'un simple coup et le jetant à terre. Il fouetta les chevaux et se lança à la poursuite des deux premiers véhicules.

Il eut rapidement les carrosses de son ennemi en ligne de mire, mais ils le virent également, et ils accélérèrent l'allure. Alors qu'ils descendaient à tombeau ouvert la route de montagne semée d'embûches, le carrosse d'escorte de Checco, bondé de soldats qui s'apprêtaient à décocher leurs carreaux d'arbalète sur Ezio, prit un virage à trop grande vitesse. Les chevaux rompirent leur attelage et poursuivirent leur course sur le bas-côté du virage, mais le carrosse, privé de direction, tira tout droit et alla s'écraser dans la vallée, quelques dizaines de mètres plus bas. En son for intérieur, Ezio remercia le destin de se montrer si bienveillant envers lui. Il pressa ses propres chevaux, tout de même soucieux de ne pas trop les malmener et de ne pas les tuer à la tâche. Mais ils tractaient un poids plus léger que ceux du carrosse de Checco, et, peu à peu, il combla la distance qui le séparait de sa cible.

Lorsqu'Ezio parvint à sa hauteur, le cocher d'Orsi lui donna un coup de fouet, mais Ezio saisit l'arme au vol et la lui arracha des mains. Puis, lorsque l'occasion se présenta, il lâcha les rênes et bondit sur le toit du carrosse de Checco. Pris de panique, les chevaux de son véhicule, à la fois soulagés de son poids et débarrassés de la contrainte d'un cocher, s'emballèrent et quittèrent leur champ de vision, loin devant sur la route.

— Descends de là ! s'écria le cocher de Checco, effrayé. Nom de Dieu, qu'est-ce que tu fous ? T'es cinglé ?

Mais, sans son fouet, il lui était plus difficile de maîtriser son attelage. Il était incapable de se battre.

À l'intérieur du carrosse, Checco lui-même s'était mis à hurler.

— Ne fais pas l'idiot, Ezio ! Tu ne t'en sortiras jamais vivant ! (Se penchant par la fenêtre, il tenta de donner un coup d'épée à Ezio, tandis que le cocher essayait désespérément de reprendre la maîtrise des animaux.) Descends de mon carrosse ! Tout de suite !

Le cocher tenta délibérément de faire un écart pour projeter Ezio sur le bas-côté, mais l'Assassin se cramponna de toutes ses forces. Le carrosse dévia dangereusement de sa trajectoire, et, lorsqu'ils passèrent devant une carrière de marbre désaffectée, le cocher finit par en perdre complètement le contrôle, et le véhicule bascula sur le côté, projetant violemment son conducteur sur une pile de dalles de marbre de toutes sortes que des maçons avaient taillées puis abandonnées en raison de défauts dans la pierre. Les chevaux furent soudain freinés par l'attelage, et ils se mirent à piaffer de terreur. Ezio bondit à l'écart, se réceptionna en position accroupie, et il dégaina son épée, prêt à affronter Checco, qui, essoufflé mais indemne, tentait de sortir du carrosse en l'escaladant, furieux.

— Donne-moi la Pomme, Checco. C'est terminé.

— Imbécile ! Ce sera terminé quand tu seras mort !

Checco agita son épée en direction de son adversaire, et s'engagea aussitôt un échange de coups de taille et d'estoc, dangereusement proche du bord de la route.

— Donne-moi la Pomme, Checco, et je te laisse partir. Tu n'as aucune idée de sa puissance !

— Tu ne l'auras jamais ! Et quand je l'aurais remise à mon maître, il disposera d'un pouvoir inespéré, et Lodovico et moi serons là pour en profiter, nous aussi !

— Lodovico est mort ! Et tu crois vraiment que ton maître te laissera en vie, quand tu ne lui seras plus d'aucune utilité ? Tu en sais déjà beaucoup trop !

— Tu as tué mon frère ? Alors voilà pour toi, par égard pour lui !

Checco se rua sur lui.

Ils se rapprochèrent, les lames s'entrechoquèrent, et Checco porta un nouveau coup à Ezio. Mais son épée ricocha contre la protection de métal au poignet. Le fait que le coup qu'il avait porté avec précision n'ait pas atteint sa cible prit momentanément Checco au dépourvu, mais il se ressaisit aussitôt et frappa Ezio cette fois à hauteur du bras droit, lui entaillant profondément le biceps, ce qui l'obligea à lâcher son épée.

De sa voix rauque, Checco poussa un cri triomphal. Il appliqua la pointe de son épée contre la gorge d'Ezio.

— Ne fais surtout pas appel à ma clémence, lui dit-il, car je n'aurai aucune pitié pour toi.

Et il tira son bras en arrière pour lui porter le coup fatal. À cet instant, Ezio libéra la dague à double lame de son mécanisme, sur son avant-bras gauche, et, roulant sur le côté à la vitesse de l'éclair, il l'enfonça dans la poitrine de Checco.

Ce dernier resta figé un long moment, les yeux rivés sur le sang qui s'égouttait sur la chaussée blanche. Il lâcha son épée et s'écroula contre Ezio, s'agrippant à lui pour ne pas tomber. Ils se retrouvèrent face à face. Checco esquissa un sourire.

— Tu vas pouvoir récupérer ton trésor, chuchota-t-il, tandis que son sang s'écoulait de plus en plus vite de sa poitrine.

— Est-ce que c'en valait vraiment la peine ? demanda Ezio. Quel carnage !

L'homme sembla pousser un ricanement, ou peut-être toussa-t-il simplement, le sang commençant à s'accumuler dans sa bouche.

— Écoute, Ezio. Tu sais à quel point il te sera difficile de conserver un objet d'une telle valeur. (Il respira à grand-peine.) Aujourd'hui, c'est moi qui meurs, mais, demain, ce sera *toi*.

Et lorsque son visage s'éteignit et que ses yeux roulèrent vers le haut, son corps s'écroula aux pieds d'Ezio.

— On verra, mon ami, lui répondit Ezio. Repose en paix.

Il avait les jambes en coton. Du sang s'écoulait de sa plaie au bras, mais il s'efforça de marcher jusqu'au carrosse et de calmer les chevaux, les libérant de leur attelage. Puis il entama la fouille de l'intérieur du véhicule et repéra rapidement la boîte en teck. Il l'ouvrit aussitôt pour s'assurer que son contenu était intact, puis il la referma et la glissa sous son bras valide. Il jeta un coup d'œil dans la carrière, où le cocher était étendu, inerte. Il ne lui fut pas nécessaire de vérifier que l'homme était bien mort, car son corps décrivait un angle aigu suffisamment révélateur.

Les chevaux n'étaient pas allés bien loin, et Ezio se dirigea vers eux, se demandant s'il aurait la force nécessaire pour se mettre en selle et, au moins, faire une partie du trajet en direction de Forlì. Il espérait tout retrouver là-bas dans la même situation qu'à son départ, car la poursuite de Checco lui avait pris plus de temps qu'il l'aurait souhaité. Mais il n'avait jamais prétendu que sa tâche serait aisée, et il avait de nouveau la Pomme entre les mains. Le temps qu'il avait passé n'avait pas été perdu.

Il observa une nouvelle fois les chevaux, décidant que l'animal de tête ferait le mieux l'affaire parmi les quatre. Il s'apprêta à lui poser la main sur la crinière, pour se hisser sur son dos, car l'animal n'était pas harnaché, mais, ce faisant, Ezio chancela.

Il avait perdu plus de sang qu'il l'avait pensé. Il lui faudrait bander sa plaie, d'une façon ou d'une autre, avant d'envisager quoi que ce soit d'autre. Il attacha l'animal à un arbre, et il découpa une bande de tissu dans la chemise de Checco afin de s'en servir de bandage. Puis il tira le corps hors de vue. Si quelqu'un arrivait, il supposerait, s'il n'y regardait pas de trop près, qu'Ezio et le cocher avaient été les victimes malheureuses d'un tragique accident de la route. Mais il commençait à se faire tard, et il n'y aurait guère de voyageurs sur les routes, à cette heure-ci.

Toutefois, l'effort le mit à bout de force. *Même moi, il faut que je me repose*, songea-t-il. Et il s'agissait là d'une douce perspective. Il s'assit à l'ombre d'un arbre et écouta le bruit que faisait le cheval en paissant. Il posa la boîte en teck par terre, à côté de lui, et il jeta un dernier coup d'œil prudent autour de lui, car il y avait fort à parier qu'il lui faudrait rester un bon moment près de cette carrière. Mais il avait les paupières lourdes, et il manqua l'observateur silencieux dissimulé derrière un arbre, sur la petite butte qui s'élevait au bord de la route, derrière lui.

Lorsqu'Ezio se réveilla, la nuit était tombée, mais, à la faible lueur de la lune, il aperçut une silhouette qui se déplaçait silencieusement près de lui.

Son biceps droit lui faisait à peine mal, mais, quand il tenta de se redresser sur son bras valide, il se rendit compte qu'il était incapable de le bouger. Quelqu'un avait apporté une dalle de marbre de la carrière et s'en était servi pour lui maintenir le bras en place. Il se débattit, se servant de ses jambes pour essayer de se relever, mais il en fut incapable.

Il regarda en direction de l'emplacement où il avait posé la boîte contenant la Pomme.

Elle avait disparu.

La silhouette, qui était revêtue, distingua Ezio, de la *cappa* noire et de l'habit blanc des moines dominicains, se rendit compte qu'il était réveillé et retourna vers lui, ajustant la dalle de marbre pour qu'elle le maintienne plus solidement plaqué au sol. Ezio remarqua qu'il manquait un doigt à l'une des mains du moine.

— Attends ! dit-il. Qui es-tu ? Qu'est-ce que tu fais ?

Le moine ne lui répondit pas. Ezio aperçut la boîte quand le moine se baissa pour la ramasser.

— Ne touche pas à ça ! Quelles que soient tes intentions, ne...

Mais le moine ouvrit la boîte, et une lueur aussi vive que le soleil s'en échappa.

Avant de s'évanouir une nouvelle fois, Ezio crut entendre le moine pousser un soupir de satisfaction.

Lorsqu'il revint à lui, c'était le matin. Les chevaux avaient tous disparu, mais, avec la lumière du jour, il avait regagné une partie de ses forces. Il examina la dalle de marbre. Elle semblait lourde, mais elle bougea légèrement quand il remua son bras prisonnier. Il regarda autour de lui. Juste à portée de son bras droit, il y avait une épaisse branche qui avait dû tomber de l'arbre longtemps auparavant, mais elle était encore suffisamment verte et avait conservé sa robustesse. Il la ramassa en grinçant des dents et la glissa sous la dalle. Son bras droit lui faisait atrocement mal, et il se remit à saigner quand Ezio enfonça une extrémité de la branche sous la dalle pour s'en servir comme d'un levier. Une citation qu'il avait apprise à l'école puis qu'il avait à demi oubliée lui revint à l'esprit : « Donne-moi un levier suffisamment long, et je soulèverai la Terre… » Il l'enfonça profondément. La dalle commença à bouger, mais ses forces lui firent défaut, et elle retomba en place. Il s'étendit sur le dos, se reposa et essaya une nouvelle fois.

À sa troisième tentative, hurlant intérieurement de douleur et ayant l'impression que les muscles de son bras droit allaient lui transpercer la peau, il poussa de nouveau, comme si sa vie en dépendait. Puis, finalement, la dalle roula sur le sol.

Il se redressa doucement. Son bras gauche était endolori, mais Ezio n'avait rien de cassé.

Il ignorait bien pourquoi le moine ne l'avait pas tué pendant son sommeil. Sans doute le meurtre ne faisait-il pas partie des plans de l'homme de Dieu. Mais une chose était certaine : le dominicain et la Pomme s'étaient volatilisés.

Se traînant sur ses pieds, il se dirigea vers un cours d'eau voisin et but à satiété avant de faire tremper sa plaie et de la rebander. Puis il mit le cap à l'est, en direction des montagnes et de Forlì.

Enfin, après un périple de plusieurs jours, il aperçut les tours de la ville, dans le lointain. Mais il était exténué, épuisé par son interminable mission, par son échec, par sa solitude. Sur le trajet du retour, il avait eu plus de temps que nécessaire pour réfléchir à propos de Cristina et de ce qui aurait pu se produire s'il n'avait pas eu cette croix à porter. Mais comme il s'était engagé dans cette voie, il lui était impossible de changer de vie, et, comprit-il, il n'en avait nullement l'intention.

Il avait franchi le pont qui menait à la porte sud, et il se trouvait suffisamment près pour voir des gens sur les remparts lorsqu'il fut finalement terrassé par l'épuisement. Il s'évanouit.

Lorsqu'il reprit connaissance, il était étendu sur un lit, recouvert de draps de lin immaculés, à l'extérieur, sur une terrasse ensoleillée, à l'ombre de plantes grimpantes. Une main douce lui caressa le front et porta un gobelet d'eau à ses lèvres.

— Ezio ! Grâce à Dieu, tu es de retour parmi nous. Est-ce que tu vas bien ? Que t'est-il arrivé ?

Les questions se déversèrent de la bouche de Caterina, avec l'impétuosité habituelle de la jeune femme.

— Je… je ne sais pas…

— Ils t'ont vu des remparts. Je suis sortie en personne. J'ignore depuis combien de temps tu étais sur la route, et, en plus, tu as une bien vilaine blessure.

Ezio s'efforça de se rappeler.

— Ça me revient… J'avais repris la Pomme à Checco… Mais il y a un autre homme qui est arrivé, peu après… Il m'a pris la Pomme !

— Qui donc ?

— Il portait un capuchon noir, comme un moine… Et je crois qu'il lui manquait un doigt ! (Ezio s'efforça de se redresser.) Ça fait combien de temps que je suis couché ? Il faut que j'y aille… tout de suite !

Il décida de se lever, mais ce fut comme si ses membres étaient en plomb. Lorsqu'il se mit à remuer, il fut pris d'incroyables vertiges. Il fut contraint de se rallonger.

— Ouah ! Qu'est-ce qu'il m'a fait, ce moine ?

Caterina se pencha au-dessus de lui.

— Tu n'iras nulle part, pour le moment, Ezio. Même toi, tu as besoin de temps pour te remettre, si tu veux être en forme pour les batailles qui s'annoncent. Et je vois d'ici que c'est un long et périlleux voyage qui t'attend. Mais réjouis-toi ! Niccolò est retourné à Florence. Il va s'y occuper de quelques affaires. Et tes autres confrères Assassins sont vigilants. Alors, repose-toi un moment (Elle lui déposa un baiser sur le front, puis, sans la moindre hésitation, sur les lèvres.) Et si je peux faire quoi que ce soit pour… t'aider à récupérer des forces, tu n'as qu'une parole à prononcer. (Elle aventura délicatement sa main sous les draps jusqu'à ce qu'elle atteigne son objectif.) Ouah ! sourit-elle. Je crois que je suis déjà sur la bonne voie… un petit peu.

— Tu es un sacré brin de femme, Caterina Sforza.

Elle éclata de rire.

— *Tesoro*, si jamais il me prenait l'envie de rédiger mes mémoires, je crois que pas mal de monde serait choqué.

Ezio était robuste, et, à trente ans, il était encore un fringant jeune homme en pleine fleur de l'âge. De plus, il avait subi certains des entraînements les plus difficiles que l'homme ait connus. Il n'était donc guère étonnant qu'il soit de nouveau sur pied plus tôt que n'importe quel autre individu l'aurait été. Mais son bras droit avait durement souffert du coup de Checco, et Ezio savait qu'il devrait mettre du cœur à l'ouvrage s'il voulait recouvrer toutes ses forces pour être en mesure de reprendre sa quête. Il fit preuve de patience, et, sous la supervision stricte mais bienveillante de Caterina, il passa son séjour forcé à Forlì dans le calme et le recueillement, allant souvent s'installer sous le lierre pour se perdre dans l'un des ouvrages de Poliziano, ou, plus fréquemment encore, se soumettant à toutes sortes de vigoureux exercices.

Puis, un matin, Caterina entra dans sa chambre et le trouva revêtu de ses habits de voyage, un page l'aidant à enfiler ses bottes d'équitation. Elle s'assit sur le lit, à côté de lui.

— Alors, le moment est venu ? demanda-t-elle.

— Oui. Je ne peux plus le retarder.

Elle prit un air triste et quitta la pièce, pour y retourner quelques instants plus tard avec un rouleau de parchemin.

— Eh bien, ce moment devait arriver, dit-elle. Et Dieu sait que ta mission est plus importante que ton plaisir – mais j'espère que le temps de l'amusement ne tardera pas non plus à arriver ! (Elle lui montra le parchemin.) Tiens, je t'ai apporté un cadeau de départ.

— Qu'est-ce que c'est ?

— Quelque chose dont tu auras besoin.

Elle déroula le parchemin, et Ezio comprit qu'il s'agissait d'une carte de la péninsule, de la Lombardie à la Calabre, et tout ce qu'il y avait entre les deux, y compris les routes et les villes. Un certain nombre de croix avaient été tracées sur la carte, à l'encre rouge.

Ezio releva la tête.

— C'est la carte dont Machiavelli a parlé. Celle de ton mari…

— De *feu* mon mari, *mio caro*. Niccolò et moi avons fait quelques découvertes d'importance pendant ton escapade. La première, c'est que nous avions prévu… l'élimination de ce cher Girolamo juste à temps, car il venait d'achever son travail sur cette carte. La seconde, c'est qu'elle est d'une valeur inestimable, car même si les Templiers disposent de la Pomme, ils ne peuvent pas espérer trouver la chambre forte sans la carte.

— Tu es au courant pour la chambre forte ?

— Chéri, ce que tu peux être naïf, parfois. Bien sûr que je suis au courant. (Elle prit un ton plus sérieux.) Mais pour prendre nos ennemis complètement à revers, il faut que tu récupères la Pomme. Cette carte va t'aider à mener à bien ta mission.

Lorsqu'elle lui tendit la carte, leurs doigts se touchèrent, s'attardèrent et s'entremêlèrent. Ils se regardèrent dans les yeux.

— Il y a une abbaye, dans les marais, pas très loin, finit par dire Caterina. Des dominicains. Ils portent des capuchons noirs. Si j'étais toi, je commencerais par là. (Ses yeux se mirent à briller, et elle détourna le regard.) Maintenant, pars ! Trouve-nous ce moine !

Ezio lui sourit.

— Je crois que tu vas me manquer, Caterina.

Elle lui retourna son sourire, légèrement trop resplendissant. Pour une fois dans sa vie, elle avait du mal à faire preuve de courage.

— Oh, je me doute bien…

Chapitre 24

Le moine qui accueillit Ezio à l'abbaye des marais ressemblait on ne peut plus à l'idée que l'on pouvait se faire d'un moine, rondelet et rubicond, mais il avait des cheveux d'un roux flamboyant et un regard espiègle et malicieux. Il s'exprimait avec un accent qu'Ezio reconnut pour l'avoir entendu de la bouche de certains *condottieri* qui travaillaient au service de Mario ; il s'agissait d'un Irlandais.

— Soyez béni, mon frère.

— Je vous remercie, *padre*...

— Je suis le frère O'Callahan...

— Je me demandais si vous pourriez m'aider.

— Nous sommes là pour ça, mon frère. Naturellement, nous vivons une époque troublée. Il est difficile de bien réfléchir le ventre vide.

— Vous voulez dire avec la bourse vide...

— Vous vous méprenez. Je ne vous demande rien. (Le moine écarta les bras.) Mais c'est que le Seigneur ne vient en aide qu'aux plus généreux.

Ezio fit tomber quelques florins de sa poche et les lui tendit.

— Si ce n'est pas suffisant...

Le moine sembla réfléchir.

— Bah, c'est l'intention qui compte. Mais, à vrai dire, le Seigneur vient généralement en aide à ceux qui sont *un peu plus* généreux que ça...

Ezio continua à faire tomber des pièces dans sa main, jusqu'à ce que le visage du frère O'Callahan s'illumine.

— Notre ordre appréciera votre générosité, mon frère. (Il se croisa les doigts sur le ventre.) Que cherchez-vous ?

— Un moine au capuchon noir… auquel il manque l'un de ses dix doigts.

— Hmmm… Le frère Guido n'a que neuf orteils. Vous êtes sûr qu'il ne lui manque pas un doigt de pied ?

— Tout à fait certain.

— Alors, il y a le frère Domenico, mais c'est le bras gauche en entier qui lui manque…

— Non, je suis désolé, mais je suis tout à fait certain qu'il s'agissait d'un doigt.

— Hmmm… (Le moine marqua une pause et se plongea dans ses pensées.) Non, attendez un instant ! Je me souviens d'un moine au capuchon noir avec seulement neuf doigts ! Mais oui, bien sûr ! C'était à notre dernier banquet de la San Vincenzo, à l'abbaye de Toscane.

Ezio esquissa un sourire.

— Oui, je connais les lieux. Je tenterai ma chance là-bas. *Grazie.*

— Allez en paix, mon frère.

— Toujours…

Ezio franchit les montagnes, vers l'ouest, en direction de la Toscane, et si le trajet fut long et périlleux, comme l'automne approchait et que les journées se faisaient de plus en plus rudes, il sentit l'angoisse monter en lui à l'approche de l'abbaye, car il s'agissait du lieu où l'une des personnes impliquées dans le complot visant à assassiner Lorenzo de' Medici – le secrétaire de Jacopo de' Pazzi, Stefano de Bagnone – avait trouvé la mort des mains mêmes d'Ezio, bien longtemps auparavant.

Malheureusement, l'abbé qui l'accueillit cette fois faisait partie des témoins du meurtre.

— Excusez-moi, lui dit tout d'abord Ezio. Je me demandais si…

Mais l'abbé, le reconnaissant, recula d'effroi et s'écria :

— Puissent *tous* les archanges – Uriel, Raphaël, Michel, Saraquiel, Gabriel, Remiel et Raguel –, puissent-ils *tous* nous protéger du haut de leur grandeur ! (Il détourna son regard étincelant du paradis et le posa sur Ezio.) Hors d'ici, démon impie !

— Qu'est-ce qui se passe ? demanda Ezio, consterné.

— « Qu'est-ce qui se passe ? » « Qu'est-ce qui se passe ? » C'est vous qui avez assassiné le frère Stefano. En ce lieu saint ! (Un groupe de frères visiblement mal à l'aise s'était formé, à bonne distance, et l'abbé se tourna vers eux.) Il est revenu ! Le tueur de moines et de prêtres est de retour ! gronda-t-il avant de prendre la fuite, aussitôt suivi de ses ouailles.

L'homme était manifestement en état de panique. Ezio n'eut d'autre choix que de le poursuivre. L'abbaye ne lui était pas si familière qu'à l'abbé et à sa ribambelle de moines. Il finit par en avoir assez de tourner en rond dans des couloirs de pierre et des cloîtres qu'il ne connaissait pas. Il bondit sur les toits afin d'obtenir une meilleure vue sur la destination des moines, mais cela ne fit que les plonger dans un état de panique encore plus grand, et ils se mirent à hurler.

— Il est revenu ! Il est revenu ! Belzébuth est revenu !

Il se ravisa donc et s'en tint à des méthodes de poursuite plus conventionnelles.

Il finit toutefois par les rattraper. Haletant, l'abbé se retourna vers lui et coassa :

— Va-t'en, démon ! Laisse-nous tranquilles ! Nous n'avons pas commis de péché aussi grave que le tien !

— Non, attendez, écoutez-moi, haleta Ezio, presque à bout de souffle, lui aussi. Je veux simplement vous poser une question !

— Nous n'avons fait appel à aucun démon ! Nous ne voulons pas encore rejoindre l'au-delà !

Ezio tourna ses paumes vers le sol.

— Je vous en prie. *Calma* ! Je ne vous veux aucun mal !

Mais l'abbé ne l'écoutait pas. Il roula les yeux.

— Mon Dieu, mon Dieu, pourquoi m'as-tu abandonné ? Je ne suis pas encore *prêt* à rejoindre tes anges !

Et il reprit ses jambes à son cou.

Ezio fut contraint de le projeter à terre en le plaquant à hauteur des jambes. Ils se relevèrent tous les deux, s'époussetant au milieu du cercle formé par des moines aux yeux écarquillés.

— Arrêtez de vous enfuir, je vous en prie ! le supplia Ezio.

L'abbé se recroquevilla, tremblant de peur.

— Non ! Aie pitié ! Je ne veux pas mourir ! divagua-t-il.

Ezio prit à dessein un ton compassé et déclara :

— Écoutez, père abbé, je ne tue que ceux qui en tuent d'autres. Et votre frère Stefano était un Assassin. Il a tenté de supprimer le duc Lorenzo, en 1478. (Il marqua une pause, le temps de reprendre son souffle.) Soyez rassuré, *messer abate*, je suis persuadé que vous n'êtes en aucun cas un tueur.

L'abbé se calma très légèrement, mais on lisait encore de la méfiance dans son regard.

— Que voulez-vous, alors ? demanda-t-il.

— Très bien. Maintenant, écoutez-moi. Je cherche un moine habillé comme vous – un dominicain –, auquel il manque un doigt.

L'abbé resta prudent.

— Auquel il manque un doigt, vous dites ? Comme au Fra' Savonarola ?

Ezio retint le nom.

— *Savonarola* ? Qui est-ce ? Vous le connaissez ?

— Je le *connaissais, messer*. Ce fut l'un des nôtres pendant un temps.

— Et puis ?

L'abbé haussa les épaules.

— Nous lui avons suggéré de prendre du repos dans un ermitage, dans les montagnes. Il n'était pas à sa place, ici…

— J'ai l'impression, *abate*, qu'il a mis un terme à sa période de solitude. Sauriez-vous où il aurait pu aller ?

— Oh, pauvre de moi… (L'abbé réfléchit.) S'il a quitté l'ermitage, il est peut-être retourné à Santa Maria del Carmine, à Florence. C'est là qu'il a fait ses études. Il y est peut-être retourné.

Ezio poussa un soupir de soulagement.

— Je vous remercie, l'abbé. Que Dieu vous garde.

Ezio trouva étrange de se retrouver dans sa ville, après si longtemps. Il en avait gardé de nombreux souvenirs. Mais les circonstances exigeaient qu'il travaille seul. Il lui était même impossible de contacter de vieux amis ou des alliés, s'il ne voulait pas attirer l'attention de l'ennemi.

Il lui sembla également évident que, même si la cité se trouvait dans un état stable, l'église qu'il cherchait était en effervescence. Un moine en sortit, l'air effrayé.

Ezio l'aborda.

— Houlà, mon frère. Tout va bien !

Le moine se tourna vers lui, les yeux exorbités.

— Restez à l'écart, mon ami. Si vous tenez un tant soit peu à la vie !

— Que s'est-il passé, ici ?

— Des soldats de Rome viennent de s'emparer de notre église ! Ils ont dispersé mes frères et leur ont posé des questions absurdes. Ils n'arrêtent pas de nous demander des fruits !

— Quel genre de fruits ?

— Des pommes !

— Des pommes ? *Diavolo* ! Rodrigo est arrivé ici avant moi ! siffla Ezio pour lui-même.

— Ils ont entraîné l'un de mes frères carmélites derrière l'église ! Je suis sûr qu'ils vont le tuer !

— Des carmélites ? Vous n'êtes pas des *dominicains* ?

Ezio abandonna son interlocuteur et contourna précautionneusement Santa Maria en longeant les murs. Il se déplaçait aussi furtivement qu'une mangouste face à un cobra. Lorsqu'il atteignit le mur du jardin de l'église, il se hissa sur le toit. Ce qu'il vit en contrebas lui coupa le souffle. Plusieurs gardes de Borgia étaient en train de passer à tabac un grand moine qui avait l'air relativement jeune. Il devait avoir dans les trente-cinq ans.

— Dis-le-nous ! s'écria le chef des gardes. Dis-le-nous, ou je vais te faire si mal que tu regretteras d'avoir vu le jour ! *Où est la Pomme ?*

— Je vous en prie ! Je n'en sais rien ! Je ne sais pas de quoi vous parlez !

Le chef des gardes se pencha au-dessus de lui.

— Avoue ! Tu t'appelles Savonarola !

— Oui, je vous l'ai déjà dit ! Mais vous vous acharnez quand même sur moi !

— Alors dis-le-nous et je mettrai fin à tes souffrances. Où est cette putain de *Pomme* ? (Le garde lui assena sauvagement un coup de pied dans l'entrejambe. Le moine hurla de douleur.) Ça ne fera aucune différence pour quelqu'un qui est tout le temps dans la position du *missionnaire*, se moqua le garde.

Ezio observa la scène, profondément inquiet. Si ce moine était effectivement Savonarola, les malfrats de Borgia finiraient sans doute par le tuer avant qu'il leur avoue la vérité.

— Pourquoi est-ce que tu ne cesses de me mentir ? lui demanda le garde, un sourire de mépris au coin des lèvres. Mon maître ne sera pas content d'apprendre que tu m'as forcé à te torturer à mort ! Tu veux que j'aie des *ennuis* ?

— Je n'ai pas de pomme, sanglota le moine. Je ne suis qu'un simple moine. Je vous en *prie*, laissez-moi m'en aller...

— Jamais de la vie !

— Je ne sais rien ! s'écria lamentablement le moine.

— Si tu veux que j'arrête, hurla le garde en lui redonnant un coup de pied au même endroit, alors dis-moi la vérité, frère Girolamo *Savonarola* !

Le moine se mordit la lèvre mais se contenta de répondre obstinément :

— Je vous ai dit tout ce que je savais !

Le garde le frappa une nouvelle fois, puis il ordonna à ses sbires de l'emmener. Ils le saisirent par les chevilles et le traînèrent sans merci sur le sol pavé, sa tête rebondissant douloureusement sur les pierres. Le moine se mit à hurler et à se débattre, en vain.

— Tu en as assez, espèce d'*abominato* ? (Le chef des gardes approcha une nouvelle fois son visage tout près de celui du moine.) Tu as si hâte que ça de rejoindre le Seigneur ? Mentirais-tu encore et encore uniquement dans l'intention de le voir ?

— Je ne suis qu'un simple moine..., pleura le carmélite, dont la soutane ressemblait dangereusement, dans la coupe et la couleur, à celle des Dominicains. Je n'ai aucun *fruit* ! S'il vous plaît...

Le garde lui donna un nouveau coup de pied. Au même endroit. Encore. Le moine, en larmes, se tordit de douleur.

Ezio en eut assez. Il bondit dans le jardin, tel le spectre de la vengeance, découpant un soldat par pure colère à l'aide de sa dague empoisonnée et de sa double lame. En moins d'une minute de véritable massacre, les malfrats de Borgia, tous, étaient soit raides morts, soit étendus sur les pavés de la cour en gémissant de la même douleur que celle qu'ils avaient infligée au religieux.

Le moine, en larmes, s'agrippa aux genoux d'Ezio :

— *Grazie, grazie, salvatore.*

Ezio lui caressa la tête.

— *Calma, calma...* Tout ira bien, maintenant, mon frère.

Mais Ezio jeta tout de même un coup d'œil aux doigts du moine.

Ils étaient tous les dix intacts.

— Tu as dix doigts, murmura-t-il, déçu malgré lui.

— Oui, s'écria le moine. J'ai dix doigts. Et je n'ai pas d'autres pommes que celles qu'on reçoit du marché tous les jeudis ! (Il se leva, s'épousseta, réajusta soigneusement sa soutane, et poussa un juron.) Nom de Dieu ! Est-ce que tout le monde est devenu *fou* ?

— Qui es-tu ? Pourquoi est-ce qu'ils t'en voulaient autant ? demanda Ezio.

— Parce qu'ils ont découvert que mon nom de famille était en effet Savonarola ! Mais pourquoi est-ce que je trahirais mon cousin au profit de ces crapules ?

— Tu sais ce qu'il a fait ?

— Pas du tout ! C'est un moine, comme moi. Il a choisi l'ordre plus rigoureux des Dominicains, c'est vrai, mais...

— Il lui manque un doigt ?

— Oui, mais comment pourrait-on... ?

Une sorte de lueur s'illumina dans le regard du moine.

— Qui est Girolamo Savonarola ? insista Ezio.

— Mon cousin, et un homme qui a dévoué sa vie à Dieu. Et puis-je vous demander qui vous êtes, même si je vous suis humblement reconnaissant de m'avoir sauvé la vie, et si j'ai une dette envers vous ?

— Je… n'ai pas de nom, répondit Ezio. Mais rends-moi service, et dis-moi comment tu t'appelles.

— Je suis Fra' *Marcello* Savonarola, répondit humblement le moine.

Ezio en prit note mentalement. Il réfléchit un long moment.

— Où est ton cousin Girolamo ?

Fra' Marcello réfléchit à son tour, en lutte avec sa conscience.

— Il est vrai que mon cousin a une façon particulière de servir Dieu… Il suit une doctrine bien à lui… Vous le trouverez sans doute à Venise, maintenant.

— Et que fait-il, là-bas ?

Marcello redressa les épaules.

— Je crois qu'il s'est engagé dans une mauvaise voie. Il prêche l'Apocalypse. Il prétend être capable de prédire l'avenir. (Marcello regarda Ezio à travers ses yeux rougis, qui témoignaient de sa souffrance.) Si vous voulez vraiment mon avis, il est devenu complètement cinglé !

Chapitre 25

Ezio eut le sentiment qu'il avait passé trop de temps sur ce qui semblait être une quête stérile. En courant après Savonarola, il avait l'impression de vouloir attraper un feu follet, une chimère ou sa propre queue. Mais il fallait qu'il poursuive ses recherches, implacablement, car l'homme de Dieu aux neuf doigts était en possession de la Pomme – la clé de plus de possibilités que Savonarola pouvait l'imaginer, et il s'agissait d'un dangereux fanatique religieux, un danger public, potentiellement moins gérable que le maître, Rodrigo Borgia, lui-même.

Ce fut Teodora qui accueillit Ezio lorsqu'il débarqua de la galère de Ravenne sur les quais de Venise.

En 1492, Venise se trouvait encore sous le règne relativement honnête du doge Agostino Barbarigo. La cité était en ébullition alors qu'un marin génois du nom de Christoffa Corombo, dont le projet fou consistant à naviguer vers l'ouest à travers l'océan avait été refusé par Venise, avait réussi à se faire financer par l'Espagne et était sur le point de prendre la mer. Est-ce que Venise avait commis une erreur en refusant de fournir les fonds nécessaires à l'expédition ? Si Corombo parvenait à ses fins, il établirait une nouvelle voie commerciale pour les Indes, qui remplacerait la vieille route terrestre désormais barrée par les Turcs ottomans. Mais Ezio avait bien d'autres sujets en tête pour accorder la moindre attention à ces considérations politico-économiques.

— On a bien reçu tes dernières nouvelles, dit Teodora. Mais tu en es certain ?

— C'est la seule piste dont je dispose, et je pense que c'est la bonne. Je suis sûr que la Pomme est de nouveau à Venise, entre les mains de ce moine, Savonarola. On m'a dit qu'il prêchait aux foules l'enfer et la fin du monde…

— J'ai entendu parler de ce type, moi aussi.

— Tu sais où on peut le trouver, Teodora ?

— Non, mais j'ai vu un héraut attirer les foules, dans le quartier industriel, et il prêchait ce genre d'absurdités dont tu parles. C'est peut-être un disciple de ton moine. Suis-moi. Sois mon invité, pendant ton séjour ici. Et quand tu te seras installé, on ira directement là où cet homme fait ses sermons.

Ezio et Teodora, et, en fait, toutes les personnes intelligentes et sensées, connaissaient la raison pour laquelle une hystérie grand-guignolesque s'était emparée de la population. L'année où l'on célébrerait la moitié du millénaire, 1500, n'était pas loin, et nombreux étaient ceux qui croyaient que cela marquerait le second avènement, lorsque le Seigneur « viendra sur les nuées, dans toute sa gloire et la gloire de son Père, avec dix mille de ses saints et des myriades d'anges, et s'assiéra sur le trône de sa gloire. Et devant lui, toutes les nations seront réunies ; il les séparera les unes des autres et mettra les brebis, les Justes, sur sa droite, et les boucs, les Damnés, sur sa gauche ».

La description du Jugement dernier de San Matteo résonnait dans l'imagination d'un grand nombre de personnes.

— Ce héraut et son chef profitent vraiment de la *febbre di fine secolo*, dit Teodora. Apparemment, ils y croient eux-mêmes.

— C'est fort probable, répondit Ezio. Le danger, c'est que, avec la Pomme entre les mains, ils puissent vraiment être à l'origine d'une catastrophe qui n'aura rien à voir avec Dieu, mais plutôt avec le diable. (Il marqua une pause.) Mais, pour le moment, ils n'ont pas encore déclenché le pouvoir dont ils disposent. Et Dieu merci, car je doute qu'ils sachent comment le maîtriser. Pour l'instant, du moins, ils semblent se contenter d'annoncer l'Apocalypse, et ça (il poussa un éclat de rire amer), ç'a toujours fait recette.

— Mais ça empire, dit Teodora. On finirait presque par croire que l'Apocalypse va réellement se produire. Tu es au courant des dernières nouvelles ?

— Pas depuis que j'ai quitté Forlì.

— Lorenzo de' Medici est mort dans sa villa de Careggi.

Ezio prit un air grave.

— C'est une véritable tragédie... Lorenzo était un très bon ami de ma famille, et, sans sa protection, je crains de ne plus jamais être en mesure de réintégrer le Palazzo Auditore. Mais ce n'est rien par rapport à ce que sa mort pourrait signifier pour la paix qu'il a su instaurer entre les cités-États. Elle a toujours été très fragile.

— Ce n'est pas tout, poursuivit Teodora. Et voici une nouvelle encore pire que celle de la mort de Lorenzo, si c'était possible. (Elle marqua un temps d'arrêt.) Prépare-toi à entendre ça, Ezio. L'Espagnol, Rodrigo Borgia, a été élu pape. Il dirige le Vatican et Rome, en tant que souverain pontife, Alexandre VI !

— *Quoi ?!* Par quelle diablerie...

— Le conclave de Rome vient juste de prendre fin – ce mois-ci. La rumeur voudrait que Rodrigo ait simplement acheté la majorité des votes. Même Asciano Sforza, qui était le candidat le plus probable face à lui, a voté pour lui ! Il paraît que Borgia l'a payé avec quatre mules chargées de pièces d'argent...

— Quel est l'intérêt pour lui d'être pape ? Que cherche-t-il, à la fin ?

— Est-ce qu'il pensait ne pas exercer une influence suffisante ? (Teodora se tourna vers lui.) À présent, nous sommes dirigés par une brute, Ezio. La plus avide, sans doute, que le monde ait jamais connue.

— Tu as raison, Teodora. Mais le pouvoir qu'il recherche est encore plus grand que ce que la papauté va être en mesure de lui offrir. À la tête du Vatican, il aura plus facilement accès à la chambre forte. Et il est encore sur la trace de la Pomme, le « Fragment de l'Éden » dont il a besoin pour pouvoir bénéficier de la puissance de Dieu !

— Prions pour que tu réussisses à la rendre aux Assassins – Rodrigo en tant que pape et maître des Templiers est suffisamment dangereux comme ça. S'il parvient à mettre la main sur la Pomme... (Elle s'interrompit.) Comme tu le dis, il sera invincible !

— C'est étrange, dit Ezio.

— Quoi donc ?

— Notre ami Savonarola l'ignore encore, mais il a deux chasseurs aux trousses.

Teodora accompagna Ezio jusqu'à la grande place qui se trouvait dans le quartier industriel de Venise, où le héraut avait coutume de faire ses sermons, puis elle prit congé. Ezio, le capuchon vissé sur la tête et le visage baissé, mais tout de même sur ses gardes, se fondit dans la foule déjà présente. Il ne fallut pas longtemps pour que la place soit bondée, les badauds s'étant amassés autour d'une petite scène en bois sur laquelle un homme était en train de monter. Il ressemblait à un ascète, le regard bleu glacial et les joues creusées, les cheveux gris argenté et les mains noueuses, revêtu d'une simple soutane de laine grise. Il prit la parole, se taisant uniquement lorsque les acclamations insensées de la foule l'y obligeaient. Ezio vit avec quelle facilité un homme doué pouvait aveuglément plonger des centaines d'individus dans un état d'hystérie.

— Rassemblez-vous, mes enfants, et entendez mon cri ! Car la fin des temps est proche. Êtes-vous prêts à affronter l'inéluctable ? Êtes-vous prêts à voir la Lumière avec laquelle mon frère Savonarola nous a bénis ? (Il leva les mains, et Ezio, qui savait précisément à quelle lumière le héraut faisait allusion, continua sagement à écouter.) Nous vivons une période des plus sombres, poursuivit le héraut, mais mon frère m'a montré la voie qui mène au salut, à la lumière céleste qui est prête à nous recevoir. Mais uniquement si nous sommes prêts, uniquement si nous acceptons de le suivre. Permettez à Savonarola d'être notre guide, car lui seul sait ce qui doit se produire. Il ne nous détournera pas du droit chemin. (Le héraut se pencha alors en avant, l'air grave, sur le pupitre qui se trouvait devant lui.) Êtes-vous prêts pour le Jugement dernier, mes frères et mes sœurs ? Qui suivrez-vous le moment venu ? (Il marqua un nouveau temps d'arrêt pour donner un effet théâtral à ses propos.) Nombreux sont ceux, dans les églises, qui prétendent offrir le salut, ceux qui appellent, ceux qui pardonnent, les esclaves sans cervelle de la superstition... Mais que nenni, mes enfants ! Ils sont tous sous l'emprise du pape Borgia, du « pape » Alexandre – le sixième et le plus corrompu de ceux ayant jamais porté ce nom !

La foule se mit à hurler. Ezio, en son for intérieur, grimaça. Il se souvenait des prophéties les plus évidentes que la Pomme lui avait montrées dans l'atelier de Leonardo. Quelque part, dans un avenir lointain, à une époque où l'enfer se déchaînerait *véritablement* sur la Terre – à moins qu'Ezio soit capable de l'en empêcher.

— Notre nouveau pape Alexandre n'est pas un homme de foi. Il n'est pas non plus un homme de l'âme. Il fait partie de ceux qui achètent vos prières et vendent vos bénéfices pour se faire de l'argent ! Tous les prêtres de nos églises sont des marchands ecclésiastiques ! Un seul parmi nous est un véritable homme de l'esprit. Un seul parmi nous a vu l'avenir et s'est entretenu avec le Seigneur ! Mon frère, Savonarola ! C'est lui qui nous guidera !

Ezio se demanda si le moine avait *ouvert* la Pomme, comme il l'avait fait lui-même. Avait-il déclenché les mêmes visions ? Qu'est-ce que Leonardo avait dit à propos de la Pomme, déjà ? Qu'elle était « dangereuse pour les esprits les plus faibles » ?

— C'est Savonarola qui nous guidera jusqu'à la Lumière, conclut le héraut. C'est Savonarola qui nous dira ce qui doit se produire ! C'est Savonarola lui-même qui nous conduira jusqu'aux portes du paradis ! Nous ne voulons pas de ce nouveau monde dont Savonarola a été témoin. Le frère Savonarola marche sur le seul chemin qui mène à Dieu et que nous n'avons cessé de chercher !

Il leva de nouveau les mains, et la foule se remit à crier et à l'acclamer.

Ezio comprit que pour trouver le moine, il devrait faire appel à son acolyte. Mais il lui fallait trouver un moyen d'aborder l'homme sans éveiller les soupçons de ses inconditionnels. Il s'avança prudemment, jouant le rôle d'un homme docile cherchant à devenir l'une des ouailles du héraut.

Ce ne fut guère aisé. On le bousculait agressivement dès que l'on remarquait qu'il s'agissait d'un étranger, d'un nouveau venu, d'une personne qu'il fallait considérer avec retenue. Mais il tâcha de se montrer souriant, il salua et, même, en dernier recours, il jeta quelques pièces par terre en déclarant :

— Je veux donner l'aumône à la cause de Savonarola et de ceux qui le soutiennent et croient en lui.

Et l'argent eut l'effet escompté. *En fait,* songea Ezio, *l'argent est le plus grand convertisseur qui soit...*

Le héraut, qui avait observé la progression d'Ezio avec un mélange d'amusement et de mépris, invita finalement ses disciples à s'écarter et lui fit signe de le suivre jusqu'à un endroit un peu tranquille, une petite *piazzetta* attenante à la place principale, où ils pourraient s'entretenir en privé. Ezio fut ravi de constater que le héraut s'imaginait manifestement avoir fait une importante – et riche – acquisition parmi ses ouailles.

— Où est Savonarola ? demanda Ezio.

— Il est partout, mon frère, répondit le héraut. Il ne fait qu'un avec nous tous. Et nous ne faisons tous qu'un avec lui.

— Écoute-moi bien, dit Ezio d'un ton insistant. Je cherche l'homme, pas le mythe. Dis-moi où il est.

Le héraut le considéra avec méfiance, et Ezio lut clairement de la folie dans son regard.

— Je vous ai dit où il était. Écoutez, Savonarola vous aime comme vous êtes. Il vous montrera la Lumière. Il vous fera voir *l'avenir* !

— Mais je dois lui parler en personne. Il faut que je voie notre grand guide ! Et j'ai d'énormes richesses à lui offrir pour sa grande croisade !

Le héraut prit soudain un air fourbe.

— Je vois, dit-il. Soyez patient. L'heure n'est pas encore venue. Mais vous devriez vous joindre à nous lors de notre pèlerinage, mon frère.

Et Ezio se montra patient. Très longtemps. Puis, un jour, il reçut une convocation de la part du héraut, qui voulait le rencontrer au chantier naval de Venise à la tombée de la nuit. Ezio s'y présenta en avance et attendit patiemment et fébrilement, lorsque, finalement, il aperçut une silhouette indistincte qui s'approchait de lui, dans la brume du soir.

— Je n'étais pas sûr que tu viendrais, dit-il au héraut.

Celui-ci sembla s'en amuser.

— La quête de la Vérité est effectivement en vous, mon frère. Et elle a résisté à l'épreuve du temps. Mais nous sommes prêts, à présent, et notre guide a accepté d'endosser le manteau du pouvoir qui lui était destiné. Suivez-moi !

Il fit un signe à l'attention de quelqu'un qui se trouvait devant lui, et il conduisit Ezio sur le quai, où une grande galère attendait. À côté, une foule de fidèles attendaient également. Le héraut s'adressa à eux :

— Mes enfants ! Il est enfin temps pour nous de partir. Notre frère et chef spirituel Girolamo Savonarola nous attend dans la cité qui est enfin sienne !

— Ouais, c'est vrai ! Ce bâtard de fils de pute a mis ma ville à genoux – il l'a presque rendue folle !

La foule et Ezio se retournèrent pour voir la personne qui venait de s'exprimer, un jeune homme aux cheveux longs coiffé d'une casquette noire, les lèvres lippues, le visage fuyant à présent déformé par la colère.

— Je viens de m'en échapper, poursuivit-il. Je me suis fait jeter hors de mon duché par ce salopard de roi Charles de France, qui fourre son nez partout et qui m'a fait remplacer par ce fou de Dieu, Savonarola !

La foule marqua son mécontentement, et les fidèles auraient certainement saisi le jeune homme et l'auraient jeté dans le lagon si le héraut ne les en avait empêchés.

— Laissez cet homme exprimer ce qu'il a sur la conscience, ordonna-t-il avant de se tourner vers l'étranger et de lui demander : Pourquoi est-ce que tu traînes le nom de Savonarola dans la boue, mon frère ?

— Pourquoi, pourquoi ? À cause de ce qu'il a fait à Florence ! Il domine complètement la cité ! Les *signoria* sont soit avec lui, soit impuissants contre lui. Il attise les foules, et même des gens qui devraient avoir un peu de bon sens, comme le Maestro Botticelli, le suivent servilement. Ils brûlent des livres, des œuvres d'art, tout ce que ce dément considère comme étant immoral !

— Savonarola est à Florence ? demanda Ezio, l'air absorbé. Vous en êtes certain ?

— Si seulement il pouvait être ailleurs ! S'il pouvait être sur la lune, ou en enfer ! J'ai failli y laisser la vie !

— Et qui es-tu, exactement, mon frère ? demanda le héraut, qui commençait à s'impatienter.

Le jeune homme se redressa.

— Je suis Piero de' Medici, le fils de Lorenzo *il Magnifico*, le véritable maître de Florence !

Ezio joignit les mains.

— Ravi de faire votre connaissance, Piero. Votre père était un ami fidèle.

Piero le regarda.

— Je vous en remercie, qui que vous soyez. Quant à mon père, il a eu la chance de disparaître avant que cette vague de folie s'abatte sur notre cité. (Inconscient, il se tourna vers la foule en colère.) Cessez de soutenir ce misérable moine ! C'est un fou dangereux avec un ego de la taille du Duomo ! On devrait l'abattre, comme le chien enragé qu'il est !

Ne faisant plus qu'un, la foule se mit à gronder, exprimant sa rage. Le héraut se tourna vers Piero et s'écria :

— Hérétique ! Pourvoyeur de mauvaises pensées ! (À la foule, il cria :) C'est cet homme qu'il faut abattre ! Qu'il faut réduire au silence ! Il doit brûler !

Piero et Ezio dégainèrent tous les deux leur épée et firent face à la foule menaçante.

— Qui êtes-vous ? demanda Piero.

— Ezio Auditore, répondit-il.

— Ah ! *Sono grato del tuo aiuto.* Mon père parlait souvent de toi. (Il fit un signe de tête en direction de leurs adversaires.) Tu crois qu'on va s'en tirer vivants ?

— Je l'espère. Mais on ne peut pas dire que tu aies fait preuve de tact !

— Comment je pouvais le savoir ?

— Tu viens de réduire à néant un nombre incalculable d'efforts et de préparatifs, mais ça n'a pas d'importance. Il ne te reste plus qu'à compter sur ton épée !

Le combat fut rude, mais rapide. Les deux hommes laissèrent la foule les acculer contre un entrepôt abandonné, et ce ne fut qu'alors qu'ils prirent position. Heureusement, même s'ils étaient furieux, les pèlerins étaient loin d'être des combattants aguerris, et, dès que le plus gros de leurs troupes eut battu en retraite pour soigner les profondes entailles et les balafres qu'Ezio et Piero leur avaient infligées à la pointe de leur épée, les autres se replièrent et s'enfuirent. Seul le héraut, l'air grave et terne, campa sur ses positions.

— Imposteur ! cria-t-il à l'attention d'Ezio. Tu gèleras à tout jamais dans les glaces du Quatrième Anneau du Neuvième Cercle ! Et c'est moi qui vais t'y envoyer !

Il tira de sous sa soutane une baselarde à la lame affûtée et se jeta sur Ezio en la brandissant au-dessus de la tête, prêt à frapper. Ezio, en reculant, manqua de tomber et se retrouva à la merci du héraut, mais Piero donna à ce dernier un coup d'épée à hauteur des jambes. Ezio, de nouveau sur ses pieds, fit jaillir double lame – enfonçant les pointes effilées de l'arme dans le ventre de l'homme. Le héraut frémit de tout son être au moment de l'impact. Le souffle coupé, il s'écroula, se tortillant et tressautant, griffant le sol, jusqu'à ce qu'il demeure inerte.

— J'espère que ça rachètera le mauvais tour que je t'ai joué, dit Piero en esquissant un sourire contrit. Viens ! Allons au Palais des doges et demandons à Agostino d'envoyer la garde pour qu'elle s'assure que ce tas de fanatiques s'est séparé, et qu'ils sont tous bien rentrés à la niche.

— *Grazie*, lui dit Ezio. Mais ce n'est pas sur mon chemin. Je vais à Florence.

Piero le regarda d'un air incrédule.

— Quoi ? Tu te jettes tout seul dans la gueule du loup ?

— J'ai de bonnes raisons de vouloir débusquer Savonarola. Mais il n'est peut-être pas trop tard non plus pour réparer les dégâts qu'il a infligés à notre ville natale.

— Alors, je te souhaite bonne chance, dit Piero. Quelles que soient tes raisons.

Chapitre 26

Fra' Girolamo Savonarola s'empara du gouvernement de Florence en 1494, alors qu'il avait quarante-deux ans. Il s'agissait d'un homme tourmenté, d'un génie à l'esprit tordu, et le pire des fanatiques religieux. Mais ce qu'il y avait de plus effrayant à propos de lui, c'était que le peuple lui avait non seulement permis de le diriger, mais également de le pousser à commettre les actes de folie les plus grotesques et les plus destructeurs. Tous étaient fondés sur la terreur du feu de l'enfer, sur la doctrine qui voulait que tous les plaisirs, tous les biens matériels et toutes les œuvres de l'homme étaient méprisables, et qu'on ne pouvait trouver le véritable chemin de la foi que par une complète abnégation de soi.

Inutile de se demander, songea Ezio en réfléchissant à tout cela en chevauchant vers sa ville natale, *pourquoi Leonardo préfère rester à Milan* – entre autres, d'après son ami, parce que l'homosexualité y était jusqu'à présent tolérée ou punissable d'une légère amende, alors qu'elle était de nouveau considérée comme un crime capital à Florence. Et inutile de se demander, aussi, pourquoi la grande école humaniste et matérialiste des penseurs et des poètes qui s'étaient rassemblés autour de l'esprit éduqué et éclairé de Lorenzo s'était dispersée, en quête d'une terre moins aride que le désert intellectuel que Florence était en train de rapidement devenir.

En approchant de la cité, Ezio prit conscience de la présence d'importants groupes de moines à la soutane noire et de profanes discrètement vêtus qui avançaient dans la même direction. Ils avaient tous l'air grave, mais vertueux. Ils marchaient la tête baissée.

— Où allez-vous ? demanda-t-il à l'un des passants.

— À Florence. Pour nous asseoir aux pieds de notre grand guide, lui répondit un marchand au visage terreux avant de poursuivre son chemin.

La route était large, et, à proximité de la ville, Ezio aperçut une autre foule de gens, qui, eux, fuyaient manifestement la cité. Ils marchaient eux aussi la tête baissée, et ils avaient l'air sérieux et déprimés. Lorsqu'ils arrivèrent à sa hauteur, Ezio perçut des bribes de conversations, et il comprit que ces gens partaient en exil volontaire. Ils poussaient des charrettes qui débordaient d'affaires, portaient des sacs ou des ballots de vêtements. C'étaient des réfugiés qui avaient été bannis de leurs propres domiciles, soit par un décret du moine, soit par choix, car ils ne supportaient plus de vivre sous son joug.

— Si Piero avait eu un dixième du talent de son père, on aurait encore un endroit où dormir…, dit l'un d'eux.

— On n'aurait jamais dû autoriser ce dément à mettre un pied dans notre ville, marmonna un autre. Regarde la misère dans laquelle il nous a mis…

— Ce que je ne comprends pas, c'est pourquoi ils sont si nombreux à accepter une telle oppression, dit une femme.

— Eh bien, plus rien ne sera pire que Florence, désormais, déclara une autre femme. On nous a simplement mis dehors parce qu'on refusait de remettre toutes nos possessions à sa précieuse église San Marco !

— C'est de la sorcellerie ! C'est la seule façon de l'expliquer. Même le Maestro Botticelli est tombé sous le charme de Savonarola ! Voyez-vous, il commence à se faire vieux, il doit avoir près de la maudite cinquantaine… Peut-être qu'il se couvre pour le paradis.

— Des autodafés, des arrestations, tous ces interminables putains de sermons ! Quand on pense à ce qu'était Florence il y a tout juste deux ans ! Un phare contre l'ignorance ! Et aujourd'hui ? Nous revoilà une fois de plus englués dans l'obscurantisme.

Puis une femme dit une chose qui fit dresser l'oreille à Ezio.

— Parfois, je me prends à espérer que l'Assassin revienne à Florence et qu'il nous libère de cette tyrannie.

— Dans tes rêves ! répondit son ami. L'Assassin n'est qu'un mythe ! Une histoire que les parents racontent à leurs gosses pour leur faire peur…

— Tu te trompes. Mon père l'a vu à San Gimignano, soupira la première femme. Mais c'était il y a bien longtemps

— Ouais, ouais… *se lo tu dici.*

Ezio les dépassa, le cœur lourd. Mais le moral lui revint lorsqu'il remarqua qu'une silhouette familière venait à sa rencontre.

— *Salute*, Ezio, dit Machiavelli, son air pince-sans-rire ornant désormais un visage vieillissant mais que les années avaient rendu plus intéressant.

— *Salute*, Niccolò.

— Tu as choisi le moment pour faire ton grand retour !

— Tu me connais. Là où le mal s'installe, je fais tout pour essayer de l'en déloger !

— Et ton aide pourrait bien nous être utile, soupira Machiavelli. Il est indéniable que Savonarola n'aurait pas pu accéder au poste auquel il se trouve aujourd'hui s'il ne s'était pas servi de ce puissant artefact, de cette Pomme. (Il leva la main.) Je suis au courant de tout ce qui t'est arrivé depuis notre dernière rencontre. Caterina m'a envoyé un messager depuis Forlì, il y a deux ans de ça, et, plus récemment, j'ai reçu une lettre de Piero, qui est à Venise.

— Je suis venu chercher la Pomme. Ça fait bien trop longtemps qu'elle nous échappe.

— Je suppose, en un sens, que nous devrions nous montrer reconnaissants envers cet épouvantable Girolamo, dit Machiavelli. Au moins, il empêche le pape de mettre la main dessus.

— A-t-il tenté de s'en emparer ?

— Il n'arrête pas. D'après la rumeur, Alexandre envisagerait d'excommunier notre cher dominicain. Je ne sais pas si ça changerait grand-chose...

— Il faut qu'on se mette au travail et qu'on la retrouve au plus vite, dit Ezio.

— La Pomme ? Bien sûr... Même si ça risque d'être plus compliqué que tu l'imagines.

— Ha ! C'est toujours comme ça ! (Ezio le regarda.) Et si tu m'informais des dernières nouvelles ?

— Viens, allons en ville. Je vais t'expliquer tout ce que je sais. Il n'y a pas grand-chose à raconter. En gros, le roi de France, Charles VIII, a enfin réussi à faire plier Florence. Piero s'est enfui. Charles, toujours aussi avide de territoires – mais pourquoi diable l'appelle-t-on « l'Affable » ? – est parti à la conquête de Naples, et Savonarola, le vilain petit canard, a soudain saisi cette occasion pour combler le vide et prendre le pouvoir. Il ressemble à tous les autres dictateurs, qu'ils soient fantoches ou de grande envergure. Il est totalement dépourvu d'humour, très sûr de lui, et doté d'un orgueil inébranlable. C'est le pire genre de prince qu'on pourrait souhaiter avoir. (Il marqua une pause.) Un jour, j'écrirai un livre, à ce sujet.

— Et la Pomme lui a permis d'arriver à ses fins ?

Machiavelli écarta les mains.

— Seulement en partie. Je dois malheureusement dire qu'il est parvenu à ce résultat grâce à son propre charisme. Ce n'est pas la population de la ville en soi qu'il a réussi à captiver, mais ses dirigeants, ceux qui avaient de l'influence et du pouvoir. Naturellement, quelques-uns des *signoria* se sont tout d'abord élevés contre lui, mais aujourd'hui... (Machiavelli sembla inquiet.) Aujourd'hui, il les a tous dans la poche. L'homme que tout le monde honnissait est soudain devenu celui qu'il fallait vénérer. Si certains n'étaient pas d'accord, il les forçait à partir. D'ailleurs, c'est toujours le cas, comme tu en as été témoin aujourd'hui même. Maintenant, le conseil de Florence opprime ses citoyens et s'assure qu'il soit fait selon la volonté du moine fou.

— Mais qu'en est-il des gens ordinaires ? Se comportent-ils vraiment comme s'ils n'avaient pas leur mot à dire dans cette histoire ?

Machiavelli lui sourit d'un air triste.

— Tu connais aussi bien que moi la réponse à cette question, Ezio. Rares sont ceux qui souhaitent s'opposer au *statu quo*. Ainsi, c'est à nous qu'incombe la mission de les aider à voir où se trouve leur intérêt dans cette histoire.

Les Assassins atteignirent les portes de la cité. Les gardes armés de la ville, à l'image de toutes les polices, servant l'intérêt de l'État quelle que soit son éthique, examinèrent minutieusement leurs papiers et leur firent signe de passer, même si Ezio venait de remarquer qu'un autre détachement était occupé à empiler des cadavres revêtus d'un uniforme différent, frappé des armoiries de Borgia. Il le fit remarquer à Niccolò.

— Ah oui, dit Machiavelli. Comme je te l'ai dit, notre ami Rodrigo – je ne m'habituerai jamais à appeler ce salaud « Alexandre » – essaie toujours. Il envoie ses soldats à Florence, et Florence les lui renvoie, généralement en plusieurs morceaux.

— Il sait donc que la Pomme se trouve ici ?

— Bien sûr ! Et je dois admettre qu'il s'agit là d'un fâcheux inconvénient.

— Et où est Savonarola ?

— Il dirige la ville depuis le Convento di San Marco. Il ne le quitte presque jamais. Grâce à Dieu, Fra' Angelico n'était plus là pour assister à l'emménagement du frère Girolamo !

Ils mirent pied à terre, dirigèrent leurs montures vers l'écurie, et Machiavelli réserva une chambre pour Ezio. La vieille maison de joie de Paola avait été fermée, comme toutes les autres, lui avait expliqué Machiavelli. Le sexe et le jeu, la danse et les spectacles se trouvaient tout en haut de la liste des interdits de Savonarola. Les crimes vertueux et l'oppression, quant à eux, étaient largement admis.

Après qu'Ezio se fut installé, Machiavelli l'accompagna au grand complexe religieux de Saint-Marc. Ezio contempla les édifices d'un œil appréciateur.

— Il sera dangereux de lancer un assaut direct contre Savonarola, déclara-t-il. Surtout qu'il a la Pomme entre les mains.

— C'est vrai, reconnut Machiavelli. Mais de quel autre choix disposons-nous ?

— À part les dirigeants de la ville, qui ont sans aucun doute des intérêts particuliers, crois-tu vraiment que la population dispose de tout son libre arbitre ?

— Quelqu'un d'optimiste pourrait avoir tendance à y croire, répondit Machiavelli.

— Pour ma part, je suis convaincu qu'ils suivent le moine non par choix, mais parce qu'ils subissent des menaces et ont peur.

— À part les Dominicains et les politiciens, personne ne te dira le contraire.

— Alors, je propose que l'on tourne cette situation à notre avantage. S'il nous est possible de réduire au silence ses propres lieutenants et de provoquer le mécontentement, cela attirera l'attention de Savonarola, et nous profiterons de l'occasion pour frapper.

Machiavelli esquissa un sourire.

— C'est ingénieux. Il faudrait un adjectif pour décrire des gens comme toi. J'en parlerai à La Volpe et à Paola – oui, ils sont encore là, mais ils ont dû se réfugier sous terre. Ils peuvent nous aider à organiser un soulèvement pendant que tu libères les différents quartiers.

— Alors c'est entendu.

Toutefois, Ezio semblait préoccupé, et Machiavelli s'en rendit compte. Il le conduisit dans le cloître tranquille d'une petite église voisine, et il lui proposa de s'asseoir.

— Que se passe-t-il, mon ami ? lui demanda-t-il.

— Deux choses, mais c'est personnel.

— Dis-moi…

— Mon vieux *palazzo* familial… qu'en est-il advenu ? Je n'ose même pas aller voir.

Une ombre traversa le visage de Machiavelli.

— Mon cher Ezio, il va falloir être fort. Ton *palazzo* a résisté, mais Lorenzo n'a pu le protéger que lorsqu'il était encore au pouvoir, et en vie. Piero a bien essayé de suivre l'exemple de son père, mais quand il s'est fait virer par les Français, le Palazzo Auditore a été réquisitionné pour le cantonnement des mercenaires suisses de Charles. Après leur départ vers le sud, les hommes de Savonarola l'ont vidé de tout ce qui restait, et ils ont fermé les lieux. Courage. Un jour, tu lui feras retrouver sa splendeur d'antan.

— Et Annetta ?

— Elle s'est échappée, Dieu merci, et elle a rejoint ta mère, à Monteriggioni.

— Ça, au moins, c'est une bonne nouvelle.

Après un long silence, Machiavelli lui demanda :

— Et la deuxième chose ?

Ezio murmura :

— Cristina…

— Tu me demandes de te parler de choses difficiles, *amico mio*. (Machiavelli fit la moue.) Mais il faut que tu saches la vérité. (Il marqua une pause.) Mon ami, elle est morte. Manfredo ne voulait pas partir, contrairement à ses nombreux amis qui ont pris la fuite après la double invasion des Français et de Savonarola. Il était persuadé que Piero organiserait une contre-offensive et récupérerait la cité. Mais il y a eu une nuit horrible, juste après l'arrivée au pouvoir du moine. Tous ceux qui ont refusé de jeter volontairement leurs effets dans les bûchers des vanités que le moine avait organisés afin de brûler et de détruire tous les produits de luxe et les biens matériels ont vu leurs demeures mises à sac et incendiées.

Ezio l'écouta, s'efforça de conserver son calme, même si son cœur était rongé par la colère.

— Les fanatiques de Savonarola, poursuivit Machiavelli, ont forcé l'entrée du Palazzo d'Arzenta. Manfredo a essayé de se défendre, mais ils étaient trop nombreux contre lui et ses hommes… Et Cristina n'a pas voulu l'abandonner. (Machiavelli se tut un long moment, réprimant ses larmes.) Dans leur frénésie, ces obsédés de la religion l'ont également abattue.

Ezio fixa du regard le mur blanchi à la chaux qui se trouvait devant lui. Chaque détail, chaque fissure, et même les fourmis qui le traversaient… rien n'échappa à son attention.

Chapitre 27

Comme chacun de nos espoirs naît en vain,
Comme nos desseins souvent sont illusoires,
Comme l'ignorance règne sur le monde,
La mort, notre maîtresse à tous, nous le démontre.

Au chant, à la danse et aux joutes certains emploient leur temps,
Certains consacrent leurs talents aux bonnes manières,
Certains considèrent le monde et avec force dédain,
Certains dissimulent leurs sentiments au fond de leur cœur.

Les pensées et les attentions les plus vaines
Prévalent plus que tout dans ce monde faillible
Sous des formes différentes de celles de la nature.

La fortune sourit aux esprits inconstants,
Toute chose est éphémère et précaire ici-bas,
Seule la mort résiste à l'épreuve du temps.

Ezio laissa échapper de sa main le livre de sonnets de Lorenzo. La mort de Cristina l'avait plus que tout convaincu de supprimer celui qui en était à l'origine. Sa ville avait suffisamment longtemps souffert sous le joug de Savonarola. Un trop grand nombre de ses compatriotes, issus de toutes les couches de la société, étaient tombés sous son charme, et ceux qui n'étaient pas d'accord étaient soit discriminés, soit obligés de se réfugier sous terre, soit forcés à l'exil. Il était temps d'agir.

— Un grand nombre de ceux qui auraient pu nous aider sont partis en exil, lui expliqua Machiavelli. Mais même les chefs des ennemis de Savonarola hors de la cité-État, je veux parler du duc de Milan et de notre vieil ami Rodrigo, le pape Alexandre VI, n'ont pas été capables de le déloger.

— Et qu'en est-il de ces bûchers ?

— C'est ce qu'il y a de plus fou. Savonarola et ses partenaires les plus proches organisent leurs disciples en groupes et les envoient de maison en maison pour demander qu'on leur remette tout ce qu'ils jugent moralement douteux, même les produits cosmétiques et les miroirs, sans parler des tableaux et des livres, qui sont considérés comme étant licencieux, des jeux de toutes sortes, y compris les échecs – pour l'amour de Dieu ! – et des instruments de musique... tout ce que tu veux ! Si le moine et ses disciples jugent que ces objets détournent l'attention de leurs propriétaires de la religion, ils les apportent à la Piazza della Signoria, les jettent dans l'un des gigantesques bûchers et les font brûler. (Machiavelli secoua la tête.) Florence a perdu nombre d'objets de valeur et d'œuvres d'art, avec cette histoire.

— Mais les habitants de la cité doivent certainement se lasser de ce genre d'attitude, non ?

Le visage de Machiavelli s'éclaircit.

— C'est vrai, et ce sentiment sera notre meilleur allié. Je crois que Savonarola est vraiment persuadé que le jour du Jugement dernier est proche ; le seul problème, c'est qu'on ne sait pas quand, et certains, qui faisaient même partie de ses premiers partisans, commencent à avoir la foi hésitante. Malheureusement, ils sont encore nombreux, parmi ceux qui le soutiennent de façon inconditionnelle, à avoir de l'influence et du pouvoir. Si l'on pouvait se débarrasser d'eux…

Ainsi débuta pour Ezio une période de traque frénétique, au cours de laquelle il supprima toute une série de partisans du moine, et ils étaient en effet issus de toutes les couches de la société – il y avait un artiste éminent, un ancien soldat, un marchand, plusieurs prêtres, un médecin, un fermier, ainsi qu'un ou deux aristocrates, tous fanatiquement convaincus du bien-fondé des idées que le moine avait instillées en eux. Certains comprirent la folie de leur comportement avant de mourir ; d'autres demeurèrent inébranlables dans leurs convictions. En accomplissant son œuvre déplaisante, Ezio dut lui-même, plus d'une fois, faire face à des menaces de mort. Mais, bientôt, la rumeur se mit à enfler, en ville : des ouï-dire nocturnes, des murmures dans des tavernes clandestines et des ruelles sombres. L'Assassin était de retour. L'Assassin était revenu pour sauver Florence.

Ezio fut très triste de voir sa ville natale, sa famille et son héritage subir un si mauvais traitement à cause de la haine et de la démence de la ferveur religieuse. Il accomplit son œuvre avec une terrible insensibilité – un vent glacial purifiant la cité abâtardie par ceux qui lui avaient ôté toute sa splendeur. Comme toujours, il tua avec compassion, conscient qu'il n'y avait aucun autre choix pour ceux qui s'étaient à ce point éloignés de Dieu. Durant ces heures sombres, à aucun moment il ne s'écarta dans sa tâche du *Credo de l'Assassin*.

Progressivement, l'état d'esprit général de la ville se mit à fléchir, et Savonarola vit son soutien décliner, tandis que Machiavelli, La Volpe et Paola travaillaient de concert avec Ezio pour créer un soulèvement, une insurrection guidée par un processus lent mais puissant d'édification de la population.

La dernière des « cibles » d'Ezio fut un prédicateur acquis à la cause du moine, qui, à l'époque où Ezio le pourchassait, prêchait devant une foule massée face à l'église du Santo Spirito.

— Peuple de Florence ! Viens ! Rassemble-toi. Écoute bien ce que je vais te dire ! La fin est proche ! Il est à présent temps de se repentir ! D'implorer le pardon de Dieu. Écoutez-moi, si vous ne voyez pas par vous-mêmes ce qui est en train de se produire. Il y a des *signes* tout autour de nous : l'agitation ! La famine ! La maladie ! La corruption ! Tels sont les présages des *ténèbres* ! Si notre dévouement faiblit, elles nous *consumeront* tous ! (Il parcourut l'assemblée de son regard enflammé.) Je vois que vous doutez, que vous me prenez pour un illuminé. Ahhh... mais les Romains n'ont-ils pas dit la même chose de Jésus ? Sachez que, moi aussi, je partageais autrefois vos doutes et vos craintes. Mais c'était avant que Savonarola vienne à moi. Il m'a laissé entrevoir la *vérité* ! J'ai enfin pu *ouvrir* les yeux. C'est la raison pour laquelle je me tiens devant vous aujourd'hui, dans l'espoir que vous ouvriez également les vôtres ! (Le prédicateur s'interrompit pour reprendre son souffle.) Il faut que vous compreniez que nous nous trouvons au bord du précipice. D'un côté, il y a le splendide et radieux *royaume de Dieu*. De l'autre... un puits sans fond de *désespérance* ! Vous vacillez déjà dangereusement sur le bord. Les Medici et les autres, que vous appeliez jadis vos « maîtres », ne recherchaient que la possession de bien matériels et l'argent. Ils ont renoncé à la foi au profit des plaisirs matériels, et ils voulaient que vous en fassiez tous autant. (Il marqua une nouvelle pause, cette fois pour produire de l'effet, puis il poursuivit.) Notre sage Prophète a dit : « Les seules bonnes choses que nous devons à Platon et à Aristote, c'est qu'ils ont avancé de nombreux arguments dont nous pouvons user contre les hérétiques. Quand bien même, eux et les autres philosophes sont à présent en enfer. » Si vous accordez la moindre valeur à vos âmes immortelles, détournez-vous de ce chemin impie et suivez les enseignements de notre Prophète, Savonarola. Vous sanctifierez ainsi vos enveloppes charnelles et vos esprits – vous découvrirez la gloire de Dieu ! Enfin vous deviendrez comme le Seigneur voulait que vous soyez : des serviteurs fidèles et obéissants !

Mais la foule, qui commençait déjà à se clairsemer, se désintéressait de son prêche, et les derniers ne tardèrent pas à s'éloigner. Ezio s'approcha et s'adressa au prédicateur.

— Ton esprit, dit-il. Je devine qu'il t'appartient.

Le prédicateur éclata de rire.

— Nous n'avons pas tous besoin d'être persuadés ou contraints pour être convaincus. Je croyais déjà. Tout ce que j'ai dit est véridique !

— Rien n'est vrai, répondit Ezio. Et ce que je suis en train de faire n'est pas très facile. (Il fit jaillir la lame fixée à son poignet et embrocha le prédicateur.) *Requiescat in pace*, dit-il.

Se détournant du cadavre, il abaissa son capuchon sur son visage.

Il s'agissait d'une épreuve longue et difficile, mais, vers la fin, Savonarola lui-même se fit l'allié involontaire des Assassins, car la puissance financière de Florence se mit à décroître dangereusement : le moine détestait aussi bien le commerce que l'argent, les deux éléments qui avaient été à l'origine de la grandeur de la cité. Et toujours ce jour du Jugement qui ne venait pas... Au lieu de cela, un franciscain à l'esprit libéral défia le moine de se soumettre à l'épreuve du feu. Le moine refusa, et son autorité en fut d'autant ébranlée. Au début du mois de mai 1497, un grand nombre de jeunes gens de la ville organisèrent une marche de protestation, et l'émeute se transforma bientôt en révolte. Après cela, des tavernes commencèrent à rouvrir, des gens se remirent à chanter, à danser, à jouer et à fréquenter les prostituées – à prendre du plaisir, en fait. Des commerces et des banques rouvrirent, tandis que, tout d'abord lentement, des exilés regagnèrent peu à peu les quartiers de la ville à présent libérés de l'emprise du moine. Cela ne se fit pas en une seule nuit, mais, au final, près d'un an après la révolte, même si l'homme se cramponnait obstinément au pouvoir, la chute de Savonarola semblait imminente.

— Tu as fait du bon boulot, Ezio, lui déclara Paola, alors qu'ils attendaient, avec La Volpe et Machiavelli, devant les portes du complexe de San Marco, accompagnés d'une importante foule, aussi indisciplinée que pleine d'espoir, issue des quartiers libres.

— Je te remercie, mais qu'est-ce qu'on fait, maintenant ?

— On regarde, répondit Machiavelli.

En produisant un fort craquement, une porte s'ouvrit au-dessus de leurs têtes, et une silhouette voûtée vêtue de noir fit son apparition sur un balcon. Le moine observa d'un mauvais œil la population qui s'était rassemblée sous ses fenêtres.

— Silence ! ordonna-t-il. Je réclame le silence !

Impressionnés malgré eux, les spectateurs se calmèrent.

— Qu'est-ce que vous faites là ? demanda Savonarola. Pour quelle raison osez-vous me déranger ? Vous devriez être en train de nettoyer vos foyers !

Mais la foule rugit son mécontentement.

— Les nettoyer de quoi ? s'écria un homme. Vous nous avez déjà tout pris !

— Je m'étais retenu ! répondit Savonarola en hurlant. Dorénavant, vous ferez ce que je vous dis ! Vous allez *m'obéir* !

Et, de sous sa soutane, il tira la Pomme et la brandit au-dessus de lui. Ezio remarqua qu'il manquait un doigt à la main qui la tenait. Aussitôt, la Pomme se mit à rougeoyer, et la foule recula, le souffle coupé. Mais Machiavelli, conservant son calme, se redressa et, sans la moindre hésitation, lança un couteau qui transperça l'avant-bras du moine. En poussant un cri de douleur et de rage, Savonarola lâcha la Pomme, qui tomba dans la foule, en dessous du balcon.

— *Noooon!* mugit-il.

Mais, soudain, il sembla diminué, l'attitude à la fois embarrassée et pathétique. Ce fut suffisant pour la population. Elle se rassembla et se rua sur les portes de San Marco.

— Vite, Ezio, dit La Volpe. Il faut qu'on retrouve la Pomme ; elle ne doit pas être bien loin.

Ezio l'aperçut. Elle roulait sans que personne la remarque entre les pieds des badauds. Il plongea au milieu d'eux, se faisant allégrement bousculer, mais il finit par la saisir. Il la mit aussitôt à l'abri, dans la bourse qui pendait à son ceinturon. Les portes de San Marco étaient ouvertes, à présent – il était probable que des frères, à l'intérieur, considèrent la prudence comme une qualité essentielle et voulurent sauver leur église, leur monastère ainsi que leur propre vie en s'inclinant face à l'inévitable. Ils étaient également nombreux à en avoir assez du despotisme ennuyeux du moine. La foule s'engouffra par les portes et en ressortit quelques minutes plus tard, portant Savonarola, qui se débattait et hurlait, sur les épaules.

— Emmenez-le au Palazzo della Signoria, ordonna Machiavelli. Qu'il y soit jugé !

— Idiots ! Blasphémateurs ! s'écria Savonarola. Que Dieu soit témoin de ce sacrilège ! Comment osez-vous vous comporter de la sorte avec son Prophète ? (On l'entendait à peine par-dessus les cris de colère de la foule, mais il était aussi blême qu'il avait peur, et il tenta de sauver les apparences – car il savait, même s'il ne le pensait pas tout à fait dans ces termes, qu'il s'agissait de son dernier coup de dés.) Hérétiques ! Pour ça, vous brûlerez tous en enfer ! Vous m'entendez ? Vous *brûlerez* !

Ezio et ses confrères Assassins suivirent la population, qui s'éloignait avec le moine sur les épaules, qui continuait à hurler un mélange de suppliques et de menaces :

— L'épée de Dieu s'abattra soudain brusquement sur la terre. Relâchez-moi, car moi seul suis en mesure de vous sauver de son courroux ! Mes enfants, écoutez-moi avant qu'il soit trop tard ! Il n'y a qu'un seul salut, et vous quittez le chemin qui y conduit pour de simples profits matériels ! Si vous cessez de vous incliner devant moi, tout Florence subira l'ire du Seigneur – et cette cité tombera comme Sodome et Gomorrhe, car Il connaîtra la gravité de votre perfidie. *Aiutami, Dio !* Ce sont dix mille Judas qui me terrassent !

Ezio se trouvait suffisamment près pour entendre l'un des citoyens qui portait le moine s'exclamer :

— Oh ! on en a assez, de tes mensonges ! Tu n'as fait que répandre la misère et la haine, depuis que tu as mis les pieds dans cette ville !

— Tu as peut-être Dieu dans la tête, moine, déclara un autre, mais il me semble bien loin de ton cœur.

Ils approchaient de la Piazza della Signoria, et d'autres, dans la foule, reprirent à leur compte les cris de triomphe.

— On a assez souffert ! On va redevenir libres !

— Bientôt, la lumière de la vie illuminera de nouveau notre cité !

— Il faut punir le traître ! C'est *lui*, le véritable hérétique ! Il a déformé la parole de Dieu pour en faire ce qu'il voulait ! s'écria une femme.

— Le joug de la tyrannie religieuse est enfin rompu ! s'exclama un autre. Savonarola va enfin être puni.

— Que la vérité nous illumine et fasse fuir la peur ! cria un troisième. Tes paroles n'ont plus aucune importance, moine !

— Tu prétends être Son Prophète, mais tes propos sont obscurs et cruels. Tu nous as appelés les « marionnettes du diable », mais je crois que la véritable marionnette, c'est *toi* !

Il fut inutile pour Ezio et ses amis d'intervenir davantage – le mécanisme qu'ils avaient mis en mouvement ferait le reste. Les dirigeants de la cité, aussi désireux de sauver leur propre peau que de s'approprier le pouvoir, se déversèrent de la Signoria afin de leur montrer leur soutien. On érigea une estrade, sur laquelle on entassa d'énormes tas de bois autour de trois piquets, tandis que l'on traînait Savonarola et ses deux plus fervents lieutenants dans la Signoria pour un procès rapide et virulent.

Comme il n'avait fait preuve d'aucune pitié, on ne lui en accorda aucune non plus. Ils réapparurent bientôt enchaînés. On les conduisit vers les piquets, et on les y attacha.

— Oh, Seigneur mon Dieu, aie pitié de moi, entendit-on supplier Savonarola. Délivre-moi de l'étreinte du mal ! Cerné par le péché, j'implore ton salut !

— C'était *toi* qui voulais me brûler sur l'échafaud, le railla un homme. Chacun son tour !

Les bourreaux enfoncèrent leurs torches dans les tas de bois, autour des piquets. Ezio observa la scène, pensant à ses parents, qui avaient péri, tant d'années auparavant, sur cette même place.

— *Infelix ego*, pria Savonarola d'une voix forte et empreinte de douleur lorsque le feu commença à prendre. *Omnium auxilio destitutus* J'ai enfreint les lois de la terre et des cieux. De quel côté puis-je me tourner ? Vers qui puis-je courir ? Qui aura pitié de moi ? Je n'ose lever les yeux vers le paradis car j'ai sérieusement péché. Je ne puis trouver aucun refuge sur terre car je me suis aussi honteusement comporté envers elle...

Ezio s'approcha aussi près que possible. *Malgré le chagrin qu'il m'a causé, personne, pas même lui, ne mérite de périr dans de telles souffrances*, songea-t-il. Il sortit sa *pistola* chargée de sa sacoche et la fixa au mécanisme de son bras droit. C'est alors que Savonarola remarqua sa présence et le regarda fixement, exprimant à la fois la peur et l'espoir.

— C'est toi, dit-il en élevant la voix pour se faire entendre par-dessus le rugissement des flammes, mais ils communiquèrent tous les deux essentiellement grâce à une interconnexion de leurs esprits. Je me doutais que ce jour allait arriver. Mon frère, je t'en prie, fais preuve de la pitié que je n'ai pas su avoir. Je t'ai abandonné à la merci des loups et des chiens

Ezio leva le bras.

— Adieu, *padre*, dit-il avant de faire feu. (Dans le tohu-bohu qui régnait autour du bûcher, son geste et le bruit du coup de feu passèrent inaperçus. La tête de Savonarola lui tomba sur la poitrine.) Va en paix, maintenant. Que tu sois jugé par ton Dieu, dit tranquillement Ezio. *Requiescat in pace.*

Il jeta un coup d'œil vers les deux moines lieutenants, Domenico et Silvestro, mais ils étaient déjà morts, leurs tripes ayant éclaté dans le feu sifflant. La puanteur de la chair grillée était insupportable. La foule commençait à s'apaiser. Bientôt, il n'y eut plus d'autre bruit que le crépitement des flammes qui achevaient leur œuvre.

Ezio s'éloigna des bûchers. Non loin, il aperçut Machiavelli, Paola et La Volpe, qui l'observaient. Machiavelli croisa son regard et lui fit un petit signe d'encouragement. Ezio savait ce qu'il lui restait à faire. Il monta sur l'estrade, de l'autre côté des bûchers, et tous les regards se tournèrent vers lui.

— Citoyens de Florence ! proclama-t-il d'une voix claironnante. Il y a vingt-deux ans de ça, je me tenais au même endroit qu'aujourd'hui, et je regardais mourir des êtres qui m'étaient chers, trahis par des personnes que je comptais au nombre de mes amis. La vengeance a alors obscurci mon esprit. Sans la sagesse de quelques inconnus, elle m'aurait consumé. Mais ils m'ont enseigné à voir plus loin que mes instincts. Ils ne m'ont jamais apporté de solutions toutes faites, mais ils m'ont guidé pour que je puisse les trouver tout seul. (Ezio remarqua que son oncle Mario venait de rejoindre ses confrères Assassins. Il lui adressa un sourire et leva la main en guise de salut.) Mes amis, poursuivit-il, nous n'avons besoin de personne pour nous dire ce que nous avons à faire. Ni de Savonarola, ni des Pazzi, ni même des Medici. Nous sommes libres de suivre notre propre voie. (Il marqua une pause.) Certains voudraient nous ôter cette liberté, et trop nombreux sont ceux parmi vous – parmi nous – qui, hélas, sont disposés à la leur offrir. Mais il est en *notre* pouvoir de choisir – de choisir ce que nous estimons être *juste* –, et c'est l'exercice de ce pouvoir qui fait de nous des êtres humains. Aucun livre ni aucun professeur n'est en mesure de nous donner des réponses, de nous montrer la voie à suivre. Donc, choisissez *vous-mêmes* celle que vous voulez suivre ! Ne me suivez pas, ne suivez personne !

En souriant en son for intérieur, il remarqua à quel point certains membres de la Signoria semblaient inquiets. Sans doute l'humanité ne changerait-elle jamais, mais ça ne faisait pas de mal de lui donner un coup de pouce. Il redescendit d'un bond de l'estrade, baissa son capuchon sur son visage et s'éloigna de la place. Il descendit la rue qui longeait le mur nord de la Signoria, qu'il avait déjà mémorablement empruntée à deux reprises, et il disparut.

Et c'est ainsi que débuta pour Ezio la dernière longue et difficile quête de sa vie, avant la confrontation finale, qui, il en était conscient, serait inévitable. Machiavelli à ses côtés, il demanda à ses confrères de l'ordre des Assassins de Florence et de Venise d'arpenter la péninsule italienne, de se rendre dans les lieux les plus reculés, armés de copies de la carte de Girolamo, et de retrouver minutieusement toutes les pages manquantes du Grand Codex ; d'écumer les provinces du Piémont, du Trentin, de Ligurie, d'Ombrie, de Vénétie, du Frioul, de Lombardie ; de parcourir l'Émilie-Romagne, les Marches, la Toscane, le Latium, les Abruzzes ; sans oublier le Molise, l'Apulie, la Campanie, la Basilicate et la dangereuse Calabre.

Ils passèrent sans doute trop de temps à Capri, et ils franchirent la mer Tyrrhénienne jusqu'au pays des kidnappeurs, la Sardaigne, et à la redoutable Sicile, aux mains des truands et des criminels. Ils rendirent visite à des rois et courtisèrent des ducs, ils affrontèrent des templiers, chargés de la même mission qu'eux, mais, au final, ils parvinrent à atteindre leur objectif.

Ils se réunirent à Monteriggioni. Il leur avait fallu cinq longues années, et Alexandre VI, Rodrigo Borgia, à présent âgé, mais toujours aussi vigoureux, était encore pape à Rome. La puissance des Templiers, même si elle s'était estompée, représentait encore une sérieuse menace.

Il restait beaucoup à faire.

Chapitre 28

Un matin, au début du mois d'août 1503, Ezio, à présent âgé de quarante-quatre ans, les tempes grisonnantes, mais la barbe encore châtain foncé, fut invité par son oncle à le rejoindre, ainsi que la compagnie des Assassins, dans son étude du château de Monteriggioni. Paola, Machiavelli et La Volpe étaient accompagnés de Teodora, Antonio et Bartolomeo.

— L'heure est venue, dit Mario d'un air grave. Nous avons la Pomme, et, désormais, toutes les pages manquantes du Codex sont rassemblées. Finissons donc le travail que mon frère – ton père – et toi avez entrepris il y a si longtemps maintenant Peut-être serons-nous enfin capables de donner du sens à la prophétie dissimulée dans le Codex et de mettre à tout jamais un terme à l'inexorable pouvoir des Templiers.

— Alors, mon oncle, il faudra que nous commencions par localiser la chambre forte. Les pages du Codex que tu as réunies devraient nous y mener.

Mario fit pivoter la bibliothèque, révélant le mur sur lequel le Codex – désormais en intégralité – était accroché. À côté, sur un piédestal, se trouvait la Pomme.

— Voici comment les pages font référence les unes aux autres, dit Mario lorsqu'ils se concentrèrent tous sur le motif complexe. On dirait une carte du monde, mais d'un monde plus vaste que celui que nous connaissons, avec des continents à l'ouest et au sud dont nous n'avons pas connaissance. Pourtant, je suis convaincu qu'ils existent.

— Il y a d'autres éléments, dit Machiavelli. Ici, sur la gauche, on peut voir le tracé de ce qui ne peut être qu'une crosse, sans doute la crosse pontificale. Sur la droite, il s'agit visiblement d'une représentation de la Pomme. Au milieu des pages, on peut maintenant remarquer une dizaine de points qui décrivent un motif dont la signification nous est encore inconnue.

Tandis qu'il parlait, la Pomme se mit à rougeoyer d'elle-même avant de, finalement, briller d'un éclat aveuglant, illuminant les pages du Codex et semblant les embraser. Puis elle reprit son état terne et neutre.

— Pourquoi est-ce qu'elle a fait ça – à cet instant précis ? demanda Ezio, regrettant que Leonardo ne soit pas là pour le lui expliquer, ou du moins pour en déduire la raison.

Il tenta de se souvenir de ce que son ami lui avait dit à propos des caractéristiques particulières de cette curieuse machine, même s'il ignorait ce dont il s'agissait vraiment – elle semblait à la fois vivante et mécanique. Mais son instinct lui dictait d'avoir confiance en elle.

— Encore un mystère à éclaircir, dit La Volpe.

— Comment cette carte est-elle possible ? demanda Paola. Des continents inexplorés ?

— Sans doute des continents qui attendent d'être redécouverts, suggéra Ezio d'un ton admiratif.

— Comment serait-ce possible ? demanda Teodora.

— On trouvera peut-être la réponse à ces questions dans la chambre forte, répondit Machiavelli.

— On peut savoir où elle se trouve, maintenant ? demanda Antonio, toujours aussi pragmatique.

— Voyons voir..., dit Ezio en examinant le Codex. Si l'on trace des lignes entre ces points... (Il joignit le geste à la parole.) Elles se rejoignent, vous voyez ? En un seul point. (Il recula d'un pas.) Non ! C'est impossible ! La chambre forte ! On dirait qu'elle se trouve à Rome !

Il regarda tour à tour chacun de ses compagnons, et ils comprirent ce qu'il était sur le point de dire.

— Ça explique pourquoi Rodrigo était si désireux de devenir pape, dit Mario. Ça fait onze ans qu'il est à la tête du Saint-Siège, mais il lui manque toujours le moyen d'en percer le secret le plus terrible, même s'il sait parfaitement qu'il se trouve sur les lieux.

— Bien sûr ! s'exclama Machiavelli. En un sens, il faut l'admirer. Non seulement il a réussi à localiser la chambre forte, mais, en devenant pape, il est entré en possession de la crosse pontificale !

— La crosse ? s'étonna Teodora.

C'est Mario qui lui répondit :

— Le Codex fait toujours allusion à deux Fragments de l'Éden – c'est-à-dire deux *clés*. Ça ne peut être que ça. La première… (il se tourna vers elle), c'est la Pomme.

— Et l'autre, c'est la crosse pontificale ! s'écria Ezio, qui comprenait enfin.

La crosse pontificale est le second Fragment de l'Éden !

— Précisément, répondit Machiavelli.

— Mon Dieu, mais tu as raison ! aboya l'oncle Mario. (Il prit soudain un air grave.) Ça fait des années, des décennies, qu'on est à la recherche de ces réponses…

— Et maintenant, on les a, ajouta Paola.

— Mais l'Espagnol aussi, intervint Antonio. Il existe peut-être des copies du Codex – et si ça se trouve, même si sa propre collection est incomplète, Rodrigo possède néanmoins suffisamment d'informations pour… (Il s'interrompit.) Et si c'est le cas, s'il trouve le moyen d'entrer dans la chambre forte… (Il baissa la voix.) Son contenu fera passer la Pomme pour quelque chose d'insignifiant.

— Deux clés, leur rappela Mario. Pour ouvrir la chambre forte, il faut deux clés.

— Mais on ne peut pas se permettre de prendre le moindre risque, intervint Ezio. Il faut que j'aille à Rome tout de suite et que je trouve la chambre forte ! (Personne n'exprima le moindre désaccord. Ezio les regarda tour à tour droit dans les yeux.) Et vous ?

Bartolomeo, qui était jusqu'à présent resté muet, prit la parole, avec un peu moins de culot qu'à l'accoutumée.

— Je vais m'occuper de ce que je sais le mieux faire : créer un peu d'effervescence au sein de la Cité éternelle, un peu d'agitation – faire diversion pour qu'on te laisse tranquille.

— On va tous t'aider à te dégager la voie, mon ami, dit Machiavelli.

— Fais-moi simplement savoir quand tu seras prêt, *nipote*, et on sera tous derrière toi, dit Mario. *Tutti per uno e uno per tutti* !

— *Grazie, amici*, répondit Ezio. Je sais que je pourrai compter sur vous quand j'en aurai besoin. Mais permettez-moi de porter seul le fardeau de cette dernière quête – un poisson solitaire peut plus facilement se glisser entre les mailles du filet qu'un banc entier, et les Templiers seront sur leurs gardes.

Ils se hâtèrent de faire leurs préparatifs, et, au milieu du mois, Ezio, en possession de la précieuse Pomme, atteignit par bateau les quais du Tibre, près du Castel Sant' Angelo de Rome. Il avait pris toutes les précautions, mais, par quelque diablerie ou grâce à l'astuce des espions omniprésents de Rodrigo, son arrivée ne passa pas inaperçue, et il fut pris à partie par une brigade de gardes de Borgia aux portes des quais. Il dut se battre pour se frayer un chemin jusqu'au

Passetto di Borgo, le long passage surélevé de près d'un kilomètre qui reliait le Castel et le Vatican. Conscient que le temps jouait contre lui, maintenant que Rodrigo était certainement informé de son arrivée, Ezio comprit que la seule option qui s'offrait à lui consistait à lancer un assaut rapide et précis. Il bondit comme un lynx sur la bâche d'une charrette tirée par un bœuf, qui transportait des tonneaux depuis le port, et, grimpant sur la barrique la plus haute, il sauta sur un portique en surplomb. Les gardes l'observèrent bouche bée lorsqu'il s'élança du portique – sa cape se gonflant et claquant au vent derrière lui. Dague dégainée, il abattit le sergent de Borgia sur son cheval et le soulagea de sa monture. L'ensemble de la manœuvre s'était déroulé en moins de temps qu'il en avait fallu aux gardes restants pour tirer leurs épées. Ezio, sans regarder derrière lui, chevaucha jusqu'au Passetto, bien trop vite pour que les soldats de Borgia soient capables de le poursuivre.

Arrivé à destination, Ezio se retrouva face à un portail trop bas et trop étroit pour être franchi à cheval. Il se laissa donc glisser de sa monture et poursuivit à pied, après avoir éliminé d'un simple mouvement adroit de ses lames les deux hommes qui gardaient l'entrée. Malgré les années, Ezio avait intensifié son entraînement et était à présent au sommet de ses capacités – à l'apogée de son ordre, l'Assassin suprême.

Au-delà du portail, il se retrouva dans une cour étroite, à l'autre côté de laquelle se trouvait un autre portail. Celui-ci ne semblait pas surveillé, mais lorsque Ezio approcha du levier, sur le côté, qui était censé l'ouvrir, un cri s'éleva des remparts, au-dessus de lui :

— Arrêtez l'intrus !

En jetant un coup d'œil derrière lui, il vit que l'on était en train de refermer le portail par lequel il était entré. Il était pris au piège dans cette enclave exiguë !

Il se jeta sur le levier destiné à ouvrir le second portail au moment même où des archers qui s'étaient alignés au-dessus de lui s'apprêtaient à décocher leurs flèches. Il parvint tout juste à se faufiler derrière le portail lorsque les projectiles se mirent à crépiter sur le sol, derrière lui.

Il était à présent à l'intérieur du Vatican. Il se déplaçait aussi silencieusement qu'un chat à travers le labyrinthe de couloirs, et se fondait dans l'ombre dès que des gardes, désormais en état d'alerte, passaient à proximité, car il ne pouvait pas se permettre de les affronter sans révéler sa position. Il finit par accéder à la vaste chapelle Sixtine.

Le chef-d'œuvre de Baccio Pontelli, bâti pour le vieil ennemi des Assassins, le pape Sixte IV, et achevé vingt ans plus tôt, se dressait autour et au-dessus de lui, éclairé par une multitude de chandelles dont la lueur parvenait à percer l'obscurité. Ezio put admirer les fresques murales de Ghirlandaio, de Botticelli, de Rosselli et du Pérugin, mais l'imposante voûte du plafond n'était pas encore décorée.

Il s'était glissé par un vitrail en réparation et se trouvait en équilibre sur une meurtrière intérieure qui donnait sur la vaste salle. En bas, Alexandre VI, dans ses plus beaux atours dorés, célébrait la messe et lisait l'Évangile selon san Giovanni.

— « *In principio erat Verbum, et Verbum erat apud Deum, et Deus erat Verbum. Hoc erat in pricipio apud Deum. Omnia per ipsum fact sunt, et sine ipso factum est nihil quid factum est...* En lui était la vie, et la vie était la lumière des hommes. Et la lumière luit dans les ténèbres. Et les ténèbres n'ont aucune prise sur elle. Dieu envoya un homme, et son nom était Jean. Il serait un témoin, il témoignerait de l'existence de la Lumière, pour que, grâce à lui, tous les hommes puissent y croire. Il n'était pas cette Lumière, mais il avait été envoyé pour témoigner de l'existence de cette Lumière. Il s'agissait de la véritable Lumière, qui illuminait chaque homme qui venait au monde. Il faisait partie du monde, et le monde avait été fait par lui, mais le monde ne le connaissait pas. Il se rendit chez les siens, mais les siens ne l'ont pas reçu. Mais, à tous ceux qui l'ont reçu, il leur donna le pouvoir de devenir des enfants de Dieu, même à ceux qui croyaient en son nom : ceux qui n'étaient nés ni du sang, ni de la volonté de la chair, ni de la volonté de l'homme, mais de Dieu. Et le Verbe se fit chair, et il demeura parmi nous (et nous avons pu admirer sa gloire, la même que celle engendrée par le Père), plein de grâce et de vérité... »

Ezio l'observa jusqu'à ce que l'office soit terminé et que la congrégation commence à quitter les lieux, laissant le pape seul avec ses cardinaux et ses prêtres assistants. L'Espagnol se doutait-il de la présence d'Ezio ? Avait-il prévu une sorte d'affrontement ? Ezio l'ignorait, mais il comprit qu'il s'agissait d'une occasion en or de débarrasser le monde du plus redoutable des Templiers. Il s'arc-bouta et s'élança de la meurtrière. Il se réceptionna près du pape dans une parfaite position accroupie, et il se redressa aussitôt, avant que l'homme ou ses assistants aient eu le temps de réagir ou d'appeler à l'aide. Il enfonça brutalement sa lame à ressort dans les entrailles du corps gonflé d'Alexandre. Le pape s'écroula sans bruit aux pieds d'Ezio et demeura immobile.

Ezio se dressa au-dessus de lui, respirant bruyamment.

— Je croyais... je croyais que j'étais au-delà de ça. Je croyais que j'étais capable de m'élever au-dessus de la vengeance. Mais ce n'est pas le cas. Je ne suis qu'un homme. J'ai attendu trop longtemps, j'ai trop perdu... Et tu es un chancre qu'il fallait éliminer pour le bien de tous... *Requiescat in pace, sfortunato.*

Il s'apprêta à quitter les lieux, mais un curieux événement se produisit. La main de l'Espagnol se serra autour de la crosse qu'il tenait. Immédiatement, elle se mit à luire d'une éclatante lumière blanche, et l'ensemble de la vaste chapelle sembla se mettre à tourbillonner. Les yeux cobalt de l'Espagnol s'ouvrirent brusquement.

— Je ne suis pas tout à fait prêt à rester en paix, misérable hère, dit l'Espagnol.

Il y eut un puissant éclat de lumière, et les prêtres et les cardinaux, ainsi que les membres de la congrégation qui se trouvaient encore à l'intérieur de la chapelle s'écroulèrent, hurlant de douleur, et d'étranges rais de lumière translucide s'enroulant comme des volutes de fumée jaillirent de leur corps et se dirigèrent vers la crosse scintillante que le pape, qui s'était relevé, tenait dans une poigne d'acier.

Ezio se rua sur lui, mais l'Espagnol s'écria :

— Non, Assassin !

Et il tendit la crosse dans sa direction. Elle crépita d'une étrange façon, comme la foudre, et Ezio se sentit projeté à travers la chapelle, par-dessus les corps des prêtres et des fidèles qui gémissaient en se tortillant de douleur. Rodrigo Borgia frappa brusquement sa crosse par terre, près de l'autel, et une quantité supplémentaire d'énergie ressemblant à de la fumée s'écoula en elle – et en lui –, depuis leurs malheureux corps.

Ezio se releva et affronta une fois de plus son ennemi juré.

— Tu es un démon ! s'écria Rodrigo. Comment fais-tu pour résister ?

Puis il baissa la tête et remarqua que la bourse, au côté d'Ezio, dans laquelle se trouvait encore la Pomme, diffusait une lueur éclatante.

— Je vois ! dit Rodrigo, les yeux brillants comme des charbons ardents. Tu as la Pomme ! Comme c'est commode ! Donne-la-moi immédiatement !

— *Vai a farti fottere* !

Rodrigo éclata de rire.

— Quelle vulgarité ! Mais tu es toujours prêt à te battre ! Comme ton père. Eh bien, réjouis-toi, mon enfant, car tu vas bientôt pouvoir le rejoindre !

Il abattit une nouvelle fois son bâton papal, et le crochet de la crosse heurta la cicatrice qu'Ezio avait sur le dos de la main gauche. Un frisson lui parcourut tout le corps, et il recula en titubant. Mais il parvint à rester sur ses pieds.

— Tu finiras bien par me la donner, gronda férocement Rodrigo en s'approchant de lui.

Ezio réfléchit aussi vite qu'il le put. Il savait ce dont la Pomme était capable, et il fallait qu'il prenne ce risque, quitte à périr.

— Comme tu voudras, répondit-il.

Il sortit la Pomme de sa bourse et la brandit au-dessus de lui. Elle se mit à briller avec tant de puissance que l'ensemble de l'imposante chapelle sembla un moment illuminé par le soleil. Et lorsque la pénombre se réinstalla, Rodrigo vit huit Ezio alignés devant lui.

Mais il demeura imperturbable.

— Elle te permet de créer des copies ! dit-il. Impressionnant ! Difficile de dire laquelle est véritablement toi et lesquelles ne sont que des chimères Mais c'était déjà le cas, la plupart du temps. Et si tu crois que c'est un tour aussi minable qui va pouvoir te sauver, tu te mets le doigt dans l'œil !

Rodrigo fit tournoyer sa crosse en direction de chacun des clones, et, chaque fois qu'il en touchait un, celui-ci se dissipait dans un nuage de fumée. Les faux Ezio se pavanaient et faisaient semblant d'attaquer Rodrigo, qui semblait à présent relativement inquiet. Mais ils étaient incapables de causer le moindre mal à l'Espagnol, ils ne pouvaient servir qu'à accaparer son attention. Seul le véritable Ezio était en mesure de faire porter ses coups – mais il ne s'agissait que d'attaques mineures, car le pouvoir de la crosse était tel qu'Ezio était incapable de suffisamment s'approcher de l'abominable pape. Mais il comprit assez vite que le combat sapait les forces de Rodrigo. Lorsque ses sept fantômes furent dissipés, le repoussant pontife était épuisé et essoufflé. La folie est capable d'insuffler au corps une énergie considérable, mais, malgré le pouvoir de la crosse, Rodrigo n'était après tout qu'un vieillard adipeux de soixante-douze ans qui souffrait de la syphilis. Ezio rangea la Pomme dans sa bourse.

Hors d'haleine après son combat contre les fantômes, le pape se laissa tomber à genoux. Ezio, presque autant à bout de souffle car ses fantômes avaient nécessairement puisé dans sa propre énergie pour s'amuser, s'approcha au-dessus de lui. Rodrigo se cramponna à sa crosse en levant la tête.

— Tu ne réussiras pas à me la prendre ! dit-il.

— C'est terminé, Rodrigo. Pose ce bâton, et je te garantis une mort rapide et charitable.

— Quelle générosité ! railla Rodrigo. Je me demande si tu aurais abandonné si facilement si tu t'étais trouvé à ma place.

Faisant appel à toutes ses forces, le pape se releva brusquement et frappa en même temps le sol à l'aide de sa crosse. Dans la pénombre, derrière eux, les prêtres et les fidèles se remirent à gémir, et une nouvelle onde d'énergie s'échappa de la crosse et s'abattit sur Ezio, le percutant comme un coup de masse, et le projetant au loin.

— Que dis-tu de ça, pour commencer ? demanda le pape, un sourire maléfique au coin des lèvres.

Il s'approcha de là où Ezio était étendu, essoufflé. L'Assassin s'apprêta à sortir une nouvelle fois la Pomme, mais trop tard, car Rodrigo lui écrasa la main sous sa botte, et la Pomme roula un peu plus loin. Borgia se baissa pour la ramasser.

— Enfin ! s'exclama-t-il en souriant. Et maintenant… je vais m'occuper de toi !

Il brandit la Pomme, qui se mit à luire d'une façon menaçante. Ezio eut l'impression d'être comme figé, pris au piège, car il était incapable d'effectuer le moindre mouvement. Furieux, le pape se pencha au-dessus de lui et recouvra peu à peu son calme, comprenant que son adversaire se trouvait entièrement à sa merci. De sous sa soutane, il tira une épée courte, et, en regardant son adversaire prostré, il le frappa délibérément au flanc, arborant un air mêlé de pitié et de dédain.

Mais la douleur provoquée par la blessure sembla affaiblir le pouvoir de la Pomme. Ezio était étendu face contre terre, mais il parvint à voir, à travers un halo de douleur, Rodrigo, qui, se croyant en sécurité, se retourna pour faire face à la fresque de Botticelli, *La Tentation du Christ*. Se tenant non loin de l'œuvre, il brandit la crosse. Un arc d'énergie cosmique s'en échappa et se propagea sur la fresque, dont une partie pivota, révélant un passage secret à travers lequel Rodrigo se glissa, non sans avoir jeté un dernier coup d'œil triomphant en direction de son ennemi vaincu. Ezio l'observa sans pouvoir intervenir, tandis que la porte se refermait derrière le pape, et il eut uniquement le temps de se concentrer sur l'emplacement de la porte avant de s'évanouir.

Il revint à lui, même s'il fut incapable de savoir combien de temps après, mais les chandelles étaient beaucoup plus courtes, et les prêtres et les fidèles avaient disparu. Bien qu'il ait été étendu dans une mare de son propre sang, la blessure que Rodrigo lui avait infligée au flanc n'avait touché aucun organe vital. Il se releva en chancelant, contraint de s'appuyer contre un mur, et il respira profondément et avec régularité jusqu'à ce que ses idées se fassent plus claires. Il parvint à bander la plaie à l'aide de lambeaux de tissu qu'il avait arrachés à sa chemise. Il prépara ses armes du Codex – la double lame sur son avant-bras gauche, la lame empoisonnée sur le droit –, et il s'approcha de la fresque de Botticelli.

Il se rappelait que la porte était dissimulée, du côté droit, dans la silhouette d'une femme qui portait un fagot de bois destiné au sacrifice. Il s'approcha davantage et examina minutieusement la peinture, jusqu'à ce qu'il ait tracé les contours à peine visibles du passage. Puis il observa attentivement les détails de la fresque, à la fois sur la droite et la gauche de la femme. Près de son pied se trouvait un enfant qui avait la main levée, et c'est au bout de ses doigts qu'Ezio trouva le bouton qui permettait d'actionner la porte. Lorsqu'elle s'ouvrit, il s'y faufila, et il ne fut guère surpris qu'elle se referme aussitôt, et brusquement, derrière lui. Il n'avait pas l'intention de battre en retraite, de toute façon.

Il se retrouva dans ce qui ressemblait à un couloir de catacombes, mais, alors qu'il avançait précautionneusement, les parois rugueuses et le sol poussiéreux laissèrent place à de la pierre lisse et préparée, ainsi qu'à un sol de marbre qui aurait eu toute sa place dans un palais. Et les murs luisaient d'une pâle lueur surnaturelle.

Il était affaibli à cause de sa blessure, mais il se força à aller de l'avant, fasciné et plus impressionné qu'effrayé, même s'il restait sur ses gardes, car il savait que Borgia était passé par là.

Le passage s'ouvrit enfin sur une plus grande pièce. Les murs étaient aussi lisses que du verre, et ils luisaient de la même iridescence que celle qu'il avait aperçue un peu auparavant. Seulement, elle était là beaucoup plus intense. Au milieu de la pièce se dressait un piédestal, sur lequel étaient posées, sur des socles manifestement conçus pour eux, la Pomme et la crosse pontificale. Le mur du fond de la pièce était jalonné de plusieurs centaines de trous espacés du même écart, et, devant, se tenait l'Espagnol, qui poussait le mur tout en lui donnant des coups, inconscient de l'arrivée d'Ezio.

— Tu vas t'*ouvrir*, satanée porte, oui ? s'écria-t-il d'un air frustré et furieux.

— Ezio s'approcha.

— C'est terminé, Rodrigo, dit-il. Laisse tomber. Ça n'a plus aucun sens.

Rodrigo se retourna vivement face à lui.

— Finis, les tours, dit Ezio en libérant ses propres dagues et en les jetant à terre. Plus d'anciens artefacts. Plus d'armes. Maintenant... voyons de quoi tu es fait, *vecchio*.

Un sourire se dessina lentement sur le visage dégénéré et défait de Rodrigo.

— Très bien... Si tu veux la jouer de cette façon...

Il se débarrassa de sa lourde soutane et resta en aube et en bas, révélant son corps gras mais robuste et solide, lequel était parcouru de petits éclairs – grâce au pouvoir de la crosse.

Il s'approcha et assena le premier coup – un redoutable uppercut qui heurta la mâchoire d'Ezio et le projeta à terre.

— Pourquoi est-ce que ton père ne s'est pas contenté de se mêler de ses affaires ? demanda Rodrigo d'un air affligé en levant sa botte pour lui donner un coup de pied dans le ventre. Il a fallu qu'il mette son nez là-dedans... Et tu es comme lui, toi. Vous tous, les Assassins, vous êtes comme des moustiques, il faut vous écraser. Je regrette devant Dieu que cet imbécile d'Alberti n'ait pas été capable de te pendre en même temps que les membres de ta famille, il y a vingt-sept ans de cela !

— Ce n'est pas en nous que réside le mal, mais en *vous*, les Templiers, répondit Ezio en crachant une dent. Tu croyais pouvoir jouer avec le peuple, des gens ordinaires et convenables, et en faire ce que bon te semblait.

— Mais, mon cher ami, dit Rodrigo en assenant un coup dans les côtes d'Ezio, c'est pour ça qu'ils sont là ! Ce n'est que de la racaille qu'il faut dominer et dont il faut profiter. Ç'a toujours été comme ça, et ça le restera.

— Écarte-toi, haleta Ezio. Ce combat est sans importance. Un autre, plus important, nous attend. Mais dis-moi, d'abord : qu'est-ce que tu penses trouver dans cette chambre forte, derrière ce mur ? Est-ce que tu ne possèdes pas déjà tout le pouvoir dont tu as besoin ?

Rodrigo sembla surpris.

— Tu ne sais pas ce qu'il y a à l'intérieur ? Est-ce que le grand et puissant ordre des Assassins ne l'aurait pas compris ?

Ezio fut pris au dépourvu par le ton suffisant que Rodrigo avait employé.

— De quoi tu parles ?

Le regard de Rodrigo se mit à scintiller.

— C'est Dieu ! C'est *Dieu* qui se trouve dans la chambre forte !

Ezio était trop abasourdi pour pouvoir lui répondre. Il savait qu'il avait affaire à un fou dangereux.

— Écoute, tu crois vraiment que je vais croire que *Dieu* habite en dessous du Vatican ?

— Eh bien, n'est-ce pas plus logique qu'il vive là plutôt que dans un royaume sur un nuage, entouré d'anges qui chantent et de chérubins ? Tout ça fait une bien jolie image, mais la *vérité* est nettement plus intéressante.

— Et il fait quoi, Dieu, là en bas ?

— Il attend qu'on le libère.

Ezio poussa un soupir.

— Admettons… Et qu'est-ce que tu crois qu'il fera si tu arrives à ouvrir cette porte ?

Rodrigo esquissa un sourire.

— Je m'en moque ! Ce n'est pas son approbation, que je cherche… Juste son pouvoir !

— Et tu crois qu'il va te l'offrir comme ça ?

— Quoi qu'il y ait derrière ce mur, il ne sera pas en mesure de résister à la force cumulée de la crosse et de la Pomme. (Rodrigo marqua une pause.) Ces artefacts ont été conçus pour vaincre les dieux – quelle que soit la religion à laquelle ils appartiennent.

— Mais le Seigneur notre Dieu est censé être omniscient, tout-puissant… Tu crois vraiment que deux vieilles reliques vont pouvoir Lui faire du mal ?

Rodrigo lui adressa un sourire suffisant.

— Tu n'y connais rien, mon garçon. Tu t'imagines le Seigneur comme dans un vieux livre – un livre, je te ferais remarquer, écrit par des hommes.

— Mais tu es le pape ! Comment peux-tu traiter de la sorte le texte fondateur du christianisme ?

Rodrigo éclata de rire.

— Tu es vraiment si naïf que ça ? Je suis devenu pape parce que ce poste me permettait d'y avoir *accès*. Il m'a donné le *pouvoir* ! Tu penses que je croyais une seule putain de ligne de ce bouquin grotesque ? Ce ne sont que des mensonges et des superstitions ! Comme tous les textes religieux qui ont été rédigés depuis que l'homme a appris à poser un crayon sur du papier !

— Il y en a qui te tueraient d'avoir dit de telles choses.

— Sans doute. Mais ça ne va pas m'empêcher de dormir. (Il marqua un temps d'arrêt.) Ezio, nous, les Templiers, nous *comprenons* l'humanité, et c'est la raison pour laquelle nous la méprisons tant !

Ezio était sans voix, mais il continua à écouter les déclamations du pape.

— Quand mon travail ici sera terminé, poursuivit Rodrigo, je crois que je mettrai à l'ordre du jour le démantèlement de l'Église, pour que les hommes et les femmes soient enfin obligés d'assumer la responsabilité de leurs actes, et enfin correctement *jugés* ! (Il prit un air béat.) Le nouveau monde templier... Ce sera d'une beauté... Gouverné par la Raison et l'Ordre...

— Comment peux-tu parler de raison et d'ordre, l'interrompit Ezio, alors que toute ta vie a été régie par la violence et l'immoralité ?

— Oh, je sais que je suis un être imparfait, Ezio, minauda le pape. Et je ne prétends pas le contraire. Mais, tu vois, *rien* ne récompense la moralité. Il faut prendre ce que l'on peut et s'y agripper fermement – par tous les moyens. Après tout (il écarta les mains), on ne vit qu'une fois !

— Si tout le monde adoptait ta façon de voir les choses, dit Ezio, effaré, le monde entier serait consumé par la folie !

— Exactement ! Comme si ce n'était pas déjà le cas ! (Rodrigo pointa un doigt vers lui.) Tu as dormi, pendant tes cours d'histoire ? Il y a quelques centaines d'années seulement, nos ancêtres vivaient dans la fange et la bourbe, consumés par l'ignorance et la ferveur religieuse – ils avaient peur du noir, peur de tout !

— Mais ça fait longtemps que ce n'est plus le cas, et nous sommes devenus à la fois plus sages et plus forts.

Rodrigo éclata de nouveau de rire.

— Quel rêve charmant ! Mais regarde autour de toi. Tu as toi-même vécu cette réalité. Les carnages, la violence... Le fossé qui sépare les riches des pauvres... il ne fait que s'agrandir ! (Il regarda Ezio droit dans les yeux.) Il n'y aura jamais de parité. Je me suis fait une raison. Toi aussi, tu devrais.

— Jamais ! Les Assassins se battront toujours pour l'amélioration du genre humain. Il se peut qu'il s'agisse d'un objectif inaccessible, d'une utopie, d'un paradis illusoire, mais chaque jour que durera notre lutte, nous sortirons peu à peu la tête de l'eau.

Rodrigo poussa un soupir.

— *Sancta simplicitas* ! Tu m'excuseras si je suis fatigué d'attendre que l'humanité se réveille ! Je me fais vieux, j'en ai vu de toutes sortes, et, à présent, il ne me reste que si peu de temps à vivre ! (Il lui vint une idée, et il poussa un ricanement diabolique.) Mais qui sait ? Peut-être que la chambre forte changera tout ça, hein ?

Mais, soudain, la Pomme se mit à briller, d'une lueur de plus en plus éclatante, jusqu'à ce que sa lumière illumine la pièce, les aveuglant tous les deux. Le pape tomba à genoux. Se protégeant les yeux, Ezio vit que l'image de la carte du Codex était projetée sur le mur parsemé de trous. Il s'avança et s'empara de la crosse pontificale.

— *Non* ! s'écria Rodrigo, battant inutilement l'air à l'aide de ses doigts aussi crochus que des serres. Tu ne peux pas ! Tu ne peux *pas* ! C'est *ma* destinée ! La *mienne* ! C'est *moi*, le Prophète !

En un terrifiant instant de lucidité, Ezio se rendit compte que ses confrères Assassins, longtemps auparavant, à Venise, avaient vu ce qu'il avait lui-même refusé. Le Prophète était en effet présent dans cette pièce, et sur le point d'accomplir sa destinée. Il regarda Rodrigo, ayant presque pitié de lui.

— Tu n'as jamais été un prophète, dit-il. Mon pauvre...

Le pape se recroquevilla, vieux, répugnant et pathétique. Puis il reprit la parole, résigné.

— L'échec est inacceptable, je mérite de mourir. Accorde-moi au moins cette dignité.

Ezio le regarda et secoua la tête.

— Non, vieil imbécile. Te tuer ne ramènerait pas mon père à la vie. Ni Federico. Ni Petruccio. Ni aucun de ceux qui ont trouvé la mort, soit en s'opposant à toi, soit en travaillant à ton service. Quant à moi, j'en ai assez de tuer ! (Il regarda le pape droit dans les yeux, et ceux-ci semblaient laiteux, à présent. Et effrayés, et vieux. Il ne s'agissait plus du regard pétillant de son adversaire.) Rien n'est vrai, dit Ezio. Tout est permis. Il est temps pour toi de trouver la paix.

Il se détourna de Rodrigo et brandit la crosse contre le mur. Il enfonça la pointe dans une série de trous, comme le lui indiquait la projection de la carte.

Et les contours d'une porte monumentale se dessinèrent.

Lorsqu'Ezio introduisit le bâton dans le dernier trou, elle s'ouvrit.

Elle révéla un large passage aux parois de verre incrustées d'antiques sculptures de pierre, de marbre et de bronze, et plusieurs pièces remplies de sarcophages, chacun marqué d'inscriptions runiques. Ezio se surprit à pouvoir les déchiffrer – il s'agissait du nom des anciens dieux de Rome, mais les sarcophages étaient tous solidement fermés.

En longeant le passage, Ezio fut frappé par le caractère insolite de l'architecture et des décorations, qui semblaient être un curieux mélange d'éléments très anciens, du style de sa propre époque, et de formes qui lui étaient complètement inconnues, mais dont son instinct lui suggéra qu'elles appartenaient à un avenir lointain. Le long des murs, il y avait des bas-reliefs représentant des événements de l'Antiquité. Ils semblaient non seulement dépeindre l'évolution de l'homme, mais également la force qui l'accompagnait.

Un grand nombre des formes représentées semblaient humaines aux yeux d'Ezio, même s'il était incapable de les reconnaître. Et il en vit d'autres, dont il ignorait si elles étaient sculptées, peintes, ou si elles faisaient partie de l'illusion dans laquelle il se trouvait – une forêt qui se jetait dans la mer, de grands singes, des pommes, des crosses, des hommes et des femmes, un linceul, une épée, des pyramides et des colosses, des ziggourats et des juggernauts, des embarcations qui naviguaient sous l'eau, d'étranges écrans lumineux qui semblaient transmettre un ensemble de connaissances et de communications…

Ezio reconnut également non seulement la Pomme et la crosse, mais aussi une grande épée et le suaire du Christ, portés par des silhouettes à l'apparence humaine, mais qui, d'une façon ou d'une autre, n'étaient pas humaines. Il distingua une représentation des *Premières Civilisations*.

Et, enfin, dans les profondeurs de la chambre forte, il tomba sur un gigantesque sarcophage de granit. Lorsqu'il s'en approcha, celui-ci se mit à émettre une lueur bienveillante. Il en toucha l'imposant couvercle, qui produisit un sifflement en se soulevant, comme s'il était aussi léger que des plumes qui lui colleraient aux doigts, et en glissant en arrière. De la pierre tombale surgit une merveilleuse lueur jaune – aussi chaleureuse et réconfortante que celle du soleil. Ezio leva la main pour se protéger les yeux.

Puis du sarcophage se dressa une silhouette dont Ezio fut incapable de reconnaître les traits, même s'il comprit qu'il s'agissait d'une femme. Elle observa Ezio de son regard ardent et changeant. Sa voix résonna – une voix tout d'abord semblable au gazouillement des oiseaux, puis qui s'exprima finalement dans sa propre langue.

Ezio remarqua que la femme était coiffée d'un casque. Elle avait une chouette sur l'épaule. Il pencha la tête.

— Salut, Prophète, dit la déesse. Voilà dix milliers de milliers de saisons que je t'attends.

Ezio n'osait pas relever la tête.

— Je suis ravie que tu sois venu, poursuivit la vision. Et tu as la Pomme avec toi. Fais-moi voir ça.

Ezio la lui offrit humblement.

— Ah. (Elle la caressa de la main à distance, mais elle s'abstint de la toucher. La Pomme se mit à rougeoyer et à palpiter. L'apparition plongea ses yeux dans ceux d'Ezio.) Il faut que l'on parle.

Elle inclina la tête, comme si elle réfléchissait à quelque chose, et Ezio crut apercevoir les traces d'un sourire sur son visage iridescent.

— Qui êtes-vous ? osa-t-il demander.

Elle poussa un soupir.

— Oh – on m'a donné tant de noms... Quand je suis morte, c'était Minerve. Avant ça, c'était Merva et Mera et ainsi de suite, selon les époques... Regarde ! (Elle désigna la rangée de sarcophages devant laquelle Ezio était passé. Lorsqu'elle les lui montra, chacun se mit à luire du reflet brillant de la lune.) Et ma famille : Junon, que l'on appelait auparavant Uni, Jupiter, aussi connu sous le nom de Tinia...

Ezio était fasciné.

— Vous êtes les anciens dieux

Il y eut un bruit, comme du verre brisé, dans le lointain, ou celui qu'aurait pu produire une étoile filante – il s'agissait simplement de son rire.

— Non... pas des dieux. Nous sommes simplement arrivés avant. Même lorsque nous étions encore de ce monde, ton espèce avait du mal à comprendre la raison de notre présence. Nous étions plus en avance sur vous. Vous n'étiez pas encore prêts pour nous. (Elle marqua une pause.) Et sans doute ne le sont-ils pas encore. Peut-être ne le seront-ils jamais... Mais peu importe. (Elle durcit légèrement le ton.) Mais même si tu ne nous comprends pas, il faut que tu entendes notre avertissement...

Elle se plongea dans le silence. Troublant ce silence, Ezio déclara :

— Je ne comprends rien de ce que vous me dites.

— Mon enfant, ces paroles ne te sont pas destinées... Elles sont pour...

Et elle se tourna vers les ténèbres, au-delà de la chambre forte, des ténèbres qui ne tenaient aucun compte des murs ou du temps lui-même.

— Qu'y a-t-il ? demanda Ezio d'un ton humble et plein d'effroi. De qui parlez-vous ? Il n'y a personne d'autre ici !

Minerve se pencha en avant et se rapprocha de lui. Il se sentit envahi par une chaleur maternelle, qui lui ôta toute fatigue et le libéra de ses souffrances.

— Je ne souhaite pas parler *avec* toi, mais *à travers* toi. Tu es le Prophète. (Elle leva les bras au-dessus d'elle, et le plafond de la chambre forte se changea en firmament. Une expression d'infinie tristesse se devina sur le visage scintillant et irréel de Minerve.) Tu as joué ton rôle... Tu as attiré son attention... Mais, je t'en prie, fais silence, à présent, que nous puissions communier. (Elle semblait très triste.) Écoute !

Ezio pouvait voir le ciel et l'ensemble des étoiles, et il entendait leur musique. Il voyait la Terre tourner sur elle-même, comme s'il l'observait de l'espace. Il devinait les continents, et, à leur surface, une ou deux cités.

— Lorsque nous étions encore faits de chair et de sang et que notre foyer était intact, ton espèce a trahi la nôtre. Nous qui vous avions créés. Nous qui vous avions donné vie !

Elle s'interrompit, et, si une déesse était en mesure de verser des larmes, ce fut ce qu'elle fit. Une vision de guerre apparut, et de féroces humains se battaient à l'aide d'armes façonnées à la main contre leurs anciens maîtres.

— Nous étions forts, mais vous étiez nombreux. Et nous voulions tous cette guerre.

Une nouvelle représentation de la Terre se manifesta, plus proche, mais toujours vue de l'espace. Puis elle s'éloigna, se faisant de plus en plus petite, et Ezio se rendit compte qu'il s'agissait d'une planète parmi d'autres, au centre desquelles se trouvait une gigantesque étoile – le soleil.

— Nous étions si occupés avec nos problèmes terrestres que nous sommes passés à côté des cieux. Et quand nous nous y sommes finalement intéressés…

Tandis que Minerve parlait, Ezio vit le soleil s'embraser en prenant la forme d'une gigantesque couronne, déversant une lumière insupportable dont les langues se tendaient jusqu'à la Terre.

— Nous vous avons donné l'Éden. Mais, nous avions créé la guerre et la mort, et transformé le paradis en enfer. Le monde a été réduit en cendres. Ç'aurait dû être la fin de tout. Mais nous vous avons conçus à notre image. Nous vous avons rendus capables de survivre !

Alors que le soleil semblait avoir totalement anéanti la Terre, Ezio vit un bras couvert de cendres émerger des décombres et jaillir vers le ciel. Il continuait à contempler les prodigieuses visions de plaines balayées par les vents, à travers le ciel – qui était en réalité le plafond de la chambre forte. Elles étaient parcourues par des populations entières – rompues, éphémères, mais courageuses.

— Et nous avons tout reconstruit, poursuivit Minerve. Il nous a fallu de la force, de l'abnégation et de la compassion, mais nous avons reconstruit ! Et, tandis que la terre se remettait doucement, que la vie reprenait ses droits, que la verdure se remettait à pousser sur cette terre généreuse, nous faisions tout notre possible pour qu'une telle tragédie ne se reproduise plus jamais.

Ezio observa de nouveau le ciel. Un horizon. Se découpant contre lui, des temples et des formes, des inscriptions dans la pierre ressemblant à de l'écriture, des bibliothèques débordant de parchemins, des navires, des cités, de la musique et de la danse – des silhouettes provenant d'époques reculées et d'anciennes civilisations qu'il ne connaissait pas, mais il reconnaissait là l'œuvre de ses congénères…

— Mais, à présent, nous nous mourons, dit Minerve. Et le temps joue contre nous. La vérité se transformera en mythes et en légendes. On ne comprendra plus ce que nous avons bâti. Mais, Ezio, grâce à toi, mes paroles vont continuer à alimenter le message et témoigner de notre disparition.

Une image s'éleva de la chambre forte, et d'autres comme elle.

Ezio contempla la scène, comme s'il s'agissait d'un rêve.

— Mais permets-moi aussi d'apporter un peu d'espoir. Il faut que tu retrouves les autres temples. Des temples comme celui-ci. Bâtis par ceux qui ont su se détourner de la guerre. Ils ont œuvré pour nous protéger, pour nous sauver des flammes. Si tu les retrouves, si leur travail peut être préservé, alors il sera possible de sauver ce monde.

À présent, Ezio voyait de nouveau la Terre. Sur le plafond de la chambre forte se dessina une cité plus vaste que San Gimignano, une cité du futur, une cité dont les tours s'étaient écroulées les unes sur les autres et dont les rues étaient plongées dans la pénombre, une cité sur une île lointaine. Puis l'image se brouilla une nouvelle fois et se changea en une vision du soleil.

— Mais il va falloir faire vite, lui dit Minerve. Car le temps presse. Protège-toi de la Croix des Templiers – car nombreux sont ceux qui se dresseront sur ton chemin.

Ezio leva la tête. Il vit le soleil, brillant rageusement, comme s'il attendait quelque chose. Puis il sembla exploser, et, à l'intérieur de la déflagration, Ezio eut l'impression de distinguer la Croix des Templiers.

La vision s'estompa. Minerve et Ezio étaient de nouveau seuls, et la voix de la déesse semblait à présent s'éloigner dans un tunnel d'une longueur infinie.

— C'en est terminé. Mon peuple doit à présent quitter ce monde… Nous tous… Mais je t'ai délivré le message… Tout dépend de toi, maintenant. Nous ne pouvons rien de plus.

Puis la pièce fut rendue aux ténèbres et au silence. La chambre forte redevint une salle souterraine plongée dans l'obscurité, complètement vide.

Ezio se retourna. Il regagna l'antichambre et vit que Rodrigo était étendu sur un banc, un filet de bave verdâtre s'écoulant du coin de ses lèvres.

— Je me meurs…, dit Rodrigo. J'ai pris le poison que je gardais en cas de défaite, car il m'est désormais impossible de continuer à vivre dans ce monde. Mais dis-moi, dis-moi, avant que je quitte à tout jamais ce lieu de colère et de larmes, dis-moi, dans la chambre forte, qu'est-ce que tu as vu ? Qui as-tu rencontré ?

Ezio se tourna vers lui.

— Rien et personne, lui répondit-il.

Il se dirigea vers la sortie, traversa la chapelle Sixtine et sortit à la lumière du jour pour retrouver ses amis, qui l'attendaient.

Il avait tout un nouveau monde à rebâtir.

Liste des personnages :

Giovanni Auditore : le père
Maria Auditore : la mère
Ezio Auditore : le deuxième fils de Giovanni
Federico Auditore : le fils aîné de Giovanni
Petruccio Auditore : le plus jeune fils de Giovanni
Claudia Auditore : la fille de Giovanni
Mario Auditore : le frère de Giovanni
Annetta : la gouvernante de la famille Auditore
Paola : la sœur d'Annetta
Orazio : le serviteur de Mario Auditore
Duccio Dovizi : l'ex-petit ami de Claudia
Giulio : le secrétaire de Giovanni Auditore
Dottore Ceresa : le médecin de famille
Gambalto : le sergent en charge des gardes de Mario Auditore

Cristina Calfucci : la petite amie du jeune Ezio
Antonio Calfucci : le père de Cristina
Manfredo d'Arzenta : un fils de bonne famille, puis l'époux de Cristina
Gianetta : une amie de Cristina
Sandeo : un employé du père de Cristina

Jacopo de' Pazzi : un membre de la famille Pazzi, des banquiers florentins du XVe siècle
Francesco de' Pazzi : le neveu de Jacopo
Vieri de' Pazzi : le fils de Francesco
Stefano da Bagnone : un prêtre, secrétaire de Jacopo
Père Giocondo : un prêtre de San Gimignano

Terzago, Tebaldo, capitano Roberto, Zohane et Bernardo : des soldats et des gardes au service de la famille Pazzi

Galeazzo Maria Sforza (Galeazzo) : le duc de Milan, 1444-76
Caterina Sforza : la fille de Galeazzo, 1463-1509
Girolamo Riario, le duc de Forlì : l'époux de Caterina, 1443-88
Bianca Riario : la fille de Caterina, 1478-1522
Ottaviano Riario : l'un des fils de Caterina, 1479-1523
Cesare Riario : l'un des fils de Caterina, 1480-1540
Giovanni Riario : l'un des fils de Caterina, 1484-96
Galeazzo Riario : l'un des fils de Caterina, 1485-1557
Nezetta : la nourrice du bébé de Caterina
Lodovico Sforza : le duc de Milan, l'un des frères de Galeazzo, 1452-1508
Ascanio Sforza : un cardinal, le frère de Galeazzo et de Lodovico, 1455-1505

Lorenzo de' Medici, « Laurent le Magnifique » : un homme d'État italien, 1449-92
Clarice Orsini : l'épouse de Lorenzo de' Medici, 1453-87
Lucrezia de' Medici : l'une des filles de Lorenzo de' Medici, 1470-1553
Piero de' Medici : le fils de Lorenzo de' Medici, 1471-1503
Maddalena de' Medici : l'une des filles de Lorenzo de' Medici, 1473-1528
Giuliano de' Medici : le frère de Lorenzo, 1453-78
Fioretta Gorini : la maîtresse de Giuliano de' Medici
Boetio : le serviteur de Lorenzo de' Medici
Giovanni Lampugnani : un conspirateur du meurtre de Galeazzo, mort en 1476

Carlo Visconti : un conspirateur du meurtre de Galeazzo, mort en 1477
Gerolamo Olgiati : un conspirateur du meurtre de Galeazzo, 1453-77
Bernardo Baroncelli : un conspirateur du meurtre de Giuliano de' Medici
Uberto Alberti : le gonfalonier de Florence (chef du Conseil des Magistrats)
Rodrigo Borgia : « l'Espagnol », un cardinal, puis le pape Alexandre VI, 1431-1503
Antonio Maffei : un prêtre, un conspirateur du meurtre de Giuliano de' Medici
Raffaele Riario : un sympathisant des Pazzi, neveu du pape, 1451-1521
Francesco Salviati Riario, archevêque de Pise : impliqué dans la conspiration des Pazzi
Lodovico et Checco Orsi : les frères Orsi, des mercenaires
Niccolò di Bernardo dei Machiavelli : philosophe et écrivain, 1469-1527
Leonardo da Vinci : artiste, scientifique, sculpteur, etc., 1452-1519
Agniolo et Innocento : les assistants de Leonardo da Vinci
Girolamo Savonarola : prêtre dominicain et responsable politique, 1452-98
Marsilio Ficino : un philosophe, 1433-99

Giovanni Pico della Mirandola : un philosophe, 1463-94
Poliziano (Angelo Ambrogini) : érudit et poète, tuteur des enfants de' Medici, 1454-94
Botticelli (Alessandro di Mariano di Vanni Filipepi) : un artiste, 1445-1510
Jacopo Saltarelli : un modèle pour artistes, né en 1459

Fra' Domenico da Pescia and Fra' Silvestro : des moines, collaborateurs de Savonarola
Frère Girolamo : un moine de l'abbaye de Monteciano, l'un des cousins de Savonarola

Giovanni Mocenigo : le doge de Venise, 1409-85
Carlo Grimaldi : un membre de la cour de Mocenigo
Conte da Pexaro : le mécène de Leonardo à Venise
Nero : l'assistant du *conte* da Pexaro
Emilio Barbarigo : un commerçant vénitien, allié de Rodrigo Borgia
Silvio Barbarigo (« Il Rosso ») : un inquisiteur d'État, l'un des cousins d'Emilio Barbarigo
Marco Barbarigo : un cousin de Silvio et d'Emilio
Agostino Barbarigo : le plus jeune frère de Marco
Dante Moro : le garde du corps de Marco
Carlo Grimaldi : un membre de la cour du doge
Bartolomeo d'Alviano : un mercenaire

Gilberto le Renard, « La Volpe » : un membre des Assassins
Corradin : l'assistant du Renard
Antonio de Magianis : le chef de la guilde des voleurs de Venise
Ugo : un membre de la guilde des voleurs
Rosa : un membre de la guilde des voleurs
Paganino : un membre de la guilde des voleurs
Michiel : un membre de la guilde des voleurs
Bianca : un membre de la guilde des voleurs
Sœur Teodora : la responsable d'un bordel

Glossaire des termes italiens et latins

Abate : abbé
Abominato : abomination
Accademico : académique
Accompagnatrice : compagnon, chaperon
Addio : adieu
Ahimè : hélas
Aiutami, Dio ! : aide-moi, mon Dieu !
Aiuto ! : à l'aide !
Al ladro ! : au voleur !
Altezza : altesse
Amici intimi : amis proches
Amico mio : mon ami
Amministratore : administrateur, directeur
Amore mio : mon amour
Anche : aussi
Anch'io : moi aussi, pareil pour moi
Aprite la porta ! : Ouvrez la porte !
Arcivescovo : archevêque
Aristocrazia : aristocratie
Artiglieria : artillerie
Assassino : Assassin

Bacino : bassin
Bambina : petite
Basta ! : assez !
Bastardo, bastardi : bâtard, bâtards
Bello : mon beau
Benefattore del cazzo : bienfaiteur du cul

Ben fatto : bien joué
Benvenuti : bienvenue
Birbante!: filou, fripouille
Biscotti : biscuits
Bistecca : bifteck
Bordello : bordel
Buona fortuna : bonne chance
Buona sera : bonsoir
Buon giorno : bonjour
Buon viaggio : bon voyage

Caffè : café
Calma : du calme
Campo : place
Cane rognoso!: chien galeux !
Capitano : capitaine
Capito ?: compris ?
Cappa : cape, capuchon
Carcassa : carcasse
Carnevale : carnaval
Caro, cara, carissima : mon cher, ma chère, ma très chère
Casa, dolce casa : qu'il est bon d'être chez soi
Castello : château
Cazzo!: salopard !
Che vista penosa!: quelle horrible vision !
Chiudi il becco!: la ferme !
Ciao : salutation (bonjour et au revoir)
Ciccione : gras
Cimice : punaise
Codardo : lâche
Coglioni : couilles
Commandante : commandant, capitaine
Commendatore : commandeur

Compagno : camarade
Condottieri : mercenaires
Coniglio ! : trouillard, pleutre
Corderia : corderie
Corno ducale : couvre-chef traditionnel des doges de Venise
Così : comme ça
Creapa, traditore ! : crève, espèce de traître !
Crepi il lupo ! : que le loup crève ! (« Merci », en réponse à « bonne chance »)
Curia : les cours de justice romaines

Diavolo : diable
Distinti saluti : sincères salutations, cordialement (dans une lettre)
Dottore : docteur
Ducati : ducats
Duce : commandant, chef
Duchessa : duchesse
Duomo : le Dôme (surnom donné à la cathédrale de Florence)

Evviva ! : hourra !

Febbre di fine secolo : peur séculaire
Fidanzato : fiancé
Figa : chatte (argot)
Figlio d'un cane ! : fils de pute !
Finanziatore : commanditaire, bailleur de fonds
Fiorini : florins
Fottiti ! : va te faire foutre !
Fra' : frère (moine)
Fratelli : frères
Fratellino : petit frère
Funzionario da accoglienza : fonctionnaire chargé de l'accueil

Grappa : eau-de-vie italienne
Grassone bastardo : gros bâtard
Grazie a Dio : Dieu merci
Grazie, amici : merci, les amis
Grullo : imbécile

Hospitarius : responsable d'un monastère

Idiota : idiot
Il Magnifico : le Magnifique
Il Spagnolo : l'Espagnol
In bocca al lupo ! : bonne chance !
Infame : affreux, choquant
Infelix ego, omnium auxilio destitutus : pauvre de moi, privé de tout confort
In perfetto ordine : en ordre parfait
Inquisitore : inquisiteur
Inteso : bien entendu, compris

Liberta : liberté
Libertà ! Libertà ! Popolo e libertà ! : Liberté ! Liberté ! Le peuple et la liberté !
Luridi branco di cani bastardi ! : bande de sales fils de putes !
Luridi codardi : sales trouillards
Lurido porco : sale porc

Ma certo ! : mais certainement !
Ma che ? : mais que se passe-t-il ?
Ma che cazzo ? : putain, mais qu'est-ce qui se passe ?
Madre : mère
Maestro : maître
Maledetto : maudit

Marmocchio : marmot, mioche
Medico : médecin
Merda! : merde!
Messer : messire
Mia colomba : ma colombe
Mi dispiace veramente : je suis vraiment désolé
Miserabili pezzi di merda : misérables petites merdes
Molo : quai
Molto onorato : très honoré

Nipote : neveu
No preoccuparvi : ne vous inquiétez pas
Novizia : religieuse néophyte

Ora di pranzo : heure du déjeuner
Oste : aubergiste, tavernier

Palazzo : palais
Passeggiata : promenade
Perdonate, messere : je vous prie de m'excuser, messire
Piccina : ma petite
Piccola : petite
Pistola : pistolet
Popolo : peuple
Porco : porc
Porco demonio! : rejeton du diable!
Principessa : princesse
Promesso : promis
Puttana : putain

Rallegramenti! : félicitations!
Requiescat in pace : repose en paix
Ribollita : soupe toscane

Salute!: à tes souhaits! À la tienne!
Salvatore: sauveur
Sancta simplicitas!: quelle simplicité!
Sangue di Giuda!: par le sang de Judas!
Scusi: pardon, excusez-moi
Se lo tu dici: si tu le dis
Ser: sire
Sfortunato: malheureux, malchanceux
Sì: oui
Signore: monsieur
Signoria: seigneur, autorité gouvernementale
Signorina, signorine: mademoiselle, mesdemoiselles
Soldo: sou
Sono grato del tuo aiuto: je te remercie de ton aide
Sorellina: petite sœur
Spero di sì: je l'espère
Stai bene: tout va bien
Stolti!: imbéciles!
Stronzo: connard, enfoiré, etc.
Su Altezza: Votre Altesse
Subito: immédiatement

Tagliagole: assassin
Tartaruga: tortue, traînard
Terra ferma: terre ferme
Tesora, tesoro: ma/mon chéri(e), mon amour
Ti arresto!: tu es en état d'arrestation!
Traditore: traître
Tutti per uno e uno per tutti!: tous pour un, un pour tous!

Ubriacone: ivrogne
Uomo coraggioso: brave homme

Va bene : d'accord
Vai a farti fottere ! : va te faire foutre !
Vecchio : vieux

Zio : oncle

Remerciements

Yves Guillemot

Serge Hascoet

Alexis Nolent

Richard Dansky

Olivier Henriot

Sébastien Puel

Patrice Desilets

Corey May

Jade Raymond

Cecile Russeil

Joshua Meyer

Marc Muraccini

Le service juridique d'Ubisoft

Chris Marcus

Darren Bowen

Amy Jenkins

Caroline Lamache

BRAGELONNE – MILADY, C'EST AUSSI LE CLUB :

Pour recevoir le magazine *Neverland* annonçant les parutions de Bragelonne & Milady et participer à des concours et des rencontres exclusives avec les auteurs et les illustrateurs, rien de plus facile !

Faites-nous parvenir vos noms et coordonnées complètes (adresse postale indispensable), ainsi que votre date de naissance, à l'adresse suivante :

Bragelonne
60-62, rue d'Hauteville
75010 Paris

club@bragelonne.fr

Venez aussi visiter nos sites Internet :
www.bragelonne.fr
www.milady.fr
graphics.milady.fr

Vous y trouverez toutes les nouveautés, les couvertures, les biographies des auteurs et des illustrateurs, et même des textes inédits, des interviews, un forum, des blogs et bien d'autres surprises !

Achevé d'imprimer en décembre 2012
Par CPI Brodard & Taupin - La Flèche (France)
N° d'impression : 70828
Dépôt légal : janvier 2013
Imprimé en France
81120337-5